골든벨 동영상

롤러

Craftsman Road Roller Operator

NCS 국가직무능력 표준을 활용한 운전기능사 필기

새로운 출제 기준에 맞춰서… !

최근 건설기계의 구조 및 성능이 나날이 발전하고 있어 건설 및 토목분야에서 사용되는 건설기계의 종류와 용처가 증가됨에 따라 자격증 소지자의 법적 규제도 높아지고 있다. 또한 건설산업현장에서 건설기계는 그 효용성이 매우 높기 때문에 국가 기간산업으로서 자리매김은 앞으로도 확고할 것이다.

건설기계 운전기능사 자격증이 생긴 이래로 여러 차례 개정되고 통폐합되는 과정을 겪었지만 필기시험의 출제기준이 모든 토목장비와 하역장비를 공통 과목으로 편성하여 필기시험을 시행함으로써 건설 및 토목공사 현장에서의 요구사항 및 응용력을 충족시키지 못한 상태임을 인지한다.

이에 따라 한국산업인력공단에서는 NCS를 접목시켜 건설 및 토목공사 현장에서 필요한 장비의 구조 및 작업방법으로 현실에 맞는 출제기준을 2016년 7월 1일부터 적용하게 된다. 이에 따라 응시자들이 짧은 시간 내에 공부할 수 있도록 최근 개정된 법령을 반영하고, 출제기준을 분석하여 수험생들의 길잡이가 될 수 있도록 다음과 같이 구성하였다.

이 책의 특징

1. 출제기준에 맞추어 각 과목별 요점정리와 출제 예상문제를 불필요한 구조부분은 과감히 삭제하고 출제가 예상되는 내용만을 중점적으로 모아 핵심 포인트만 정리하였다.

2. 2016년부터 시행된 시험문제를 분석하여 출제 문항이 대폭 증가된 구조 및 작업방법을 더욱 체계적이고 핵심적인 내용으로 요점정리와 예상문제로 편성하였다.

3. 과목별 출제 예상 문제에서는 각 문제마다 상세한 해설을 달아 초보자도 쉽게 이해할 수 있도록 편성하였다.

4. 모의고사는 2016년에 시행된 기출문제를 분석하여 과목별 출제 문항을 예상 편성함으로써 출제 경향을 파악하고자 하는 이들에게 훌륭한 길잡이가 될 것이다.

끝으로 수험생 여러분들의 앞날에 합격의 영광과 발전이 있기를 기원하며, 이 책의 부족한 점은 여러분들의 조언으로 계속 보완해 나갈 것을 약속드린다.

➔ 자격검정 CBT(컴퓨터 기반 시험) 응시요령

♣ 상시시험 안내

- 접수시간은 회별 원서접수 첫날 10:00부터 마지막 날 18:00까지임(토,일요일 접수불가)

  ※ 상시시험 원서접수는 정기시험과 같이 공고한 기간에만 접수 가능하며,
  선착순 방식이므로 회별 접수기간 종료 전에 마감될 수도 있음

♣ 실시지역

- 24개 지역(서울, 서울동부, 서울남부, 경기북부, 부산, 부산남부, 울산, 경남, 경인, 경기, 성남, 대구, 경북, 포항, 광주, 전북, 전남, 목포, 대전, 충북, 충남, 강원, 강릉, 제주)

♣ 원서접수

- 원서방법 : 인터넷접수(t.q-net.or.kr)

  공휴일(토요일 포함)을 제외하고 정해진 회별 접수기간 동안 접수하며 연간 시행계획을 기준으로 자체 실정에 맞게 시행

♣ 합격자 발표

- CBT 필기시험 시험종료 즉시 합격여부를 확인이 가능하므로 별도의 ARS 발표 없음.

www.q-net.or.kr/cbt/index.html

CBT(컴퓨터 기반 시험) 필기 자격 시험 체험하기

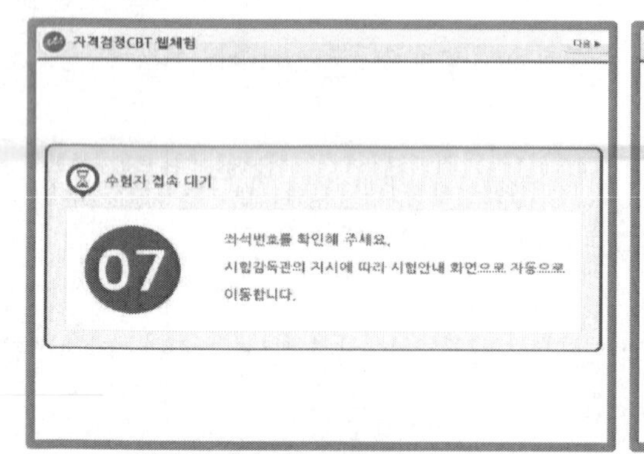

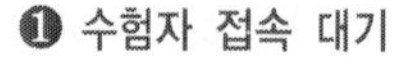
❶ 수험자 접속 대기

❷ 수험자 정보 확인

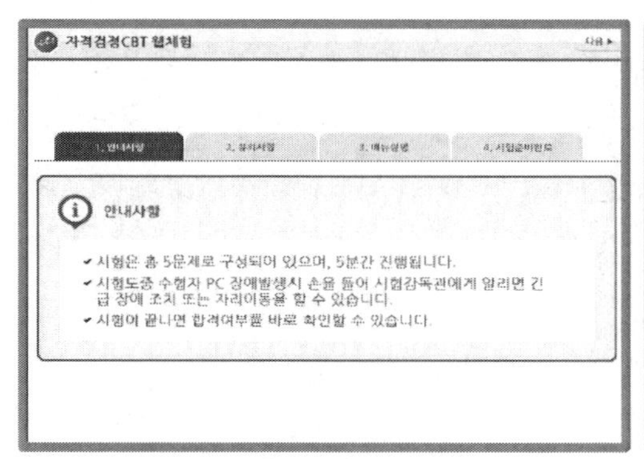

❸ 안내사항

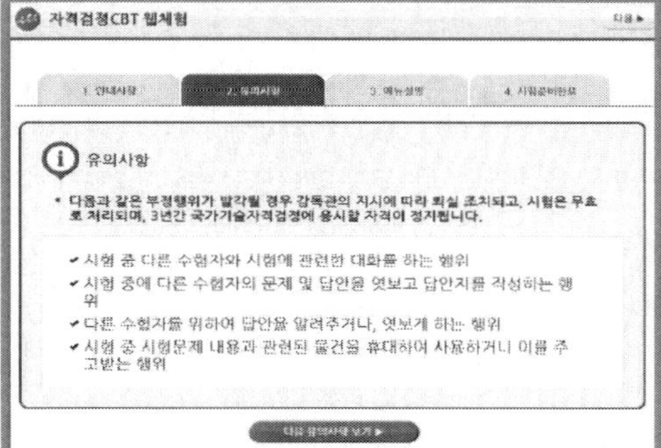

❹ 유의사항

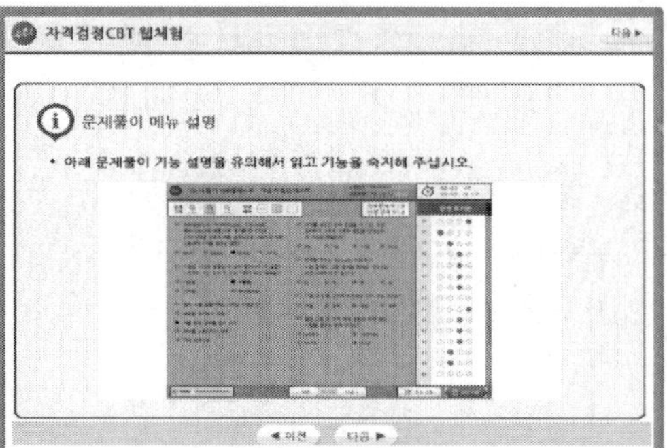

❺ 메뉴설명

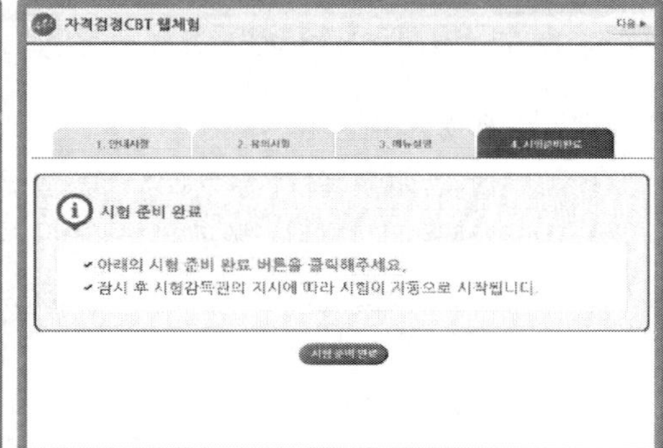

❻ 시험준비 완료

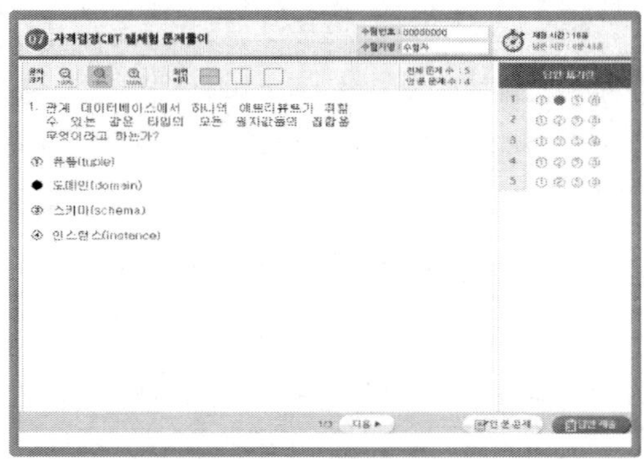

❼ 문제풀이

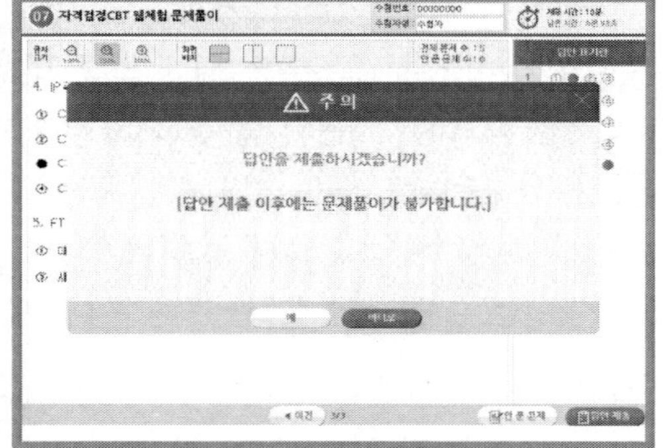

❽ 답안제출

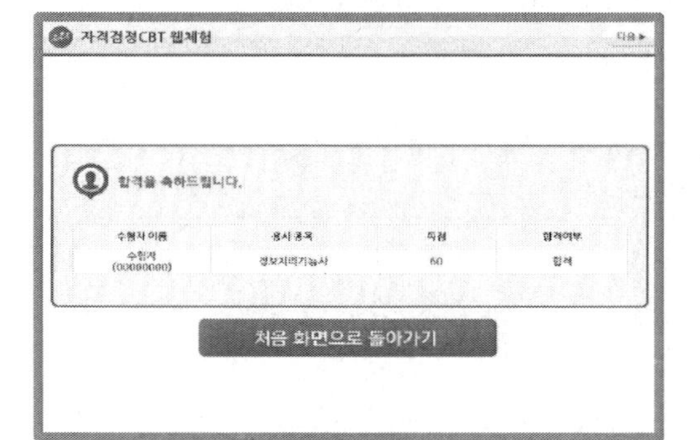

❾ 합격발표

롤러운전기능사 코스운전, 다짐작업 요령

시험시간 : ○ 표준시간 : 6분

1. 요구사항

주어진 롤러를 운전하여 도면과 같이 시험장에 설치된 코스에 따라 다짐작업을 하고 코스를 통과하여 출발 전 장비위치로 정차하시오.

▶ **다짐 면에서 작업방법**

가. 안내선과 같이 좌측에서 부터 후진–전진–후진–전진으로 다짐작업을 한다.

나. 이때 전·후진시에는 가상 통과선을 모두 넘어야하고(전진:앞바퀴, 후진:뒷바퀴) 다짐면의 중첩 정도와 다짐면적 등을 고려하여 다짐이 잘되도록 작업하여야 한다.

2. 수험자 유의사항

가. 시험위원의 지시에 따라 시험장소의 출입 및 운전을 하여야 한다.

나. 음주상태 및 음주측정을 거부하는 경우 실기시험에 응시할 수 없으며, 음주측정은 시험시작 전에 실시된다.(단, 음주상태 : 도로교통법에서 정하는 알코올 농도 0.05% 이상 적용)

다. 장비운전 중 이상 소음이 발생되거나 위험사항이 발생되면 즉시 운전을 중지하고, 시험위원에게 보고하여야 한다.

라. 장비조작 및 운전 중 안전수칙을 준수하여 안전사고가 발생되지 않도록 유의한다.

마. 진동 작업은 하지 않는다.

바. 작업시간은 수험자가 작업 준비된 상태에서 시험위원의 호각신호에 의해 시작되고, 다시 후진하여 출발 전 장비위치에 롤러를 정지시킨 때까지로 한다.(단, 시간 체크는 앞바퀴 기준으로 출발선 및 도착선을 통과하는 시점으로 한다.)

사. 작업복장(작업화, 작업복) 미착용의 경우에는 감점처리 한다.

아. 다음과 같은 경우에는 채점대상에서 제외하고 불합격처리 합니다.

○ 기권 : 수험자 본인이 기권 의사를 표시하는 경우

○ 실격

1) 운전 조작이 극히 미숙하여 안전사고 발생 및 장비 손상이 우려되는 경우
2) 시험시간을 초과하는 경우
3) 요구사항 및 도면대로 코스를 운전하지 않은 경우

4) 출발신호 후 1분 내에 장비의 앞바퀴가 출발선을 통과하지 못하는 경우
5) 코스 운전 중 라인을 터치하는 경우(단, 가상 통과선은 제외)
6) 수험자의 조작 미숙으로 기관이 1회 정지된 경우 (단, 수동변속기형인 경우는 2회 기관정지)
7) 주차브레이크를 해제하지 않고 앞바퀴가 출발선을 통과하는 경우
8) 가상통과선 ⓐ를 통과하지 않는 경우

자. 채점기준표상 실격사항을 감독위원으로부터 확인받아야 한다.

4. 도면

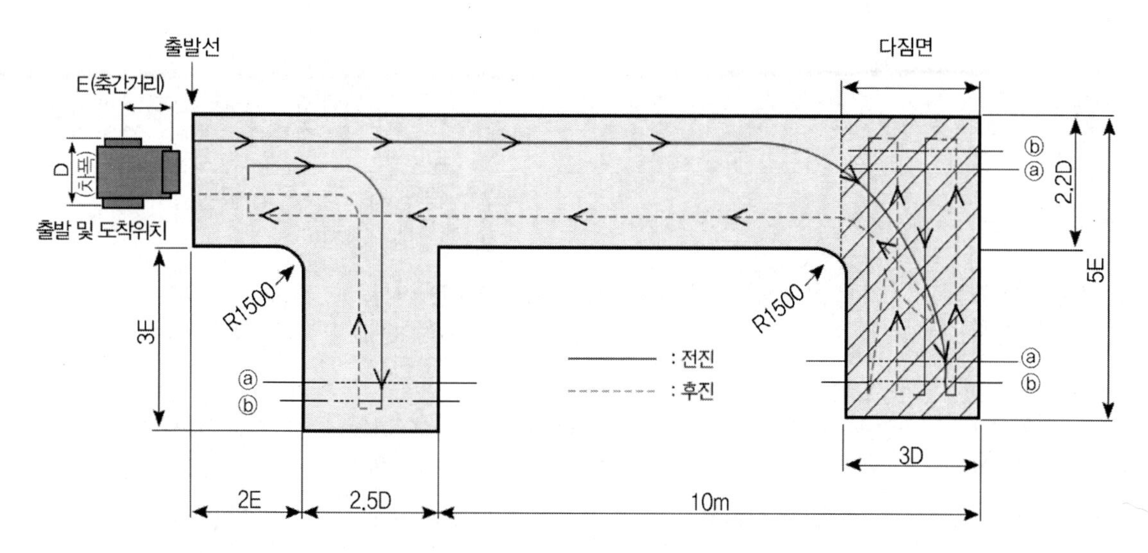

ⓐ, ⓑ : 가상통과선

ⓐ선과 인접한 외곽 수평 라인과의 간격 : 전진 시 앞 롤러 직경, 후진 시 뒤 롤러 직경

ⓑ선과 인접한 외곽 수평 라인과의 간격 : 전진 시 앞 롤러 직경의 2/3, 후진 시 뒤 롤러 직경의 2/3

롤러 운전

필기시험안내

출제기준

♣ **적용기간** : 2016. 7. 1 ~ 2023. 12. 31

♣ **필기과목명** : 건설기계기관, 전기 및 작업장치, 유압일반, 안전관리, 건설기계관리법규

♣ **시험문제** : 60문제

♣ **시험시간** : 1시간

주요항목	세부항목	세세항목
1. 건설기계 기관	1. 기관의 구조, 기능 및 점검	1. 기관본체 2. 연료장치 3. 냉각장치 4. 윤활장치 5. 흡·배기장치
2. 건설기계 전기장치	1. 전기장치 구조, 기능 및 점검	1. 시동장치 2. 충전장치 3. 등화장치 4. 계기류 5. 예열장치
3. 건설기계 섀시장치	1. 섀시의 구조, 기능 및 점검	1. 동력전달장치 2. 제동장치 3. 조향장치 4. 주행장치
4. 롤러 작업장치	1. 롤러 작업장치	1. 롤러 구조 2. 작업장치기능 3. 작업방법
5. 유압일반	1. 유압유	1. 유압유
	2. 유압기기	1. 유압펌프 2. 제어밸브 3. 유압실린더와 유압모터 4. 유압기호 및 회로 5. 기타 부속장치 등
6. 건설기계 관리법규	1. 건설기계등록검사	1. 건설기계 등록 2. 건설기계 검사
	2. 면허·사업·벌칙	1. 건설기계 조종사의 면허 및 건설기계사업 2. 건설기계 관리 법규의 벌칙
7. 안전관리	1. 산업안전일반	1. 산업안전일반 2. 기계·기기 및 공구에 관한 사항 3. 오염방지장치
	2. 작업 안전	1. 작업 시 안전사항 2. 기타 안전관련 사항

차 례

롤러 운전

PART 1 롤러 작업장치

PART 2 건설기계 기관장치

PART 3 건설기계 전기장치

PART 4 건설기계 섀시장치

PART 5 건설기계 유압 일반

PART 6 건설기계 안전관리

PART 7 건설기계관리법

PART 8

PART 1
롤러 작업장치

1 part 롤러 작업장치

01 롤러의 개요

① 자체 중량 또는 진동으로 토사 및 아스팔트 등을 다져주는 건설기계이다.
② 도로, 비행장, 활주로 등 공사의 마지막 작업으로 지반이나 지층을 다진다.
③ 전압장치를 가진 자주식과 피견인 진동 롤러 등이 있다.
④ 자주(동력)식 롤러 : 머캐덤 롤러, 탠덤 롤러, 진동 롤러, 타이어 롤러
⑤ 피견인식 롤러 : 탬핑 롤러, 그리드 롤러, 타이어 롤러, 진동 롤러

탠덤 롤러

진동 롤러

타이어 롤러

1 롤러의 특징

① 주행 속도가 느리다.
② 다른 장비에 비할 때 라디에이터 용량이 크다.
③ 전・후진을 자주 반복한다.
④ 전・후진 장치를 변속기 내에 포함시키지 않고 별도로 설치되어 있다.

2 롤러의 용도

① 로드 롤러 : 표면이 평활한 쇠 바퀴(철륜)로 자체 중량에 의하여 흙이나 아스팔트를 평면으로 다지는 용도로 사용된다.
② 타이어 롤러 : 흙이나 아스팔트를 반죽하여 다지는 용도로 사용된다.

02 롤러의 다짐 방식에 따른 분류

① 전압식 : 자체 중량을 이용하는 탠덤 롤러, 타이어 롤러, 머캐덤 롤러 등이 있다.
② 진동식 : 진동을 이용하는 진동 롤러, 진동 분사력 컴팩터 등이 있다.
③ 충격식 : 충격력을 이용하는 래머, 탬퍼 등이 있다.

1 탠덤 롤러(Tandem Roller)

① 앞바퀴와 뒷바퀴가 일직선으로 배치되어 있으며, 2바퀴식과 3바퀴식이 있다.
② 모두 앞바퀴 조향, 뒷바퀴 구동 방식이다.
③ 용도는 아스팔트 마지막 다짐 작업에 가장 효과적이며, 자갈이나 쇄석 골재 등은 다져서는 안 된다.롤러

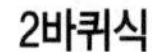
2바퀴식

3바퀴식

참고 ① **선압** : 다짐 능력을 비교하는 기준이 되는 것이며, 바퀴의 접지 중량을 그 바퀴의 너비로 나눈 값으로 단위는 kg/cm^{2}이다.
② **부가 하중** : 롤러 자체의 무게로 전압 능력이 적을 때 부가 하중을 실어서 전압 능력을 높이는 것을 부가 하중(ballast)이라 한다.
- 부가 하중은 철, 물, 모래 등을 이용한다.
- 타이어 롤러는 물탱크에 필요한 만큼 물을 주입하여 전압능력을 높인다.
- 머캐덤, 탠덤, 탬핑 롤러 등은 롤(바퀴)에 부가 하중을 주입하여 전압 능력을 높인다.
- 부가 하중은 자중의 2배 이상으로 추가시킬 수 있다.

2 머캐덤 롤러(Macadam Roller)

① 앞바퀴 1개, 뒷바퀴 2개가 배치된 롤러이다.
② 2개의 뒷바퀴로 구동을 하고 앞바퀴 1개로는 조향을 한다.
③ 좌・우 바퀴를 구동하기 위해 차동장치를 사용한다.
④ 작업의 직진성을 위해 차동제한 장치가 설치되어 있다.
⑤ 용도는 기초 다짐에 주로 사용되며, 자갈・모래 및 흙 등을 다지는데 매우 효과적이다.
⑥ 아스팔트 마지막 다짐에는 사용하지 못한다.

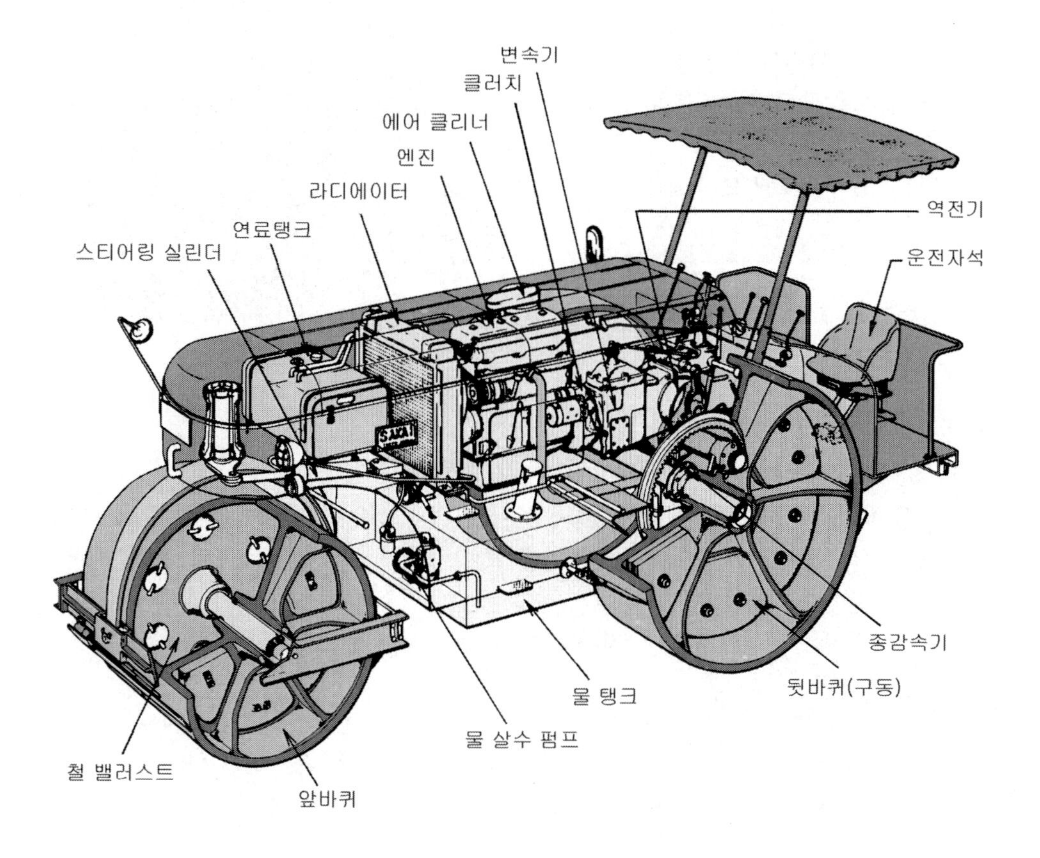

3 진동 롤러(Vibratory Roller)

① 진동 롤러는 자주식과 피견인식이 있다.
② 용도는 제방 및 도로 경사지 모서리 다짐에 사용된다.
③ 흙·자갈 등의 다짐에 효과적이다.
④ 진동에 의한 타격력으로 토사가 다져지므로 매우 강한 다짐 작업을 할 수 있다.
⑤ 진동에 의해 조종사가 피로감을 많이 느끼므로 장시간 작업할 수 없는 결점이 있다.
⑥ 기진 장치의 종류 : 기계식, 유압식, 전자식, 공기식
⑦ 진동수는 분당 1,500~30,000회, 기진력은 5~10ton 정도이다.

4 타이어형 롤러(Tire type Roller)

① 타이어 롤러는 흙·아스팔트 마지막 다짐 작업에 효과적이다.
② 아스팔트 다짐에서 골재를 파괴시키지 않고 요철 부분을 골고루 다질 수 있는 장점이 있다.
③ 다른 형식의 롤러보다 기동성이 좋다.
④ 타이어의 공기 압력과 부가 하중(밸러스트)에 따라 전압 능력을 조절할 수 있다.

(1) 타이어형 롤러 바퀴의 지지 방식

① 고정식 : 각 차축이 프레임에 고정되어 있다.
② 상호 요동식 : 프레임에 차축의 중심선이 지지되고 양쪽 바퀴가 상하 운동을 한다.
③ 독립 지지식 : 각 바퀴마다 독립된 유압 실린더 또는 공기 스프링 등을 사용하여 개별 상하 운동을 한다.
④ 타이어의 배열은 앞바퀴가 다지지 못한 부분을 뒷바퀴가 다질 수 있도록 되어 있다.

(2) 타이어형 롤러의 장점

① 다짐 작업을 할 때 골재를 파손시키지 않고 다질 수 있다.
② 골재와 골재 사이(요철 부분)를 골고루 다질 수 있다.

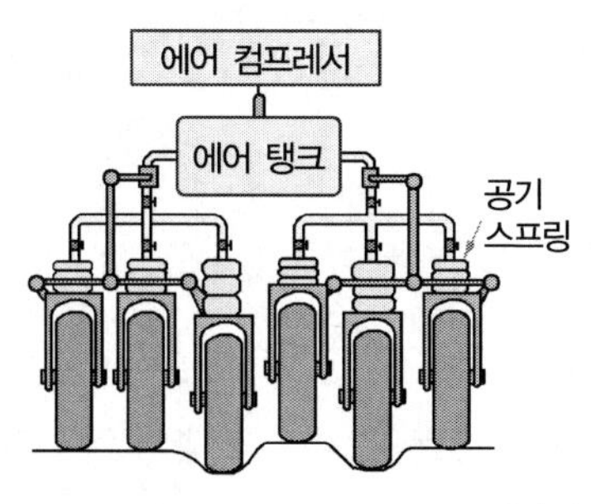

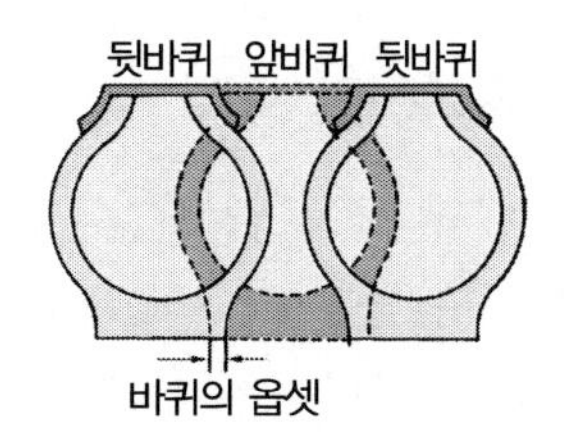

바퀴의 배열

③ 속도가 빨라서 다짐 작업의 능률이 높다.

☞ 타이어형 롤러의 바퀴가 상하로 움직이는 목적은 같은 압력으로 지면을 누르기 위함이다.

5 탬핑 롤러(tamping roller)

이 롤러는 강판제의 드럼 바깥둘레에 여러 개의 돌기(tamping toot)가 용접으로 고정되어 있어 흙을 다지는데 매우 효과적이다.

(1) 시프 풋 방식(sheep foot type)

양족식 롤러라고도 하며 흙 깊이 30cm 이내의 것은 100% 다짐이 가능하고 그 이상은 90%정도 다진다.

시프 풋 방식

(2) 턴 풋 방식(turn foot type)

① 표면 지층에 20cm가 넘는 연약한 지반에 사용된다.

② 흙 표면층을 적당한 입자의 지름으로 분쇄하여 다질 수 있다.

③ 그물 눈 모양의 바퀴를 사용하므로 흙의 유동이 억제된다.

④ 급경사 전압이 가능하다.

⑤ 사질토보다 점토질에 광범위하게 사용할 수 있다.

⑥ 연약한 지반의 흙 쌓기에서 사용할 수 있다.

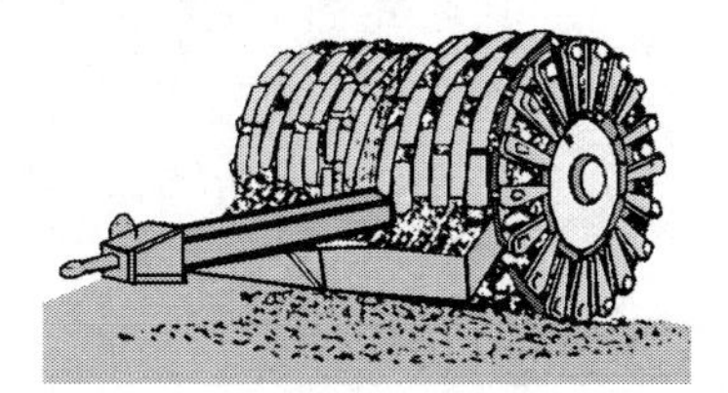

턴 풋 방식

> **참고** 롤러의 규격 표시 방법은 중량으로 표시하며, 중량은 자체 중량과 부가 하중(ballast)을 부착하였을 때의 중량으로 표시한다. 예를 들면 8~12ton이라는 것은 자체 중량 8ton에 부가 하중을 4ton을 가중시킬 수 있으므로 총 12ton이라는 의미이다.

03 롤러의 동력전달 계통

1 롤러의 동력전달 순서

① 로드 롤러의 동력전달 순서 : 엔진 → 클러치 → 변속기 → 역전기 → 종감속 장치 → 뒤차륜(롤)
② 머캐덤 롤러의 동력전달 순서 : 엔진 → 클러치 → 변속기 → 역전기 → 차동장치 → 종감속 장치 → 뒤차륜(롤)
③ 유압식 진동 롤러의 동력전달 순서 : 엔진 → 유압 펌프 → 유압 모터 → 감속장치 → 차동장치 → 종감속 장치 → 타이어

2 메인 클러치(main clutch)

① 엔진의 동력을 전달하거나 차단하는 역할을 한다.
② 건식 다판식을 사용하였으나 최근에는 토크 컨버터를 사용한다.

3 변속기(transmission)

① 마찰 클러치가 설치된 경우 : 선택 기어식을 사용한다.
② 토크 컨버터가 설치된 경우 : 유압식 변속기를 사용한다.
③ 롤러는 전·후진 주행속도가 동일한 것이 특징이다.
④ 주행속도가 너무 빠르면 다짐이 잘 안된다.
⑤ 주행속도가 너무 느리면 다짐은 잘되지만 작업 능률이 감소한다.

4 전·후진 변환 장치(역전기)

① 변속기 내에 후진기어를 배치하여 전진과 후진으로 변속할 수 있도록 한 방식과 별도의 전·후진 클러치를 설치한 방식이 있다.
② 전·후진 변환 장치는 서로 반대 방향으로 회전하는 대향 베벨 기어와 출력축, 그리고 기어형의 도그 클러치나 다판 클러치를 사용한다.

5 차동기어 장치

① 좌·우 바퀴의 회전 비율을 다르게 하여 조향을 원활하게 해주는 역할을 한다.
② 롤러가 작업을 하면서 조향할 때 골재가 밀리는 것을 방지한다.
③ 자동제한 차동기어 장치를 두고 있다.
④ 자동제한 차동장치를 부착한 경우 작업할 때 반드시 차동 고정 장치를 풀어 놓아야 한다.

6 최종 감속장치

① 동력을 구동 바퀴로 전달하기 전에 최종적으로 감속하는 역할을 한다.
② 머캐덤 롤러는 기어식을 주로 사용하고, 탠덤 롤러는 체인식을 사용한다.

(1) 기어식

① 피니언과 링 기어 등으로 구성되어 있다.
② 피니언은 차동 사이드 기어와 차축에서 동력을 받아 링 기어를 구동시킨다.

(2) 체인식

① 구동 스프로킷과 체인, 수동 스프로킷 등으로 구성되어 있다.
② 구동 스프로킷은 체인을 통해 수동 스프로킷을 회전시킨다.
③ 수동 스프로킷은 구동 바퀴에 동력을 전달한다.

7 구동 바퀴

① 롤러는 모두 뒷바퀴 구동 방식이다.
② 바퀴에는 주철제, 강판제 등이 있으며, 여기에 부가 하중을 설치하거나 적재할 수 있도록 되어 있다.

04 살수 장치(물 뿌림 장치)

① 다짐 작업을 할 때 아스팔트가 롤러에 부착되는 것을 방지하는 역할을 한다.
② 살수 방법에는 중력식과 압송식이 있다.
③ 압송식에는 물 펌프 압송식과 공기 압송식이 있다.

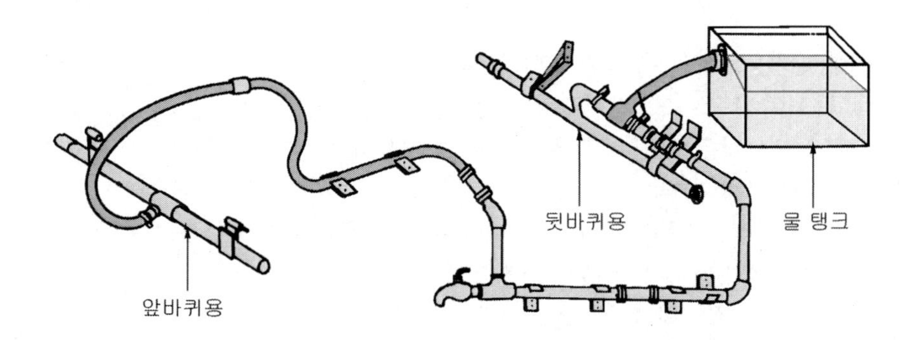

05 부가 하중 장치(ballast)

① 롤러의 자체 중량으로는 전압 능력이 부족할 때 부가 하중을 롤에 실어서 롤러의 중량을 증가시켜 전압 능력을 높이는 장치이다.
② 부가 하중은 철, 물, 중유, 모래 등을 사용한다.
③ 타이어 롤러는 물탱크에 물을 필요한 양만큼을 채운다.
④ 머캐덤 롤러, 탠덤 롤러, 탬핑 롤러 등은 물, 모래, 중유 등을 주입한다.
⑤ 작업이 완료된 다음에는 부가 하중을 풀어주어야 한다.
⑥ 롤 속에 녹이 발생되는 것을 방지하기 위해 중유나 폐유를 사용하는 것이 바람직하다.

06 롤러의 작업 방법

1 다짐 작업 방법

① 소정의 접지 압력을 받을 수 있도록 부가 하중을 증감한다.
② 다짐 작업을 할 때 전·후진 조작은 원활히 하고 정지 시간은 짧게 한다.
③ 다짐 작업을 할 때 주행속도는 일정하게 한다.
④ 다짐 작업을 할 때 급격한 조향은 피한다.
⑤ 1/2씩 중첩 다짐을 한다.
⑥ 구동 바퀴는 포장 방향으로 진행한다.
⑦ 다짐 작업은 포장이 연결된 부분부터 시작한다.
⑧ 같은 위치에서 정지되지 않도록 작업한다.

2 작업 방법

① 모래 다짐 : 노상의 흙이 노출되지 않도록 한다.
② 쇄석 자갈 다짐 : 가장자리에서 중앙으로 다져온다.
③ 구배 노면 : 낮은 쪽에서 높은 쪽으로 다져온다.
④ 아스팔트 포장 다짐
　㉮ 기초 다짐 : 혼합물이 고온일 때에는 탠덤 롤러로 다짐한다.
　㉯ 2차 다짐 : 타이어 롤러로 다진다.
　㉰ 최종 다듬질 : 탠덤 롤러로 한다.

출제예상문제

01 롤러의 기능을 설명한 것으로 옳은 것은?

① 기초 공사시 흙을 다지고 자갈 다짐, 아스팔트 포장 다짐에 사용하는 장비이다.
② 지반의 견고한 곳이나 암반 지대의 표토를 파헤치는 장비이다.
③ 제방의 법선을 완만한 경사로 해주거나 청소작업을 하는 장비이다.
④ 도로의 노면 등을 넓게 펴주는 작업을 하는 장비이다.

롤러의 기능은 제방, 비행장 활주로, 도로 등의 노면을 다지는데 사용되는 장비이다.

02 건설기계 장비 중 자주식 롤러에 해당 되지 않는 것은

① 피견인식 진동 롤러
② 머캐덤 롤러
③ 탠덤 롤러
④ 타이어식 롤러

롤러의 종류
① 동력(자주식) 롤러 : 머캐덤 롤러, 탠덤 롤러, 진동 롤러, 타이어 롤러
② 피견인 롤러 : 탬핑 롤러, 그리드 롤러, 진동 롤러

03 유압 구동식 롤러의 특징으로 틀린 것은?

① 동력의 단절과 연결, 가속이 원활하다.
② 전진 후진의 교체, 변속 등을 한 개의 레버로 변환이 가능하다.
③ 부하에 관계없이 속도 조절이 된다.
④ 작동유 관리가 불필요하다.

04 롤러에 대한 설명으로 맞는 것은?

① 롤러는 저속이므로 엔진의 조속기에는 전속도 조속기를 사용할 필요가 없다.
② 진동 롤러는 엔진의 폭발력을 직접 이용하고 있으므로 구조가 간단하다.
③ 타이어 롤러는 그 구조상 다른 롤러에 비해서 부가하중을 많이 실을 수 있다.
④ 3속 롤러라는 것은 3륜 롤러라는 뜻이다.

05 롤러의 다짐 방식에 의한 분류가 아닌 것은?

① 전압 형식 ② 전류 형식
③ 진동 형식 ④ 충격 형식

롤러의 다짐 방식에 따른 분류
① 전압식 : 자체 중량을 이용하는 탠덤 롤러, 타이어 롤러, 머캐덤 롤러 등
② 진동식 : 진동을 이용하는 진동 롤러, 진동 분사력 컴팩터 등
③ 충격식 : 충격력을 이용하는 래머, 탬퍼 등

06 탠덤 롤러의 장점이 아닌 것은?

① 연약지 작업에 적합하다.
② 2륜보다 3륜 롤러가 다짐능력이 더 좋다
③ 아스팔트 포장공사 롤링에 적합하다.
④ 최종 다듬질 작업에 쓰인다.

탠덤 롤러는 냉각 포장면을 초기나 마지막의 롤링에 적합하며, 2륜보다 3륜 롤러의 자중이 커 다짐 능력이 더 좋다.

07 아스팔트 포장공사에서 최종적으로 노면을 다듬질 하는 롤러는?

① 탠덤 롤러 ② 머캐덤 롤러
③ 탬핑 롤러 ④ 진동 롤러

롤러의 기능
① 탠덤 롤러 : 아스팔트 포장면의 최종 다듬질에 사용된다.
② 머캐덤 롤러 : 쇄석 기층 다짐에 효과적이며, 아스팔트 기초 다짐에 사용된다.
③ 탬핑 롤러 : 기초 지반 다짐에 효과적이다.
④ 진동 롤러 : 도로 경사지, 모서리, 쇄석, 모래, 자갈 등의 다듬질에 효과적이다.

정답 01.① 02.① 03.④ 04.③ 05.② 06.① 07.①

08 **롤러의 다짐 압력을 높이기 위해 사용하는 것은?**

① 가열장치(예열장치)
② 전・후진기(역전장치)
③ 전압력(선압)
④ 부가 하중(밸러스트)

부가 하중(밸러스트)은 롤러 자체 중량으로는 다짐 압력이 부족할 때 금속, 물, 모래, 오일 등을 롤(바퀴)에 주입하여 다짐 압력을 높이는 부품이다.

09 **탠덤 롤러의 롤 속에 주입하는 것으로 가장 거리가 먼 것은?**

① 폐유 ② 오일
③ 중유 ④ 아스콘

탠덤 롤러의 롤 속에 주입하는 부가 하중은 오일, 물, 모래 등을 이용하며, 타이어 롤러는 물탱크에 필요한 만큼 물을 주입하여 전압 능력을 높인다.

10 **롤러의 밸러스트용으로 적합하지 않은 것은?**

① 철 ② 모래
③ 목재 ④ 물

11 **다음은 땅을 다지는데 사용되는 장비이다. 그 중 부가 하중을 주입할 수 없는 것은?**

① 타이어 롤러 ② 래머
③ 머캐덤 롤러 ④ 탠덤 롤러

타이어 롤러, 머캐덤 롤러, 탠덤 롤러는 다짐 압력을 증가시키기 위하여 밸러스터(부가하중)를 이용하지만 래머는 소형 2행정 사이클 엔진의 몸체 밑에 타격판 푸트가 설치되어 엔진의 폭발력에 진동이 발생되는 것을 이용하여 땅을 다지는 기계이다.

12 **롤러의 성능과 능력을 나타내는 것이 아닌 것은?**

① 선압, 윤하중 ② 다짐폭, 접지압
③ 기진력, 윤거 ④ 다짐폭, 기진력

롤러의 성능과 능력은 선압, 윤하중, 다짐 폭, 접지 압력, 기진력으로 나타낸다.

13 **3륜의 철륜으로 구성되어 아스팔트 포장면의 초기 다듬 장비로 사용되는 롤러는?**

① 탬핑 ② 머캐덤
③ 자주식 ④ 진동

해설

롤러의 종류

① 탬핑 롤러 : 강판제의 드럼 바깥둘레에 여러 개의 돌기(피트)가 용접으로 고정되어 있어 흙을 다지는데 매우 효과적이다.
② 머캐덤 롤러 : 앞바퀴 1개, 뒷바퀴가 2개인 것이며, 2개의 뒷바퀴로 구동을 하고 앞바퀴 1개로는 조향을 한다. 용도는 초기 다짐에 주로 사용되며, 자갈·모래 및 흙 등을 다지는데 매우 효과적이며 아스팔트 마지막 다짐에는 사용하지 못한다.
③ 진동 롤러 : 제방 및 도로 경사지 모서리 다짐에 사용되며, 또 흙·자갈 등의 다짐에 효과적이다.
④ 타이어 롤러 : 흙·아스팔트 마지막 다짐 작업에 효과적이며 특히 아스팔트 다짐에서 골재를 파괴시키지 않고 요철(凹凸) 부분을 골고루 다질 수 있는 장점이 있다.
⑤ 탠덤 롤러 : 앞바퀴와 뒷바퀴가 일직선으로 되어있는 것을 말하며, 2바퀴 방식과 3바퀴 방식이 있다. 모두 앞바퀴 조향, 뒷바퀴 구동 방식이며, 용도는 아스팔트 마지막 다짐 작업에 가장 효과적이며, 그러나 자갈이나 쇄석 골재 등은 다져서는 안된다.

14 **일반적인 머캐덤 롤러의 전륜(앞바퀴)에 대한 설명으로 틀린 것은?**

① 조향은 유압식이다.
② 전륜 축은 베어링으로 지지한다.
③ 킹핀이 설치되어 있다.
④ 브레이크 장치가 설치되어 있다.

머캐덤 롤러는 앞바퀴 1개, 뒷바퀴 2개로 되어 있으며, 앞바퀴로는 조향을 하고, 뒷바퀴로 구동을 한다. 주로 기초 다짐에 사용하며, 최종 다짐 작업에는 사용하지 못한다. 모든 롤러는 뒷바퀴에만 브레이크 장치가 설치되어 있다.

정답 08.④ 09.④ 10.③ 11.② 12.③ 13.② 14.④

15 **머캐덤(macadam) 롤러 작업시 모래땅이나 연약 지반에서 작업 또는 직진성을 하기 위하여 설치된 장치는?**

① 전・후진 미션 저고속 장치
② 차동 제한 장치
③ 트랜스미션(transmission) 록 장치
④ 파이널 드라이브 유성기어 장치

3륜 롤러는 회전 성능을 향상시키기 위하여 차동장치를 가지고 있으며, 모래 땅 이나 연약 지반에서 작업 또는 직진성을 위해 차동제한(차동 로크, 차동 고정) 장치가 설치되어 있다.

16 **로드 롤러에 부착되어 있는 차동 고정(differential lock) 장치는 어떠한 때 사용하는가?**

① 다짐 속도를 높이고자 할 때
② 요철(凹凸)이 심한 노면을 다질 때
③ 모래나 진흙에 빠졌을 때
④ 경사면을 다질 때

차동 고정 장치는 작업 중 모래나 진흙에 빠졌을 때 공전 현상을 방지하여 이탈이 쉽게 이루어지도록 한다.

17 **머캐덤 롤러의 차동 제한 장치는 어느 경우에 사용하는가?**

① 언덕길을 등판할 경우
② 급커브를 돌 때
③ 이동하고자 하는 현장이 장거리 일 때
④ 성토초기 전압시에 차륜이 슬립하는 경우

차동 제한장치는 종감속 기어장치에 설치되어 있으며, 작업 중 모래나 진땅에 빠졌을 때 공전(슬립) 현상을 방지하여 작업 또는 직진성을 유지할 수 있도록 한다.

18 **머캐덤 롤러는 후륜과 전륜의 폭이 얼마 정도 겹쳐서 굴러가는가?**

① 1/2 ② 1/3
③ 1/4 ④ 1/5

머캐덤 롤러 작업시 후륜 롤러 쪽이 전륜 롤러의 약 50%가 서로 겹치도록 다짐 작업을 하여야 가장 이상적인 다짐 작업이다.

19 **도로 포장공사 시 자갈, 모래 등을 다지는데 가장 알맞은 장비는?**

① 양족식 롤러 ② 진동 롤러
③ 탬덤 롤러 ④ 4륜 10톤 롤러

진동 롤러는 롤러에 분당 1,500~30,000회의 진동을 주어 다짐 효과를 4~5배 증가시키며, 쇄석, 모래, 자갈 등의 다듬질에 효과적이다.

20 **진동 롤러에 대한 설명으로 맞는 것은?**

① 진동 롤러의 기진 장치는 엔진의 폭발을 직접 이용하고 있다.
② 진동 롤러는 기진 계통과 주행계통의 동력전달 계통을 갖추고 있다.
③ 진동 롤러의 진동수가 높을수록 다짐 효과는 작다.
④ 진동 롤러는 모두 자주식이다.

진동 롤러의 특징
① 진동 롤러는 자주식과 피견인식이 있다.
② 진동에 의한 타격력으로 토사가 다져지므로 매우 강한 다짐 작업을 할 수 있다.
③ 기진 장치의 종류 : 기계식, 유압식, 전자식, 공기식
④ 진동수는 분당 1,500~30,000회, 기진력은 5~10ton 정도이다.

21 **진동 롤러에 있어서 기진력의 크기를 결정하는 요소가 아닌 것은?**

① 편심추의 강도
② 편심추의 회전수
③ 편심추의 무게
④ 편심추의 편심량

정답 15.② 16.③ 17.④ 18.① 19.② 20.② 21.①

22 **롤러의 규격이 8-12톤이라고 표시될 때 이 규격의 의미는?**

① 전륜 하중이 8톤이고 후륜 하중이 12톤이다.
② 전륜 하중이 8톤이고 전체 하중이 12톤이다.
③ 자중이 8톤이고 4톤의 부가 하중(밸러스트)을 가중시킬 수 있다.
④ 전륜 하중이 12톤이고 후륜 하중이 8톤이다.

롤러의 규격 표시 방법은 중량(ton)으로 한다. 또 중량은 자체 중량과 부가 하중(밸러스트)을 부착하였을 때의 중량으로 표시할 수 있다.

23 **롤러 중량표시 중 8~12톤의 설명으로 맞는 것은?**

① 자체 중량 12톤, 밸러스트 중량 8톤
② 자체 중량 8톤, 밸러스트 중량 12톤
③ 자체 중량 8톤, 밸러스트 중량 4톤
④ 자체 중량 4톤, 밸러스트 중량 12톤

롤러의 규격이 8-12톤이란 자체 중량이 8톤이고 4톤의 부가 하중(밸러스트)을 더 할 수 있다는 의미이다.

24 **타이어 롤러에서 전압은 무엇으로 조정하는가?**

① 타이어의 자중
② 다짐 속도와 밸러스트(Ballast)
③ 밸러스트와 타이어 공기압
④ 다짐 속도와 타이어 공기압

전압은 다짐 능력을 비교하기 위한 것으로 단위는 kg/cm²로 표시한다. 전압은 바퀴의 접지 중량을 바퀴의 폭으로 나눈 값으로 바퀴의 단위 폭 당의 중량을 말한다. 타이어 롤러는 타이어의 공기 압력과 밸러스트(부가 하중)에 따라 전압 능력을 조절할 수 있다.

25 **롤러의 전압 표시는 어떻게 하는가?**

① 바퀴의 접지 중량을 롤러의 전중량으로 나눈 값이다.
② 바퀴의 접지 중량을 2바퀴의 폭으로 나눈 값이다.
③ 바퀴의 폭을 접지 중량으로 나눈 값이다.
④ 바퀴의 접지 중량을 바퀴의 폭으로 나눈 값이다.

26 **일반적으로 가장 빠른 속도로 작업하고 비교적 연약지반 다짐에 효과적인 롤러는?**

① 타이어 롤러 ② 탠덤 롤러
③ 머캐덤 롤러 ④ 진동 롤러

타이어 롤러는 비교적 연약 지반의 다짐·아스팔트 마지막 다짐 작업에 효과적이며, 다른 형식의 롤러보다 기동성이 좋다.

27 **최근 아스팔트 다짐에 타이어 롤러를 사용하는 경우가 늘고 있다. 그 이유로 타당하지 않는 것은?**

① 다짐 속도가 빠르다.
② 균일한 밀도를 얻을 수 있다.
③ 타이어 공기압을 이용 접지압 조정이 용이하다.
④ 아스팔트가 타이어 롤러에 접착되지 않기 때문이다.

아스팔트 다짐에 타이어 롤러는 다짐의 속도가 빠르면서 골재를 파괴시키지 않고 요철 부분을 골고루 다질 수 있으며, 균일한 밀도를 얻을 수 있고 타이어의 공기압을 이용하여 접지 압력의 조정이 용이하기 때문이다.

28 **타이어 롤러의 타이어 지지 기구로 수직 가동식, 상호 요동식, 바퀴 사행식, 고정식 등의 기구가 사용되는데 이 기구들의 주된 작용은 무엇인가?**

① 동력의 전달을 원활히 한다.
② 제동능력을 향상시킨다.
③ 노면 상태와 관계없이 균일한 하중으로 다짐작업을 할 수 있다.
④ 가속능력과 조향능력 및 등판능력을 향상시킨다.

정답 22.③ 23.③ 24.③ 25.④ 26.① 27.④ 28.③

29 **타이어식 롤러에서 타이어가 상·하로 요동하게 하는 가장 중요한 이유는?**

① 승차감을 좋게 하기 위하여
② 경사지에서 안정된 주행을 위하여
③ 타이어를 손상시키지 않게 하기 위하여
④ 하중을 받아 다짐 작업이 잘되도록 하기 위하여

타이어 롤러에서 타이어가 상하로 움직이는 목적은 동일한 압력으로 지면을 누르기 위함이다. 즉, 하중을 받아 다짐 작업이 잘되도록 하기 위함이다.

30 **타이어 롤러의 타이어가 상, 하로 요동하게 하는 이유는?**

① 각 타이어의 하중을 균일하게 하기 위하여
② 승차감을 좋게 하기 위하여
③ 경사지에서 안정된 주행을 위하여
④ 타이어를 손상시키지 않게 하기 위하여

타이어형 롤러의 바퀴가 상하로 움직이는 목적은 같은 압력으로 지면을 누르기 위함이다.

31 **타이어 롤러에서 전축과 후축의 타이어 수가 다른 이유는?**

① 다짐 속도를 높이기 위하여
② 차체의 균형유지를 위하여
③ 노면을 일정하게 다지기 위하여
④ 차축의 진동을 방지하기 위하여

타이어 롤러의 전축과 후축의 타이어수가 다른 이유는 노면을 일정하게 다지기 위함이다. 즉 앞바퀴가 다지지 못한 부분을 뒷바퀴가 다질 수 있도록 하기 위해서 타이어 수가 다르게 배치되어 있다.

32 **타이어 롤러의 규격 표시에서 8-12t 이라는 수치의 뜻으로 맞는 것은?**

① 자중이 8톤이고, 밸러스트를 15톤까지 적재할 수 있다.
② 자중이 8톤, 밸러스트를 적재하여 중량을 12톤까지 증가시킬 수 있다.
③ 밸러스트를 8-12톤까지 적재할 수 있다.
④ 자중이 12톤이며 밸러스트를 8톤까지 적재할 수 있다.

롤러의 규격이 8-12톤이란 자체중량이 8톤이며 밸러스트를 적재하여 중량을 12톤까지 증가시킬 수 있다.

33 **주로 피견인식으로 사용되며 드럼에 피트가 설치되어 모래나 돌 조각보다 퍼석퍼석한 지반의 시초 다짐에 주로 사용되는 롤러는?**

① 진동 ② 탬핑
③ 머캐덤 ④ 자주식

탬핑 롤러는 롤러 전 둘레에 피트(돌기)가 설치된 것으로 기초 지반 다짐에 효과적이며, 특히 흙덩이를 파괴하여 흙을 다지는데 제일 효과적이다.

34 **로드 롤러의 동력전달 순서로 맞는 것은?**

① 엔진 → 클러치 → 차동장치 → 역전기 → 롤
② 엔진 → 클러치 → 역전기 → 변속기 → 롤 → 종감속 장치
③ 엔진 → 클러치 → 변속기 → 역전기 → 종감속 장치 → 롤
④ 엔진 → 클러치 → 변속기 → 차동장치 → 롤

로드 롤러의 동력전달 순서는 엔진→클러치→변속기→역전기→종감속 장치→롤이다.

35 **탠덤 롤러의 동력전달 순서로 맞는 것은?**

① 엔진 – 클러치 – 차동장치 – 역전기 – 롤
② 엔진 – 클러치 – 역전기 – 변속기 – 롤 – 종감속 장치
③ 엔진 – 클러치 – 변속기 – 역전기 – 종감속 장치 – 롤
④ 엔진 – 클러치 – 변속기 – 차동장치 – 롤

정답 29.④ 30.① 31.③ 32.② 33.② 34.③ 35.③

36 머캐덤 롤러의 동력전달 순서로 맞는 것은?

① 엔진 → 클러치 → 변속기 → 역전기 → 차동장치 → 뒤차축 → 뒤차륜
② 엔진 → 클러치 → 역전기 → 변속기 → 차동장치 → 종감속 장치 → 뒤차축
③ 엔진 → 클러치 → 역전기 → 변속기 → 차동장치 → 뒤차축 → 뒤차륜
④ 엔진 → 클러치 → 변속기 → 역전기 → 차동장치 → 종감속 장치 → 뒤차륜

머캐덤 롤러는 앞바퀴 1개, 뒷바퀴가 2개로 구성되어 있으며, 2개의 뒷바퀴로 구동을 하고 앞바퀴 1개로는 조향을 한다. 용도는 기초 다짐에 주로 사용되며, 자갈·모래 및 흙 등을 다지는데 매우 효과적이다. 롤러의 동력전달 순서는 엔진→클러치→변속기→역전기→차동장치→종감속 장치→뒤차륜의 순서로 이루어져 작업을 하게 된다.

37 유압 구동식 롤러의 정유압 전동장치에 해당하는 것은?

① 엔진 – 유압 펌프 – 제어 밸브
② 유압 펌프 – 제어 밸브 – 유압 모터
③ 제어 밸브 – 유압 모터 – 차동장치
④ 유압 모터 – 차동장치 – 종감속 장치

38 머캐덤 롤러의 클러치가 미끄러지는 원인에 대한 설명으로 틀린 것은?

① 클러치 스프링의 노후
② 라이닝에 기름이 묻었을 때
③ 클러치 릴리스 레버 선단의 마모
④ 클러치 판의 마모

클러치 릴리스 레버의 선단이 마모되면 페달의 자유간극이 커져 동력 차단이 불량해 진다.

39 머캐덤 롤러 변속기의 부품이 아닌 것은?

① 시프트 포크
② 시프트 축
③ 변속기어
④ 차동기어 로크 장치

차동기어 로크 장치는 차동기어 장치에 설치되어 있으며, 작업할 때는 반드시 차동기어 로크 장치를 풀어 놓아야 한다.

40 머캐덤 롤러의 운전 중 변속기 기어의 물림이 잘 빠지는 현상이 발생되었다. 점검할 필요가 없는 곳은?

① 차동 제한 장치
② 변속 기어
③ 시프트 포크
④ 시프트 축

차동제한 장치는 차동기어 장치에 설치되어 있으며, 작업 중 모래나 진땅에 빠졌을 때 공전(슬립)현상을 방지하여 작업 또는 직진성을 유지할 수 있도록 한다.

41 로드 롤러의 변속기에서 심한 잡음이 나는 원인이 아닌 것은?

① 오일펌프의 압력이 높을 때
② 윤활유가 부족할 때
③ 기어가 마모 및 손상되었을 때
④ 기어 샤프트 지지 베어링이 마모 및 손상되었을 때

변속기에서 소음이 발생되는 원인
① 변속기 오일이 부족하다.
② 변속기 오일의 질이 나쁘다.
③ 기어 또는 베어링이 마모되었다.
④ 주축의 스플라인이 마모되었다.
⑤ 주축의 부싱이 마모되었다.
⑥ 기어의 백래시가 과대하다.

42 로드 롤러의 작업 중에 변속기에서 소음이 나는 것과 관계없는 것은?

① 냉각수 부족
② 기어 잇면 손상
③ 기어의 백래시 과대
④ 윤활유 부족

정답 36.④ 37.② 38.③ 39.④ 40.① 41.① 42.①

43 **롤러의 변속 기어가 작동 불량일 때 점검할 필요가 없는 곳은?**

① 변속기 케이스의 오일 점검
② 변속 레버의 유격 점검
③ 차동 제한 장치의 점검
④ 기어 지지부의 베어링 상태 점검

44 **롤러의 종감속 장치에서 동력전달 방식이 아닌 것은?**

① 평기어식 ② 베벨 기어식
③ 체인 구동식 ④ 벨트 구동식

종감속 장치의 동력전달 방식에는 평기어식, 베벨 기어식, 체인 구동식 등이 있다.

45 **롤러의 종감속 기어 장치에 대한 설명으로 맞는 것은?**

① 감속비가 적어야 한다.
② 구동륜에 직접 설치되어 있다.
③ 추진축으로 구동한다.
④ 기어오일로 윤활한다.

2륜 철륜 롤러의 종감속 기어장치는 구동륜에 직접 설치되어 있으며, 종감속 기어장치에는 작업 중 모래나 진땅에 빠졌을 때 차륜이 공전하는 것을 방지하기 위하여 차동 제한장치가 설치되어 있다.

46 **롤러의 차동장치에 대한 설명 중 틀린 것은?**

① 조향할 때 골재가 밀리는 것을 방지한다.
② 좌우 바퀴의 회전비율을 다르게 한다.
③ 조향을 원활하게 한다.
④ 작업 시 자동제한 차동장치는 반드시 체결하고 한다.

자동제한 차동장치는 부정지나 연약지에서 바퀴가 미끄러질 때 사용하며, 작업할 때는 반드시 차동 고정 장치를 풀어 놓아야 한다.

47 **삼륜 롤러에 설치된 차동장치의 목적은?**

① 커브 주행을 원활하게 하기 위해
② 직진성 향상을 위해
③ 미끄럼 방지를 위해
④ 좌, 우륜의 회전수를 같게 하기 위해

동장치는 타이어식 건설기계에서 선회할 때 좌우 바퀴의 회전수를 변화시켜 회전을 원활하게 이루어지도록 하는 장치이다.

48 **머캐덤 3륜 롤러에 차동장치를 설치하는 이유는?**

① 다짐륜을 일정하게 회전시키기 위하여
② 험한 지역에서 공회전을 막기 위하여
③ 조향시 내측륜과 외측륜 회전비를 다르게 하기 위해
④ 구릉지 작업을 위하여

머캐덤 롤러는 조향할 때 좌·우측 바퀴의 회전 비율을 다르게 하는 차동기어 장치가 베벨 기어에 부착되어 차동기어 장치 케이스에 설치되어 있다. 이것은 롤러가 작업을 하면서 조향할 때 골재가 밀리는 것을 방지하고 조향을 원활하게 해주는 일을 한다.

49 **타이어 롤러의 구동체인의 조정은?**

① 디퍼렌셜 기어 하우징의 조정 심으로 한다.
② 구동체인을 늘이거나 줄여서 한다.
③ 뒷바퀴 축이 구동하므로 조정하지 않는다.
④ 타이어의 공기압력을 조정하면 된다.

50 **로드 롤러 작업 중 종감속 장치 및 차동장치에서 소음이 발생하는 원인이 아닌 것은?**

① 차동기어 장치의 사이드 기어가 마멸
② 차동기어 장치의 구동 피니언이 마멸
③ 차동기어 장치의 링 기어가 마멸
④ 차동기어 장치의 3단 기어가 마멸

차동기어 장치의 3단 기어가 없다.

정답 43.③ 44.④ 45.② 46.④ 47.① 48.③ 49.① 50.④

51 뒤차축 하우징에서 오일이 새는 원인 중 맞는 것은?

① 허브 베어링의 마멸이 크다.
② 오일 시일이 파손되었다.
③ 윤활유가 너무 진하다.
④ 기어오일 140번을 사용하였다.

52 롤러에 부착된 부품을 확인하였더니 13.00 – 24 – 18PR로 명기되어 있었다. 다음 중 어느 것에 해당되는가?

① 유압펌프 ② 엔진 일련번호
③ 타이어 규격 ④ 시동모터 용량

53 롤러의 유압 실린더 작용으로 맞는 것은?

① 메인 클러치 차단 및 연결
② 역전장치에 사용
③ 살수 장치에 사용
④ 방향을 전환한다.

54 유압 조향식 롤러에서 조향 불능 원인으로 틀린 것은?

① 유압펌프 결함
② 유압 호스 파손
③ 조향 유압 실린더 결함
④ 밸러스트 불량

55 롤러의 하체 구성부품에서 마모가 증가되는 원인이 아닌 것은?

① 부품끼리 접촉이 증가할 때
② 부품끼리 상대 운동이 증가할 때
③ 부품에 윤활 막이 유지될 때
④ 부품에 부하가 가해졌을 때

부품에 윤활 막이 유지되지 않으면 구성부품의 마모가 증가한다.

56 탠덤 머캐덤 롤러의 살수 탱크는 어떤 역할을 하는가?

① 엔진에 공급하는 연료를 저장한다.
② 각부장치에 주유하는 오일을 저장한다.
③ 롤러에 물을 적셔주어 작업 시 점착성을 향상시킨다.
④ 롤러에 물을 적셔주어 작업 시 점착성 물질이 롤에 묻는 것을 방지한다.

살수 탱크는 롤러에 물을 적셔주어 작업 시 점착성 물질이 롤에 묻는 것을 방지한다.

57 예방정비에 관한 설명 중 틀린 것은?

① 예상하지 않은 고장이나 사고를 미연에 방지하기 위해 실시한다.
② 일정한 계획표를 작성한 후 실시하는 것이 바람직하다.
③ 예방정비의 효과는 장비의 수명, 성능유지, 수리비 절감에 효과가 있다.
④ 예방정비는 운전자가 해야 하는 것은 아니다.

예방 정비
① 예상하지 않은 고장이나 사고를 미연에 방지하기 위해 실시한다.
② 예방정비의 효과는 장비의 수명, 성능유지, 수리비 절감에 효과가 있다.
③ 일정한 계획표를 작성한 후 실시하는 것이 바람직하다.
④ 예방정비는 운전자가 해야 하는 정비를 말한다.

58 롤러의 일일점검 사항이 아닌 것은?

① 엔진오일 점검
② 배터리 전해액 점검
③ 연료량 점검
④ 냉각수 점검

59 롤러의 운전 중 점검사항이 아닌 것은?

① 냉각수 온도 ② 유압오일 온도
③ 엔진 회전수 ④ 배터리 전해액

정답 51.② 52.③ 53.④ 54.④ 55.③ 56.④ 57.④ 58.② 59.④

60 **롤러의 운전조작 중 맞지 않는 것은?**

① 주차할 때 반드시 주차 브레이크를 작동시킨다.
② 다짐 작업은 대각선 방향으로 한다.
③ 클러치 조작은 반클러치를 사용하지 않도록 한다.
④ 전, 후진시의 변속은 정지시킨 다음에 한다.

다짐작업 방법
① 소정의 접지 압력을 받을 수 있도록 부가하중을 증감한다.
② 다짐 작업을 할 때 전·후진 조작은 원활히 하고 정지시간은 짧게 한다.
③ 다짐작업을 할 때 주행속도는 일정하게 한다.
④ 다짐작업을 할 때 급격한 조향은 피한다.
⑤ 직선으로 1/2씩 중첩 다짐을 한다.
⑥ 구동바퀴는 포장 방향으로 진행한다.
⑦ 다짐작업은 포장이 연결된 부분부터 시작한다.
⑧ 같은 위치에서 정지되지 않도록 작업한다.

61 **아스팔트 혼합 가열물 롤링 방법 중 틀린 것은?**

① 아래쪽에서 위쪽으로 롤링한다.
② 외부에서 내부로 롤링한다.
③ 초기 전압시는 구동륜으로 롤링한다.
④ 냉각시킨 다음 서서히 롤링한다.

롤링 방법
① 외부(노변)에서 중앙(내부)으로 롤링을 한다.
② 구배 노면은 낮은(아래)쪽에서 높은(위)쪽으로 롤링을 한다.
③ 매회 롤링 폭은 1/2 이상 중첩되도록 롤링을 한다.
④ 초기 전압시는 구동륜으로 롤링을 한다.

62 **롤러의 다짐작업 방법으로 틀린 것은?**

① 소정의 접지압력을 받을 수 있도록 부가하중을 증감한다.
② 다짐작업 시 정지시간은 길게 한다.
③ 다짐작업 시 급격한 조향은 하지 않는다.
④ 1/2씩 중첩 다짐을 한다.

다짐 작업을 할 때 같은 위치에 정지하지 않도록 하고 정지시간은 짧게 한다.

63 **롤러의 작업 방법으로 틀린 것은?**

① 급선회하면 노면이 밀리므로 천천히 선회한다.
② 경사진 곳은 높은 곳에서 낮은 곳으로 서서히 다진다.
③ 쇄석이나 자갈의 롤링은 가장자리에서 중앙부분으로 다진다.
④ 롤러의 표면에 약간의 물을 발라 주면서 하는 것이 좋다.

경사진 곳의 롤링 작업은 낮은 쪽에서 높은 쪽으로 서서히 다져야 한다.

64 **타이어 타입 건설기계를 조종하여 작업을 할 때 주의하여야 할 사항으로 틀린 것은?**

① 노견의 붕괴방지 여부
② 지반의 침하방지 여부
③ 작업범위 내에 물품과 사람을 배치
④ 낙석의 우려가 있으면 운전실에 헤드가이드를 부착

65 **2륜 철륜 롤러에서 안내륜과 연결되어 있는 요크의 주유는?**

① 유압오일을 주유한다.
② 그리스를 주유한다.
③ 주유할 필요가 없다.
④ 기어오일을 주유한다.

66 **건설기계를 트레일러에 상·하차 하는 방법 중 틀린 것은?**

① 언덕을 이용한다.
② 기중기를 이용한다.
③ 타이어를 이용한다.
④ 건설기계 전용 상하차대를 이용한다.

정답 60.② 61.④ 62.② 63.② 64.③ 65.② 66.③

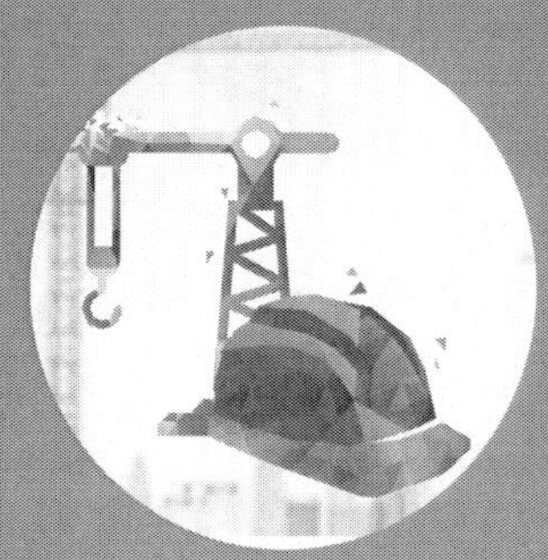

PART 2
건설기계 기관장치

01_기관 본체
02_연료장치
03_냉각장치
04_윤활장치
05_흡·배기장치

01 기관의 기초 사항

1 열기관과 총배기량

① 열기관(Engine)이란 열에너지를 기계적 에너지로 변환시키는 장치이다.
② rpm(revolution per minute)이란 분당 엔진회전수를 나타내는 단위이다.
③ 기관의 총배기량 이란 각 실린더 행정 체적(배기량)의 합이다.
④ 디젤기관의 압축비가 높은 이유는 공기의 압축열로 자기 착화시키기 위함이다.

2 내연기관의 구비조건

① 소형·경량이고 열효율이 높을 것
② 단위중량 당 출력이 클 것
③ 저속에서 회전력이 클 것
④ 저속에서 고속으로 가속도가 클 것
⑤ 연소비율이 적을 것
⑥ 가혹한 운전조건에 잘 견딜 것
⑦ 진동 및 소음이 적고, 점검과 정비가 쉬울 것
⑧ 유해 배기가스 배출이 없을 것

3 디젤 기관의 장점

① 열효율이 높고 연료소비량이 적다.
② 전기 점화장치가 없어 고장률이 적다.
③ 인화점이 높은 경유를 사용하므로 취급이 용이하다(화재의 위험이 적다).
④ 유해 배기가스 배출량이 적다.
⑤ 흡입행정에서 펌핑 손실을 줄일 수 있다.

4 4행정 사이클 디젤기관의 작동

(1) 4행정 사이클 디젤기관 흡입행정

① 흡입 밸브를 통하여 공기를 흡입한다.
② 실린더 내의 부압(負壓)이 발생한다.
③ 흡입 밸브는 상사점 전에 열린다.
④ 흡입 계통에는 벤투리, 초크밸브가 없다.

(2) 4행정 사이클 디젤기관 압축행정

① 압축행정의 중간부분에서는 단열압축의 과정을 거친다.
② 흡입한 공기의 압축온도는 약 400~700℃가 된다.
③ 압축행정의 끝에서 연료가 분사된다.
④ 연료가 분사되었을 때 고온의 공기는 와류 운동을 한다.

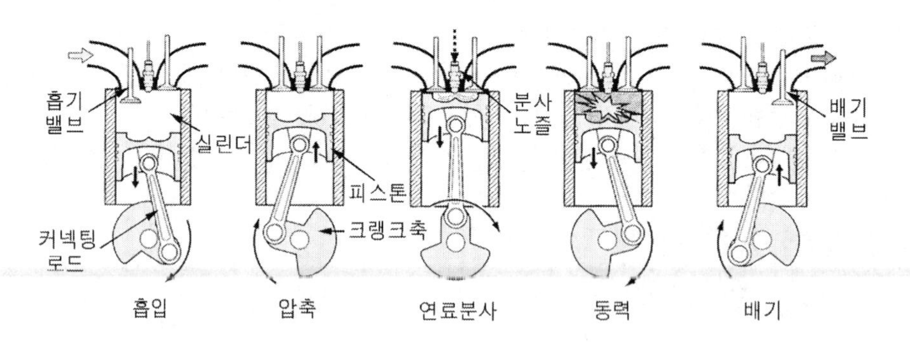

(3) 4행정 사이클 디젤기관 동력행정

① 피스톤이 상사점에 도달하기 전 소요의 각도 범위 내에서 분사를 시작한다.
② 연료분사 시작점은 회전속도에 따라 진각 된다.
③ 디젤기관의 진각에는 연료의 착화 늦음이 고려된다.
④ 연료는 분사된 후 착화지연 기간을 거쳐 착화되기 시작한다.

5 2행정 사이클 디젤기관의 흡입과 배기행정

① 피스톤이 하강하여 소기포트가 열리면 예압된 공기가 실린더 내로 유입된다.
② 압력이 낮아진 나머지 연소가스가 압출되어 실린더 내는 와류를 동반한 새로운 공기로 가득 차게 된다.
③ 동력행정의 끝 부분에서 배기 밸브가 열리고 연소가스가 자체의 압력으로 배출이 시작된다.
④ 연소가스가 자체의 압력에 의해 배출되는 것을 블로다운이라고 한다.

6 실린더 수가 많을 때의 장단점

(1) 장점

① 회전력의 변동이 적어 기관 진동과 소음이 적다.
② 회전의 응답성이 양호하다.
③ 저속회전이 용이하고 출력이 높다.
④ 가속이 원활하고 신속하다.

(2) 단점

① 흡입공기의 분배가 어렵다.
② 연료소모가 많다.
③ 구조가 복잡하다.
④ 제작비가 비싸다.

7 행정과 내경비

① 장행정 기관 : 실린더 내경(D)이 피스톤 행정(L)보다 작은 형식이다.
② 스퀘어 기관 : 실린더 내경(D)과 피스톤 행정(L)의 크기가 똑같은 형식이다.
③ 단행정 기관 : 실린더 내경(D)이 피스톤 행정(L)보다 큰 형식이다.

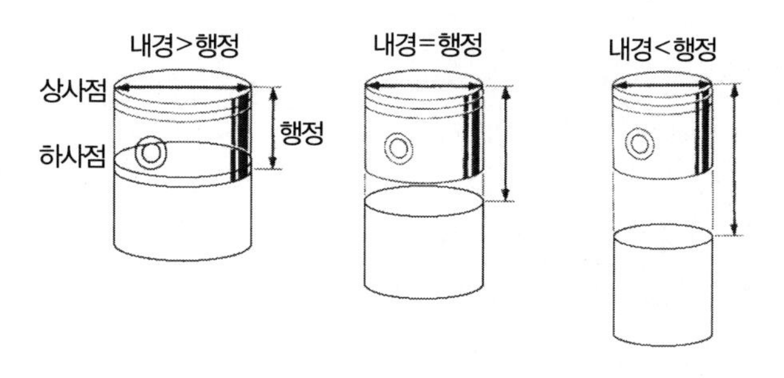

02 기관의 본체 부분의 구조

1 디젤기관 연소 4단계

① 착화 지연 기간(연소 준비 시간) : 분사된 연료의 입자가 공기의 압축열에 의해 증발하여 연소를 일으킬 때까지의 기간.
② 화염 전파 기간(폭발 연소 시간) : 분사된 연료의 모두에 화염이 전파되어 동시에 연소되는 기간.
③ 직접 연소 기간(제어 연소 시간) : 연료의 분사와 거의 동시에 연소되는 기간.
④ 후기 연소 기간(후 연소 시간) : 직접연소 기간에 연소하지 못한 연료가 연소, 팽창하는 기간.

2 실린더 헤드(cylinder head)

(1) 실린더 헤드의 구조

실린더 헤드는 헤드 개스킷을 사이에 두고 실린더 블록에 볼트로 설치되며 피스톤, 실린더와 함께 연소실을 형성한다.

(2) 연소실

연소실은 공기와 연료의 연소 및 연소가스의 팽창이 시작되는 부분이다. 디젤기관 연소실의 종류에는 단실식(single chamber type)인 직접분사실식과 복실식(double chamber type)인 예연소실식, 와류실식, 공기실식 등이 있다.

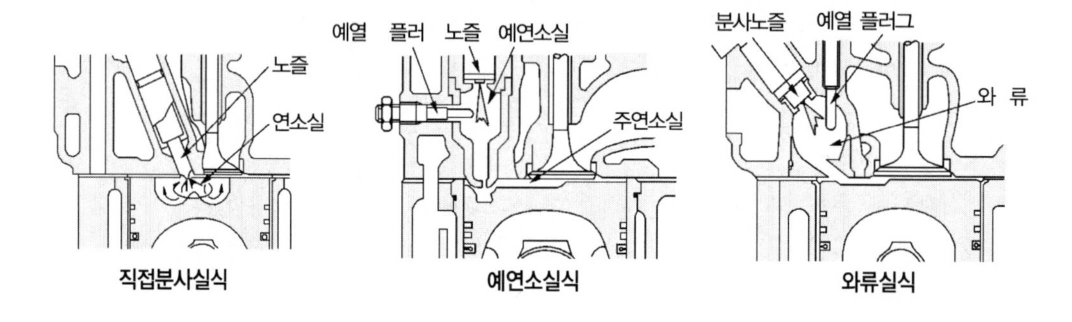

직접분사실식 예연소실식 와류실식

(3) 연소실의 구비조건

① 화염전파에 소요되는 시간이 짧을 것
② 연소실 내의 표면적을 최소화시킬 것
③ 가열되기 쉬운 돌출부분이 없을 것
④ 흡・배기작용이 원활하게 되도록 할 것
⑤ 압축행정에서 와류가 일어나도록 할 것
⑥ 배기가스에 유해성분이 적을 것
⑦ 출력 및 열효율이 높을 것
⑧ 노크를 일으키지 않을 것

3 실린더 라이너(cylinder liner)

(1) 습식 라이너

습식 라이너는 냉각수가 라이너 바깥둘레에 직접 접촉하는 형식이며, 정비작업을 할 때 라이너 교환이 쉽고 냉각효과가 좋으나, 크랭크 케이스로 냉각수가 들어갈 우려가 있다.

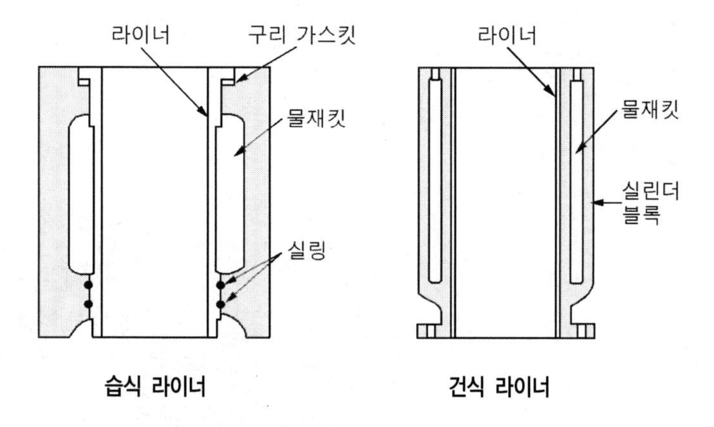

습식 라이너　　　　건식 라이너

(2) 실린더가 마멸되었을 때 미치는 영향

① 압축효율 및 폭발압력 저하
② 크랭크 실내의 윤활유 오염 및 소모량 증가
③ 기관 회전속도 저하
④ 기관의 출력저하
⑤ 연소실에 기관오일 상승

4 피스톤(piston)

(1) 피스톤 간극이 클 때 미치는 영향

① 연료가 기관오일에 떨어져 희석되어 오염된다.
② 기관 시동성능의 저하 및 기관 출력이 감소하는 원인이 된다.
③ 블로바이에 의해 압축압력이 낮아진다.
④ 피스톤 링의 기능저하로 인하여 오일이 연소실에 유입되어 오일소비가 많아진다.
⑤ 피스톤 슬랩 현상이 발생되며, 기관출력이 저하된다.

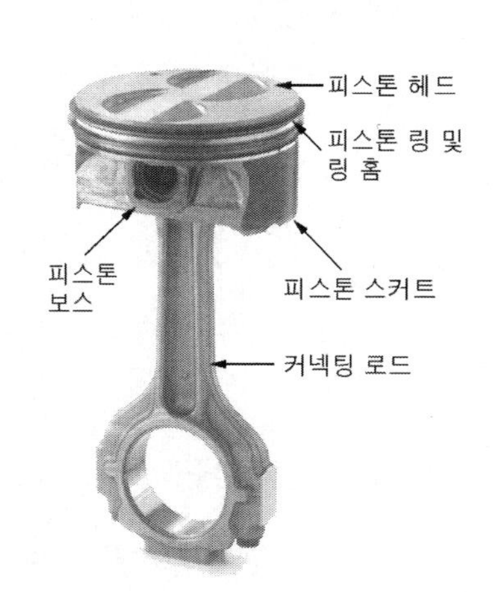

(2) 엔진의 압축압력이 낮은 원인

① 실린더 벽이 과다하게 마모되었다.
② 피스톤 링이 파손 또는 과다 마모되었다.
③ 피스톤 링의 탄력이 부족하다.
④ 헤드 개스킷에서 압축가스가 누설된다.

(3) 피스톤 링의 3대 작용

① 기밀유지 작용(밀봉작용)
② 오일제어 작용(실린더 벽의 오일 긁어내리기 작용)
③ 열전도 작용(냉각 작용)

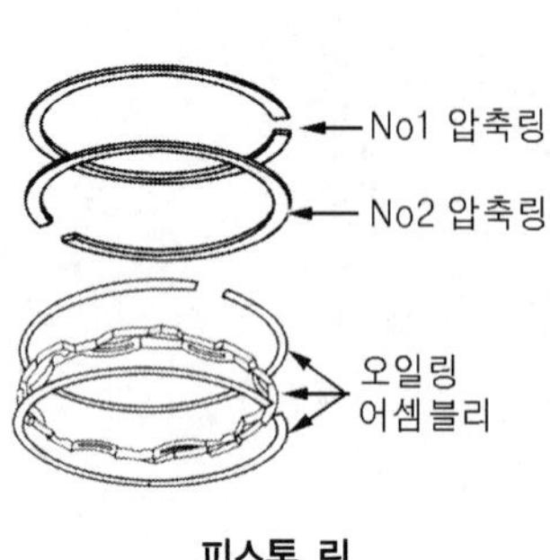

피스톤 링

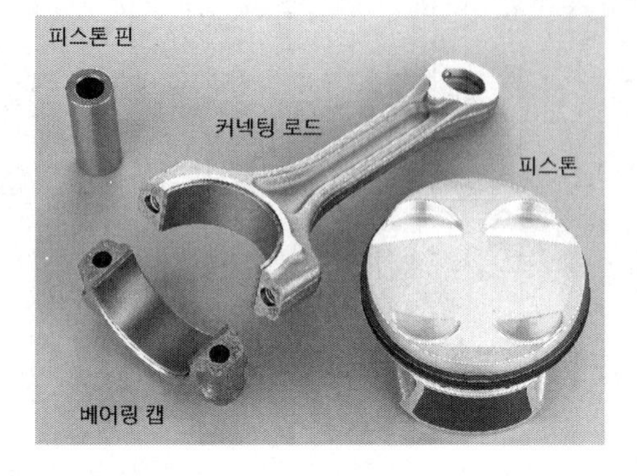

5 크랭크축(crank shaft)

크랭크축은 메인저널(main journal), 크랭크 핀(crank pin), 크랭크 암(crank arm), 평형추(balance weight) 등으로 되어 있으며, 피스톤의 왕복운동을 회전운동으로 바꾼다.

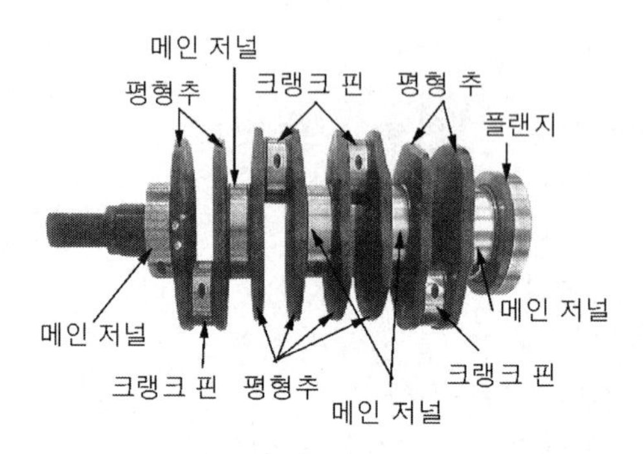

6 밸브 개폐기구(valve train)

(1) 캠축과 캠(cam shaft & cam)

4행정 사이클 기관에서는 크랭크축 2회전에 캠축이 1회전하는 구조로 되어 있기 때문에 크랭크축 기어와 캠축 기어의 지름 비율은 1 : 2로 되어 있고 회전 비율은 2 : 1이다.

(2) 유압식 밸브 리프터의 특징

① 밸브 간극을 점검·조정하지 않아도 된다.

② 밸브 개폐시기가 정확하고 작동이 조용하다.
③ 오일이 완충작용을 하므로 내구성이 향상된다.
④ 밸브기구의 구조가 복잡하다.
⑤ 윤활 장치가 고장이 나면 기관의 작동이 정지된다.

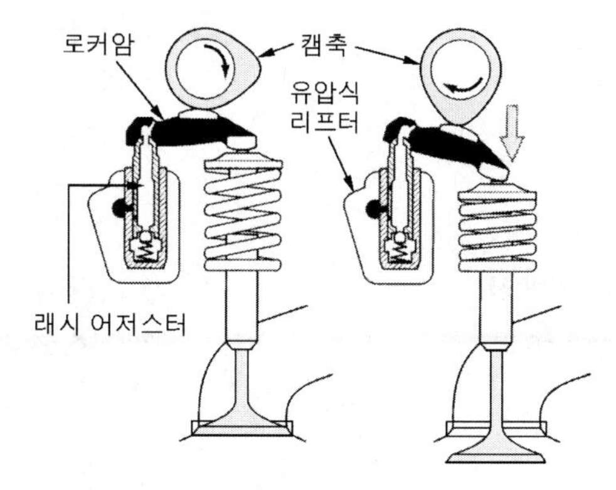

유압식 밸브 리프터의 구조

(3) 흡·배기 밸브(valve)의 구비조건

① 열전도율이 좋을 것
② 열에 대한 팽창율이 적을 것
③ 열에 대한 저항력이 클 것
④ 가스에 견디고 고온에 잘 견딜 것

(4) 밸브 오버랩

밸브 오버랩이란 피스톤의 상사점 부근에서 흡입 및 배기밸브가 동시에 열려 있는 상태를 말하며, 흡입효율 증대 및 잔류 배기가스 배출을 위해 둔다.

(5) 밸브 간극

1) 너무 클 때 미치는 영향

① 정상운전 온도에서 밸브가 완전하게 열리지 못한다.(늦게 열리고 일찍 닫힌다.)
② 흡입 밸브 간극이 크면 흡입량의 부족을 초래한다.
③ 배기 밸브 간극이 크면 배기의 불충분으로 엔진이 과열된다.
④ 심한 소음이 나고 밸브기구에 충격을 준다.

2) 너무 적을 때 미치는 영향

① 일찍 열리고 늦게 닫혀 밸브 열림 기간이 길어진다.
② 블로백으로 인해 엔진의 출력이 감소한다.
③ 흡입 밸브 간극이 작으면 역화(back fire) 및 실화(miss fire)가 발생한다.
④ 배기 밸브 간극이 작으면 후화(after fire)가 일어나기 쉽다.

출제예상문제

기관 기초

01 다음 중 회전력의 단위는?

① kgf-m ② TON
③ kgf/cm² ④ mmHg

회전력의 단위는 kgf-m이다.

02 1kW는 몇 PS인가?

① 0.75 ② 1.36
③ 75 ④ 736

1kW=1.36PS

03 다음 중 기관의 총배기량에 대한 내용으로 옳은 것은?

① 1번 연소실 체적과 실린더 체적의 합이다.
② 각 실린더 행정 체적의 합이다.
③ 행정 체적과 실린더 체적의 합이다.
④ 실린더 행정 체적과 연소실 체적의 곱이다.

기관의 총배기량이란 각 실린더 행정 체적(배기량)의 합이다

04 기관에서 열효율이 높다는 것은?

① 일정한 연료소비로서 큰 출력을 얻는 것이다.
② 연료가 완전 연소하지 않는 것이다.
③ 기관의 온도가 표준보다 높은 것이다.
④ 부조가 없고 진동이 적은 것이다.

05 열에너지를 기계적 에너지로 변환시켜주는 장치는?

① 펌프 ② 모터
③ 엔진 ④ 밸브

06 열기관이란 어떤 에너지를 어떤 에너지로 바꾸어 유효한 일을 할 수 있도록 한 기계인가?

① 열에너지를 기계적 에너지로
② 전기적 에너지를 기계적 에너지로
③ 위치 에너지를 기계적 에너지로
④ 기계적 에너지를 열에너지로

열기관(엔진)이란 열에너지(연료의 연소)를 기계적 에너지(크랭크축의 회전)로 변환시켜주는 장치이다.

07 엔진의 회전수를 나타낼 때 rpm이란?

① 시간당 엔진 회전수
② 분당 엔진 회전수
③ 초당 엔진 회전수
④ 10분간 엔진 회전수

rpm(revolution per minute)이란 분당 엔진 회전수를 나타내는 단위이다.

08 다음은 정압사이클 선도이다. 1–2과정은?

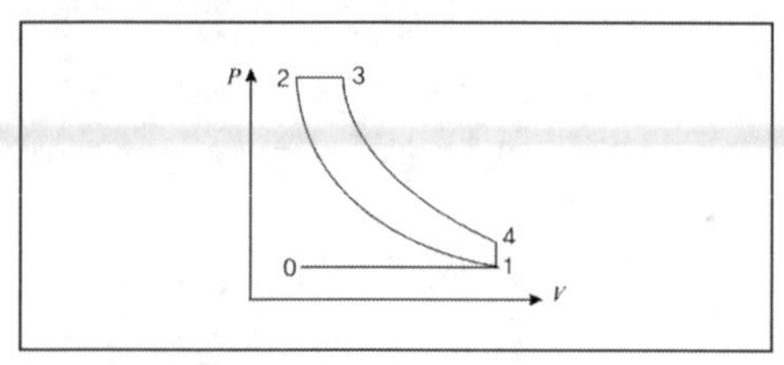

① 정압연소 ② 배기행정
③ 배기시작 ④ 압축행정

정답 01.① 02.② 03.② 04.① 05.③ 06.① 07.② 08.④

09 **저속 디젤 사이클은 어느 것이라고 할 수 있는가?**

① 복합 사이클 ② 오토 사이클
③ 정적 사이클 ④ 정압 사이클

사이클에 의한 분류
① 오토 사이클(정적 사이클) : 일정한 체적하에서 연소하는 사이클. 가솔린 엔진 및 가스 엔진에 이용된다.
② 디젤 사이클(정압 사이클) : 일정한 압력하에서 연소하는 사이클. 유기 분사식 저속 디젤 엔진에 이용된다.
③ 사바테 사이클(합성 사이클) : 일정한 압력 및 체적하에서 연소하는 사이클. 무기 분사식 또는 기계 분사식 고속 디젤 엔진에 이용된다.

10 **고속 디젤기관의 기본 사이클은?**

① 정적 사이클 ② 합성(복합)사이클
③ 카르노 사이클 ④ 정압 사이클

11 **공기만을 실린더 내로 흡입하여 고압축비로 압축한 다음 압축열에 연료를 분사하는 작동원리의 디젤기관은?**

① 압축착화 기관 ② 전기점화 기관
③ 외연기관 ④ 제트기관

공기만을 실린더 내로 흡입하여 고압축비로 압축한 다음 압축열에 연료를 분사하는 작동원리의 디젤기관을 압축착화(자기착화) 기관이라 한다.

12 **일반적으로 디젤기관에서 흡입공기 압축시 압축온도는 약 얼마인가?**

① 300~350℃ ② 500~550℃
③ 1100~1150℃ ④ 1500~1600℃

디젤기관에서 흡입공기를 압축할 때 압축온도는 500~550℃이다.

13 **디젤기관의 압축비가 높은 이유는?**

① 연료의 무화를 양호하게 하기 위하여
② 공기의 압축열로 착화시키기 위하여
③ 기관 과열과 진동을 적게 하기 위하여
④ 연료의 분사를 높게 하기 위하여

디젤기관의 압축비가 높은 이유는 공기의 압축열로 자기 착화시키기 위함이다.

14 **다음 중 내연기관의 구비조건으로 틀린 것은?**

① 단위중량 당 출력이 적을 것
② 열효율이 높을 것
③ 저속에서 회전력이 클 것
④ 점검 및 정비가 쉬울 것

내연기관의 구비조건
① 소형・경량이고 열효율이 높을 것
② 단위중량 당 출력이 클 것
③ 저속에서 회전력이 클 것
④ 저속에서 고속으로 가속도가 클 것
⑤ 연소비율이 적을 것
⑥ 가혹한 운전조건에 잘 견딜 것
⑦ 진동 및 소음이 적고, 점검과 정비가 쉬울 것
⑧ 유해 배기가스 배출이 없을 것

15 **고속 디젤기관이 가솔린기관보다 좋은 점은?**

① 열효율이 높고 연료 소비율이 적다.
② 운전 중 소음이 비교적 적다.
③ 엔진의 출력당 무게가 가볍다.
④ 엔진의 압축비가 낮다.

디젤기관의 장점
① 열효율이 높고 연료소비량이 적다.
② 전기 점화장치가 없어 고장률이 적다.
③ 인화점이 높은 경유를 사용하므로 취급이 용이하다(화재의 위험이 적다).
④ 유해 배기가스 배출량이 적다.
⑤ 흡입행정에서 펌핑 손실을 줄일 수 있다.

16 **다음 중 가솔린 엔진에 비해 디젤 엔진의 장점으로 볼 수 없는 것은?**

① 열효율이 높다.
② 압축압력, 폭압압력이 크기 때문에 마력당 중량이 크다.
③ 유해 배기가스 배출량이 적다.
④ 흡입행정 시 펌핑 손실을 줄일 수 있다.

정답 09.④ 10.② 11.① 12.② 13.② 14.① 15.① 16.②

17 고속 디젤기관의 장점으로 틀린 것은?

① 열효율이 가솔린 기관보다 높다.
② 가솔린 기관보다 최고 회전수가 빠르다.
③ 연료 소비량이 가솔린 기관보다 적다.
④ 인화점이 높은 경유를 사용하므로 취급이 용이하다.

18 디젤기관의 특성으로 가장 거리가 먼 것은?

① 연료소비율이 적고 열효율이 높다.
② 예열플러그가 필요 없다.
③ 연료의 인화점이 높아서 화재의 위험성이 적다.
④ 전기 점화장치가 없어 고장률이 적다.

디젤기관의 장점
① 열효율이 높고 연료소비량이 적다.
② 전기 점화장치가 없어 고장률이 적다.
③ 인화점이 높은 경유를 사용하므로 취급이 용이하다(화재의 위험이 적다).
④ 유해 배기가스 배출량이 적다.
⑤ 흡입행정에서 펌핑 손실을 줄일 수 있다.

19 가솔린 기관과 비교하여 디젤기관의 일반적인 특징으로 가장 거리가 먼 것은?

① 소음이 크다.
② 회전수가 높다.
③ 마력 당 무게가 무겁다.
④ 진동이 크다.

20 디젤기관과 관계없는 설명은?

① 경유를 연료로 사용한다.
② 점화장치 내에 배전기가 있다.
③ 압축 착화한다.
④ 압축비가 가솔린 기관보다 높다.

디젤기관의 장점
디젤기관은 압축착화 방식이므로 점화장치가 필요 없으며, 경유를 연료로 사용하고 압축비는(15~22:1) 가솔린 기관보다 높다

21 기관에서 피스톤의 행정이란?

① 피스톤의 길이
② 실린더 벽의 상하 길이
③ 상사점과 하사점과의 총면적
④ 상사점과 하사점과의 거리

22 기관에서 상사점과 하사점까지를 무엇이라고 하는가?

① 행정 ② 사이클
③ 소기 ④ 과급

23 4행정으로 1사이클을 완성하는 기관에서 각 행정의 순서는?

① 압축 → 흡입 → 폭발 → 배기
② 흡입 → 압축 → 폭발 → 배기
③ 흡입 → 압축 → 배기 → 폭발
④ 흡입 → 폭발 → 압축 → 배기

4행정 1사이클 기관의 행정순서는 흡입→압축→폭발→배기의 순서로 이루어진다.

24 디젤기관의 순환운동 순서로 맞는 것은?

① 공기압축 → 가스폭발 → 공기흡입 → 배기 → 점화
② 연료흡입 → 연료분사 → 공기압축 → 착화연소 → 연소 · 배기
③ 공기흡입 → 공기압축 → 연소 · 배기 → 연료분사 → 착화연소
④ 공기흡입 → 공기압축 → 연료분사 → 착화연소 → 배기

25 4행정 사이클 엔진은 피스톤이 흡입 압축 폭발 배기의 4행정을 하면서 1사이클을 완료하며, 크랭크축은 몇 회전 하는가?

① 2회전 ② 3회전
③ 1회전 ④ 4회전

4행정 사이클 엔진이 1사이클을 완료하면 크랭크축은 2회전한다.

정답 17.② 18.② 19.② 20.② 21.④ 22.① 23.② 24.④ 25.①

26 **4행정 사이클 디젤기관의 흡입행정에 관한 설명 중 맞지 않는 것은?**

① 흡입 밸브를 통하여 혼합기를 흡입한다.
② 실린더 내의 부압(負壓)이 발생한다.
③ 흡입 밸브는 상사점 전에 열린다.
④ 흡입 계통에는 벤투리, 초크 밸브가 없다.

4행정 사이클 디젤기관은 흡입 행정에서 흡입 밸브를 통하여 공기만을 흡입한다.

27 **4행정 디젤엔진에서 흡입 행정 시 실린더 내에 흡입되는 것은?**

① 혼합기 ② 연료
③ 공기 ④ 스파크

28 **4행정 사이클 디젤기관의 압축 행정에 관한 설명으로 틀린 것은?**

① 흡입한 공기의 압축온도는 약 400~700℃가 된다.
② 압축 행정의 끝에서 연료가 분사된다.
③ 압축 행정의 중간부분에서는 단열 압축의 과정을 거친다.
④ 연료가 분사되었을 때 고온의 공기는 와류운동을 하면 안 된다.

연료가 분사되었을 때 고온의 공기는 와류운동을 하여 연소를 촉진시켜야 한다.

29 **4행정 사이클 디젤기관의 동력 행정에 관한 설명 중 틀린 것은?**

① 연료는 분사됨과 동시에 연소를 시작한다.
② 피스톤이 상사점에 도달하기 전 소요의 각도 범위 내에서 분사를 시작한다.
③ 연료분사 시작점은 회전속도에 따라 진각 된다.
④ 디젤기관의 진각에는 연료의 착화 늦음이 고려된다.

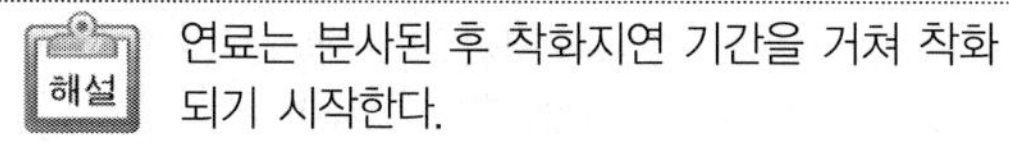
연료는 분사된 후 착화지연 기간을 거쳐 착화되기 시작한다.

30 **디젤기관에서 흡입 밸브와 배기 밸브가 모두 닫혀있을 때는?**

① 소기 행정 ② 배기 행정
③ 흡입 행정 ④ 동력 행정

동력 행정(폭발 행정)은 압축 행정 말기에 분사 노즐로부터 실린더 내로 연료를 분사하여 연소시켜 동력을 얻는 행정으로 피스톤은 상사점에서 하사점으로 내려가고, 흡·배기 밸브는 모두 닫혀 있으며, 크랭크축은 540° 회전한다.

31 **압축 말 연료 분사 노즐로부터 실린더 내로 연료를 분사하여 연소시켜 동력을 얻는 행정은?**

① 폭발 행정 ② 압축 행정
③ 배기 행정 ④ 흡기 행정

32 **2행정 사이클 디젤기관의 흡입과 배기행정에 관한 설명 중 맞지 않는 것은?**

① 피스톤이 하강하여 소기포트가 열리면 예압된 공기가 실린더 내로 유입된다.
② 연소가스가 자체의 압력에 의해 배출되는 것을 블로바이라고 한다.
③ 압력이 낮아진 나머지 연소가스가 압출되어 실린더 내는 와류를 동반한 새로운 공기로 가득 차게 된다.
④ 동력행정의 끝 부분에서 배기 밸브가 열리고 연소가스가 자체의 압력으로 배출이 시작된다.

연소가스가 자체의 압력에 의해 배출되는 것을 블로다운이라고 한다.

33 **2행정 사이클 기관에만 해당되는 과정(행정)은?**

① 소기 ② 압축
③ 흡입 ④ 동력

소기란 잔류 배기가스를 내보내고 새로운 공기를 실린더 내에 유입시키는 과정이며, 2행정 사이클 기관에서만 해당된다.

정답 26.① 27.③ 28.④ 29.① 30.④ 31.① 32.② 33.①

34 4행정 디젤기관에서 동력행정을 뜻하는 것은?

① 흡기 행정　② 압축 행정
③ 폭발 행정　④ 배기 행정

35 기관에서 폭발행정 말기에 실린더 내의 압력에 의해 배기가스가 배기밸브를 통해 배출되는 현상은?

① 블로백(blow back)
② 블로바이(blow by)
③ 블로업(blow up)
④ 블로다운(blow down)

용어의 해설
① 블로백 : 혼합 가스가 밸브와 밸브 시트 사이로 누출되는 현상
② 블로바이 : 압축 행정시 혼합 가스가 피스톤과 실린더 사이로 누출되는 현상
③ 블로다운 : 폭발행정 끝 부분에서 실린더 내의 압력에 의해 배기가스가 배기밸브를 통해 배출되는 현상
④ 밸브 오버랩 : 피스톤이 상사점에 있을 때 흡입 및 배기 밸브가 동시에 열려 있는 현상

36 배기행정 초기에 배기밸브가 열려 실린더 내의 연소가스가 스스로 배출되는 현상은?

① 피스톤 슬랩　② 블로 바이
③ 블로다운　④ 피스톤 행정

37 기관의 실린더 수가 많은 경우 장점이 아닌 것은?

① 기관의 진동이 적다.
② 저속회전이 용이하고 큰 동력을 얻을 수 있다.
③ 연료소비가 적고 큰 동력을 얻을 수 있다.
④ 가속이 원활하고 신속하다.

실린더 수가 많을 경우의 장점
① 기관의 진동이 적다.
② 가속이 원활하고 신속하다.
③ 저속 회전이 용이하다.
④ 큰 동력을 얻을 수 있다.
⑤ 회전의 응답성이 양호하다.
⑥ 회전력의 변동이 적다.
⑦ 소음이 감소된다.

38 6기통 기관이 4기통 기관보다 좋은 점이 아닌 것은?

① 가속이 원활하고 신속하다.
② 기관 진동이 적다.
③ 저속회전이 용이하고 출력이 높다.
④ 구조가 간단하며 제작비가 싸다.

실린더 수가 많을 때의 특징
① 회전력의 변동이 적어 기관 진동과 소음이 적다.
② 회전의 응답성이 양호하다.
③ 저속회전이 용이하고 출력이 높다.
④ 가속이 원활하고 신속하다.
단점
① 흡입공기의 분배가 어렵고 연료소모가 많다.
② 구조가 복잡하여 제작비가 비싸다.

39 실린더의 내경이 행정보다 작은 기관을 무엇이라고 하는가?

① 스퀘어 기관　② 단행정 기관
③ 장행정 기관　④ 정방행정 기관

실린더 내경과 행정비에 의한 분류
① 장행정 기관 : 실린더 내경(D)이 피스톤 행정(L)보다 작은 형식이다.
② 스퀘어 기관 : 실린더 내경(D)과 피스톤 행정(L)의 크기가 똑같은 형식이다.
③ 단행정 기관 : 실린더 내경(D)이 피스톤 행정(L)보다 큰 형식이다.

기관 본체 구조

01 디젤기관 연소과정에서 연소 4단계와 거리가 먼 것은?

① 전기연소기간(전 연소기간)
② 화염전파기간(폭발연소시간)
③ 직접연소기간(제어연소시간)
④ 후기연소기간(후 연소시간)

해설 디젤기관의 연소 4단계 과정의 순서는 착화지연기간(연소준비시간)→화염전파기간(폭발연소시간)→직접연소기간(제어연소시간)→후기연소기간(후 연소시간)이다.

정답 34.③ 35.④ 36.③ 37.③ 38.④ 39.③ ▮ 01.①

02 디젤기관 연소과정에서 착화 늦음 원인과 가장 거리가 먼 것은?

① 연료의 미립도
② 연료의 압력
③ 연료의 착화성
④ 공기의 와류상태

착화 늦음의 원인은 연료의 미립도, 연료의 착화성, 공기의 와류상태, 기관의 온도 등에 관계된다.

03 기관 연소실이 갖추어야 할 구비조건이다. 가장 거리가 먼 것은?

① 연소실 내의 표면적은 최대가 되도록 한다.
② 돌출부가 없어야 한다.
③ 압축 끝에서 혼합기의 와류를 형성하는 구조이어야 한다.
④ 화염전파 거리가 짧아야 한다.

연소실의 구비조건
① 화염전파에 소요되는 시간이 짧을 것
② 연소실 내의 표면적을 최소화시킬 것
③ 가열되기 쉬운 돌출부분이 없을 것
④ 흡·배기작용이 원활하게 되도록 할 것
⑤ 압축행정에서 와류가 일어나도록 할 것
⑥ 배기가스에 유해성분이 적을 것
⑦ 출력 및 열효율이 높을 것
⑧ 노크를 일으키지 않을 것

04 다음 중 연소실과 연소의 구비조건이 아닌 것은?

① 분사된 연료를 가능한 한 긴 시간 동안 완전 연소시킬 것
② 평균유효압력이 높을 것
③ 고속회전에서 연소상태가 좋을 것
④ 노크발생이 적을 것

연소실의 구비조건은 ②, ③, ④항 이외에 분사된 연료를 가능한 한 짧은 시간 내에 완전 연소시킬 것

05 디젤기관의 연소실은 열효율이 높은 구조이어야 하는데 잘못 설명된 것은?

① 압축비를 높인다.
② 연소실의 구조를 간단히 한다.
③ 열효율을 높이면 연료 소비율도 증가한다.
④ 연소실 벽의 온도를 높인다.

열효율을 높이기 위한 연소실의 구조는 ①, ②, ④항 이외에 열효율을 높이면 연료 소비율이 감소한다.

06 기관의 연소실 모양과 관련이 적은 것은?

① 기관 출력 ② 열효율
③ 엔진 속도 ④ 운전 정숙도

기관의 연소실 모양에 따라 기관의 출력, 열효율, 운전 정숙도, 노크 발생 빈도 등이 관련된다.

07 보기에 나타낸 것은 어느 구성품을 형태에 따라 구분한 것인가?

> **보기**
> 직접분사식, 예연소식, 와류실식, 공기실식

① 연료 분사장치 ② 연소실
③ 기관 구성 ④ 동력전달장치

디젤기관의 연소실은 단실식인 직접분사실식과 복실식인 예연소실식, 와류실식, 공기실식 등으로 나누어진다.

08 디젤기관에서 부실식과 비교할 경우 직접분사식 연소실의 장점이 아닌 것은?

① 냉간 시동이 용이하다.
② 연소실 구조가 간단하다.
③ 연료 소비율이 낮다.
④ 저질 연료사용이 가능하다.

직접분사식의 단점
① 연료 분사압력이 가장 높아 분사펌프와 노즐의 수명이 짧다.
② 저질 연료의 사용이 어렵다(사용 연료의 변화에 민감하다).
③ 노크발생이 크다.
④ 연료계통의 연료누출 염려가 크다.

정답 02.② 03.① 04.① 05.③ 06.③ 07.② 08.④

09 디젤기관에서 직접분사실식 장점이 아닌 것은?

① 연료소비량이 적다.
② 냉각손실이 적다.
③ 연료계통의 연료누출 염려가 적다.
④ 구조가 간단하여 열효율이 높다.

장점은 ①, ②, ④항이며, 연료계통에서 연료의 누출 염려가 큰 결점이 있다.

10 직접분사식 엔진의 장점 중 틀린 것은?

① 구조가 간단하므로 열효율이 높다.
② 연료의 분사압력이 낮다.
③ 실린더 헤드의 구조가 간단하다.
④ 냉각에 의한 열 손실이 적다.

연료 분사압력이 높아 연료장치의 수명이 짧고 노크 발생이 쉬운 단점이 있다.

11 예연소실식 연소실에 대한 설명으로 가장 거리가 먼 것은?

① 예열플러그가 필요하다.
② 사용연료의 변화에 민감하다.
③ 예연소실은 주연소실보다 작다.
④ 분사압력이 낮다.

예연소실식 연소실의 특징
① 예열플러그가 필요하다.
② 예연소실은 주연소실보다 작다.
③ 분사압력이 가장 낮다.
④ 사용 연료의 변화에 둔감하다.

12 기관의 연소실에서 발생하는 스퀴시(squish)의 설명으로 옳은 것은?

① 연소가스가 크랭크 케이스로 누출되는 현상
② 흡입 밸브에 의한 와류현상
③ 압축 행정 말기에 발생하는 와류현상
④ 압축공기가 피스톤 링 사이로 누출되는 현상

스퀴시란 압축 행정 말기에 발생하는 와류현상이다.

13 직접분사실식 연소실에 대한 설명 중 잘못된 것은?

① 질소산화물(NOx)의 발생률이 크다.
② 다공형 분사 노즐을 사용한다.
③ 피스톤 헤드를 오목하게 하여 연소실을 형성시킨다.
④ 흡입공기에 방향성을 부여하여 흡기다기관에서 와류를 일으키게 한다.

직접분사실식 연소실은 실린더 헤드와 피스톤 헤드에 설치된 요철에 의하여 형성되며, 여기에 연료를 직접 분사시키는 방식이다. 분사 노즐은 다공형을 사용하며, 질소산화물(NOx)의 발생률이 크다.

14 헤드 개스킷에 관한 설명으로 관계없는 것은?

① 고온·고압에 견딜 수 있어야 한다.
② 가스나 물 등의 누출을 방지한다.
③ 기름 등의 누출을 방지한다.
④ 오버랩을 방지한다.

헤드 개스킷은 실린더 헤드와 블록 사이에 설치되어 압축과 폭발가스의 기밀을 유지하고 냉각수와 엔진오일이 누출되는 것을 방지하는 역할을 한다.

15 실린더 헤드와 블록 사이에 삽입하여 압축과 폭발가스의 기밀을 유지하고 냉각수와 엔진오일이 누출되는 것을 방지하는 역할을 하는 것은?

① 헤드 워터 재킷 ② 헤드 오일 통로
③ 헤드 가스켓 ④ 헤드 펌프

16 실린더 헤드의 변형 원인으로 틀린 것은?

① 기관의 과열
② 실린더 헤드 볼트 조임 불량
③ 실린더 헤드 커버 개스킷 불량
④ 제작 시 열처리 불량

실린더 헤드가 변형되는 원인은 기관이 과열된 경우, 실린더 헤드 볼트 조임 불량, 제작할 때 열처리 불량 등이다. 헤드 커버 개스킷이 불량하면 오일이 누출되는 원인이 된다.

정답 09.③ 10.② 11.② 12.③ 13.④ 14.④ 15.③ 16.③

17 **실린더 헤드 개스킷이 손상되었을 때 일어나는 현상으로 가장 적절한 것은?**

① 엔진 오일의 압력이 높아진다.
② 피스톤 링의 작용이 느려진다.
③ 압축 압력과 폭발 압력이 낮아진다.
④ 피스톤이 가벼워진다.

실린더 헤드 개스킷이 손상되면 압축가스의 누출로 인하여 압축 압력과 폭발 압력이 낮아진다.

18 **라이너식 실린더에 비교한 일체식 실린더의 특징 중 맞지 않는 것은?**

① 강성 및 강도가 크다.
② 냉각수 누출 우려가 적다.
③ 라이너 형식보다 내마모성이 높다.
④ 부품수가 적고 중량이 가볍다.

일체식 실린더는 강성 및 강도가 크고 냉각수 누출 우려가 적으며, 부품수가 적고 중량이 가볍다.

19 **실린더 라이너(cylinder liner)에 대한 설명으로 틀린 것은?**

① 종류는 습식과 건식이 있다.
② 일명 슬리브(sleeve)라고도 한다.
③ 냉각효과는 습식보다 건식이 더 좋다.
④ 습식은 냉각수가 실린더 안으로 들어갈 염려가 있다.

습식 라이너는 냉각수가 라이너 바깥둘레에 직접 접촉하는 형식이며, 정비작업을 할 때 라이너 교환이 쉽고 냉각효과가 좋으나, 크랭크 케이스로 냉각수가 들어갈 우려가 있다.

20 **건설기계 기관에 사용되는 습식 라이너의 단점은?**

① 냉각효과가 좋다.
② 냉각수가 크랭크 실로 누출될 우려가 있다.
③ 직접 냉각수와 접촉하므로 누출될 우려가 있다.
④ 라이너의 압입 압력이 높다.

습식 라이너는 냉각수가 라이너 바깥둘레에 직접 접촉하며, 라이너 교환이 쉽고, 냉각효과가 좋으나, 크랭크 케이스에 냉각수가 들어갈 우려가 있다.

21 **냉각수가 라이너 바깥둘레에 직접접촉하고, 정비시 라이너 교환이 쉬우며, 냉각효과가 좋으나, 크랭크 케이스에 냉각수가 들어갈 수 있는 단점을 가진 것은?**

① 진공식 라이너 ② 건식 라이너
③ 유압 라이너 ④ 습식 라이너

22 **기관 실린더(cylinder) 벽에서 마멸이 가장 크게 발생하는 부위는?**

① 상사점 부근 ② 하사점 부근
③ 중간부근 ④ 하사점 이하

실린더(cylinder) 벽의 마멸이 가장 큰 부위는 상사점 부근(윗부분)이다

23 **실린더 벽이 마멸되었을 때 발생되는 현상은?**

① 기관의 회전수가 증가한다.
② 오일 소모량이 증가한다.
③ 열효율이 증가한다.
④ 폭발압력이 증가한다.

실린더 벽이 마멸되면
① 압축효율 및 폭발압력 저하
② 크랭크 실내의 윤활유 오염 및 소모량 증가
③ 기관 회전속도 저하
④ 기관의 출력저하
⑤ 연소실에 기관오일 상승

24 **피스톤의 구비조건으로 틀린 것은?**

① 고온고압에 견딜 것
② 열전도가 잘될 것
③ 열팽창율이 적을 것
④ 피스톤 중량이 클 것

피스톤의 구비조건
① 고온고압에 견딜 것
② 열전도가 잘될 것
③ 열팽창율이 적을 것
④ 피스톤 중량이 가벼울 것

정답 17.③ 18.③ 19.③ 20.② 21.④ 22.① 23.② 24.④

25 기관에서 실린더 마모 원인이 아닌 것은?

① 희박한 혼합기에 의한 마모
② 연소 생성물(카본)에 의한 마모
③ 흡입공기 중의 먼지·이물질 등에 의한 마모
④ 실린더 벽과 피스톤 및 피스톤 링의 접촉에 의한 마모

실린더 마모 원인
① 농후한 혼합기에 의한 마모
② 연소 생성물(카본)에 의한 마모
③ 흡입공기 중의 먼지·이물질 등에 의한 마모
④ 실린더 벽과 피스톤 및 피스톤 링의 접촉에 의한 마모
⑤ 커넥팅 로드의 변형에 의한 마모
⑥ 하중의 변동에 따른 마모

26 다음 보기에서 피스톤과 실린더 벽 사이의 간극이 클 때 미치는 영향을 나타낸 것은?

보기

a. 마찰열에 의해 소결되기 쉽다.
b. 블로바이에 의해 압축압력이 낮아진다.
c. 피스돈 링의 기능저하로 인하여 오일이 언소실에 유입되어 오일소비가 많아진다.
d. 피스톤 슬랩 현상이 발생되며, 기관출력이 저하된다.

① a, b, c ② c, d
③ b, c, d ④ a, b, c, d

피스톤 간극이 클 때 기관에 미치는 영향
① 연료가 기관오일에 떨어져 희석되어 오염된다.
② 기관 시동 성능의 저하 및 기관 출력이 감소하는 원인이 된다.
③ 블로바이에 의해 압축압력이 낮아진다.
④ 피스톤 링의 기능저하로 인하여 오일이 연소실에 유입되어 오일소비가 많아진다.
⑤ 피스톤 슬랩 현상이 발생되며, 기관 출력이 저하된다.

27 피스톤과 실린더 사이의 간극이 너무 클 때 일어나는 현상은?

① 실린더의 소결
② 압축압력 증가
③ 기관 출력향상
④ 윤활유 소비량 증가

실린더의 소결은 피스톤 간극이 너무 작을 때 일어나는 현상이다.

28 피스톤의 운동방향이 바뀔 때 실린더 벽에 충격을 주는 현상을 무엇이라고 하는가?

① 피스톤 스틱(stick)현상
② 피스톤 슬랩(slap)현상
③ 블로바이(blow by)현상
④ 슬라이드(slide)현상

29 디젤기관에서 압축압력이 저하되는 가장 큰 원인은?

① 냉각수 부족
② 엔진오일 과다
③ 기어오일의 열화
④ 피스톤 링의 마모

엔진 압축압력이 낮은 원인
① 실린더 벽이 과다하게 마모되었다
② 피스톤 링이 파손 또는 과다 마모되었다.
③ 피스톤 링의 탄력이 부족하다.
④ 헤드 개스킷에서 압축가스가 누설된다.

30 실린더의 압축압력이 저하하는 주요 원인으로 틀린 것은?

① 실린더 벽의 마멸
② 피스톤 링의 탄력부족
③ 헤드 개스킷 파손에 의한 누설
④ 연소실 내부의 카본누적

31 피스톤의 형상에 의한 종류 중에 측압부의 스커트 부분을 떼어내 경량화 하여 고속엔진에 많이 사용되는 피스톤은 무엇인가?

① 솔리드 피스톤 ② 풀 스커트 피스톤
③ 스플릿 피스톤 ④ 슬리퍼 피스톤

슬리퍼 피스톤은 측압부의 스커트 부분을 떼어내 경량화 하여 고속엔진에 많이 사용한다.

정답 25.① 26.③ 27.④ 28.② 29.④ 30.④ 31.④

32 **피스톤 링의 구비조건으로 틀린 것은?**

① 열팽창률이 적을 것
② 고온에서도 탄성을 유지할 것
③ 링 이음부의 압력을 크게 할 것
④ 피스톤 링이나 실린더 마모가 적을 것

피스톤 링의 구비조건
① 높은 온도에서도 탄성을 유지할 수 있을 것
② 열팽창률이 적을 것
③ 오랫동안 사용하여도 피스톤 링 자체나 실린더 마모가 적을 것
④ 실린더 벽에 동일한 압력을 가할 것
⑤ 실린더 벽 재질보다 다소 경도가 낮아야 한다.

33 **디젤엔진에서 피스톤 링의 3대 작용과 거리가 먼 것은?**

① 응력분산작용 ② 기밀 작용
③ 오일제어 작용 ④ 열전도 작용

피스톤 링의 작용은 기밀 작용(밀봉 작용), 오일제어 작용(엔진오일을 실린더 벽에서 긁어내리는 작용), 열전도 작용(냉각 작용)이다.

34 **실린더와 피스톤 사이에 유막을 형성하여 압축 및 연소가스가 누설되지 않도록 기밀을 유지하는 작용으로 옳은 것은?**

① 밀봉 작용 ② 감마 작용
③ 냉각 작용 ④ 방청 작용

밀봉 작용은 기밀 작용이라고도 하며, 실린더와 피스톤 사이에 유막을 형성하여 압축 및 연소가스가 누설되지 않도록 기밀을 유지한다.

35 **기관주요 부품 중 밀봉작용과 냉각작용을 하는 것은?**

① 베어링 ② 피스톤 핀
③ 피스톤 링 ④ 크랭크축

36 **다음 중 피스톤 링에 대한 설명으로 틀린 것은?**

① 실린더 헤드 쪽에 있는 것이 압축 링이다.
② 엔진 오일을 실린더 벽에서 긁어내린다.
③ 압축가스가 새는 것을 막아준다.
④ 압축 링과 인장 링이 있다.

피스톤 링은 압축 링과 오일 링이 설치되며, 기밀 작용, 열전도 작용, 오일제어 작용을 한다.

37 **다음 중 피스톤 링 절개부 간극이 가장 큰 것은?**

① 3번 링 ② 2번 링
③ 1번 링 ④ 4번 링

38 **피스톤 링의 절개구를 서로 120° 방향으로 끼우는 이유는?**

① 냉각을 돕기 위해
② 절개구 쪽으로 압축가스가 새는 것을 방지하기 위해
③ 피스톤의 강도를 보강하기 위해
④ 벗겨지지 않게 하기 위해

39 **기관에서 크랭크축의 역할은?**

① 원활한 직선운동을 하는 장치이다.
② 기관의 진동을 줄이는 장치이다.
③ 직선운동을 회전운동으로 변환시키는 장치이다.
④ 원운동을 직선운동으로 변환시키는 장치이다.

기관에서 크랭크축의 역할은 피스톤의 직선운동을 회전운동으로 변환시키는 장치이다.

40 **우수식 크랭크축이 설치된 4행정 6실린더 기관의 폭발순서는?**

① 1 − 3 − 2 − 5 − 6 − 4
② 1 − 4 − 3 − 5 − 2 − 6
③ 1 − 5 − 3 − 6 − 2 − 4
④ 1 − 6 − 2 − 5 − 3 − 4

직렬 6실린더 기관의 우수식 크랭크축 폭발순서는 1-5-3-6-2-4이며, 좌수식의 경우는 1-4-2-6-3-5이다.

정답 32.③ 33.① 34.① 35.③ 36.④ 37.③ 38.② 39.③ 40.③

41 **동력을 전달하는 계통의 순서를 바르게 나타낸 것은?**

① 피스톤 → 커넥팅 로드 → 클러치 → 크랭크축
② 피스톤 → 클러치 → 크랭크축 → 커넥팅 로드
③ 피스톤 → 크랭크 축 → 커넥팅 로드 → 클러치
④ 피스톤 → 커넥팅 로드 → 크랭크축 → 클러치

실린더 내에서 폭발이 일어나면 피스톤 → 커넥팅 로드 → 크랭크축 → 플라이휠(클러치) 순서로 전달된다.

42 **크랭크축의 비틀림 진동에 대한 설명 중 틀린 것은?**

① 각 실린더의 회전력 변동이 클수록 크다.
② 크랭크축이 길수록 크다.
③ 회전부분의 질량이 클수록 커진다.
④ 강성이 클수록 크다.

크랭크축에서 비틀림 진동발생의 관계
① 기관의 회전력 변동이 클수록 크다.
② 크랭크축의 길이가 길수록 크다.
③ 크랭크축의 강성이 적을수록 크다.
④ 회전부분의 질량이 클수록 크다.

43 **건설기계 기관에서 크랭크축(crank shaft)의 구성부품이 아닌 것은?**

① 크랭크 암(crank arm)
② 크랭크 핀(crank pin)
③ 저널(journal)
④ 플라이 휠(fly wheel)

플라이휠은 크랭크축 끝 부분에 볼트로 조립되어 기관의 맥동적인 회전을 관성력을 이용하여 원활한 회전으로 바꾸어주는 역할을 한다.

44 **크랭크축은 플라이휠을 통하여 동력을 전달해 주는 역할을 하는데 회전 균형을 위해 크랭크 암에 설치되어 있는 것은?**

① 저널 ② 크랭크 핀
③ 크랭크 베어링 ④ 밸런스 웨이트

크랭크축의 회전중심을 형성하는 축 부분을 메인 저널(main journal), 커넥팅 로드 대단부와 결합되는 부분을 크랭크 핀(crank pin), 메인 저널과 크랭크 핀을 연결하는 부분을 크랭크 암(crank arm) 그리고 회전 평형을 유지하기 위해 크랭크 암에 둔 평형추(balance weight) 등의 주요부분으로 되어있다.

45 **크랭크축에 의해서 구동되지 않는 것은?**

① 발전기 ② 와이퍼 모터
③ 워터 펌프 ④ 캠 샤프트

발전기, 워터 펌프, 캠축, 연료 분사펌프 캠축 등은 크랭크축에서 동력을 받아 구동된다. 와이퍼 모터는 축전지에서 전원을 공급받아 구동된다.

46 **크랭크축 베어링의 바깥둘레와 하우징 둘레와의 차이인 크러시를 두는 이유는?**

① 안쪽으로 찌그러지는 것을 방지한다.
② 조립할 때 캡에 베어링이 끼워져 있도록 한다.
③ 조립할 때 베어링이 제자리에 밀착되도록 한다.
④ 볼트로 압착시켜 베어링 면의 열전도율을 높여준다.

크러시를 두는 이유
① 베어링 바깥둘레를 하우징 둘레보다 조금 크게 하고, 볼트로 압착시켜 베어링 면의 열전도율 높이기 위함이다.
② 크러시가 너무 크면 안쪽 면으로 찌그러져 저널에 긁힘을 일으키고, 작으면 기관 작동에 따른 온도변화로 인하여 베어링이 저널을 따라 움직이게 된다. 이를 방지하기 위함이다.

정답 41.④ 42.④ 43.④ 44.④ 45.② 46.④

47 **기관의 맥동적인 회전을 관성력을 이용하여 원활한 회전으로 바꾸어 주는 역할을 하는 것은?**

① 크랭크 축 ② 피스톤
③ 플라이휠 ④ 커넥팅 로드

플라이휠은 기관의 맥동적인 회전을 관성력을 이용하여 원활한 회전으로 바꾸어주는 역할을 한다.

48 **4행정 기관에서 크랭크축 기어와 캠축 기어와의 지름비 및 회전비는 각각 얼마인가?**

① 2 : 1 및 1 : 2
② 2 : 1 및 2 : 1
③ 1 : 2 및 2 : 1
④ 1 : 2 및 1 : 2

4행정 기관에서 크랭크축 기어와 캠축 기어와의 지름 비율은 1:2이고, 회전 비율은 2 : 1이다.

49 **기관에서 밸브의 개폐를 돕는 부품은?**

① 너클 암 ② 스티어링 암
③ 로커 암 ④ 피트먼 암

기관에서 밸브의 개폐를 돕는 부품은 로커 암이다.

50 **유압식 밸브 리프터의 장점이 아닌 것은?**

① 밸브 간극 조정은 자동으로 조절된다.
② 밸브 개폐시기가 정확하다.
③ 밸브 기구의 구조가 간단하다.
④ 밸브 기구의 내구성이 좋다.

유압식 밸브 리프터의 특징
① 밸브 간극을 점검·조정하지 않아도 된다.
② 밸브 개폐시기가 정확하고 작동이 조용하다.
③ 오일이 완충작용을 하므로 밸브개폐 기구의 내구성이 향상된다.
④ 밸브 기구의 구조가 복잡하다.
⑤ 윤활장치가 고장이 나면 기관 작동이 불량하다.

51 **흡·배기 밸브의 구비조건이 아닌 것은?**

① 열전도율이 좋을 것
② 열에 대한 팽창률이 적을 것
③ 열에 대한 저항력이 적을 것
④ 가스에 견디고 고온에 잘 견딜 것

흡·배기 밸브의 구비조건
① 열전도율이 좋을 것
② 열에 대한 팽창률이 적을 것
③ 열에 대한 저항력이 클 것
④ 가스에 견디고 고온에 잘 견딜 것

52 **엔진의 밸브가 닫혀있는 동안 밸브 시트와 밸브 페이스를 밀착시켜 기밀이 유지되도록 하는 것은?**

① 밸브 리테이너 ② 밸브 가이드
③ 밸브 스템 ④ 밸브 스프링

밸브 스프링은 밸브가 닫혀있는 동안 밸브 시트와 밸브 페이스를 밀착시켜 기밀이 유지되도록 한다.

53 **엔진의 밸브장치 중 밸브 가이드 내부를 상하 왕복운동 하며 밸브 헤드가 받는 열을 가이드를 통해 방출하고, 밸브의 개폐를 돕는 부품의 명칭은?**

① 밸브 시트 ② 밸브 스템
③ 밸브 페이스 ④ 밸브 스템 엔드

밸브 주요 부분의 기능
① 밸브 헤드 : 고온·고압의 가스에 노출되며, 특히 배기 밸브에서는 열 부하가 매우 크다. 밸브 헤드의 지름은 흡입 효율을 증대시키기 위해 흡입 밸브 헤드 지름을 크게 하는 경우도 있다.
② 밸브 페이스(밸브 면) : 시트(seat)에 밀착되어 연소실 내의 기밀유지 작용을 한다.
③ 밸브 스템 : 밸브 가이드 내부를 상하 왕복운동하며, 밸브 헤드가 받는 열을 가이드를 통해 방출하고, 밸브의 개폐를 돕는다.
④ 밸브 스템 엔드 : 밸브에 캠의 운동을 전달하는 로커 암과 충격적으로 접촉하는 부분이며, 스템 엔드와 로커 암 사이에 열팽창을 고려한 밸브 간극이 설정된다.

정답 47.③ 48.③ 49.③ 50.③ 51.③ 52.④ 53.②

54 **기관의 밸브 간극이 너무 클 때 발생하는 현상에 관한 설명으로 올바른 것은?**

① 정상온도에서 밸브가 확실하게 닫히지 않는다.
② 밸브 스프링의 장력이 약해진다.
③ 푸시로드가 변형된다.
④ 정상온도에서 밸브가 완전히 개방되지 않는다.

기관의 밸브 간극이 너무 크면 소음이 발생하며, 정상온도에서 밸브가 완전히 개방되지 않는다.

55 **밸브 간극이 작을 때 일어나는 현상으로 가장 적당한 것은?**

① 기관이 과열된다.
② 밸브 시트의 마모가 심하다.
③ 밸브가 적게 열리고 닫히기는 꽉 닫힌다.
④ 실화가 일어날 수 있다.

밸브 간극이 적으면 밸브가 열려 있는 기간이 길어지므로 실화가 발생할 수 있다.

56 **기관에 밸브 오버랩을 두는 이유로 가장 적합한 것은?**

① 압축압력을 높이기 위해
② 연료소모를 줄이기 위해
③ 밸브개폐를 쉽게 하기 위해
④ 흡입효율 증대를 위해

밸브 오버랩이란 피스톤의 상사점 부근에서 흡입 및 배기 밸브가 동시에 열려 있는 상태를 말하며, 흡입효율 증대 및 잔류 배기가스 배출을 위해 둔다.

정답 54.④ 55.④ 56.④

01 디젤 기관의 연료

1 디젤 기관의 연료의 구비조건

① 발열량이 클 것
② 카본의 발생이 적을 것
③ 연소속도가 빠를 것
④ 착화가 용이할 것
⑤ 매연 발생이 적을 것
⑥ 세탄가가 높고 착화점이 낮을 것

02 디젤 기관의 연료 공급 장치

1 연료 탱크(fuel tank)

겨울철에는 공기 중의 수증기가 응축하여 물이 되어 들어가므로 작업 후 연료를 탱크에 가득 채워 두어야 한다.

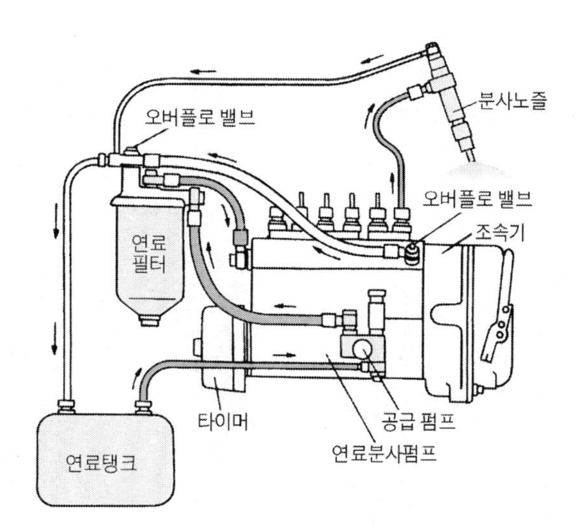

2 연료 공급펌프(fuel feed pump)의 작용

① 캠축의 캠에 의해 플런저가 상승하면 연료가 배출된다.
② 플런저가 하강하면 흡입밸브가 열리면서 펌프 실에 연료가 유입된다.
③ 송출압력이 규정 값 이상 되면 플런저가 상승한 상태에서 펌프작용이 정지된다.
④ 연료계통의 공기빼기 작업에 사용하는 프라이밍 펌프(priming pump)를 두고 있다.

3 연료 라인 공기빼기 작업

(1) 공기빼기 작업을 하여야 하는 경우

① 연료 탱크 내의 연료가 결핍되어 보충한 경우
② 연료 호스나 파이프 등을 교환한 경우
③ 연료 필터의 교환
④ 분사 펌프를 탈·부착한 경우

(2) 연료 라인의 공기빼기 순서

① 프라이밍 펌프 이용 : 공급 펌프 → 연료 여과기 → 분사 펌프
② 기동 전동기로 크랭킹 하면서 : 분사 노즐

4 분사 펌프(injection pump)의 구조

(1) 분사 펌프 캠축(cam shaft)

분사 펌프 캠축은 기관의 크랭크축 기어로 구동되며, 4행정 사이클 기관은 크랭크축의 1/2로 회전한다.

(2) 플런저 배럴과 플런저

플런저 배럴 속을 플런저가 상하 미끄럼 운동하여 고압의 연료를 형성하는 부분이다. 그리고 플런저 유효행정을 크게 하면 연료 분사량이 증가한다. 플런저와 배럴사이의 윤활은 경유로 한다.

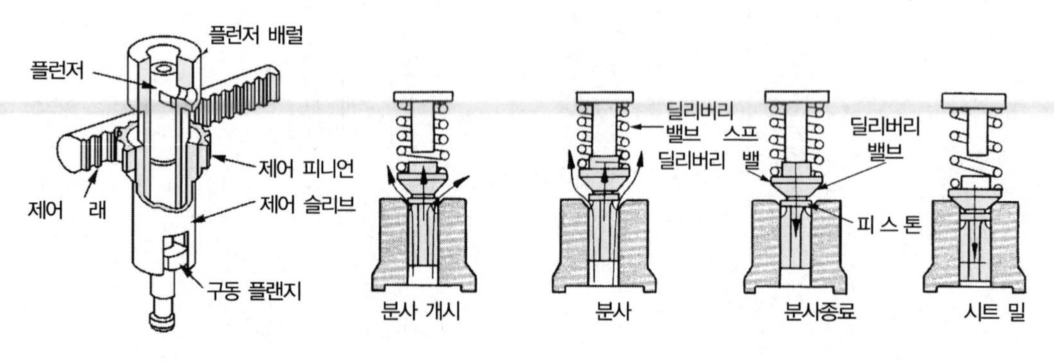

플런저와 배럴 딜리버리 밸브의 작동

(3) 딜리버리 밸브

딜리버리 밸브는 플런저의 상승행정으로 배럴 내의 압력이 규정 값(약 10kg/㎠)에 도달하면 열려 연료를 고압 파이프로 압송한다. 플런저의 유효행정이 완료되어 배럴 내의 연료압력이 급격히 낮아지면 스프링 장력에 의해 신속히 닫혀 연료의 역류(분사노즐에서 펌프로의 흐름)를 방지한다. 또 밸브 면이 시트에 밀착될 때까지 내려가므로 그 체적만큼 고압 파이프 내의 연료압력을 낮춰 분사노즐의 후적을 방지하며, 잔압을 유지시킨다.

(4) 조속기(governor) 기능

조속기는 기관의 회전속도나 부하의 변동에 따라 연료 분사량을 조정(가감)하는 장치이다.

(5) 타이머(timer)

기관 회전속도 및 부하에 따라 분사시기를 변화시키는 장치이다.

5 분사 노즐(injection nozzle)

(1) 노즐의 기능 및 종류

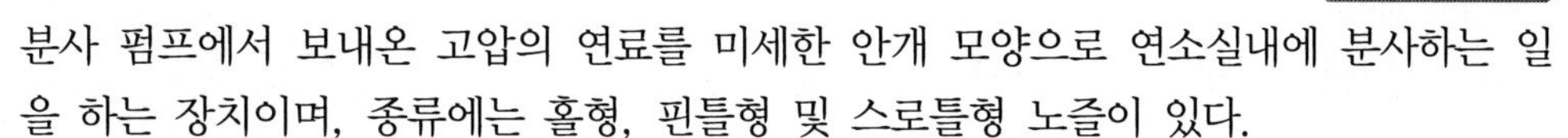

분사 펌프에서 보내온 고압의 연료를 미세한 안개 모양으로 연소실내에 분사하는 일을 하는 장치이며, 종류에는 홀형, 핀틀형 및 스로틀형 노즐이 있다.

(2) 분사 노즐의 요구조건

① 연료를 미세한 안개 모양으로 하여 쉽게 착화하게 할 것
② 분무를 연소실 구석구석까지 뿌려지게 할 것
③ 연료의 분사 끝에서 완전히 차단하여 후적이 일어나지 않을 것
④ 고온·고압의 가혹한 조건에서 장시간 사용할 수 있을 것

03 디젤 기관 연료의 착화성과 노크

1 연료(경유)의 착화성

세탄가(cetane number)는 연료의 착화성을 표시하는 수치이다.

2 디젤 기관의 노크

디젤 노크는 연소 초기의 착화지연기간이 길어져 실린더 내의 연소 및 압력상승이 급격하게 일어나는 현상이다.

(1) 디젤기관 노킹 발생의 원인

① 연료의 세탄가가 낮다.
② 연료의 분사압력이 낮다.
③ 연소실의 온도가 낮다.
④ 착화지연 시간이 길다.
⑤ 분사노즐의 분무상태가 불량하다.
⑥ 기관이 과냉 되었다.
⑦ 착화 지연기간 중 연료 분사량이 많다.

(2) 노킹이 기관에 미치는 영향

① 기관 회전수(rpm)가 낮아진다.
② 기관 출력이 저하한다.
③ 기관이 과열한다.
④ 흡기효율이 저하한다.

(3) 디젤 기관 노크 방지방법

① 연료의 착화점이 낮은 것(착화성이 좋은)을 사용한다.
② 흡기 압력과 온도를 높인다.
③ 실린더(연소실) 벽의 온도를 높인다.
④ 압축비 및 압축압력과 온도를 높인다.
⑤ 착화지연 기간을 짧게 한다.
⑥ 세탄가가 높은 연료를 사용한다.

04 커먼레일 연료 시스템

1 디젤기관의 커먼레일 시스템의 장점

① 각 운전 점에서 회전력의 향상이 가능하고 동력성능이 향상된다.
② 배출가스 규제수준을 충족시킬 수 있다.
③ 분사펌프의 설치공간이 절약된다.
④ 더 많은 영향변수의 고려가 가능하다.
⑤ 분사시기 보정장치 등 부가장치가 필요 없다.
⑥ 기관 소음을 감소시켜 최적화된 정숙운전이 가능하다.

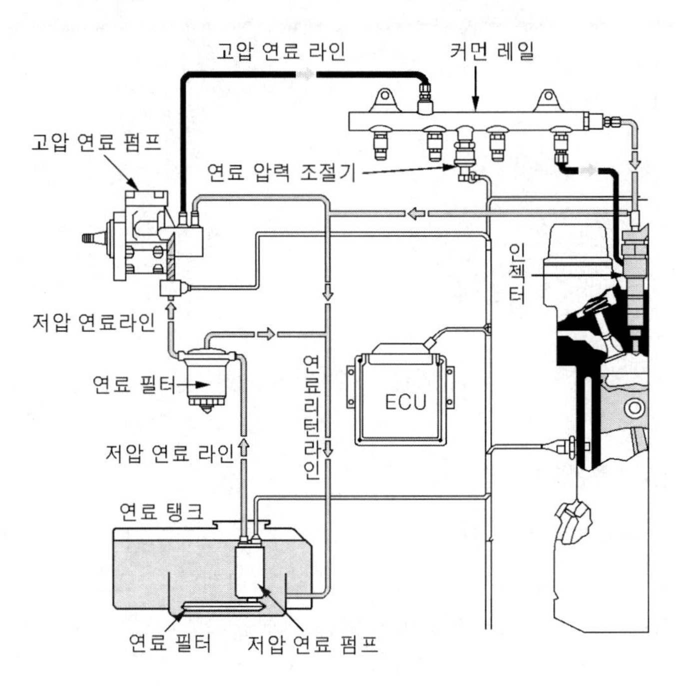

커먼레일의 연료장치

2 디젤 연료장치의 커먼레일

① 고압 펌프로부터 발생된 연료를 저장하는 부분이다.
② 실제적으로 연료의 압력을 지닌 부분이다.
③ 연료 압력은 항상 일정하게 유지한다.
④ 연료는 연료 압력 조절기(압력 제한 밸브)를 통하여 압력이 조절된다.
⑤ 고압의 연료를 저장하고 인젝터에 분배한다.

3 커먼레일 디젤 엔진의 연료장치 구성부품

고압 펌프로 압송된 연료가 축압장치(accumulator 또는 rail)를 경유하여 인젝터에서 분사되는 시스템으로 응답성이 높은 인젝터, 커먼레일, 연료압력 조정기와 분사를 독립적으로 제어하는 전자제어 시스템으로 구성되어 있다.

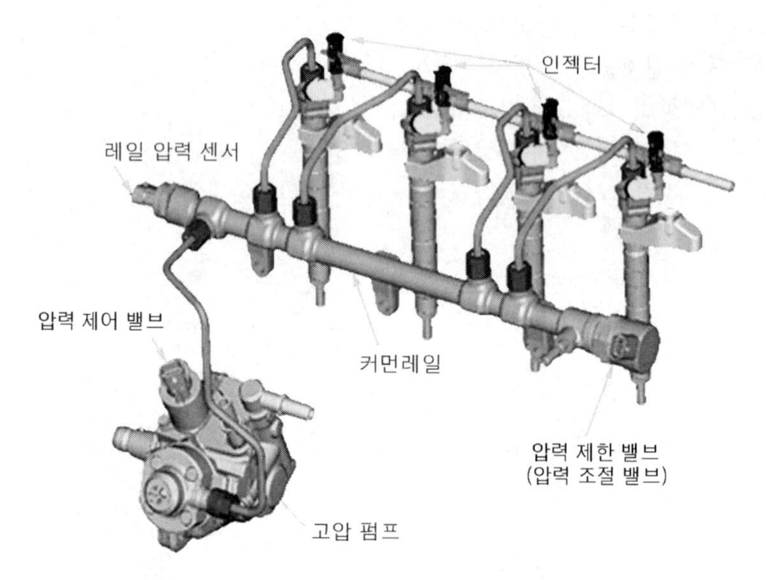

커먼레일의 고압부분의 구성

4 연료 분사장치의 저압계통

연료 계통이 저압과 고압 계통으로 구분하며, 연료의 공급 순서는 연료 탱크→연료 필터 → 저압 펌프 →고압 펌프 →커먼 레일 →인젝터 순으로 공급되며, 저압계통은 연료 탱크, 연료 필터, 저압 펌프이고 고압 계통은 고압 펌프, 커먼레일, 인젝터이다.

5 압력 제어 밸브와 압력 제한 밸브

① 압력 제어 밸브 : 고압 펌프에 부착되어 연료 압력이 과도하게 상승되는 것을 방지 한다.

② 압력 제한 밸브 : 커먼레일에 설치되어 커먼레일 내의 연료 압력이 규정 값보다 높으면 열려 연료의 일부를 연료탱크로 복귀시킨다.

6 각 센서의 기능

① 공기 유량 센서 : 열막 방식을 사용하며, 배기가스 재순환(EGR) 피드백 제어와 스모그 제한 부스터 압력 제어용으로 사용한다.

② TPS(스로틀 포지션 센서) : 운전자가 가속페달을 얼마나 밟았는지 감지하는 가변 저항식 센서이며, 급가속을 감지하면 컴퓨터가 연료분사시간을 늘려 실행시키도록 한다.

③ 가속페달 포지션 센서 : 운전자의 의지를 컴퓨터로 전달하는 센서이며, 센서 1에 의해 연료 분사량과 분사시기가 결정되며, 센서 2는 센서 1을 감시하는 기능으로 차량의 급출발을 방지하기 위한 것이다.

④ 연료 압력 센서(RPS) : 반도체 피에조 소자를 사용하며, 이 센서의 신호를 받아 컴퓨터는 연료분사량 및 분사시기 조정신호로 사용한다. 고장이 발생하면 림프 홈 모드(페일 세이프)로 진입하여 연료압력을 400bar로 고정시킨다.

⑤ 냉각수 온도 센서 : 부특성 서미스터를 사용하며 냉간 시동에서는 연료 분사량을 증가시켜 원활한 시동이 될 수 있도록 기관의 냉각수 온도를 검출한다.

⑥ 크랭크축 센서(CPS, CKP) : 크랭크축과 일체로 되어 있는 센서 휠(sensor wheel)의 돌기를 검출하여 크랭크축의 각도 및 피스톤의 위치, 기관 회전속도 등을 검출하여 분사시기와 분사순서를 결정한다.

⑦ 연료 온도 센서 : 연료 온도에 따른 연료량의 보정 신호로 이용된다.

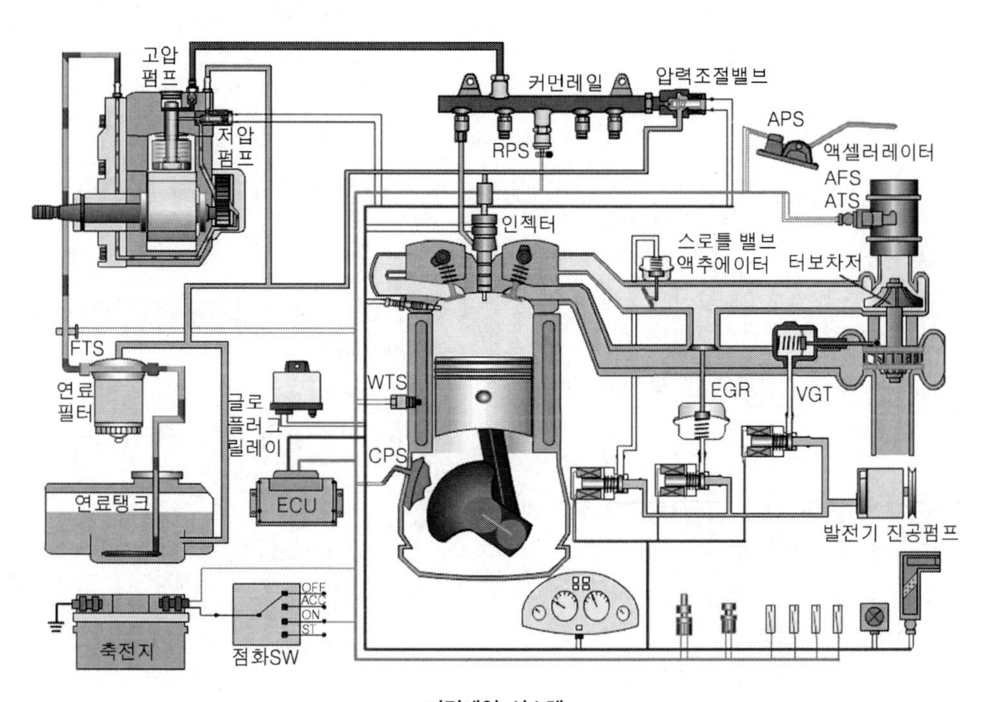

커먼레일 시스템

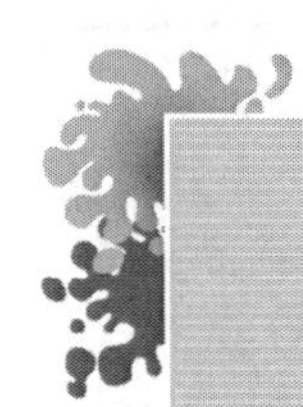

출 제 예 상 문 제

기계식 연료장치

01 디젤기관 연료의 구비조건에 속하지 않는 것은?

① 카본의 발생이 적을 것
② 발열량이 클 것
③ 착화가 용이할 것
④ 연소 속도가 느릴 것

해설 디젤기관 연료의 구비조건
① 카본의 발생이 적을 것
② 발열량이 클 것
③ 착화가 용이할 것
④ 연소속도가 빠를 것
⑤ 매연 발생이 적을 것
⑥ 세탄가가 높고 착화점이 낮을 것

02 디젤기관에서 연료장치의 구성요소가 아닌 것은?

① 분사노즐 ② 분사펌프
③ 연료 필터 ④ 예열 플러그

해설 예열 플러그는 디젤기관 시동보조 장치이다.

03 분사펌프에 붙어 있는 공급펌프의 작용에 대한 설명 중 틀린 것은?

① 플런저 스프링 장력과 유압이 같으면 펌핑 작용은 중지된다.
② 캠이 상승하면 연료가 배출된다.
③ 분사펌프 캠축에 의하여 작동된다.
④ 캠이 내려오면 배출 밸브가 열린다.

해설 캠이 내려오면 흡입 밸브가 열려 연료가 흡입된다.

04 프라이밍 펌프는 어느 때 사용하는가?

① 연료계통의 공기배출을 할 때
② 연료의 분사압력을 측정할 때
③ 출력을 증가시키고자 할 때
④ 연료의 양을 가감할 때

해설 프라이밍 펌프는 연료 공급펌프에 설치되어 있으며, 연료계통의 공기를 배출 할 때 사용한다.

05 디젤기관에서 연료장치 공기빼기 순서가 바른 것은?

① 공급 펌프→연료 여과기→분사 펌프
② 공급 펌프→분사 펌프→연료 여과기
③ 연료 여과기→공급 펌프→분사 펌프
④ 연료 여과기→분사 펌프→공급 펌프

해설 디젤기관의 연료장치 공기빼기 순서는 공급 펌프→연료 여과기→분사 펌프이다.

06 연료필터에서 공기를 배출하기 위해 사용하는 플러그는?

① 벤트 플러그 ② 오버플로 밸브
③ 코어 플러그 ④ 글로 플러그

해설
① 벤트 플러그 : 공기를 배출하기 위해 사용하는 플러그
② 오버플로 밸브 : 연료 여과기 내의 압력을 1.5kg/cm² 로 유지시키는 역할을 한다. 1.5kg/cm² 이상이 되면 밸브가 열려 과잉의 연료를 연료 탱크로 리턴시킨다.
③ 코어 플러그 : 실린더 헤드와 블록에 설치한 동파 방지용 플러그
④ 글로 플러그 : 디젤기관 시동 보조기구
⑤ 드레인 플러그 : 액체를 배출하기 위해 사용하는 플러그

정답 01.④ 02.④ 03.④ 04.① 05.① 06.①

07 **기관의 연료 분사펌프에 연료를 보내거나 공기빼기 작업을 할 때 필요한 장치는?**

① 체크 밸브(check valve)
② 프라이밍 펌프(priming pump)
③ 오버플로 파이프(over flow pipe)
④ 드레인 펌프(drain pump)

프라이밍 펌프는 연료 공급펌프에 설치되어 있으며 연료계통의 공기를 배출 할 때 사용한다.

08 **디젤 연료장치에서 공기를 뺄 수 있는 부분이 아닌 것은?**

① 노즐 상단의 피팅 부분
② 분사펌프의 에어 블리드 스크루
③ 연료 여과기의 벤트 플러그
④ 연료 탱크의 드레인 플러그

09 **프라이밍 펌프를 이용하여 디젤기관 연료장치 내에 있는 공기를 배출하기 어려운 곳은?**

① 공급펌프 ② 연료필터
③ 분사펌프 ④ 분사노즐

프라이밍 펌프로는 공급펌프, 연료필터, 분사펌프 내의 공기를 빼낼 수 있다. 분사 노즐은 기동 전동기로 엔진을 크랭킹시키면서 공기를 배출시켜야 한다.

10 **디젤기관 연료라인에 공기빼기를 하여야 하는 경우가 아닌 것은?**

① 예열이 안 되어 예열 플러그를 교환한 경우
② 연료 호스나 파이프 등을 교환한 경우
③ 연료 탱크 내의 연료가 결핍되어 보충한 경우
④ 연료 필터의 교환, 분사펌프를 탈·부착한 경우

연료라인의 공기빼기 작업은 연료탱크 내의 연료가 결핍되어 보충한 경우, 연료 호스나 파이프 등을 교환한 경우, 연료 필터의 교환, 분사펌프를 탈·부착한 경우 등에 한다.

11 **건설기계에 사용되는 디젤기관 연료계통의 공기 배출작업으로 가장 잘 설명 된 것은?**

① 여과기의 벤트 플러그를 풀어준다.
② 프라이밍 펌프를 작동시키고 나서 공기 배출을 한다.
③ 공기 섞인 연료가 배출되면 프라이밍 펌프의 작동을 멈추고 벤트 플러그를 막는다.
④ 연료만 배출되면 작동하고 있던 프라이밍 펌프를 누른 상태에서 벤트 플러그를 막는다.

디젤기관 연료계통의 공기 배출작업은 연료만 배출되면 작동하고 있던 프라이밍 펌프를 누른 상태에서 벤트 플러그를 막는다.

12 **디젤기관의 연료장치에서 연료 여과기의 역할은?**

① 연료의 역순환 방지작용
② 연료에 필요한 방청 작용
③ 연료에 포함된 불순물 제거작용
④ 연료계통에 압력증대 작용

연료 여과기의 역할(기능)
① 연료 속에 포함되어 있는 먼지나 수분 등의 불순물을 여과한다.
② 플런저의 마멸을 방지하고 노즐의 분공이 막히는 것을 방지한다.
③ 성능은 0.01 mm 이상의 불순물을 여과할 수 있는 능력이 있어야 한다.

13 **디젤기관의 연료 여과기에 장착되어 있는 오버플로 밸브의 역할이 아닌 것은?**

① 연료계통의 공기를 배출한다.
② 연료공급 펌프의 소음 발생을 방지한다.
③ 연료필터 엘리먼트를 보호한다.
④ 분사펌프의 압송 압력을 높인다.

연료 여과기의 오버플로 밸브 기능
① 연료계통의 공기를 배출한다.
② 연료공급 펌프의 소음발생을 방지한다.
③ 연료필터 엘리먼트를 보호한다.

정답 07.② 08.④ 09.④ 10.① 11.④ 12.③ 13.④

14 **연료 탱크의 연료를 분사펌프 저압부분까지 공급하는 것은?**

① 연료 공급펌프 ② 연료 분사펌프
③ 인젝션 펌프 ④ 로터리 펌프

연료 공급펌프는 연료탱크 내의 연료를 연료 여과기를 거쳐 분사펌프의 저압부분으로 공급하는 일을 한다.

15 **디젤엔진의 연료 탱크에서 분사 노즐까지 연료의 순환 순서로 맞는 것은?**

① 연료 탱크 → 연료 공급펌프 → 분사 펌프 → 연료 필터 → 분사 노즐
② 연료 탱크 → 연료 필터 → 분사 펌프 → 연료 공급펌프 → 분사 노즐
③ 연료 탱크 → 연료 공급펌프 → 연료 필터 → 분사 펌프 → 분사 노즐
④ 연료 탱크 → 분사 펌프 → 연료 필터 → 연료 공급펌프 → 분사 노즐

디젤엔진의 연료공급 순서는 연료 탱크 → 연료 공급펌프 → 연료 필터 → 분사펌프 → 분사 노즐이다.

16 **디젤기관에 공급하는 연료의 압력을 높이는 것으로 조속기와 분사시기를 조절하는 장치가 설치되어 있는 것은?**

① 유압펌프 ② 프라이밍 펌프
③ 연료 분사펌프 ④ 플런저 펌프

연료 분사펌프는 분사량을 조절하는 조속기와 분사시기를 조절하는 타이머(분사시기 조정기)가 설치되어 있다.

17 **기관에서 연료를 압축하여 분사순서에 맞게 노즐로 압송시키는 장치는?**

① 연료 분사펌프 ② 연료 공급펌프
③ 프라이밍 펌프 ④ 유압펌프

연료 분사펌프는 연료를 압축하여 분사순서에 맞추어 노즐로 압송시키는 것으로 조속기(연료 분사량 조정)와 분사시기를 조절하는 장치(타이머)가 설치되어 있다.

18 **디젤기관 연료계통에서 고압부분은?**

① 탱크와 공급펌프 사이
② 인젝션 펌프와 탱크 사이
③ 연료 필터와 탱크 사이
④ 인젝션 펌프와 노즐 사이

연료 탱크 – 공급펌프 – 인젝션(분사) 펌프 입구까지는 저압부분이고 인젝션 펌프 – 분사 파이프 – 분사 노즐은 고압부분이다.

19 **디젤기관을 예방정비 시 고압 파이프 연결부에서 연료가 샐(누유) 때 조임 공구로 가장 적합한 것은?**

① 복스 렌치 ② 오픈 렌치
③ 파이프 렌치 ④ 옵셋 렌치

고압 파이프 연결부분에서 연료가 샐 때 오픈 렌치를 사용한다.

20 **분사펌프의 플런저와 배럴사이의 윤활은?**

① 유압유 ② 경유
③ 그리스 ④ 기관 오일

분사 펌프의 플런저와 배럴사이의 윤활은 경유로 한다.

21 **디젤기관 인젝션 펌프에서 딜리버리 밸브의 기능으로 틀린 것은?**

① 역류 방지 ② 후적 방지
③ 잔압 유지 ④ 유량 조정

딜리버리 밸브는 플런저의 상승행정으로 배럴 내의 압력이 규정 값(약 10kg/cm²)에 도달하면 열려 연료를 고압 파이프로 압송한다. 플런저의 유효행정이 완료되어 배럴 내의 연료 압력이 급격히 낮아지면 스프링 장력에 의해 신속히 닫혀 연료의 역류(분사 노즐에서 펌프로의 흐름)를 방지한다. 또 밸브 면이 시트에 밀착될 때까지 내려가므로 그 체적만큼 고압 파이프 내의 연료 압력을 낮춰 분사 노즐의 후적을 방지하며, 잔압을 유지시킨다.

정답 14.① 15.③ 16.③ 17.① 18.④ 19.② 20.② 21.④

22 **역류와 후적을 방지하며 고압 파이프 내의 잔압을 유지하는 것은?**

① 조속기 ② 니들 밸브
③ 분사 펌프 ④ 딜리버리 밸브

23 **기관에서 연료 압력이 너무 낮다. 그 원인이 아닌 것은?**

① 연료 압력 레귤레이터에 있는 밸브의 밀착이 불량하여 리턴호스 쪽으로 연료가 누설되었다.
② 연료 필터가 막혔다.
③ 연료펌프의 공급 압력이 누설되었다.
④ 리턴호스에서 연료가 누설된다.

연료압력이 낮은 원인
① 연료 보유량이 부족하다.
② 연료펌프 및 연료펌프 내의 체크 밸브의 밀착이 불량하다.
③ 연료 압력 조절기 밸브의 밀착이 불량하다.
④ 연료 필터가 막혔다.
⑤ 연료계통에 베이퍼록이 발생하였다.

24 **디젤엔진에서 연료를 고압으로 연소실에 분사하는 것은?**

① 프라이밍 펌프 ② 분사 노즐
③ 인젝션 펌프 ④ 조속기

분사 노즐은 분사펌프에서 보내준 고압의 연료를 연소실에 분사하는 장치이다.

25 **기관에서 연료 펌프로부터 보내진 고압의 연료를 미세한 안개 모양으로 연소실에 분사하는 부품은?**

① 분사 노즐 ② 커먼레일
③ 분사 펌프 ④ 공급 펌프

26 **디젤기관에 사용하는 분사노즐의 종류에 속하지 않는 것은?**

① 핀틀(pintle)형
② 스로틀(throttle)형
③ 홀(hole)형
④ 싱글 포인트(single point)형

분사노즐의 종류에는 개방형과 밀폐형이 있으며 디젤기관에서 주로 사용하는 밀폐형에는 구멍(hole)형, 핀틀(pintle)형, 스로틀(throttle)형이 있다.

27 **디젤엔진의 연소실에는 연료를 어떤 상태로 공급되는가?**

① 기화기와 같은 기구를 사용하여 연료를 공급한다.
② 노즐로 연료를 안개와 같이 분사한다.
③ 가솔린 엔진과 같은 연료 공급펌프로 공급한다.
④ 액체 상태로 공급한다.

디젤엔진의 연소실에는 노즐로 연료를 안개와 같이 분사한다.

28 **분사 노즐(injection nozzle)의 요구조건 중 틀린 것은?**

① 분무를 연소실의 구석구석까지 뿌려지게 할 것
② 연료를 미세한 안개 모양으로 쉽게 착화하게 할 것
③ 고온·고압의 가혹한 조건에서 장기간 사용할 수 있을 것
④ 연료의 분사 끝에서 후적이 일어나게 할 것

분사노즐의 구비조건은 ①, ②, ③항 이외에 후적(after drop)이 없어야 한다.

29 **디젤기관 노즐(nozzle)의 연료분사 3대 요건이 아닌 것은?**

① 무화 ② 관통력
③ 착화 ④ 분포

분사노즐의 연료분사 3대 요건은 무화, 관통력, 분포이다.

정답 22.④ 23.④ 24.② 25.① 26.④ 27.② 28.④ 29.③

30 분사노즐에서 섭동 면의 윤활은 무엇으로 하는가?

① 기어오일 ② 연료
③ 냉각수 ④ 윤활유

분사노즐에서 섭동(미끄럼 운동) 면의 윤활은 연료(경유)로 한다.

31 디젤기관에서 조속기의 기능으로 맞는 것은?

① 연료 분사량 조정
② 연료 분사시기 조정
③ 엔진 부하량 조정
④ 엔진 부하시기 조정

조속기(거버너)는 디젤기관에서 연료 분사량을 조정하는 부품이다.

32 기관의 부하에 따라 자동적으로 분사량을 가감하여 최고 회전속도를 제어하는 것은?

① 플런저 펌프 ② 캠축
③ 거버너 ④ 타이머

거버너(조속기)는 기관의 부하에 따라 자동적으로 분사량을 가감하여 최고 회전속도를 제어한다.

33 디젤기관에서 타이머의 역할로 가장 적당한 것은?

① 분사량 조절
② 자동변속 조절
③ 분사시기 조절
④ 기관속도 조절

타이머(timer)는 기관의 회전속도에 따라 자동적으로 분사시기를 조정하여 운전을 안정되게 한다.

34 기관의 속도에 따라 자동적으로 분사시기를 조정하여 운전을 안정되게 하는 것은?

① 노즐 ② 과급기
③ 타이머 ④ 디콤퍼

35 4행정 사이클 디젤기관 동력행정의 연료분사 진각에 관한 설명 중 맞지 않는 것은?

① 기관 회전속도에 따라 진각 된다.
② 진각에는 연료의 착화 늦음을 고려한다.
③ 진각에는 연료자체의 압축률을 고려한다.
④ 진각에는 연료통로의 유동저항을 고려한다.

연료분사 진각은 기관 회전속도에 따라 진각되며, 연료자체의 압축율과 연료통로의 유동저항을 고려한다.

디젤 노크와 엔진 부조 · 진동

01 디젤기관에서 연료의 착화성을 표시하는 것은?

① 옥탄가 ② 부탄가
③ 프로판가 ④ 세탄가

디젤기관에서 연료의 착화성은 세탄가로 나타낸다.

02 건설기계에서 사용하는 경유의 중요한 성질이 아닌 것은?

① 옥탄가 ② 비중
③ 착화성 ④ 세탄가

해설 옥탄가는 가솔린의 노크 방지성능을 나타내는 수치이다.

03 다음 중 착화성이 가장 좋은 연료는?

① 가솔린 ② 경유
③ 등유 ④ 중유

연료의 착화점과 인화점
① 가솔린 : 400~500℃(인화점 −50 ~ −43℃)
② 경유 : 340℃(인화점 45~80℃)
③ 등유 : 450℃(인화점 40~70℃)
④ 중유 : 400℃(인화점 50~90℃)

정답 30.② 31.① 32.③ 33.③ 34.③ 35.② ▌01.④ 02.① 03.②

04 착화지연기간이 길어져 실린더 내에 연소 및 압력상승이 급격하게 일어나는 현상은?

① 디젤 노크　② 조기 점화
③ 가솔린 노크　④ 정상 연소

디젤 노크는 착화지연기간이 길어져 실린더 내의 연소 및 압력상승이 급격하게 일어나는 현상이다.

05 디젤기관에서 노킹을 일으키는 원인으로 맞는 것은?

① 흡입공기의 온도가 너무 높을 때
② 착화지연 기간이 짧을 때
③ 연료에 공기가 혼입되었을 때
④ 연소실에 누적된 연료가 많아 일시에 연소할 때

디젤기관에서 노킹을 일으키는 원인은 연소실에 누적된 연료가 많아 일시에 연소되기 때문이다.

06 디젤기관의 노킹발생 원인과 가장 거리가 먼 것은?

① 착화기간 중 분사량이 많다.
② 노즐의 분무상태가 불량하다.
③ 고세탄가 연료를 사용하였다.
④ 기관이 과냉되어 있다.

디젤기관 노킹발생의 원인
① 연료의 세탄가가 낮다.
② 연료의 분사압력이 낮다.
③ 연소실의 온도가 낮다.
④ 착화지연 시간이 길다.
⑤ 분사노즐의 분무상태가 불량하다.
⑥ 기관이 과냉 되었다.
⑦ 착화 지연기간 중 연료 분사량이 많다.

07 노킹이 발생하였을 때 기관에 미치는 영향은?

① 압축비가 커진다.
② 제동마력이 커진다.
③ 기관이 과열될 수 있다.
④ 기관의 출력이 향상된다.

노킹이 발생되어 기관에 미치는 영향
① 기관 회전수(rpm)가 낮아진다.
② 기관 출력이 저하한다.
③ 기관이 과열한다.
④ 흡기효율이 저하한다.

08 디젤기관의 노킹 방지책으로 틀린 것은?

① 연료의 착화점이 낮은 것을 사용한다.
② 흡기 압력을 높게 한다.
③ 실린더 벽의 온도를 낮춘다.
④ 흡기 온도를 높인다.

디젤기관의 노킹을 방지책
① 연료의 착화점이 낮은 것(착화성이 좋은)을 사용한다.
② 흡기 압력과 온도를 높인다.
③ 실린더(연소실) 벽의 온도를 높인다.
④ 압축비 및 압축압력과 온도를 높인다.
⑤ 착화지연 기간을 짧게 한다.
⑥ 세탄가가 높은 연료를 사용한다.

09 디젤기관에서 연료라인에 공기가 혼입되었을 때 현상으로 가장 적절한 것은?

① 분사압력이 높아진다.
② 디젤노크가 일어난다.
③ 연료 분사량이 많아진다.
④ 기관 부조 현상이 발생된다.

디젤기관 연료계통 중에 공기가 흡입되면 기관의 회전이 불량해 진다. 즉 기관 부조 현상이 발생된다.

10 건설기계에서 엔진 부조가 발생되고 있다. 그 원인으로 맞는 것은?

① 인젝터 공급 파이프의 연료 누설
② 인젝터 연료 리턴 파이프의 연료 누설
③ 가속페달 케이블 조정 불량
④ 자동변속기의 고장발생

인젝터(분사 노즐)로 연료를 공급하는 파이프에서 연료가 누설되면 연소실에 연료가 원활이 공급되지 못하므로 엔진 부조가 발생한다.

정답 04.① 05.④ 06.③ 07.③ 08.③ 09.④ 10.①

11 **디젤기관에서 부조 발생의 원인이 아닌 것은?**

① 발전기 고장
② 거버너 작용불량
③ 분사시기 조정불량
④ 연료의 압송 불량

12 **디젤기관에서 발생하는 진동의 원인이 아닌 것은?**

① 프로펠러 샤프트의 불균형
② 분사시기의 불균형
③ 분사량의 불균형
④ 분사 압력의 불균형

디젤기관의 진동원인
① 분사시기·분사 간격이 다르다.
② 각 피스톤의 중량차가 크다.
③ 각 실린더의 분사 압력과 분사량이 다르다.
④ 4실린더 엔진에서 1개의 분사 노즐이 막혔다.
⑤ 크랭크축에 불균형이 있다.
⑥ 피스톤 및 커넥팅 로드의 중량 차이가 있다.

시동 및 점검

01 **엔진 시동 전에 해야 할 가장 중요한 일반적인 점검 사항은?**

① 실린더의 오염
② 충전장치
③ 유압계 지침
④ 엔진 오일량과 냉각수량

02 **디젤엔진의 시동을 위한 직접적인 장치가 아닌 것은?**

① 예열 플러그　② 터보 차저
③ 기동 전동기　④ 감압 밸브

03 **디젤 기관을 시동할 때 주의 사항으로 틀린 것은?**

① 기온이 낮을 때는 예열 경고등이 소등되면 시동한다.
② 기관 시동은 각종 조작레버가 중립위치에 있는가를 확인 후 행한다.
③ 시동과 동시에 급가속하지 않는다.
④ 시동 후 적어도 1분 정도는 시동 스위치의 스타트(ST) 위치에서 손을 떼지 않아야 한다.

엔진이 시동되면 곧바로 시동 스위치(key)에서 손을 떼어야 한다.

04 **디젤기관의 시동을 용이하게 하기 위한 방법이 아닌 것은?**

① 압축비를 낮춘다.
② 흡기 온도를 상승시킨다.
③ 겨울철에 예열장치를 사용한다.
④ 시동시 회전속도를 낮춘다.

디젤기관의 시동을 용이하게 하기 위해서 감압장치를 두어 압축압력을 낮추거나 시동시 회전속도를 높인다.

05 **디젤기관에서 시동이 되지 않는 원인으로 맞는 것은?**

① 연료공급 펌프의 연료공급 압력이 높다.
② 가속페달을 밟고 시동하였다.
③ 배터리 방전으로 교체가 필요한 상태이다.
④ 크랭크축 회전속도가 빠르다.

06 **디젤기관에서 시동이 잘 안 되는 원인으로 가장 적합한 것은?**

① 냉각수의 온도가 높은 것을 사용할 때
② 보조탱크의 냉각수량이 부족할 때
③ 낮은 점도의 기관 오일을 사용할 때
④ 연료계통에 공기가 들어있을 때

연료계통에 공기가 들어 있으면 디젤기관은 시동이 잘 되지 않는다.

정답 11.① 12.① ▮ 01.④ 02.② 03.④ 04.④ 05.③ 06.④

07 **디젤엔진이 잘 시동되지 않거나 시동이 되더라도 출력이 약한 원인으로 맞는 것은?**

① 연료탱크 상부에 공기가 들어 있을 때
② 플라이휠이 마모되었을 때
③ 연료 분사펌프의 기능이 불량일 때
④ 냉각수 온도가 100℃ 정도 되었을 때

연료 분사펌프의 기능이 불량하면 기관이 시동이 잘 안되거나 시동이 되더라도 출력이 저하한다.

08 **시동을 멈추기 위한 방법으로 가장 적합한 것은?**

① 연료 공급을 차단한다.
② 축전지에 연결된 전선을 끊는다.
③ 기어를 넣어서 기관을 정지시킨다.
④ 초크 밸브를 닫는다.

디젤기관을 정지시킬 때에는 연료 공급을 차단한다.

09 **디젤기관에서 주행 중 시동이 꺼지는 경우로 틀린 것은?**

① 연료 필터가 막혔을 때
② 분사 파이프 내에 기포가 있을 때
③ 연료 파이프에 누설이 있을 때
④ 플라이밍 펌프가 작동하지 않을 때

기관 가동 중 시동이 꺼지는 원인
① 연료가 결핍되었을 때
② 연료탱크 내에 오물이 연료장치에 유입되었을 때
③ 연료 파이프에서 누설이 있을 때
④ 연료 필터가 막혔을 때
⑤ 분사 파이프 내에 기포가 있을 때

10 **작업 중 기관의 시동이 꺼지는 원인에 해당되는 것은?**

① 연료공급 펌프의 고장
② 발전기 고장
③ 물 펌프의 고장
④ 기동 모터 고장

11 **운전 중 운전석 계기판에서 확인해야 하는 것이 아닌 것은?**

① 실린더 압력계
② 연료량 게이지
③ 냉각수 온도 게이지
④ 충전 경고등

12 **기관의 예방정비 시에 운전자가 해야 할 정비와 관계가 먼 것은?**

① 연료 여과기의 엘리먼트 점검
② 연료 파이프의 풀림 상태 조임
③ 냉각수 보충
④ 딜리버리 밸브 교환

딜리버리 밸브는 연료 분사펌프에서 고압의 연료를 분사 노즐로 보내주는 것으로 교환은 정비사의 정비 작업이다.

13 **기관을 점검하는 요소 중 디젤기관과 관계없는 것은?**

① 연료　　② 점화
③ 연소　　④ 예열

점화는 가솔린 기관과 관계있다.

14 **작업 후 탱크에 연료를 가득 채워주는 이유가 아닌 것은?**

① 연료의 기포 방지를 위해서
② 내일의 작업을 위해서
③ 연료 탱크에 수분이 생기는 것을 방지하기 위해서
④ 연료의 압력을 높이기 위해서

작업 후 탱크에 연료를 가득 채워주는 이유는 내일의 작업을 준비하기 위해, 연료의 기포 방지를 위해, 연료탱크 내의 공기 중의 수분이 응축되어 물이 생기는 것을 방지하기 위함이다.

정답 07.③ 08.① 09.④ 10.① 11.① 12.④ 13.② 14.④

15 **디젤기관의 연료계통에서 응축수가 생기면 시동이 어렵게 되는데 이 응축수는 어느 계절에 가장 많이 생기는가?**

① 봄 ② 여름
③ 가을 ④ 겨울

연료계통의 응축수는 주로 겨울에 가장 많이 발생한다.

16 **건설기계 장비 운전자가 연료탱크의 배출콕을 열었다가 잠그는 작업을 하고 있다면 무엇을 배출하기 위한 목적인가?**

① 오물 및 수분 ② 공기
③ 엔진 오일 ④ 유압 오일

정기적으로 연료탱크 내의 수분 및 오물을 배출하여야 한다.

17 **작업현장에서 드럼통으로 연료를 운반했을 경우 올바른 주유 방법은?**

① 불순물을 침전시킨 후 침전물이 혼합되지 않도록 주입한다.
② 불순물을 침전시켜서 모두 주입한다.
③ 연료가 도착하면 즉시 주입한다.
④ 수분이 있는가를 확인 후 즉시 주입한다.

드럼통으로 연료를 운반했을 경우에는 불순물을 침전시킨 후 침전물이 혼합되지 않도록 주입한다.

커먼 레일

01 **전자제어 디젤 분사장치의 장점이 아닌 것은?**

① 배출가스 규제수준 충족
② 기관 소음의 감소
③ 연료소비율 증대
④ 최적화된 정숙운전

해설

전자제어 분사펌프 장치의 장점

① 각 운전 점에서 회전력의 향상이 가능하고 동력성능이 향상된다.
② 배출가스 규제수준을 충족시킬 수 있다.
③ 분사펌프의 설치공간이 절약된다.
④ 더 많은 영향 변수의 고려가 가능하다.
⑤ 분사시기 보정장치 등 부가장치가 필요 없다.
⑥ 기관 소음을 감소시켜 최적화된 정숙운전이 가능하다.

02 **디젤 연료장치의 커먼레일에 대한 설명 중 맞지 않는 것은?**

① 고압 펌프로부터 발생된 연료를 저장하는 부분이다.
② 실제적으로 연료의 압력을 지닌 부분이다.
③ 연료 압력은 항상 일정하게 유지한다.
④ 연료는 유량 제한기에 의해 커먼레일로 들어간다.

커먼레일은 연료 분배 파이프로 고압의 연료를 저장하고 인젝터에 분배하며, 고압 펌프에서 보내지는 고압의 연료는 연료 압력 제한기를 통하여 압력이 조절 된다.

03 **커먼레일 디젤 엔진의 연료장치 구성부품이 아닌 것은?**

① 인젝터 ② 커먼레일
③ 분사펌프 ④ 연료 압력조정기

커먼레일 엔진은 고압 펌프로 압송된 연료가 축압장치(accumulator 또는 rail)를 경유하여 인젝터에서 분사되는 시스템으로 응답성이 높은 인젝터, 커먼레일, 연료압력 조정기와 분사를 독립적으로 제어하는 전자제어 시스템으로 구성되어 있다

04 **다음 중 커먼레일 디젤엔진의 연료장치 구성부품이 아닌 것은?**

① 고압 펌프 ② 커먼레일
③ 인젝터 ④ 공급 펌프

정답 15.④ 16.① 17.① ▎01.③ 02.④ 03.③ 04.④

05 **디젤기관의 커먼레일(common-rail)방식 분사장치의 특징 중 틀린 것은?**

① 파일럿 분사(pilot injection) 즉 예분사가 가능하다.
② 운전상태의 변화에 따라 분사압력을 제어할 수 있다.
③ 분사압력이 최대 800bar 정도로 높기 때문에 유해 배기가스를 줄일 수 있다.
④ ECU가 분사 개시점, 분사량, 분사 종료점 등을 결정하기 때문에 출력이 향상된다.

커먼레일 방식 분사장치의 특징
① 분사된 연료를 완전연소에 가깝게 연소시켜 유해배출 가스를 감소시킬 수 있다.
② 연료소비율을 향상시킬 수 있다.
③ ECU가 분사 개시점, 분사량, 분사 종료점 등을 결정하기 때문에 출력이 향상된다.
④ 운전성능을 향상시킬 수 있다.
⑤ 밀집된(compact) 설계 및 경량화를 이룰 수 있다.
⑦ 모듈(module)화 장치가 가능하다.
⑧ 파일럿 분사(pilot injection, 예비분사)가 가능하다.
⑨ 운전상태의 변화에 따라 분사압력을 제어할 수 있다.

06 **다음 중 커먼레일 연료분사장치의 저압계통이 아닌 것은?**

① 커먼레일 ② 1차 연료공급 펌프
③ 연료 필터 ④ 연료 스트레이너

커먼레일 엔진은 전자제어 디젤엔진으로 연료계통이 저압과 고압 계통으로 구분하며 연료의 공급 순서는 연료 탱크→연료 필터 → 저압 펌프 → 고압 펌프 → 커먼레일 → 인젝터 순으로 공급되며 고압 펌프 → 커먼레일 → 인젝터는 고압 연료 라인에 해당된다.

07 **커먼레일 디젤엔진에서 기계식 저압펌프의 연료공급 경로가 맞는 것은?**

① 연료탱크 — 저압펌프 — 연료필터 — 고압펌프 — 커먼레일 — 인젝터
② 연료탱크 — 연료필터 — 저압펌프 — 고압펌프 — 커먼레일 — 인젝터
③ 연료탱크 — 저압펌프 — 연료필터 — 커먼레일 — 고압펌프 — 인젝터
④ 연료탱크 — 연료필터 — 저압펌프 — 커먼레일 — 고압펌프—인젝터

연료공급 경로는 연료 탱크→연료 필터→저압 펌프→고압 펌프→커먼레일→인젝터 순서이다.

08 **다음 중 커먼레일 연료 분사장치의 고압 연료펌프에 부착된 것은?**

① 압력제어 밸브 ② 커먼레일 압력센서
③ 압력제한 밸브 ④ 유량 제한기

커먼레일 연료 분사장치의 고압 펌프에는 압력 제어 밸브가 부착되어 연료 압력이 과도하게 상승되는 것을 방지 한다.

09 **커먼레일 디젤기관의 압력 제한 밸브에 대한 설명 중 틀린 것은?**

① 커먼레일의 압력을 제어한다.
② 커먼레일에 설치되어 있다.
③ 연료압력이 높으면 연료의 일부분이 연료탱크로 되돌아간다.
④ 컴퓨터가 듀티 제어한다.

압력 제한 밸브는 커먼레일에 설치되어 커먼레일 내의 연료 압력이 규정 값보다 높으면 열려 연료의 일부를 연료탱크로 복귀시킨다.

10 **다음 중 커먼레일 디젤기관의 공기 유량 센서(AFS)에 대한 설명 중 맞지 않는 것은?**

① EGR 피드백 제어기능을 주로 한다.
② 열막 방식을 사용한다.
③ 연료량 제어기능을 주로 한다.
④ 스모그 제한 부스터 압력제어용으로 사용한다.

커먼레일 디젤기관에서 사용하는 공기 유량 센서는 열막 방식을 사용하며, 배기가스 재순환(EGR) 피드백 제어와 스모그 제한 부스터 압력제어용으로 사용한다.

정답 05.③ 06.① 07.② 08.① 09.④ 10.③

11 **디젤기관에서 공기 유량 센서(AFS)의 방식은?**

① 맵 센서 방식 ② 베인 방식
③ 열막 방식 ④ 칼만와류 방식

12 **커먼레일 디젤기관의 공기 유량 센서(AFS)로 많이 사용되는 방식은?**

① 베인 방식 ② 칼만 와류 방식
③ 피토관 방식 ④ 열막 방식

13 **TPS(스로틀 포지션 센서)에 대한 설명으로 틀린 것은?**

① 가변 저항식이다.
② 운전자가 가속페달을 얼마나 밟았는지 감지한다.
③ 급가속을 감지하면 컴퓨터가 연료분사 시간을 늘려 실행시킨다.
④ 분사시기를 결정해 주는 가장 중요한 센서이다.

TPS는 운전자가 가속페달을 얼마나 밟았는지 감지하는 가변 저항식 센서이며, 급가속을 감지하면 컴퓨터가 연료분사시간을 늘려 실행시키도록 한다.

14 **커먼레일 디젤기관의 가속페달 포지션 센서에 대한 설명 중 맞지 않는 것은?**

① 가속페달 포지션 센서는 운전자의 의지를 전달하는 센서이다.
② 가속페달 포지션 센서2는 센서1을 검사하는 센서이다.
③ 가속페달 포지션 센서3은 연료 온도에 따른 연료량 보정 신호를 한다.
④ 가속페달 포지션 센서1은 연료량과 분사시기를 결정한다.

가속페달 위치센서는 운전자의 의지를 컴퓨터로 전달하는 센서이며, 센서 1에 의해 연료 분사량과 분사시기가 결정되며, 센서 2는 센서 1을 감시하는 기능으로 차량의 급출발을 방지하기 위한 것이다.

15 **커먼레일 디젤기관의 연료 압력 센서(RPS)에 대한 설명 중 맞지 않는 것은?**

① RPS의 신호를 받아 연료분사량을 조정하는 신호로 사용한다.
② RPS의 신호를 받아 연료 분사시기를 조정하는 신호로 사용한다.
③ 반도체 피에조 소자방식이다.
④ 이 센서가 고장이면 시동이 꺼진다.

연료압력 센서(RPS)는 반도체 피에조 소자를 사용하며, 이 센서의 신호를 받아 컴퓨터는 연료분사량 및 분사시기 조정신호로 사용한다. 고장이 발생하면 림프 홈 모드(페일 세이프)로 진입하여 연료 압력을 400bar로 고정시킨다.

16 **커먼레일 디젤 기관의 센서에 대한 설명 중 맞지 않는 것은?**

① 연료 온도 센서는 연료 온도에 따른 연료량 보정 신호를 한다.
② 수온 센서는 기관의 온도에 따른 연료량을 증감하는 보정 신호로 사용한다.
③ 수온 센서는 기관의 온도에 따른 냉각팬 제어 신호로 사용한다.
④ 크랭크 포지션 센서는 밸브 개폐시기를 감지한다.

커먼레일의 크랭크 포지션 센서는 엔진 회전수 감지 및 분사순서와 분사시기를 결정하는 신호로 사용된다.

17 **전자제어 연료분사 장치에서 컴퓨터는 무엇에 근거하여 기본 연료 분사량을 결정하는가?**

① 엔진회전 신호와 차량속도
② 흡입 공기량과 엔진 회전수
③ 냉각수 온도와 흡입 공기량
④ 차량 속도와 흡입공기량

전자제어 연료분사 장치에서 컴퓨터는 흡입공기량과 엔진 회전수를 근거하여 기본 연료 분사량을 결정한다.

정답 11.③ 12.④ 13.④ 14.③ 15.④ 16.④ 17.②

18 전자제어 디젤 엔진의 회전을 감지하여 분사순서와 분사시기를 결정하는 센서는?

① 가속 페달 센서
② 냉각수 온도 센서
③ 엔진 오일 온도 센서
④ 크랭크축 센서

① 가속 페달 센서 1 & 2 : 센서 1(main sensor)에 의해 연료 분사량과 분사시기가 결정되며, 센서 2는 센서 1을 감시하는 기능으로 차량의 급출발을 방지하기 위한 것이다.
② 수온 센서 : 부특성 서미스터를 사용하며 냉간 시동에서는 연료 분사량을 증가시켜 원활한 시동이 될 수 있도록 기관의 냉각수 온도를 검출한다.
③ 크랭크축 센서(CPS, CKP) : 크랭크축과 일체로 되어 있는 센서 휠(sensor wheel)의 돌기를 검출하여 크랭크축의 각도 및 피스톤의 위치, 기관 회전속도 등을 검출하여 분사시기와 분사순서를 결정한다.

19 다음 중 커먼레일 디젤엔진 차량의 계기판에서 경고등 및 지시등의 종류가 아닌 것은?

① 예열플러그 작동 지시등
② DPF 경고등
③ 연료 수분 감지 경고등
④ 연료 차단 지시등

연료의 차단은 컴퓨터의 제어에 의해 이루어지며, 지시등은 설치되어 있지 않다.

20 전자제어 디젤 분사장치에서 연료를 제어하기 위해 각종 센서로부터 정보(가속 페달 위치, 기관속도, 분사시기, 흡기, 냉각수, 연료 온도 등)를 입력 받아 전기적 출력 신호로 변환하는 것은?

① 컨트롤 로드 액추에이터
② 전자제어 유닛(ECU)
③ 컨트롤 슬리브 액추에이터
④ 자기 진단(self diagnosis)

전자제어 디젤 엔진은 각종 센서 및 스위치로부터 운전 상태 및 조건 등의 정보를 ECU(전자제어 유닛)에 입력하면 ECU는 내부에 내장된 기본 정보와 연산 비교하여 액추에이터(작동기)를 작동 시킨다.

21 굴삭기에 장착된 전자제어장치(ECU)의 주된 기능으로 가장 옳은 것은?

① 운전 상황에 맞는 엔진 속도제어 및 고장진단 등을 하는 장치이다.
② 운전자가 편리하도록 작업 장치를 자동적으로 조작시켜 주는 장치이다.
③ 조이스틱의 작동을 전자화 한 장치이다.
④ 컨트롤 밸브의 조작을 용이하게 하기 위해 전자화 한 장치이다.

ECU의 기능은 운전 상황에 맞는 엔진 속도제어, 고장진단 등을 하는 장치이다.

22 커먼레일 방식 디젤 기관에서 크랭킹은 되는데 기관이 시동되지 않는다. 점검 부위로 틀린 것은?

① 인젝터
② 레일 압력
③ 연료 탱크 유량
④ 분사펌프 딜리버리 밸브

분사펌프의 딜리버리 밸브는 연료의 역류와 후적을 방지하고 고압 파이프에 잔압을 유지시키는 작용을 한다.

23 고장진단 및 테스트용 출력단자를 갖추고 있으며, 항상 시스템을 감시하고, 필요하면 운전자에게 경고신호를 보내주는 기능에 해당되는 것은?

① 제어 유닛 ② 피드백
③ 주파수 신호처리 ④ 자기진단

자기진단이란 고장진단 및 테스트용 출력 단자를 갖추고 있으며, 항상 시스템을 감시하고, 필요하면 운전자에게 경고신호를 보내주는 기능을 말한다.

정답 18.④ 19.④ 20.② 21.① 22.④ 23.④

3 chapter 냉각장치

01 목적

① 정상적인 작동 온도 75~95℃로 유지시키는 역할을 한다.
② 기관의 작동 온도는 실린더 헤드 물 재킷부의 냉각수 온도로 표시한다.
③ 부품의 과열 및 손상을 방지한다.

02 냉각방식

1 공랭식

① 엔진의 열을 주행 중에 받는 공기로 냉각시키는 방식.
② 장점
- 수냉식과 같이 냉각수를 보충하는 일이 없다.
- 냉각수의 누출에 의한 엔진의 과열이 없다.
- 한냉시에 냉각수의 동결에 의해서 엔진이 파손되는 일이 없다.
- 구조가 간단하고 취급이 편리하다.

③ 단점
- 기후나 주행 상태에 따라서 엔진이 과열되기 쉽다.
- 냉각이 균일하게 이루어지지 않기 때문에 엔진이 과열된다.

(1) 자연 통풍식

① 주행 중에 받는 공기로 엔진을 냉각시키는 방식.
② 실린더 및 실린더 헤드 둘레에 냉각핀이 설치되어 있다.
③ 냉각핀은 공기의 접촉 면적을 크게 한다.
④ 고주파 진동에 의해 파손되는 것을 방지하기 위해 리브가 설치되어 있다.

(2) 강제 통풍식

① 냉각팬을 회전시켜 강제로 다량의 공기를 보내어 냉각시키는 방식.
② 실린더 및 실린더 헤드 둘레에 경합금 냉각핀이 설치되어 있다.
③ 냉각 핀 주위에 시라우드를 설치하여 엔진을 균일하게 냉각시킨다.

2 수냉식

① 실린더 및 헤드의 냉각수 통로에 냉각수를 순환시켜 냉각시키는 방식.
② 물 펌프를 회전시켜 냉각수를 순환시킨다.

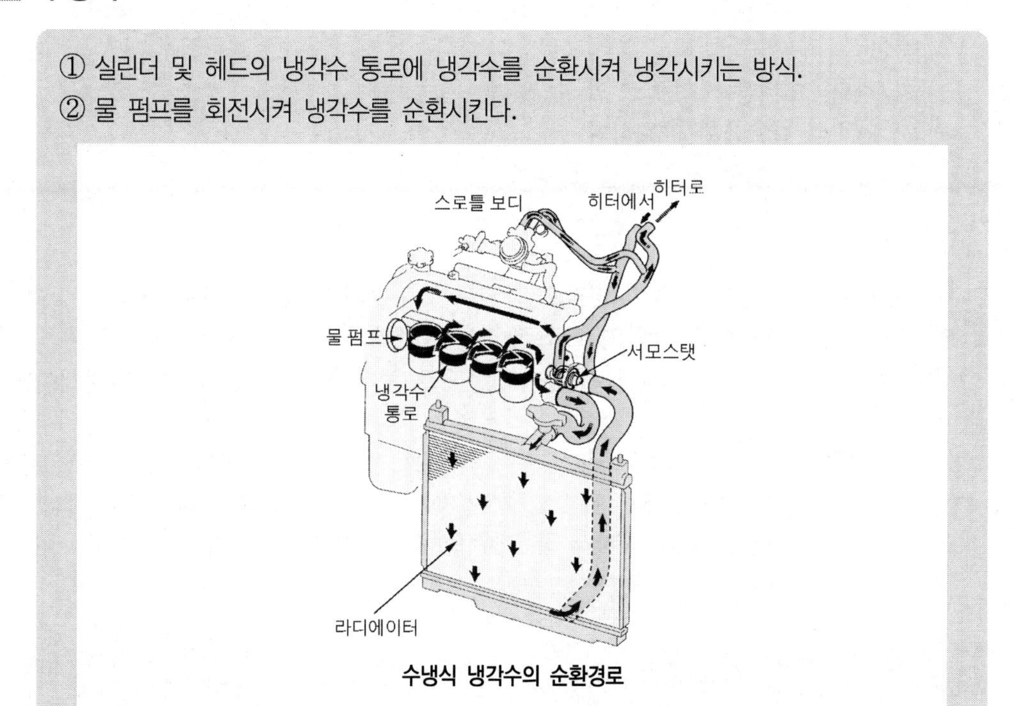

수냉식 냉각수의 순환경로

(1) 자연 순환식

① 냉각수의 대류에 의해서 순환시키는 방식으로 정치식 대형 엔진에 사용된다.
② 엔진보다 높게 설치된 서지 탱크에 저장된 냉각수를 물 재킷으로 공급된다.
③ 엔진을 냉각시킨 냉각수는 열교환기를 통하여 냉각탑에 보내어 냉각시킨다.
④ 냉각된 냉각수는 다시 서지 탱크에 냉각수로 보충된다.
⑤ 복잡하고 고성능 엔진에는 적합하지 않다.

(2) 강제 순환식

① 실린더 블록과 실린더 헤드에 냉각수 통로가 설치되어 있다.
② 물 펌프를 이용하여 강제적으로 냉각수를 순환시켜 냉각시키는 방식이다.
③ 냉각수를 순환시켜 흡수한 열은 라디에이터에서 대기로 방출시킨다.
④ 냉각 효과는 유출입 온도의 차이가 클수록 양호하다.

⑤ 유출입 온도 차이를 작게 하면 엔진의 성능이 저하되는 것을 방지한다.
⑥ 냉각수의 유출입 온도 차이는 5 ~ 10℃이다.

(3) 압력 순환식

① 냉각계통 내를 밀봉시켜 냉각수가 비등되지 않도록 하는 방식.
② 비등 온도는 압력을 높이면 상승하고 감압하면 낮아진다.
③ 압력은 라디에이터 캡의 압력 및 진공 밸브에 의해서 자동적으로 조절된다.
④ 특징
㉮ 라디에이터를 소형으로 할 수 있다.
㉯ 엔진의 열효율이 양호하다.
㉰ 냉각수의 보충 횟수를 줄일 수 있다.

(4) 밀봉 압력식

① 라디에이터 캡을 밀봉하여 냉각수가 외부로 누출되지 않도록 하는 방식.
② 냉각수가 가열되어 팽창하면 보조 탱크로 보낸다.
③ 냉각수의 온도가 저하되면 사이펀 작용으로 보조 탱크의 냉각수가 라디에이터로 유입된다.

☞ **사이펀(siphon)** : 액체를 용기 속의 액면보다 낮은 위치로 옮기기 위한 U자 모양의 관으로 최고점의 압력이 대기압 이하인 것을 말한다. 밀봉 압력식에서도 라디에이터와 보조 탱크의 압력차에 의해서 물을 옮기는 것을 사이펀 작용이라 한다.

03 냉각장치 각 주요부의 작용

1 물 재킷

① 실린더 주위, 밸브 시트, 밸브 가이드, 연소실 주위에 설치된 냉각수 통로.
② 물 펌프에 의해서 순환되는 냉각수가 엔진의 열을 흡수한다.
③ 흡수한 열을 라디에이터에서 방열한다.

2 물 펌프

① 벨트에 의해서 크랭크축의 동력을 받아 회전한다.
② 냉각수를 실린더 블록 및 실린더 헤드의 냉각수 통로에 순환시킨다.

(1) 원심력 펌프의 원리

① 용기에 물을 가득 넣은 후 날개를 회전시키면 원심력이 발생한다.

② 용기 주위는 압력이 높아지고 중앙부의 압력은 낮아진다.
③ 용기의 주위와 중앙부에 파이프를 설치한다.
④ 날개를 회전시키면 중앙부에서 흡입, 주위에서는 송출 작용을 한다.

(2) 원심력 펌프의 특징

① 소형이며, 송수량이 많고 출구를 좁혀도 압력이 상승하지 않는다.
② 고장 등으로 펌프가 회전하지 않아도 날개 사이로 자연 순환된다.
③ 엔진의 과열을 방지한다.

(3) 물 펌프의 구조

① 원심력 펌프가 사용된다.
② 펌프 하우징, 임펠러, 축, 베어링, 펌프 풀리, 실(seal) 등으로 구성되어 있다.
③ 물 펌프는 엔진 회전수의 1.2~1.6 배로 회전한다.
④ 펌프의 효율은 냉각수 압력에는 비례하고 온도에는 반비례 한다.

3 구동 벨트

① 크랭크축의 동력을 받아 발전기와 물 펌프를 구동시킨다.
② 이음이 없는 섬유질과 고무를 이용하여 성형한 V 벨트를 사용한다.
③ V 벨트의 접촉면은 40° 로 되어 있으며, 마찰력에 의해 동력을 전달한다.
④ 벨트의 장력은 10 kg의 힘으로 눌러 13 ~ 20 mm 정도의 헐거움이 있어야 한다.
⑤ 장력이 크면 : 발전기와 물 펌프 베어링이 손상된다.
⑥ 장력이 작으면 : 엔진이 과열되고 축전지의 충전이 불량하게 된다.

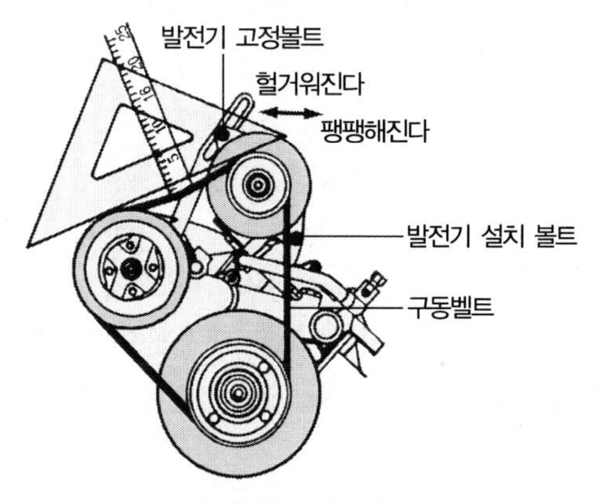

구동 벨트의 장력 점검

4 냉각 팬

① 엔진과 라디에이터 사이에 설치되어 있다.
② 라디에이터의 냉각 효과를 향상시킨다.
③ 배기 다기관의 과열을 방지한다.
④ 냉각 팬은 물 펌프 축과 일체로 회전한다.
⑤ 냉각 팬은 수온 센서에 의해서 전동 모터가 회전시킨다.

5 전동 팬

① 냉각수의 온도가 약 85~100℃에서 간헐적으로 작동한다.
② 수온 센서가 라디에이터 아래 탱크에 설치되어 냉각수의 온도를 검출한다.
③ 냉각수의 온도가 약 85℃가 되면 모터가 회전하고 78℃ 이하가 되면 모터가 정지된다.
④ 라디에이터의 설치가 자유롭고 히터의 난방이 빨리된다.
⑤ 일정한 풍량을 확보하며 가격이 비싸고 소비 전력이 35 ~ 130W로 많고 소음이 크다.

6 라디에이터

① 다량의 냉각수를 저장하고 흡수한 열을 대기 중으로 방출한다.
② 방열은 냉각팬과 자동차가 주행할 때 유입되는 공기에 의해 냉각된다.

(1) 라디에이터의 구조

① 라디에이터 위 탱크 : 입구 파이프로 실린더 헤드에서 냉각수가 유입된다.
② 라디에이터 캡 : 압력 밸브와 진공 밸브가 설치되어 있다.
③ 오버플로 파이프 : 과잉의 냉각수를 보조 탱크로 보낸다.
④ 입구 파이프 : 실린더 헤드와 고무호스로 연결되어 냉각수가 유입된다.
⑤ 라디에이터 아래 탱크 : 물 펌프로 냉각수가 유출된다.
⑥ 출구 파이프 : 고무호스로 물 펌프와 연결되어 냉각수가 유출된다.
⑦ 라디에이터 코어 : 냉각수 통로인 튜브와 냉각핀으로 구성되어 있다.
⑧ 드레인 코크 : 라디에이터의 냉각수를 교환할 때 냉각수를 배출시킨다.

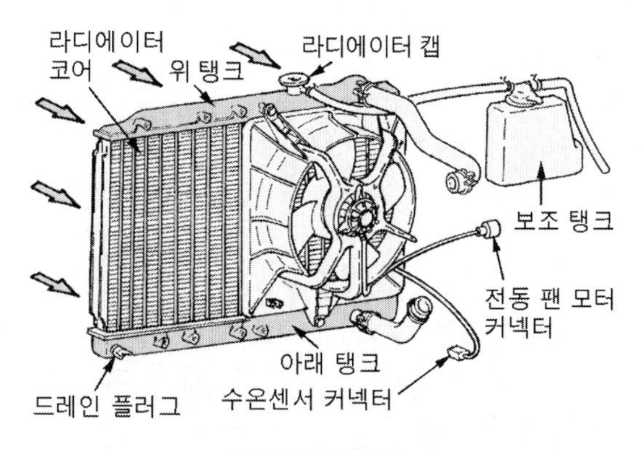

라디에이터의 구조

(2) 구비 조건

① 단위 면적당 방열량이 클 것.
② 공기의 흐름 저항이 적을 것
③ 냉각수의 유동 저항이 적을 것.
④ 가볍고 작으며, 강도가 클 것.

(3) 라디에이터 코어

① 냉각 효과를 향상시키는 냉각핀과 냉각수가 흐르는 튜브로 구성되어 있다.
② 냉각핀의 종류 : 플레이트 핀, 코루게이트 핀, 리본셀룰러 핀
☞ 라디에이터 코어의 막힘이 20% 이상이면 라디에이터를 교환한다.
☞ 라디에이터의 냉각핀 청소는 압축공기를 이용하여 엔진 쪽에서 밖으로 불어낸다.

(4) 압력식 라디에이터 캡

① 냉각 계통을 밀폐시켜 내부의 온도 및 압력을 조정한다.
② 냉각장치 내의 압력을 0.2~1.05kg/cm²정도로 유지하여 비점을 112℃로 상승시킨다.
③ 압력 밸브 : 냉각 장치 내의 압력을 항상 일정하게 유지한다.
④ 진공 밸브 : 냉각수 온도가 저하되면 열려 라디에이터 내의 압력을 대기압과 동일하게 유지시킨다.

7 수온 조절기

① 실린더 헤드 냉각수 통로에 설치되어 냉각수의 온도를 알맞게 조절한다.
② 65℃ 에서 서서히 열리기 시작하여 85℃ 가 되면 완전히 열린다.
③ 종류는 벨로즈형과 펠릿형 수온 조절기로 분류한다.

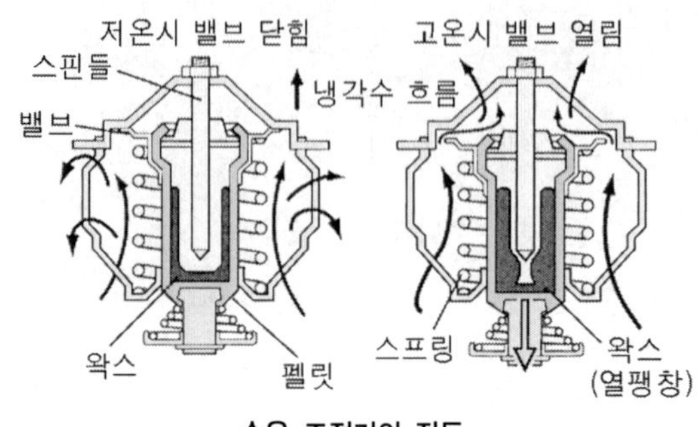

수온 조절기의 작동

04 냉각수와 부동액

1 냉각수

① 순도가 높은 증류수, 수돗물, 빗물 등의 연수를 사용한다.
② 경수는 금속을 산화, 부식시키고 냉각수 통로에 스케일이 발생된다.

2 부동액

① 냉각수의 응고점을 낮추어 엔진의 동파를 방지한다.
② 냉각수의 비등점을 높여 엔진의 과열을 방지한다.
③ 엔진 내부의 부식을 방지한다.
④ 반영구 부동액 : 글리세린 및 메탄올
⑤ 영구 부동액 : 에틸렌글리콜(비등점이 197.2℃, 응고점이 －50℃)
☞ 부동액의 세기는 비중으로 표시하며 비중계(hydrometer)로 측정한다.

3 부동액의 구비조건

① 침전물이 발생되지 않을 것.
② 냉각수와 혼합이 잘 될 것.
③ 내식성이 크고 팽창 계수가 작을 것.
④ 비등점이 높고 응고점이 낮을 것.
⑤ 휘발성이 없고 유동성이 좋을 것.

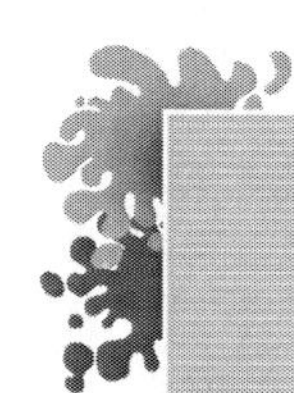

출제예상문제

01 **기관의 정상적인 냉각수 온도는?**

① 30~45℃　② 110~120℃
③ 75~95℃　④ 45~65℃

기관의 정상적인 냉각수 온도는 75~95℃이다.

02 **기관 냉각수의 수온을 측정하는 곳으로 다음 중 가장 적당한 것은?**

① 수온 조절기 내부
② 실린더 헤드 물 재킷부
③ 라디에이터 하부
④ 라디에이터 상부

기관 냉각수의 수온을 측정하는 곳은 실린더 헤드 물 재킷 부분이다.

03 **엔진 과열시 일어나는 현상이 아닌 것은?**

① 금속이 빨리 산화되고 변형되기 쉽다.
② 윤활유 점도 저하로 유막이 파괴된다.
③ 각 작동부분이 열팽창으로 고착된다.
④ 연료소비율이 줄고, 효율이 향상된다.

엔진이 과열하면
① 금속이 빨리 산화되고 변형되기 쉽다.
② 윤활유 점도 저하로 유막이 파괴된다.
③ 각 작동부분이 열팽창으로 고착된다.

04 **공랭식 기관에서 볼 수 있는 것은?**

① 냉각 핀(fin)　② 코어 플러그
③ 수온 조절기　④ 물 펌프

공랭식 기관에는 실린더 및 실린더 헤드 둘레에 냉각핀이 설치되어 있다.

05 **기관의 냉각장치 방식이 아닌 것은?**

① 강제 순환식　② 압력 순환식
③ 진공 순환식　④ 자연 순환식

기관의 냉각장치 방식에는 자연 순환식, 강제 순환식, 압력 순환식, 밀봉 압력식이 있다.

06 **물의 대류 작용을 이용하여 냉각시키는 방식은?**

① 강제 통풍식　② 자연 통풍식
③ 자연 순환식　④ 강제 순환식

수냉식에서 자연 순환식은 냉각수의 대류에 의해서 순환되는 방식이다.

07 **가압식 라디에이터의 장점으로 틀린 것은?**

① 방열기를 작게 할 수 있다.
② 냉각수의 비등점을 높일 수 있다.
③ 냉각수의 순환속도가 빠르다.
④ 냉각수 손실이 적다.

가압식 라디에이터의 장점은 ①,②,④항 이외에 기관의 열효율이 향상된다.

08 **기관의 온도를 일정하게 유지하기 위해서 설치된 물 통로에 해당되는 것은?**

① 오일 팬　② 밸브
③ 워터 자켓　④ 실린더 헤드

워터 자켓은 실린더 주위, 밸브 시트, 밸브 가이드, 연소실 주위에 설치된 냉각수 통로로 냉각수가 순환되어 기관의 온도를 일정하게 유지한다.

정답 01.③ 02.② 03.④ 04.① 05.③ 06.③ 07.③ 08.③

09 **기관의 냉각장치에 해당되지 않는 부품은?**

① 수온 조절기 ② 릴리프 밸브
③ 방열기 ④ 팬 및 벨트

냉각장치는 방열기(라디에이터), 방열기 캡, 수온 조절기, 냉각팬, 구동 벨트, 물 펌프 등으로 구성된다.

10 **기관에서 워터 펌프의 역할로 맞는 것은?**

① 정온기 고장시 자동으로 작동하는 펌프이다.
② 기관의 냉각수 온도를 일정하게 유지한다.
③ 기관의 냉각수를 순환시킨다.
④ 냉각수 수온을 자동으로 조절한다.

벨트에 의해서 크랭크축의 동력을 받아 회전하여 냉각수를 실린더 블록 및 실린더 헤드의 냉각수 통로에 순환시킨다.

11 **냉각수 순환용 물 펌프가 고장이 났을 때 기관에 나타날 수 있는 현상으로 가장 중요한 것은?**

① 시동 불능
② 축전지의 비중 저하
③ 발전기 작동 불능
④ 기관 과열

물 펌프가 고장이 나면 기관 과열의 원인이 된다.

12 **다음 중 팬벨트와 연결되지 않은 것은?**

① 발전기 풀리
② 기관 오일펌프 풀리
③ 워터펌프 풀리
④ 크랭크축 풀리

기관 오일펌프는 크랭크축이나 캠축에 의해 직접 구동된다.

13 **기관의 팬벨트 장력 점검 방법으로 적당한 것은?**

① 벨트 길이 측정 게이지로 측정 점검
② 벨트의 중심을 엄지손가락으로 눌러서 점검
③ 발전기의 고정 볼트를 느슨하게 하여 점검
④ 엔진을 가동하여 점검

팬벨트의 장력은 벨트의 중심을 엄지손가락으로 눌러서 점검한다.

14 **팬벨트에 대한 점검과정이다. 틀린 것은?**

① 팬벨트는 눌러(약 10kg) 13~20mm 정도로 한다.
② 팬벨트는 풀리의 밑 부분에 접촉되어야 한다.
③ 팬벨트 조정은 발전기를 움직이면서 조정한다.
④ 팬벨트가 너무 헐거우면 기관 과열의 원인이 된다.

팬벨트는 풀리의 양쪽 경사진 부분에 접촉되어야 미끄러지지 않는다.

15 **팬벨트의 장력이 너무 강할 경우에 발생되는 현상은?**

① 기관이 과열된다.
② 발전기 베어링이 손상된다.
③ 발전기의 스테이터가 손상된다.
④ 충전부족 현상이 생긴다.

팬벨트의 장력이 너무 강하면(팽팽하면) 물 펌프 및 발전기 베어링이 손상된다.

16 **냉각 팬의 벨트 유격이 너무 클 때 일어나는 현상은?**

① 베어링의 마모가 심하다.
② 벨트가 절단된다.
③ 기관 과열의 원인이 된다.
④ 점화시기가 빨라진다.

냉각 팬의 벨트 유격이 너무 크면 미끄러져 기관 과열의 원인이 된다.

정답 09.② 10.③ 11.④ 12.② 13.② 14.② 15.② 16.③

17 **건설기계 기관에 있는 팬벨트의 장력이 약. 할 때 생기는 현상으로 맞는 것은?**

① 발전기 출력이 저하될 수 있다.
② 물 펌프 베어링이 조기 손상된다.
③ 엔진이 과냉된다.
④ 엔진이 부조를 일으킨다.

팬벨트의 장력이 약하면 발전기 출력이 저하하고, 엔진이 과열하기 쉽다.

18 **기관의 전동식 냉각 팬은 어떤 온도에 따라 ON/OFF 되는가?**

① 냉각수 ② 배기관
③ 흡기 ④ 엔진오일

전동식 냉각 팬은 냉각수 온도에 따라 작동한다.

19 **냉각장치에 사용되는 전동 팬에 대한 설명 중 틀린 것은?**

① 냉각수 온도에 따라 작동한다.
② 엔진이 시동되면 회전한다.
③ 팬벨트는 필요 없다.
④ 정상온도 이하에서는 작동하지 않고 과열일 때 작동한다.

전동 팬은 엔진의 웜업(worm-up)시간 단축을 위해 시동 후 냉각수온이 일정온도가 될 때까지 작동하지 않는다.

20 **라디에이터의 구비 조건으로 틀린 것은?**

① 단위 면적 당 방열량이 클 것
② 공기의 흐름 저항이 클 것
③ 냉각수의 흐름 저항이 적을 것
④ 가볍고 작으며 견고할 것

공기의 흐름 저항은 적어야 한다

21 **라디에이터의 구성 부품이 아닌 것은?**

① 냉각수 주입구 ② 냉각 핀
③ 코어 ④ 물 재킷

물 재킷은 실린더 헤드와 실린더 블록에 마련된 냉각수 순환 통로를 말한다.

22 **냉각계통에 대한 설명 중 틀린 것은?**

① 냉각수 펌프의 실(seal)에 이상이 생기면 누수의 원인이 된다.
② 실린더 물 재킷에 물때가 끼면 과열의 원인이 된다.
③ 팬벨트의 장력이 약하면 엔진 과열의 원인이 된다.
④ 방열기 속의 냉각수 온도는 아래 부분이 높다.

방열기 속의 냉각수 온도는 위에서 아래로 흐르는 동안 냉각되므로 위 부분의 온도가 더 높다.

23 **압축공기로 라디에이터 핀을 청소할 때 옳은 것은?**

① 기관 쪽에서 불어낸다.
② 기관 쪽으로 불어낸다.
③ 냉각 팬 회전방향으로 불어낸다.
④ 워터 재킷 쪽으로 불어낸다.

압축공기로 라디에이터 핀을 청소할 때에는 기관 쪽에서 불어낸다.

24 **냉각장치에서 냉각수의 비등점을 올리기 위한 것으로 맞는 것은?**

① 진공식 캡 ② 압력식 캡
③ 라디에이터 ④ 물재킷

압력식 캡은 냉각장치 내의 압력을 0.2~1.05kg/cm² 정도로 유지하여 비점을 112℃ 로 상승시킨다.

정답 17.① 18.① 19.② 20.② 21.④ 22.④ 23.① 24.②

25 압력식 라디에이터 캡에 대한 설명으로 적합한 것은?

① 냉각장치 내부 압력이 규정보다 낮을 때 공기 밸브는 열린다.
② 냉각장치 내부 압력이 규정보다 높을 때 진공 밸브는 열린다.
③ 냉각장치 내부 압력이 부압이 되면 진공 밸브는 열린다.
④ 냉각장치 내부 압력이 부압이 되면 공기 밸브는 열린다.

냉각장치 내부 압력이 부압이 되면(내부 압력이 규정보다 낮을 때) 진공 밸브가 열리고, 내부 압력이 규정보다 높을 때는 압력 밸브가 열린다.

26 라디에이터 캡의 스프링이 파손되었을 때 가장 먼저 나타나는 현상은?

① 냉각수 비등점이 높아진다.
② 냉각수 비등점이 낮아진다.
③ 냉각수 순환이 빨라진다.
④ 냉각수 순환이 불량해진다.

냉각수의 비등점은 압력을 높이면 상승하고 감압하면 낮아진다. 즉, 라디에이터 캡의 스프링이 파손되면 냉각수 비등점이 낮아진다.

27 냉각장치에서 밀봉 압력식 라디에이터 캡을 사용하는 것으로 가장 적합한 것은?

① 엔진 온도를 높일 때
② 엔진 온도를 낮게 할 때
③ 압력 밸브가 고장일 때
④ 냉각수의 비점을 높일 때

밀봉 압력식 라디에이터 캡을 사용하는 목적은 냉각수의 비점을 높이기 위함이다.

28 냉각장치의 수온 조절기는 냉각수 수온이 약 몇 도(℃)일 때 처음 열려 몇 도(℃)에서 완전히 열리는가?

① 35~55℃ ② 65~85℃
③ 45~65℃ ④ 95~112℃

수온 조절기는 냉각수 수온이 약 65℃일 때 처음 열려 85℃에서 완전히 열린다.

29 디젤기관을 시동시킨 후 충분한 시간이 지났는데도 냉각수 온도가 정상적으로 상승하지 않을 경우 그 고장의 원인이 될 수 있는 것은?

① 수온 조절기의 고장
② 물 펌프의 고장
③ 라디에이터 코어의 파손
④ 냉각 팬벨트의 헐거움

디젤기관을 시동시킨 후 충분한 시간이 지났는데도 냉각수 온도가 정상적으로 상승하지 않는 원인은 수온 조절기가 열린 상태로 고장이 난 경우이다.

30 냉각장치의 수온 조절기가 완전히 열리는 온도가 낮을 경우 가장 적절한 것은?

① 엔진의 회전속도가 빨라진다.
② 엔진이 과열되기 쉽다.
③ 워밍업 시간이 길어지기 쉽다.
④ 물 펌프에 부하가 걸리기 쉽다.

수온 조절기가 완전히 열리는 온도가 낮으면 워밍업 시간이 길어지기 쉽다.

31 부동액이 구비하여야할 조건이 아닌 것은?

① 침전물의 발생이 없을 것
② 물과 쉽게 혼합될 것
③ 부식성이 없을 것
④ 비등점이 물보다 낮을 것

부동액이 구비하여야할 조건은 ①,②,③ 항 이외에 비등점이 물보다 높아야 한다.

32 부동액으로 사용되는 에틸렌글리콜의 비점은 약 몇 ℃인가?

① 50 ② 197.2
③ 165 ④ −50

에틸렌글리콜의 비등점은 197.2℃이고, 응고점은 −50℃ 이다.

정답 25.③ 26.② 27.④ 28.② 29.① 30.③ 31.④ 32.②

33 **기관 온도계의 눈금은 무엇의 온도를 표시하는가?**

① 냉각수 온도
② 배기가스의 온도
③ 연소실 내의 온도
④ 기관 오일의 온도

기관 온도계의 눈금은 냉각수 온도를 표시한다.

34 **작업 중 냉각계통의 순환여부를 확인하는 방법은?**

① 유압계의 작동상태를 수시로 확인한다.
② 엔진의 소음으로 판단한다.
③ 전류계의 작동상태를 수시로 확인한다.
④ 온도계의 작동상태를 수시로 확인한다.

냉각수가 순환되지 않는 경우는 온도계의 작동이 상승되고 엔진이 과열된다.

35 **건설기계를 운전할 때 계기판에서 냉각수 경고등이 점등되었을 때 운전자로서 가장 적절한 조치는?**

① 라디에이터를 교환한다.
② 냉각수를 보충하고 운전한다.
③ 오일량을 점검한다.
④ 시동을 끄고 정비를 받는다.

36 **건설기계 장비 운전시 계기판에서 냉각수량 경고등이 점등되었다. 그 원인으로 가장 거리가 먼 것은?**

① 냉각수량이 부족할 때
② 냉각계통의 물 호스가 파손되었을 때
③ 라디에이터 캡이 열린 채 운행하였을 때
④ 냉각수 통로에 스케일(물때)이 많이 퇴적되었을 때

냉각수량 경고등은 냉각수 량이 기준면보다 낮을 때 점등된다. 그리고 냉각수 통로에 스케일이 많이 퇴적된 경우에는 엔진 과열의 원인이 된다.

37 **작업 중 엔진 온도가 급상승하였을 때 먼저 점검하여야 할 것은?**

① 고부하 작업
② 장기간 작업
③ 윤활유 수준 점검
④ 냉각수의 양 점검

38 **디젤기관이 작동될 때 과열되는 원인이 아닌 것은?**

① 냉각수 양이 적다.
② 물 재킷 내의 물때가 많다.
③ 온도 조절기가 열려 있다.
④ 물 펌프의 회전이 느리다.

기관 과열의 원인은 ①, ②, ④항 이외에 온도 조절기가 닫힌 상태로 고장이 난 경우이다.

39 **기관이 과열되는 원인이 아닌 것은?**

① 분사시기의 부적당
② 냉각수 부족
③ 팬벨트의 장력 과다
④ 물 재킷 내의 물때 형성

팬벨트의 장력이 과다하면 물 펌프 및 발전기의 베어링이 손상된다.

40 **기관 과열의 직접적인 원인으로 부적당한 것은?**

① 팬벨트의 느슨함
② 라디에이터의 코어 막힘
③ 냉각수의 부족
④ 타이밍 체인(timing chain)의 헐거움

41 **기관 과열 원인과 가장 거리가 먼 것은?**

① 팬벨트가 헐거울 때
② 물 펌프 작용이 불량할 때
③ 크랭크축 타이밍기어가 마모되었을 때
④ 방열기 코어가 규정 이상으로 막혔을 때

정답 33.① 34.④ 35.④ 36.④ 37.④ 38.③ 39.③ 40.④ 41.③

42 방열기에 물이 가득 차 있는데도 기관이 과열되는 원인으로 가장 적절한 것은?

① 팬벨트의 장력이 세기 때문
② 사계절용 부동액을 사용했기 때문
③ 정온기가 열린 상태로 고장났기 때문
④ 라디에이터의 팬이 고장났기 때문

라디에이터의 팬(냉각 팬)이 고장 나면 방열기에 물이 가득 차 있는데도 기관이 과열한다.

43 엔진 작동 중 냉각수의 온도가 정상적으로 올라가지 않을 때 과냉의 원인으로 맞는 것은?

① 냉각수 부족
② 물 펌프의 불량
③ 수온 조절기의 열림
④ 팬벨트의 헐거움

과냉의 이유는 수온 조절기가 열린 상태로 고장 난 경우이다.

44 방열기 캡을 열어 냉각수를 점검했더니 기름이 떠있을 때의 원인은?

① 압축 압력이 높아 역화 현상
② 피스톤 링과 실린더 마모
③ 밸브 간격 과다
④ 실린더 헤드 가스켓 파손

라디에이터 캡을 열었을 때 냉각수에 오일이 섞여있는 경우의 원인
① 실린더 헤드 가스켓 파손
② 실린더 헤드 볼트 파손 또는 풀림
③ 수냉식 오일 쿨러(oil cooler) 파손

45 라디에이터 캡을 열었을 때 냉각수에 오일이 섞여 있는 경우의 원인은?

① 기관의 윤활유가 너무 많이 주입되었다.
② 수냉식 오일 쿨러(oil cooler)가 파손되었다.
③ 라디에이터가 불량하다.
④ 실린더 블록이 과열되었다.

46 기관이 작동 중 라디에이터 캡 쪽으로 물이 상승하면서 연소가스가 누출될 때 원인으로 맞는 것은?

① 분사노즐의 동 와셔가 불량하다.
② 라디에이터 캡이 불량하다.
③ 물 펌프에 누설이 생겼다.
④ 실린더 헤드에 균열이 생겼다.

실린더 헤드에 균열이 발생하면 기관이 작동 중 라디에이터 캡 쪽으로 물이 상승하면서 연소가스가 누출된다.

47 동절기에 기관이 동파되는 원인으로 맞는 것은?

① 냉각수가 얼어서
② 기동 전동기가 얼어서
③ 발전장치가 얼어서
④ 엔진오일이 얼어서

동절기에 기관이 동파되는 원인은 냉각수가 얼어서 체적이 늘어나기 때문이다.

정답 42.④ 43.③ 44.④ 45.② 46.④ 47.①

4 chapter 윤활장치

01 윤활의 목적

① 각 운동 부분의 마찰을 감소시킨다.
② 마찰 손실을 최소화 하여 기계효율을 향상시킨다.

02 윤활유의 작용

① 마찰 및 마멸 방지 작용 : 강인한 유막을 형성하여 마찰 및 마멸을 방지하는 작용.
② 밀봉 작용 : 고온・고압의 가스가 누출되는 것을 방지하는 작용.
③ 냉각 작용 : 마찰열을 흡수하여 방열하고 소결을 방지하는 작용.
④ 세척 작용 : 먼지와 연소 생성물의 카본, 금속 분말 등을 흡수하는 작용.
⑤ 응력 분산 작용 : 국부적인 압력을 오일 전체에 분산시켜 평균화시키는 작용.
⑥ 방청 작용 : 수분 및 부식성 가스가 침투하는 것을 방지하는 작용.

03 윤활유의 구비 조건

① 점도가 적당할 것.
② 청정력이 클 것.
③ 열과 산에 대하여 안정성이 있을 것.
④ 카본 생성이 적을 것.
⑤ 기포 발생에 대한 저항력이 있을 것.
⑥ 응고점이 낮을 것.
⑦ 비중이 적당할 것.
⑧ 인화점 및 발화점이 높을 것.

04 윤활 방식

① 비산식　② 압송식　③ 비산 압송식
④ 전압송식　⑤ 혼합 급유식

05 윤활 장치의 부품

1 오일 팬

① 오일을 저장 및 냉각한다.
② 오일을 배출시키기 위한 드레인 플러그가 설치되어 있다.
③ 내부에 격리판이 설치되어 있다.

2 오일 스트레이너

① 고운 스크린으로 되어 오일펌프에 설치되어 있다.
② 오일 팬의 오일을 오일펌프로 유도한다.
③ 오일펌프에 흡입되는 오일의 굵은 불순물을 여과한다.
④ 스크린이 막혔을 때 바이패스 밸브를 통하여 오일이 공급된다.

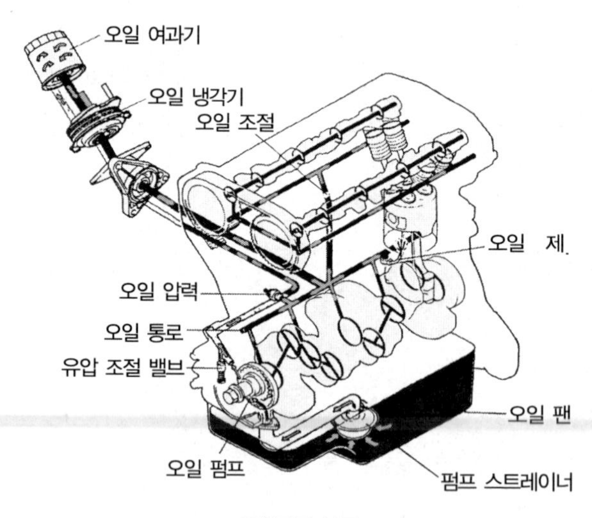

윤활장치 부품

3 오일펌프

오일 팬 내의 오일을 흡입 가압하여 각 윤활부에 공급한다.

(1) 기어 펌프

1) 외접 기어 펌프

① 구동 기어와 피동 기어가 맞물려 회전하여 오일을 공급한다.
② 작용이 확실하고 구조가 간단하다.

2) 내접 기어 펌프

① 기어가 안쪽에서 맞물려 서로 동일한 방향으로 회전하는 기어 펌프
② 크랭크축에 의해서 직접 구동된다.
③ 두께가 얇고 소형으로 현재 많이 사용된다.

(2) 로터리 펌프

① 돌기가 4 개인 이너 로터와 5 개의 홈이 설치된 아웃 로터로 구성되어 있다.
② 로터가 편심으로 설치되어 회전할 때 체적의 변화에 의해 오일을 공급한다.
③ 이너 로터 1 회전에 아웃 로터 4/5 회전한다.

(3) 베인 펌프

① 둥근 하우징에 편심으로 설치된 로터와 날개에 의해서 오일을 공급한다.
② 로터가 회전하면 체적의 변화에 의해서 오일을 송출한다.

(4) 플런저 펌프

① 보디 내에 플런저, 플런저 스프링, 체크 볼 등으로 구성되어 있다.
② 캠축의 편심 캠에 의해서 작동되어 맥동적으로 오일을 공급한다.

4 오일 여과기

(1) 기능

① 오일 속에 금속 분말, 연소 생성물, 수분, 등의 불순물을 여과한다.
② 오일의 송출 라인에 설치되어 항상 깨끗한 오일을 공급한다.

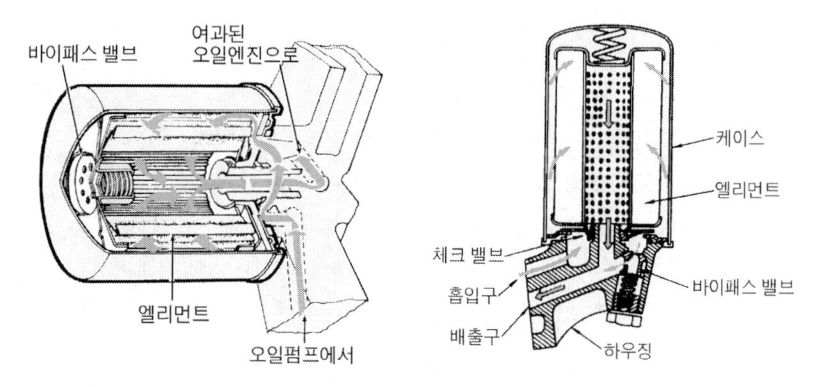

오일 여과기의 구조

오일 교환 시 주의사항

① 기관에 알맞은 오일을 선택할 것.
② 오일 보충 시에 동일 등급의 오일을 사용한다.
③ 재생 오일을 사용하지 않는다.
④ 오일 교환 시기에 맞추어 교환한다.
⑤ 오일을 기관에 주입할 때 불순물이 유입되지 않도록 한다.
⑥ 오일량을 점검하면서 몇 번에 나누어 주입한다.

(2) 종류

① 여과지식 : 엘리먼트를 여과지나 여과포를 사용하여 불순물을 여과한다.
② 합성재식 : 합성재의 엘리먼트를 통과할 때 함유된 불순물을 여과한다.
③ 원심식 : 로터의 회전에 의한 원심력을 이용하여 불순물을 여과한다.
④ 혼성식 : 여과 정도가 서로 다른 2 종류의 재료를 혼합하여 만든 엘리먼트를 이용하여 오일 속에 함유되어 있는 불순물을 여과한다.

(3) 여과 방식

① 전류식 : 오일펌프에서 공급된 오일을 모두 여과하여 윤활부에 공급한다. 엘리먼트가 막혔을 경우에는 바이패스 밸브를 통하여 공급된다.
② 샨트식 : 오일펌프에서 공급된 오일의 일부는 여과되지 않은 상태에서 윤활부에 공급한다. 나머지 오일도 여과기의 엘리먼트를 통해 여과시킨 후 윤활부에 공급한다.
③ 분류식 : 오일펌프에서 공급되는 오일의 일부는 여과하지 않은 상태에서 윤활부에 공급된다. 나머지 오일은 여과기의 엘리먼트를 통하여 여과시킨 후 오일 팬으로 되돌려 보낸다.

5 유압 조절 밸브(릴리프 밸브)

(1) 유압 조절 밸브의 기능

① 오일펌프의 송출 쪽에 설치되어 윤활 회로 내의 압력이 과도하게 상승되는 것을 방지하여 최고 유압을 조정한다.
② 윤활 회로 내의 유압이 과도하게 상승되는 것을 방지한다.
③ 유압은 일반적으로 1500rpm에서 2.5 ~ 4.5kg/cm²
④ 유압이 규정보다 높아지면 오일을 바이패스시켜 유압을 조절한다.
㉮ 조정 스크루를 조여 스프링 장력을 높이면 유압이 높아진다.
㉯ 조정 스크루를 풀어 스프링 장력을 낮추면 유압이 낮아진다.

(2) 바이 패스 밸브

① 오일 여과기의 송출 쪽에 설치되어 있다.
② 흡입쪽과 송출쪽의 유압 차이가 규정 이내이면 엘리먼트를 통하여 윤활부에 공급한다.
③ 엘리먼트가 막혔을 경우 흡입쪽의 유압에 의해 바이패스 밸브가 열려 여과되지 않은 오일이 공급된다.

6 오일 게이지(유면 표시기)

① 오일 팬 내에 저장되어 있는 오일의 유면 높이를 점검한다.
② 끝부분에 MAX(F) 와 MIN(L) 의 눈금이 있다.
③ 유면의 높이는 MAX(F) 선 가까이에 있어야 정상이다.
④ 오일의 오염도 점검
㉮ 오일이 검은색에 가까우면 : 심하게 불분물이 오염되어 있는 경우이다.
㉯ 오일이 우유색에 가까우면 냉각수가 유입되어 있은 경우이다.
⑤ 오일의 유면 점검
㉮ 오일량은 장비가 수평인 상태에서 점검한다.
㉯ 유면 표시기를 빼내어 묻어 있는 오일을 닦고 다시 끼운다.
㉰ 유면 표시기를 다시 빼내어 오일량이 MAX(F)선에 있으면 정상이다.
㉱ 부족하면 MAX(F)선까지 오일을 보충한다.

7 유압계

① 오일펌프에서 윤활 회로에 공급되는 유압을 표시한다.
② 보통 3~4kg/cm^2 정도이다.
③ 유압 경고등 : 오일 라인에 유압이 작용하지 않으면 유압 경고등이 점등된다.

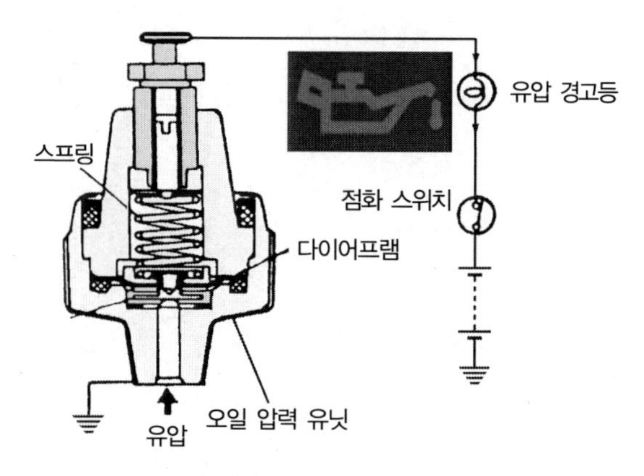

오일 압력 스위치 구조와 경고등

06 오일 냉각기

① 오일의 높은 온도를 낮추어 70 ~ 80℃ 로 유지시키는 역할을 한다.
② 오일의 온도가 125 ~130℃ 이상이 되면 오일의 성능이 급격히 저하된다.
③ 오일 냉각기는 오일의 온도를 항상 일정하게 유지한다.
④ 오일 냉각기는 공랭식과 수냉식으로 분류된다.

07 유압이 불량한 원인

1 유압이 높아지는 원인

① 유압 조절 밸브가 고착되었을 때
② 유압 조절 밸브 스프링의 장력이 클 때
③ 오일의 점도가 높거나 회로가 막혔을 때
④ 각 마찰부의 윤활 간극이 적을 때

2 유압이 낮아지는 원인

① 오일의 점도가 낮을 때
② 유압 조절 밸브의 접촉이 불량할 때
③ 유압 조절 밸브 스프링의 장력이 쇠약할 때
④ 오일 통로에 공기가 유입 되었을 때
⑤ 오일펌프 체결 볼트가 이완되었을 때
⑥ 오일 펌프의 마멸이 과대할 때
⑦ 오일 통로의 파손 및 오일이 부족할 때

출제예상문제

01 **건설기계 기관에서 사용하는 윤활유의 주요 기능이 아닌 것은?**

① 기밀 작용 ② 방청 작용
③ 냉각 작용 ④ 산화 작용

윤활유의 주요 기능은 기밀 작용, 방청 작용, 냉각 작용, 마찰 및 마멸 방지작용, 응력 분산 작용, 세척 작용 등이 있다.

02 **윤활유의 기능으로 맞는 것은?**

① 마찰 감소, 스러스트 작용, 밀봉 작용, 냉각 작용
② 마멸 방지, 수분 흡수, 밀봉 작용, 마찰 증대
③ 마찰 감소, 마멸 방지, 밀봉 작용, 냉각 작용
④ 마찰 증대, 냉각 작용, 스러스트 작용, 응력 분산 작용

03 **오일과 오일 링의 작용(역할) 중 오일의 작용에 해당되지 않는 것은?**

① 방청 작용
② 냉각 작용
③ 응력 분산 작용
④ 오일제어 작용

오일제어 작용은 실린더 벽에 뿌려진 오일을 긁어내려 연소실에 유입되지 않도록 하는 피스톤 링의 3대 작용 중 하나이다.

04 **윤활유 사용방법으로 옳은 것은?**

① SAE 번호는 일정하다.
② 여름은 겨울보다 SAE 번호가 큰 윤활유를 사용한다.
③ 계절과 윤활유 SAE 번호는 관계가 없다.
④ 겨울은 여름보다 SAE 번호가 큰 윤활유를 사용한다.

SAE(미국자동차기술협회)에서 점도에 의해 분류한 엔진 오일로 SAE 번호로 표시하며, 번호가 클수록 점도가 높은 오일이다. 여름에는 겨울보다 SAE 번호가 큰 윤활유(점도가 높은)를 사용한다.

05 **겨울철에 사용하는 엔진 오일은 여름철에 사용하는 엔진 오일보다 점도의 상태는 어떤 것이 좋은가?**

① 점도를 동일하게 해야 한다.
② 점도가 높아야 한다.
③ 점도가 낮아야 한다.
④ 점도와는 아무런 관계가 없다.

겨울철에는 기온이 낮아 오일의 유동성이 떨어지므로 낮은 점도의 오일이 필요하다. 만약 점도가 너무 높은 오일을 사용하면 크랭크축의 회전저항이 커져 시동이 어렵게 된다.

06 **윤활유의 성질 중 가장 중요한 것은?**

① 온도 ② 건도
③ 점도 ④ 습도

윤활유의 성질 중 가장 중요한 것은 점도이다.

07 **온도에 따르는 오일의 점도변화 정도를 표시하는 것은?**

① 점도분포 ② 점도
③ 점도지수 ④ 윤활성

점도지수란 온도에 따른 오일의 점도변화 정도를 표시하는 것이다.

정답 01.④ 02.③ 03.④ 04.② 05.③ 06.③ 07.③

08 **점도지수가 큰 오일의 온도변화에 따른 점도 변화는?**

① 적다.
② 크다.
③ 온도와 점도 관계는 무관하다.
④ 불변이다.

점도지수가 큰 오일은 온도 변화에 따른 점도 변화가 적다.

09 **윤활유 점도가 기준보다 높은 것을 사용했을 때 일어나는 현상은?**

① 동절기에 사용하면 기관 시동이 용이하다.
② 점차 묽어지므로 경제적이다.
③ 윤활유가 좁은 공간에 잘 스며들어 충분한 주유가 된다.
④ 윤활유 공급이 원활하지 못하다.

윤활유의 점도가 기준보다 높은 것을 사용하면 유동성이 저하되어 윤활유의 공급이 원활하지 못하다.

10 **윤활유의 점도가 너무 높은 것을 사용했을 때 맞는 것은?**

① 엔진을 시동할 때 필요 이상의 동력이 소모된다.
② 좁은 공간에 잘 침투하므로 충분한 주유가 된다.
③ 겨울철에 특히 사용하기 좋다.
④ 점차 묽어지기 때문에 경제적이다.

윤활유의 점도가 너무 높은 것을 사용하면 엔진을 시동할 때 필요 이상의 동력이 소모된다.

11 **윤활 방식 중 오일펌프로 급유하는 방식은?**

① 비산식 ② 압송식
③ 분사식 ④ 비산분무식

오일펌프로 급유하는 방식을 압송식이라 한다.

12 **엔진 윤활유에 대하여 설명한 것 중 틀린 것은?**

① 인화점이 낮은 것이 좋다.
② 유막이 끊어지지 않아야 한다.
③ 응고점이 낮은 것이 좋다.
④ 온도에 의하여 점도가 변하지 않아야 한다.

윤활유는 인화점 및 발화점이 높아야 한다.

13 **오일 팬에 대한 설명으로 틀린 것은?**

① 엔진오일 저장용기이다.
② 오일의 온도를 높인다.
③ 내부에 격리판이 설치되어 있다.
④ 오일 드레인 플러그가 있다.

오일 드레인 플러그 중앙에는 영구 자석이 설치되어 있다.

14 **윤활장치에 사용되고 있는 오일펌프로 적합하지 않은 것은?**

① 기어 펌프
② 로터리 펌프
③ 베인 펌프
④ 나사 펌프

오일펌프의 종류에는 기어 펌프, 로터리 펌프, 베인 펌프, 플런저 펌프가 있다.

15 **오일 여과기의 역할은?**

① 오일의 순환작용
② 오일의 압송 작용
③ 오일 불순물 제거작용
④ 연료와 오일 정유 작용

오일 여과기는 오일 속에 금속 분말, 연소 생성물, 수분, 등의 불순물을 제거(세정 작용)하는 작용을 한다.

정답 08.① 09.④ 10.① 11.② 12.① 13.② 14.④ 15.③

16 **기관의 엔진오일 여과기가 막히는 것을 대비해서 설치하는 것은?**

① 체크 밸브(check valve)
② 바이패스 밸브(bypass valve)
③ 오일 디퍼(oil dipper)
④ 오일 팬(oil pan)

엔진 오일 여과기가 막혔을 때 엔진의 내부 손상을 방지하기 위해 여과되지 않은 오일을 윤활부로 공급하기 위한 바이패스 밸브를 설치한다.

17 **기관의 윤활장치에서 엔진 오일의 여과방식이 아닌 것은?**

① 전류식 ② 샨트식
③ 합류식 ④ 분류식

엔진 오일의 여과방식은 전류식, 분류식, 샨트식으로 분류한다.

18 **윤활유 공급 펌프에서 공급된 윤활유 전부가 엔진 오일 필터를 거쳐 윤활 부분으로 가는 방식은?**

① 분류식 ② 자력식
③ 전류식 ④ 샨트식

공급된 윤활유 전부가 엔진 오일 필터를 거쳐 윤활 부분으로 가는 방식을 전류식이라 한다.

19 **오일 여과기의 점검 사항으로 틀린 것은?**

① 여과기가 막히면 유압이 높아진다.
② 엘리먼트 청소는 압축공기를 사용한다.
③ 여과 능력이 불량하면 부품의 마모가 빠르다.
④ 작업조건이 나쁘면 교환시기가 빨라진다.

오일 여과기는 정기적으로 교환하는 부품이다.

20 **기관의 오일 여과기의 교환시기는?**

① 윤활유 1회 교환시 1회 교환한다.
② 윤활유 3회 교환시 1회 교환한다.
③ 윤활유 1회 교환시 2회 교환한다.
④ 윤활유 4회 교환시 1회 교환한다.

기관의 오일 여과기는 윤활유를 1회 교환할 때 1회 교환한다.

21 **기관오일 압력이 상승하는 원인에 해당될 수 있는 것은?**

① 오일펌프가 마모되었을 때
② 오일 점도가 높을 때
③ 윤활유가 너무 적을 때
④ 유압 조절밸브 스프링이 약할 때

오일의 점도가 높으면 기관의 오일 압력이 상승한다.

22 **기관의 윤활유 압력이 규정보다 높게 표시되는 원인과 관계없는 것은?**

① 윤활유 불량
② 압력계 부정확
③ 엔진 오일 실(seal) 마모
④ 압력 조절밸브 불량

오일 실이 마모된 경우는 오일이 누출되어 유압이 낮아지는 원인이 된다.

23 **기관의 윤활유 압력이 규정보다 높게 표시될 수 있는 원인으로 맞는 것은?**

① 엔진 오일 실(seal) 파손
② 오일 게이지 휨
③ 압력 조절밸브 불량
④ 윤활유 부족

압력조절 밸브 불량하면 기관의 윤활유 압력이 규정보다 높게 표시될 수 있다.

정답 16.② 17.③ 18.③ 19.② 20.① 21.② 22.③ 23.③

24 **디젤기관의 윤활유 압력이 낮은 원인과 관계가 먼 것은?**

① 윤활유의 양이 부족하다.
② 오일펌프가 과대 마모되었다.
③ 윤활유의 점도가 높다.
④ 윤활유 압력 릴리프 밸브가 열린 채 고착되어 있다.

윤활유의 점도가 높은 경우는 유동성이 떨어져 유압이 높아지는 원인이 된다.

25 **기관의 오일 게이지로 무엇을 측정하는가?**

① 오일 팬 내의 유면 높이
② 연료 여과기의 유면의 높이
③ 오일 미터 내의 유압의 표시
④ 연료 탱크 내의 유면의 높이

오일 게이지는 오일 팬 내에 저장되어 있는 오일의 유면 높이를 측정하는 게이지이다.

26 **기관의 오일레벨 게이지에 대한 설명으로 틀린 것은?**

① 윤활유 레벨을 점검할 때 사용한다.
② 윤활유 점도 확인 시에도 활용된다.
③ 기관의 오일 팬에 있는 오일을 점검하는 것이다.
④ 기관 가동상태에서 게이지를 뽑아서 점검한다.

엔진 정지상태에서 게이지를 뽑아서 F(MAX)와 L(MIN)선 중간 이상이어야 한다.

27 **엔진 오일량 점검에서 오일 게이지에 상한선(Full)과 하한선(Low) 표시가 되어 있을 때 가장 적합한 것은?**

① Low 표시에 있어야 한다.
② Low와 Full 표시 사이에서 Low에 가까이 있으면 좋다.
③ Low와 Full 표시 사이에서 Full에 가까이 있으면 좋다.
④ Full 표시 이상이 되어야 한다.

28 **엔진 오일이 우유색을 띄고 있을 때의 원인은?**

① 경유가 유입되었다.
② 연소가스가 섞여있다.
③ 냉각수가 섞여있다.
④ 가솔린이 유입되었다.

엔진 오일에 냉각수가 섞이면 우유 색을 띤다.

29 **엔진 오일의 교환시기와 주유할 때의 요령이다. 틀린 것은?**

① 엔진에 알맞은 오일을 선택한다.
② 주유할 때 사용지침서 및 주유표에 의한다.
③ 오일교환 시기를 맞춘다.
④ 재생오일을 사용한다.

엔진 오일을 교환이나 주유할 때 재생오일은 사용해서는 안 된다.

30 **엔진오일의 순환상태를 알 수 있는 계기는?**

① 유압계 ② 연료계
③ 진공계 ④ 전류계

유압계는 엔진 오일 라인에 공급되는 압력을 나타내는 게이지로 오일의 순환상태를 알 수 있다.

31 **운전석 계기판에 아래 그림과 같은 경고등이 점등되었다면 가장 관련이 있는 경고등은?**

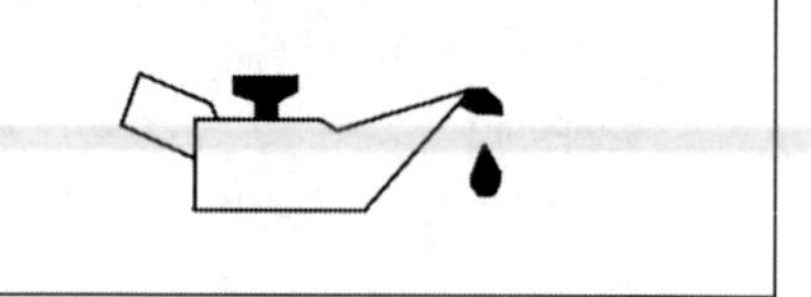

① 엔진 오일 압력 경고등
② 엔진 오일 온도 경고등
③ 냉각수 배출 경고등
④ 냉각수 온도 경고등

정답 24.③ 25.① 26.④ 27.③ 28.③ 29.④ 30.① 31.①

32 **유압계가 부착된 건설기계에서 유압계 지침이 정상으로 압력이 상승되지 않았다. 그 원인으로 틀린 것은?**

① 오일 파이프 파손
② 오일펌프 고장
③ 유압계의 고장
④ 연료 파이프 파손

33 **엔진 오일 압력 경고등이 켜지는 경우가 아닌 것은?**

① 오일이 부족할 때
② 오일 필터가 막혔을 때
③ 가속을 하였을 때
④ 오일회로가 막혔을 때

오일 압력 경고등은 오일 라인에 공급되는 오일의 압력이 규정값 이하일 경우에 점등된다.

34 **디젤기관을 공회전시 유압계의 경보램프가 꺼지지 않는 원인 중 틀린 것은?**

① 오일 팬의 유량 부족
② 유압 조정밸브 불량
③ 오일여과기 막힘
④ 팬벨트의 늘어짐

팬벨트가 늘어지면 발전기에서의 출력 저하 및 기관이 과열하는 원인이 된다.

35 **엔진 오일의 온도가 상승되는 원인이 아닌 것은?**

① 유량의 과다
② 오일의 점도가 부적당할 때
③ 고속 및 과부하로의 연속작업
④ 오일 냉각기의 불량

엔진 오일의 온도가 상승되는 원인
① 오일량이 부족하다.
② 오일의 점도가 높다.
③ 고속 및 과부하로 연속작업을 하였다.
④ 오일 냉각기가 불량하다.

36 **건설기계 장비 작업시 계기판에서 오일 경고등이 점등되었을 때 우선 조치사항으로 적합한 것은?**

① 엔진을 분해한다.
② 즉시 시동을 끄고 오일계통을 점검한다.
③ 엔진 오일을 교환하고 운전한다.
④ 냉각수를 보충하고 운전한다.

37 **오일 냉각기의 기능은?**

① 오일 온도를 125～130℃ 이상 유지
② 오일 온도를 정상 온도로 일정하게 유지
③ 유압을 일정하게 유지
④ 수분・슬러지(sludge) 등을 제거

오일 냉각기는 오일의 높은 온도를 낮추어 70～80℃로 유지시키는 역할을 한다.

38 **윤활유의 소비가 증대될 수 있는 두 가지 원인은?**

① 연소와 누설
② 비산과 압력
③ 비산과 희석
④ 희석과 혼합

윤활유의 소비가 증대되는 2가지 원인은 "연소와 누설"이다.

39 **엔진의 윤활유 소비량이 과대해지는 가장 큰 원인은?**

① 오일 여과기 불량
② 냉각펌프 손상
③ 기관의 과열
④ 피스톤 링 마멸

윤활유 소비량이 과대해지는 원인은 연소와 누설이다. 피스톤 링이 마멸되면 실린더 벽면의 윤활유가 연소실로 유입되어 연소된다.

정답 32.④ 33.③ 34.④ 35.① 36.② 37.② 38.① 39.④

40 **엔진 오일이 많이 소비되는 원인이 아닌 것은?**

① 피스톤 링의 마모가 심할 때
② 실린더의 마모가 심할 때
③ 기관의 압축압력이 높을 때
④ 밸브 가이드의 마모가 심할 때

연소실에 카본이 퇴적된 경우는 압축압력이 규정보다 높은 주 원인이 된다.

41 **엔진 오일에 대한 설명 중 가장 알맞은 것은?**

① 엔진 오일에는 거품이 많이 들어있는 것이 좋다.
② 엔진 오일 순환상태는 오일레벨 게이지로 확인한다.
③ 겨울보다 여름에는 점도가 높은 오일을 사용한다.
④ 엔진을 시동 후 유압 경고등이 꺼지면 엔진을 멈추고 점검한다.

겨울보다 여름에는 점도가 높은 오일을 사용한다.

42 **엔진에서 엔진 오일이 연소실로 올라오는 이유는?**

① 커넥팅 로드 마모
② 피스톤 핀 마모
③ 피스톤 링 마모
④ 크랭크축 마모

피스톤 링이 마모되면 오일제어 작용이 불량하여 연소실에 유입되는 원인이 된다.

43 **기계 작동시 엔진 오일 사용처가 아닌 것은?**

① 피스톤
② 크랭크축
③ 습식 공기청정기
④ 차동 기어장치

차동 기어장치는 동력전달 장치의 부품으로 기어오일을 주입한다.

정답 40.③ 41.③ 42.③ 43.④

5 chapter 흡 · 배기장치

01 흡기 장치의 요구조건

① 전 회전영역에 걸쳐서 흡입효율이 좋아야 한다.
② 연소속도를 빠르게 해야 한다.
③ 흡입부에 와류를 일으키도록 하여야 한다.
④ 균일한 분배성을 가져야 한다.

02 공기 청정기(air cleaner)

1 건식 공기 청정기(여과기)

(1) 건식 공기 청정기의 기능 및 청소

① 기능 : 흡입 공기의 먼지 등의 여과와 흡기 소음을 감소시키는 작용을 한다.
② 청소 : 엘리먼트는 압축공기로 안에서 밖으로 불어내어 청소한다.
③ 에어클리너가 막히면 배기 색은 검은색이며, 출력은 저하된다.

(2) 건식 공기 청정기의 장점

① 설치 또는 분해조립이 간단하다.
② 작은 입자의 먼지나 오물을 여과할 수 있다.
③ 구조가 간단하고 여과망(엘리먼트)은 압축공기로 청소하여 사용할 수 있다.
④ 엔진의 회전속도 변동에도 안정된 공기 청정 효율을 얻을 수 있다.

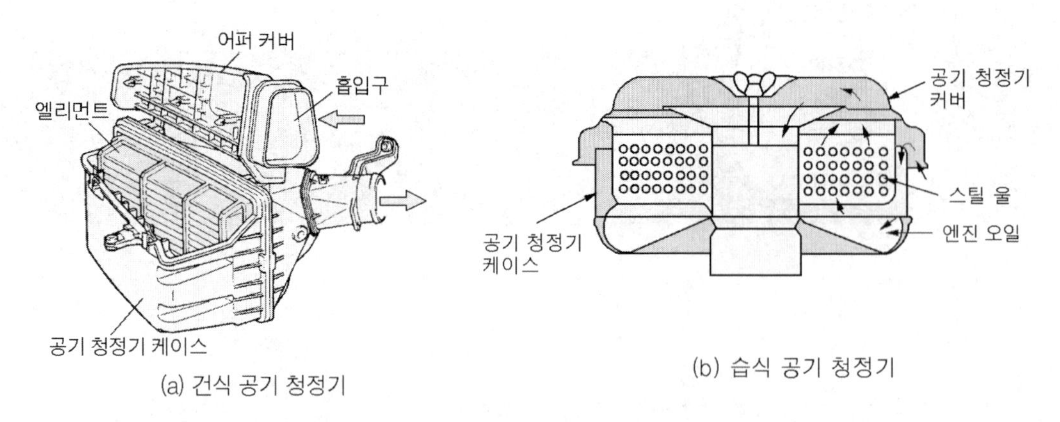

(a) 건식 공기 청정기

(b) 습식 공기 청정기

건식 공기 청정기와 습식 공기 청정기

2 습식 공기 청정기(여과기)

① 공기를 여과시키는 엘리먼트는 스틸 울이나 천으로 오일이 묻어 있다.
② 엘리먼트가 케이스 내면의 일정 높이로 설치되어 아래쪽에 오일이 담겨 있다.
③ 엔진이 작동할 때 케이스와 커버 사이를 통하여 공기가 유입된다.
④ 유입된 공기는 유면을 통하여 급격히 위로 상승되어 에어 혼에 유입된다.
⑤ 무거운 먼지는 유면에 떨어지고 가벼운 먼지는 스틸 울에 부착되어 여과된다.
⑥ 청정 효율은 엔진의 회전속도가 빠를수록 향상된다.

3 원심식 공기 청정기(여과기)

① 흡입공기를 선회시켜 엘리먼트 이전에서 이물질을 제거한다.
② 원심력을 이용하여 흡입공기와 함께 유입되는 먼지나 이물질이 여과장치에서 분리되고 정화된 공기만이 실린더로 공급되는 방식.

03 흡기 소음기

① 대형 자동차의 엔진에 사용된다.
② 공기의 흡입은 맥동적으로 이루어지므로 진동과 소음을 방지한다.
③ 흡기 소음기는 에어 클리너와 연결되는 덕트에 설치되어 있다.

04 흡기 다기관

① 흡기 다기관은 각 실린더의 흡기 포트와 연결되어 있다.
② 실린더에 흡입되는 공기를 균일하게 분배하는 역할을 한다.
③ 흡기다기관의 지름은 최고 회전 속도에서 유속이 30~40m/sec 정도가 유지되어야 한다.
④ 흡기다기관의 지름은 시동시 유속이 2.5m/sec 이하가 되지 않도록 실린더 내경의 25~35%로 한다.
⑤ 적당한 와류가 형성되도록 하여 기화가 잘 이루어지도록 약간 굽혀져 있다.

05 배기 장치

1 배기다기관 및 배기관

① 배기 다기관은 실린더의 배기 포 트와 배기관 사이에 설치되어 있다.
② 각 실린더에서 배출되는 가스를 한 곳으로 모으는 역할을 한다.
③ 3~4kg/cm²의 압력으로 배출되므로 유출 저항이나 배기의 간섭이 적어야 한다.
④ 배기관은 배기다기관에서 나오는 배기가스를 대기 중으로 방출시키는 역할을 한다.

2 소음기(머플러)

① 배기가스가 대기 중으로 방출될 때 격렬한 폭음이 발생되는 것을 방지한다.
② 1mm 강판의 원통형 내부에 작은 구멍이 뚫어진 몇 장의 판으로 칸막이가 되어 있다.
③ 소음기의 체적은 피스톤 행정 체적의 약 12 ~ 20배 정도이다.
④ 배기가스가 칸막이 판을 통과할 때 압력과 온도가 저하되어 폭음이 방지된다.

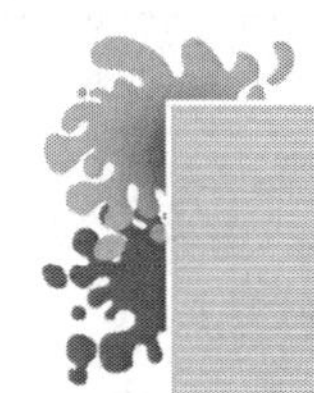

출제예상문제

01 다음 중 흡기장치의 요구조건으로 틀린 것은?

① 전 회전영역에 걸쳐서 흡입효율이 좋아야 한다.
② 연소속도를 빠르게 해야 한다.
③ 흡입부에 와류가 발생할 수 있는 돌출부를 설치해야 한다.
④ 균일한 분배성을 가져야 한다.

해설 흡기다기관은 각 실린더에 혼합가스가 균일하게 분배되도록 하여야 하며, 공기의 충돌을 방지하여 흡입효율이 떨어지지 않도록 굴곡이 있어서는 안 되며 연소가 촉진되도록 공기에 와류를 일으키도록 해야 한다.

02 기관 공기 청정기의 통기저항을 설명한 것으로 틀린 것은?

① 저항이 적어야 한다.
② 저항이 커야 한다.
③ 기관 출력에 영향을 준다.
④ 연료소비에 영향을 준다.

03 연소에 필요한 공기를 실린더로 흡입할 때 먼지 등의 불순물을 여과하여 피스톤 등의 마모를 방지하는 역할을 하는 장치는?

① 과급기(super charger)
② 에어 클리너(air cleaner)
③ 냉각장치(cooling system)
④ 플라이 휠(fly wheel)

해설 에어 클리너(공기 청정기)는 흡입 공기의 먼지 등을 여과하는 작용 이외에 흡기 소음을 감소시킨다.

04 기관에서 공기 청정기의 설치 목적으로 맞는 것은?

① 연료의 여과와 가압작용
② 공기의 가압작용
③ 공기의 여과와 소음방지
④ 연료의 여과와 소음방지

05 건식 공기 청정기의 장점이 아닌 것은?

① 설치 또는 분해조립이 간단하다.
② 작은 입자의 먼지나 오물을 여과할 수 있다.
③ 구조가 간단하고 여과망을 세척하여 사용할 수 있다.
④ 기관의 회전속도 변동에도 안정된 공기청정 효율을 얻을 수 있다.

해설 건식 공기 청정기는 작은 입자의 먼지나 오물을 여과할 수 있고 기관 회전속도의 변동에도 안정된 공기청정 효율을 얻을 수 있다. 구조가 간단하므로 설치 또는 분해・조립이 간단하다. 그리고 여과망(엘리먼트)은 압축공기로 청소하여 사용할 수 있다.

06 건식 공기 청정기의 효율저하를 방지하기 위한 방법으로 가장 적합한 것은?

① 기름으로 닦는다.
② 마른걸레로 닦아야 한다.
③ 압축공기로 먼지 등을 털어 낸다.
④ 물로 깨끗이 세척한다.

해설 건식 공기 청정기의 엘리먼트는 압축공기로 안에서 밖으로 불어내어 청소한다.

07 건식 공기 여과기 세척방법으로 가장 적합한 것은?

① 압축공기로 안에서 밖으로 불어낸다.
② 압축공기로 밖에서 안으로 불어낸다.
③ 압축오일로 안에서 밖으로 불어낸다.
④ 압축오일로 밖에서 안으로 불어낸다.

정답 01.③ 02.② 03.② 04.③ 05.③ 06.③ 07.①

08 습식 공기 청정기에 대한 설명이 아닌 것은?

① 청정효율은 공기량이 증가할수록 높아지며, 회전속도가 빠르면 효율이 좋아진다.
② 흡입 공기는 오일로 적셔진 여과망을 통과시켜 여과시킨다.
③ 공기 청정기 케이스 밑에는 일정한 양의 오일이 들어 있다.
④ 공기 청정기는 일정기간 사용 후 무조건 신품으로 교환해야 한다.

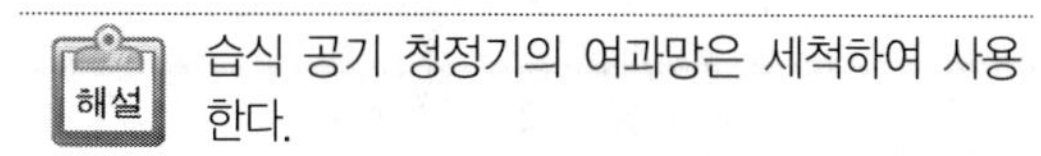
습식 공기 청정기의 여과망은 세척하여 사용한다.

09 여과기 종류 중 원심력을 이용하여 이물질을 분리시키는 형식은?

① 건식 여과기 ② 오일 여과기
③ 습식 여과기 ④ 원심식 여과기

원심식 여과기는 흡입 공기와 함께 유입되는 먼지나 이물질이 원심력에 의해 여과장치에서 분리되고 정화된 공기만이 실린더로 공급되는 방식이다.

10 흡입 공기를 선회시켜 엘리먼트 이전에서 이물질이 제거되게 하는 에어 클리너 방식은?

① 습식 ② 건식
③ 원심 분리식 ④ 비스키 무수식

원심 분리식 에어 클리너는 흡입공기를 선회시켜 엘리먼트 이전에서 이물질을 제거한다.

11 공기 청정기에 대한 설명으로 틀린 것은?

① 공기 청정기는 실린더 마멸과 관계없다.
② 공기 청정기가 막히면 배기 색은 흑색이 된다.
③ 공기 청정기가 막히면 출력이 감소한다.
④ 공기 청정기가 막히면 연소가 나빠진다.

공기 청정기가 막히면 실린더 내에 공급되는 공기가 부족하여 불완전 연소가 이루어지므로 실린더 마멸을 촉진한다.

12 에어 클리너가 막혔을 때 발생되는 현상으로 가장 적절한 것은?

① 배기 색은 흰색이며, 출력은 저하된다.
② 배기 색은 흰색이며, 출력은 증가된다.
③ 배기 색은 검은색이며, 출력은 저하된다.
④ 배기 색은 무색이며, 출력은 정상이다.

에어 클러너가 막히면 배기 색은 검은색이며, 출력은 저하된다.

13 배기관이 불량하여 배압이 높을 때 기관에 생기는 현상 중 틀린 것은?

① 피스톤의 운동을 방해한다.
② 기관의 출력이 감소된다.
③ 냉각수 온도가 내려간다.
④ 기관이 과열된다.

배압이 높으면 피스톤의 운동을 방해하여 기관의 출력이 감소되며, 기관이 과열하여 냉각수의 온도가 올라간다.

14 국내에서 디젤기관에 규제하는 배출 가스는?

① 탄화수소 ② 매연
③ 일산화탄소 ④ 공기 과잉률(λ)

15 다음 중 연소시 발생하는 질소산화물(Nox)의 발생 원인과 가장 밀접한 관계가 있는 것은?

① 높은 연소온도 ② 가속불량
③ 흡입공기 부족 ④ 소연 경계층

질소산화물(Nox)이 발생되는 원인은 높은 연소온도 때문이다.

정답 08.④ 09.④ 10.③ 11.① 12.③ 13.③ 14.② 15.①

16 **디젤기관 운전 중 흑색의 배기가스를 배출하는 원인으로 틀린 것은?**

① 공기 청정기 막힘
② 오일팬 내 유량과다
③ 압축 불량
④ 노즐 불량

17 **연소실에서 윤활유가 연소할 때 가장 가까운 배기가스 색은?**

① 자색 ② 흑색
③ 백색 ③ 무색

연소실에서 윤활유가 연소되면 백색에 가까운 배기가스가 배출된다.

18 **배기가스의 색과 기관의 상태를 표시한 것으로 가장 거리가 먼 것은?**

① 무색 – 정상
② 검은색–농후한 혼합비
③ 황색–공기청정기의 막힘
④ 백색 또는 회색–윤활유의 연소

디젤 노크가 발생하면 황색에서 흑색으로 변한다.

19 **보기에서 머플러(소음기)와 관련된 설명이 모두 올바르게 조합된 것은?**

보기

a. 카본이 많이 끼면 엔진이 과열되는 원인이 될 수 있다.
b. 머플러가 손상되어 구멍이 나면 배기음이 커진다.
c. 카본이 쌓이면 엔진 출력이 떨어진다.
d. 배기가스의 압력을 높여서 열효율을 증가시킨다.

① a, b, d ② b, c, d
③ a, c, d ④ a, b, c

머플러(소음기)에 관한 사항
① 카본이 많이 끼면 엔진이 과열된다.
② 카본이 쌓이면 엔진 출력이 떨어진다.
③ 머플러에 구멍이 나면 배기 음이 커진다.

정답 16.② 17.③ 18.③ 19.④

PART 3

건설기계 전기장치

01 기초 전기

1 축전기(condenser)

(1) 기능

① 정전 유도 작용을 이용하여 전하를 저장하는 역할을 한다.
② 정전 용량 : 2 장의 금속판에 단위 전압을 가하였을 때 저장되는 전기량(Q, 쿨롱).

(2) 정전 용량

① 금속판 사이 절연체의 절연도에 정비례한다.
② 가해지는 전압에 정비례한다.
③ 상대하는 금속판의 면적에 정비례한다.
④ 상대하는 금속판 사이의 거리에는 반비례한다.

2 동전기

① **직류 전기** : 전압 및 전류가 일정값을 유지하고 흐름의 방향도 일정한 전기.
② **교류 전기** : 전압 및 전류가 시시각각으로 변화하고 흐름의 방향도 정방향과 역방향으로 차례로 반복되어 흐르는 전기.

(1) 전류

① 도선을 통하여 전자가 이동하는 것을 전류라 한다.
② 1 A 란 : 도체 단면에 임의의 한 점을 매초 1 쿨롱의 전하가 이동할 때의 전류
③ 전류의 3대 작용
㉮ 발열 작용 : 시거라이터, 예열 플러그, 전열기. 디프로스터 등
㉯ 화학 작용 : 축전지, 전기 도금 등
㉰ 자기 작용 : 전동기, 발전기, 솔레노이드, 릴레이 등

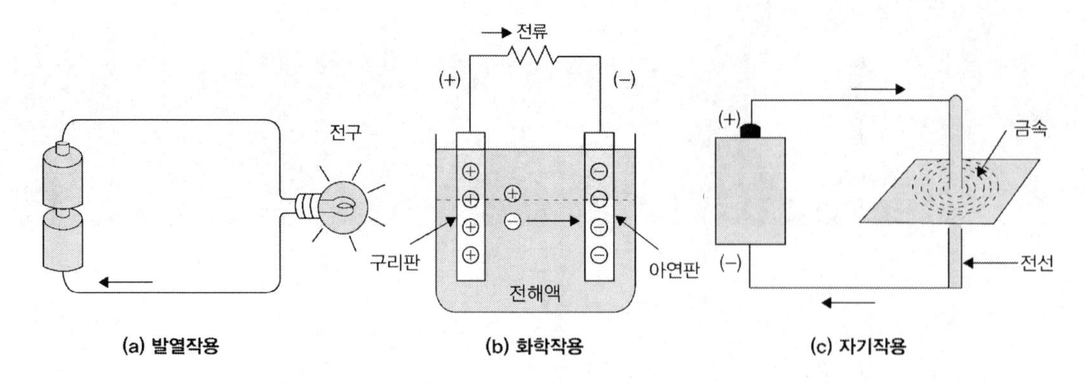

(a) 발열작용 (b) 화학작용 (c) 자기작용

(2) 전압

① 도체에 전류를 흐르게 하는 전기적인 압력을 전압이라 한다.
② 1 V 란 : 1 Ω 의 도체에 1 A 의 전류를 흐르게 할 수 있는 전압
③ 기전력 : 전하를 이동시켜 끊임없이 발생시키는 힘
④ 전원 : 기전력을 발생시켜 전류원이 되는 것

(3) 저항

① 전류가 물질 속을 흐를 때 그 흐름을 방해하는 것을 저항이라 한다.
② 1Ω : 도체에 1 A 의 전류를 흐르게 할 때 1 V 의 전압을 필요로 하는 도체의 저항
③ 물질의 고유 저항 : 온도, 단면적, 재질, 형상에 따라 변화된다.
④ 접촉 저항 : 접촉면에서 발생되는 저항을 접촉 저항이라 한다.

3 옴의 법칙

① 도체에 흐르는 전류는 도체에 가해진 전압에 정비례한다.
② 도체에 흐르는 전류는 도체의 저항에 반비례한다.

$$I = \frac{E}{R} \qquad E = I \times R \qquad R = \frac{E}{I}$$

I : 도체에 흐르는 전류(A) E : 도체에 가해진 전압(V) R : 도체의 저항(Ω)

4 직렬접속의 특징

① 합성 저항의 값은 각 저항의 합과 같다.

$$R = R_1 + R_2 + R_3 + \ldots\ldots\ldots\ldots + R_n$$

② 각 저항에 흐르는 전류는 일정하다.
③ 각 저항에 가해지는 전압의 합은 전원의 전압과 같다.
④ 동일 전압의 축전지를 직렬연결하면 전압은 개수 배가되고 용량은 1 개 때와 같다.
⑤ 다른 전압의 축전지를 직렬연결하면 전압은 각 전압의 합과 같고 용량은 평균값이 된다.

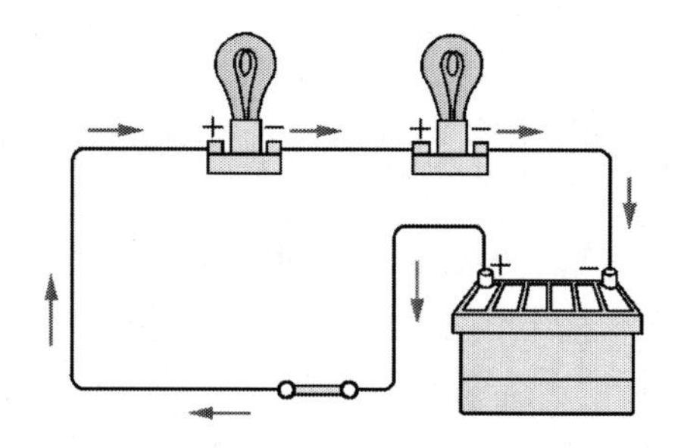

5 병렬접속의 특징

① 합성 저항은 각 저항의 역수의 합의 역수와 같다.

$$R = \frac{1}{\frac{1}{R_1} + \frac{1}{R_2} + \frac{1}{R_3} \cdots + \frac{1}{R_n}}$$

② 각 저항에 흐르는 전류의 합은 전원에서 공급되는 전류와 같다.
③ 각 회로에 흐르는 전류는 다른 회로의 저항에 영향을 받지 않기 때문에 전류는 상승한다.
④ 각 회로에 동일한 전압이 가해지므로 전압은 일정하다.
⑤ 동일 전압의 축전지를 병렬접속하면 전압은 1개 때와 같고 용량은 개수 배가 된다.

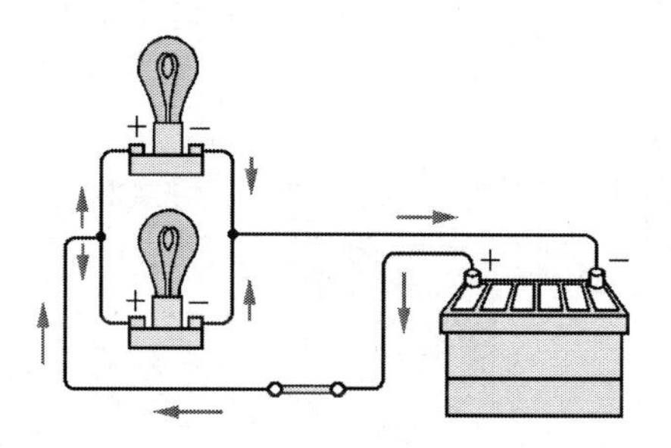

6 전력

① 전기가 단위 시간 1초 동안에 하는 일의 양을 전력이라 한다.
② 전력을 구하는 공식

$$P = E \cdot I \qquad P = I^2 \cdot R \qquad P = \frac{E^2}{R}$$

7 퓨즈

① 회로에 직렬로 설치된다.
② 단락 및 누전에 의해 과대 전류가 흐르면 차단되어 과대 전류의 흐름을 방지한다.
③ 재질 : 납(25%) + 주석(13%) + 창연(50%) + 카드뮴(12%) – 납과 주석 합금

8 플레밍의 왼손 법칙

① 자계 내의 도체에 전류를 흐르게 하였을 때 도체에 작용하는 힘의 방향을 나타내는 법칙이다.
② 자계의 방향, 전류의 방향 및 도체가 움직이는 방향에는 일정한 관계가 있다.
③ 전자력은 전류를 공급 받아 힘을 발생시키는 기동 전동기, 전류계, 전압계 등에 이용한다.

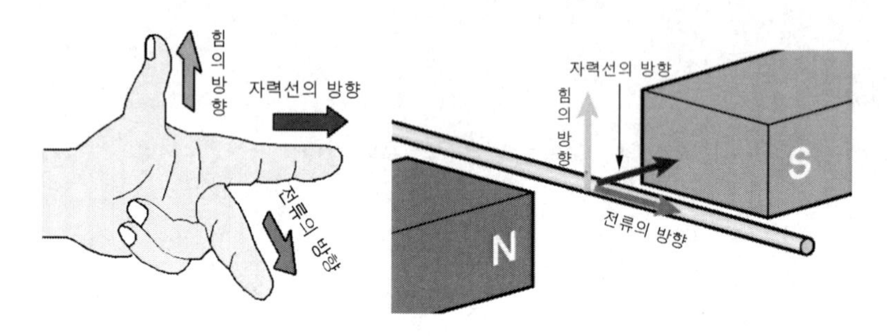

9 플레밍의 오른손 법칙

① 자계 내에서 도체를 움직였을 때 도체에 발생하는 유도 기전력을 나타내는 법칙이다.
② 플레밍의 오른손 법칙은 발전기에 이용된다.

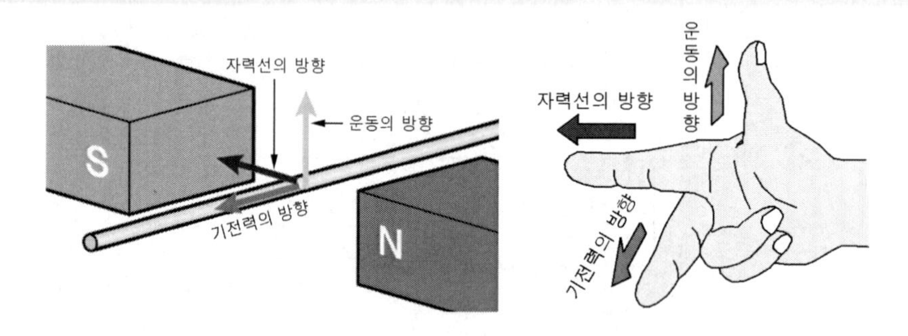

10 렌츠의 법칙

① 유도 기전력은 코일 내의 자속의 변화를 방해하는 방향으로 발생된다는 법칙이다.
② 코일 속에 자석을 넣으면 자석을 밀어내는 반작용이 발생된다.
③ 전자석에 의해 코일에 전기가 발생하는 것은 반작용 때문이다.

02 기초 전자

1 반도체

① 고유 저항이 $10^{-3}\Omega cm \sim 10^{6}\Omega cm$ 정도의 물체를 말한다.
② 도체와 절연체의 중간 성질로 실리콘, 게르마늄, 셀렌 등의 물체를 말한다.
③ 온도가 상승하면 저항이 감소되는 부온도 계수의 물질을 말한다.
④ 반도체의 성질
㉮ 온도가 상승하면 저항값이 감소하는 부온도 계수이다.
㉯ 전원에 접속하면 빛이 발생된다.
㉰ 미소량의 다른 원자가 혼합되면 저항이 크게 변화된다.
㉱ 빛을 가하면 전기 저항이 변화된다.

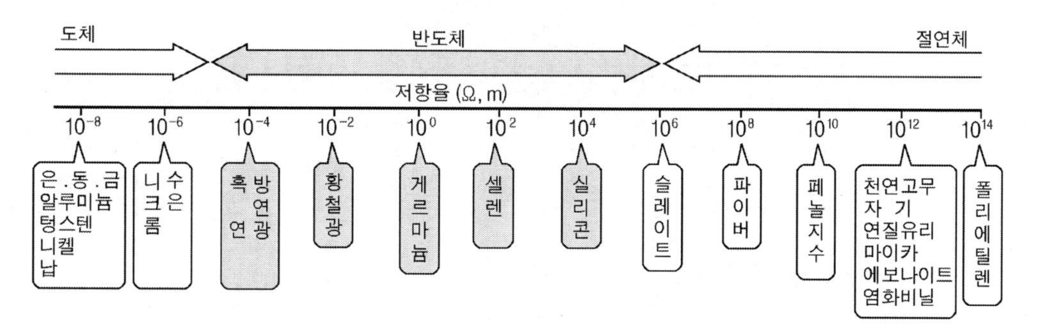

2 반도체의 장·단점

(1) 장점

① 내부에서 전력 손실이 적다.
② 진동에 잘 견디는 내진성이 크다.
③ 내부에서 전압 강하가 매우 적다.
④ 기계적으로 강하고 수명이 길다.
⑤ 예열하지 않고 곧 작동된다.
⑥ 극히 소형이고 가볍다.

(2) 단점

① 역내압이 낮기 때문에 과대 전류 및 전압에 파손되기 쉽다.
② 온도 특성이 나쁘다.(접합부 온도 : Ge은 85℃, Si는 150℃ 이상일 때 파괴된다.)
③ 정격값 이상으로 사용하면 파손되기 쉽다.

3 다이오드

① P 형과 N 형 반도체를 접합시켜 양 끝에 단자를 부착한 것을 다이오드라 한다.
② 전류가 공급되는 단자는 애노드(A), 전류가 유출되는 단자를 캐소드(K)라 한다.
③ 실리콘 다이오드 : 교류를 직류로 변환시키는 정류용 다이오드이다.
④ 제너 다이오드 : 전압이 어떤 값에 이르면 역방향으로 전류가 흐르는 정전압용 다이오드이다.
⑤ 포토 다이오드 : 접합면에 빛을 가하면 역방향으로 전류가 흐르는 다이오드이다.
⑥ 발광 다이오드 : 순방향으로 전류가 흐르면 빛을 발생시키는 다이오드이다.

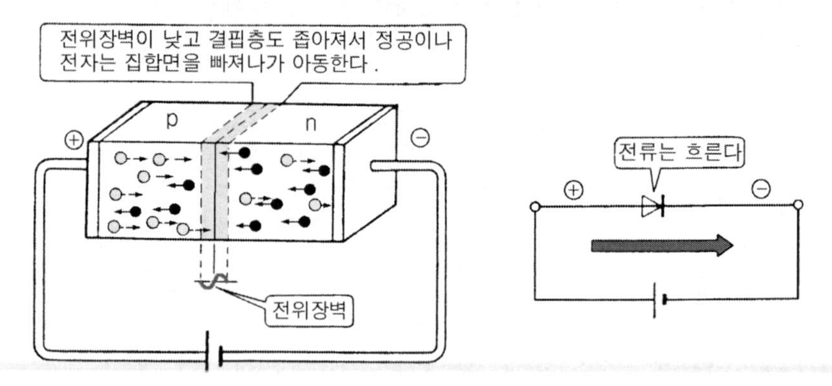

4 트랜지스터

① 저주파용 트랜지스터 : N 형 반도체를 중심으로 양쪽에 P 형을 접합시킨 PNP형 트랜지스터.
② 고주파용 트랜지스터 : P 형 반도체를 중심으로 양쪽에 N 형을 접합시킨 NPN형 트랜지스터
③ 외부의 단자 : 이미터(E), 베이스(B), 컬렉터(C)의 3 개 단자로 구성되어 있다.

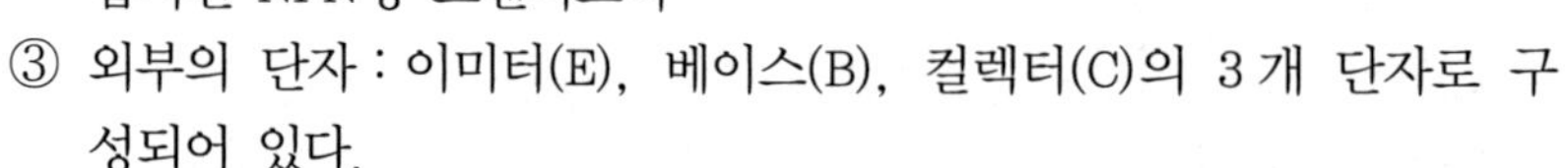

④ NPN형 트랜지스터에서 접지되는 단자는 이미터 단자이다.

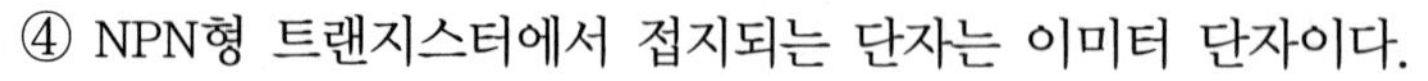

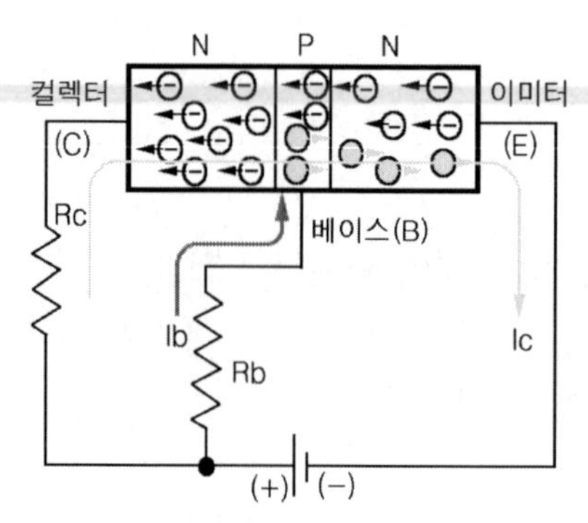

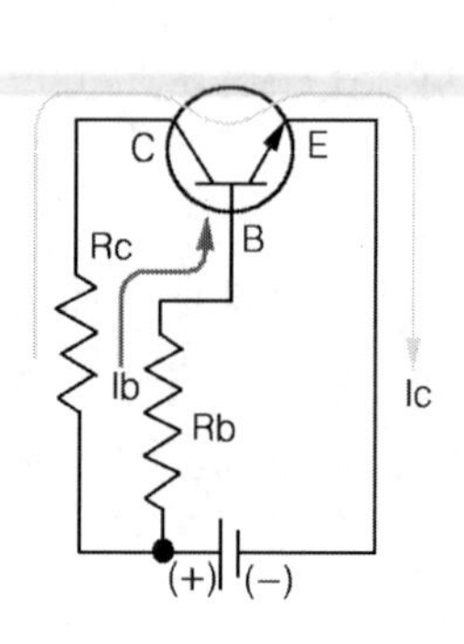

5 트랜지스터의 회로

① 스위칭 회로 : 베이스 전류를 ON, OFF시켜 컬렉터 전류를 단속하는 회로.
② 증폭 회로 : 적은 베이스 전류를 이용하여 큰 컬렉터 전류로 만드는 회로.
③ 발진 회로 : 외부로 부터 주어진 신호가 아니고, 전원으로부터의 전력으로 지속적인 전기 진동을 발생시키는 회로.
④ 지연 회로 : 입력 신호를 일정 시간 지연시켜 출력하는 회로로 아날로그 지연 회로와 디지털 지연 회로가 있다.

6 사이리스터

① 사이리스터는 PNPN 또는 NPNP의 4층 구조로 된 제어 정류기이다.
② ⊕ 쪽을 애노드(A), ⊖ 쪽을 캐소드(K), 제어 단자를 게이트(G)라 한다.
③ ON 상태에서는 PN 접합의 순방향과 같이 저항이 낮다.
④ OFF 상태에서는 순방향의 부성 저항으로 저항이 매우 높다.
⑤ 2 ~3kV 의 내압과 허용 전류가 수백 암페어의 것이 있다.
⑥ 발전기의 여자장치, 조광장치, 통신용 전원, 각종 정류장치에 사용된다.

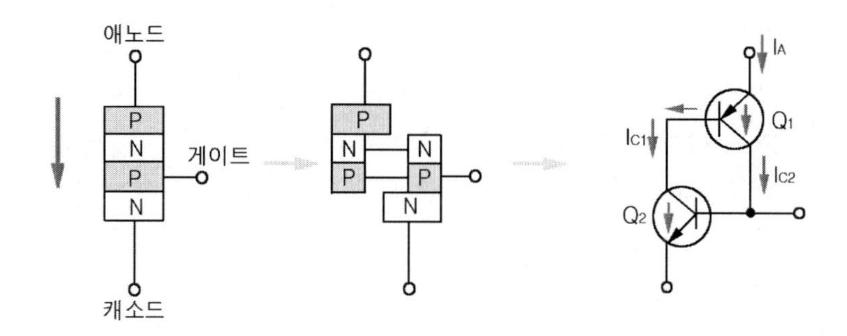

03 축전지(Battery)

1 축전지의 역할

① 기동 장치의 전기적 부하를 부담한다.
② 발전기 고장시 주행을 확보하기 위한 전원으로 작동한다.
③ 발전기 출력과 부하와의 언밸런스를 조정한다.

2 축전지의 충·방전 작용

(1) 방전 중 화학 작용

① 양극판 : 과산화납(PbO_2) → 황산납($PbSO_4$)

② 음극판 : 해면상납(Pb) → 황산납($PbSO_4$)

③ 전해액 : 묽은황산(H_2SO4) → 물($2H_2O$)

④ 과산화납 + 해면상납 + 묽은황산 = PbO_2 + Pb + H_2SO4

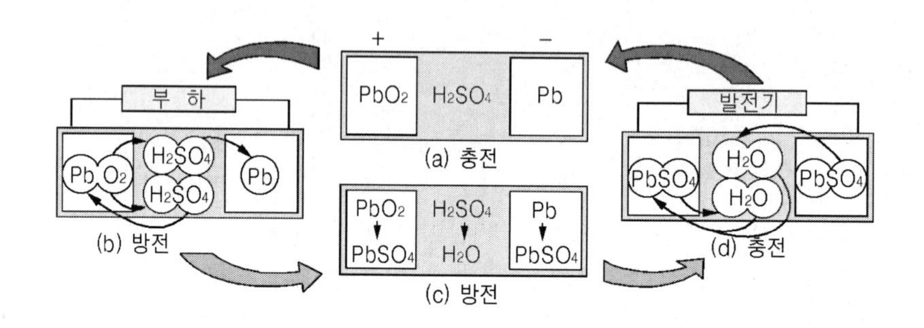

(2) 충전 중 화학 작용

① 양극판 : 황산납($PbSO_4$) → 과산화납(PbO_2)

② 음극판 : 황산납($PbSO_4$) → 해면상납(Pb)

③ 전해액 : 물($2H_2O$) → 묽은황산(H_2SO4)

④ 황산납 + 황산납 + 물 = $PbSO_4$ + $PbSO_4$ + $2H_2O$

3 축전지의 극판과 격리판

① 양극판의 과산화납은 암갈색 결정성의 미립자이다.

② 양극판이 음극판보다 1장 적다.

③ 음극판의 해면상납은 화학 반응성이 풍부하고 다공성이며, 결합력이 강하다.

④ 격리판은 양극판과 음극판의 단락을 방지하며, 다공성이고 비전도성이다.

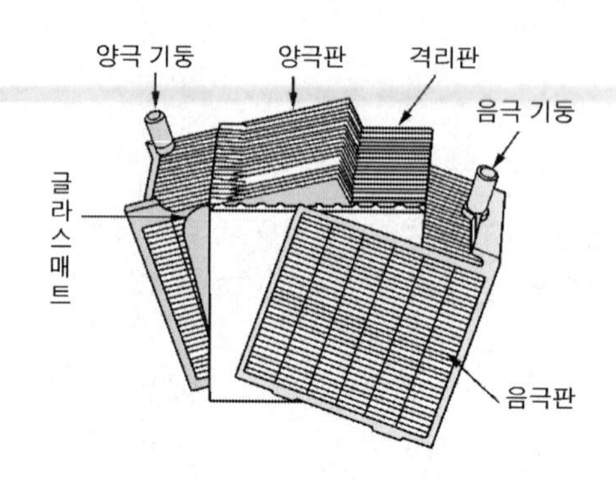

4 축전지 셀과 단자 기둥

① 몇 장의 극판을 접속편에 용접하여 터미널 포스트와 일체가 되도록 한 것.
② 완전 충전시 셀당 기전력은 2.1 V 이다.
③ 단전지 6 개를 직렬로 연결하면 12 V의 축전지가 된다.
④ 단자 기둥 식별

구분	양극 기둥	음극 기둥
단자의 직경	굵다	가늘다
단자의 색	적갈색	회색
표시 문자	⊕, P	⊖, N

5 전해액의 비중과 온도

① 전해액의 온도가 높으면 비중이 낮아진다.
② 전해액의 온도가 낮으면 비중은 높아진다.
③ 전해액 비중은 완전 충전된 상태 20℃ 에서 1.260 ~ 1.280 이다.
④ 축전지 전해액의 비중은 온도 1℃ 변화에 대하여 0.00074 변화한다.
⑤ 전해액 비중은 흡입식 비중계 또는 광학식 비중계로 측정한다.
⑥ 전해액의 온도가 상승되면 용량은 증가된다.
⑦ 전해액의 온도가 상승되면 기전력은 높게 된다.

6 축전지 용량

① 완전 충전된 축전지를 일정의 전류로 연속 방전하여 방전 종지 전압까지 사용할 수 있는 전기량.
② 전해액의 온도가 높으면 용량은 증가한다.
③ 용량은 극판의 크기, 극판의 형상 및 극판의 수에 의해 좌우된다.
④ 용량은 전해액의 비중, 전해액의 온도 및 전해액의 양에 의해 좌우된다.
⑤ 용량은 격리판의 재질, 격리판의 형상 및 크기에 의해 좌우된다.
⑥ 용량(Ah) = 방전 전류(A) × 방전 시간(h)

7 MF(maintenance free battery) 축전지

① 납산 축전지의 자기 방전이나 전해액의 감소를 방지하기 위한 축전지이다.
② 격자의 재질은 납과 칼슘 합금으로 되어 있다.
③ 수소 및 산소 가스를 물로 환원시키는 촉매 마개가 설치되어 있다.
④ 증류수의 보충 및 정비가 필요 없다.

8 축전지의 보충전 방법

① 정전류 충전 : 충전 시작에서부터 종료까지 일정한 전류로 충전하는 방법이다.
② 정전압 충전 : 충전 시작에서부터 종료까지 일정한 전압으로 충전하는 방법이다.
③ 단별전류 충전 : 충전이 진행됨에 따라 단계적으로 전류를 감소시켜 충전하는 방법이다.
④ 급속 충전 : 시간적 여유가 없을 때 급속 충전기를 이용하여 충전하는 방법이다.
※ MF 배터리가 아닌 일반 납산 축전지를 보관 관리할 경우 15일마다 정기적으로 충전하여야 한다.

9 급속 충전 중 주의 사항

① 충전 중 수소가스가 발생되므로 통풍이 잘되는 곳에서 충전할 것.
② 발전기 실리콘 다이오드의 파손을 방지하기 위해 축전지의 ⊕, ⊖케이블을 떼어낸다.
③ 충전 시간을 가능한 한 짧게 한다.
④ 충전 중 축전지 부근에서 불꽃이 발생되지 않도록 한다.
⑤ 충전 중 축전지에 충격을 가하지 말 것.
⑥ 전해액의 온도가 45℃ 이상이 되면 충전 전류를 감소시킨다.
⑦ 전해액의 온도가 45℃ 이상이 되면 충전을 일시 중지하여 온도가 내려가면 다시 충전한다.
⑧ 충전 전류는 축전지 용량의 50%이다.

04 기동장치

1 기동 전동기의 기능

① 기관을 구동시킬 때 사용한다.
② 플라이휠의 링 기어에 기동 전동기의 피니언을 맞물려 크랭크축을 회전시킨다.
③ 링 기어와 피니언 기어비는 10 ~ 15 : 1 정도이다.
④ 기관의 시동이 완료되면 피니언을 링 기어로부터 분리시킨다.

2 기동 전동기의 종류

① 직권 전동기 : 전기자 코일과 계자 코일이 직렬로 접속되어 있으며, 기동 토크가 크다.
② 분권 전동기 : 전기자 코일과 계자 코일이 병렬로 접속되어 있으며, 회전 속도가 거의 일정하다.

③ 복권 전동기 : 전기자 코일과 계자 코일이 직병렬로 접속되어 있으며, 토크가 크고 회전 속도가 거의 일정하기 때문에 와이퍼 모터에 사용된다.

3 직권 전동기

① 전기자 코일과 계자 코일이 직렬로 접속되어 있다.
② 기동 회전력이 크기 때문에 기동 전동기에 사용된다.
③ 부하를 크게 하면 회전 속도가 낮아지고 흐르는 전류는 증가된다.
④ 회전 속도의 변화가 크다.

4 전동기의 구조

① 전기자 : 전기자 철심, 전기자 코일, 축 및 정류자로 구성되어 있으며, 축 양끝은 베어링으로 지지되어 계자 철심 내를 회전한다.
② 전기자 철심 : 전기자 코일을 지지하고 계자 철심에서 발생한 자력선을 통과시키는 자기 회로 역할을 한다.
③ 전기자 코일 : 전자력에 의해 전기자를 회전시키는 역할을 한다.
④ 정류자 : 브러시에서 공급되는 전류를 일정한 방향으로 흐르도록 하는 역할을 한다.
⑤ 계자 철심 : 계자 코일에 전류가 흐르면 강력한 전자석이 된다.
⑥ 계자 코일 : 전류가 흐르면 계자 철심을 자화시켜 토크를 발생한다.
⑦ 브러시 : 정류자와 접촉되어 전기자 코일에 전류를 유출입시키며, 본래 길이의 ⅓ 이상 마멸되면 교환한다.

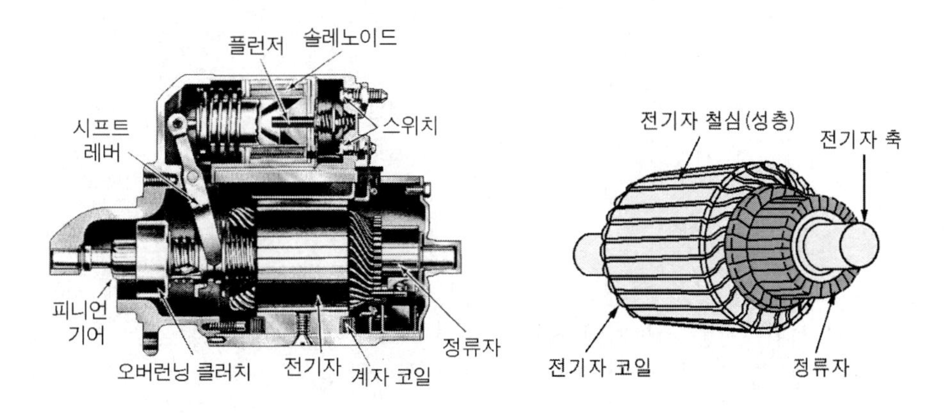

5 기동 전동기 동력전달 방식

① 벤딕스 방식 : 피니언의 관성과 전동기의 고속 회전을 이용하여 전동기의 회전력을 엔진에 전달한다.
② 피니언 섭동 방식 : 솔레노이드의 전자력을 이용하여 피니언 기어의 이동과 스위치를 계폐시킨다.

③ 전기자 섭동 방식 : 전기자 축과 계자 중심을 옵셋시켜 자력선이 가까운 거리를 통과하려는 성질을 이용하여 전기자가 이동함으로써 전동기의 회전력을 엔진에 전달된다.

6 기동 전동기 전자석 스위치

① 시프트 레버를 잡아당기기 위한 플런저와 코일로 구성되어 있다.
② 풀인 코일 : 굵은 코일로 플런저를 잡아당기는 역할을 한다.
③ 홀드인 코일 : 스위치가 ON 되었을 때 플런저의 잡아당긴 상태를 유지시키는 역할을 한다.
④ 코일에 전류가 흐르면 전자력에 의해 플런저를 잡아당긴다.
⑤ 플런저는 시프트 레버를 당겨 피니언 기어와 링 기어가 물리도록 한다.
⑥ 플런저는 스위치를 접촉시켜 축전지 전류를 전동기에 공급한다.

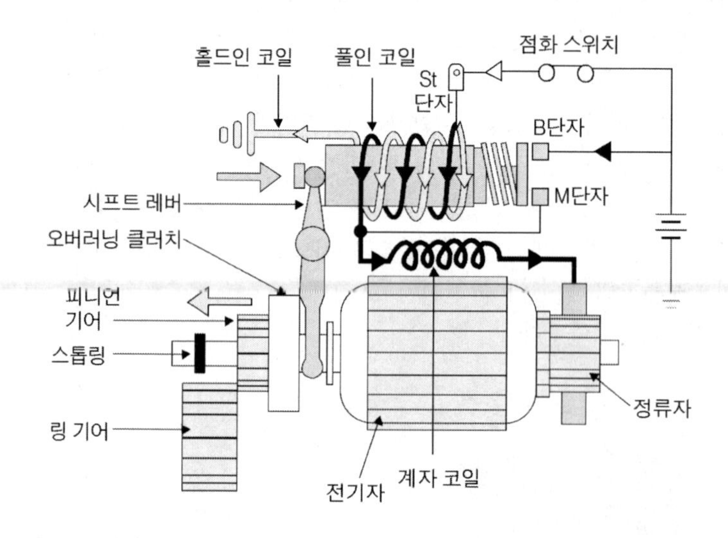

7 기동 전동기의 시험 항목

① 무부하 시험 : 전류와 회전수를 점검한다.
② 회전력 시험 : 기동 전동기의 정지 회전력을 측정하는 시험이다.
③ 저항 시험 : 정지 회전력의 부하 상태에서 측정한다.

출제예상문제

전기 기초

01 축전기에 저장되는 전기량(Q, 쿨롱)을 설명한 것으로 틀린 것은?

① 금속판 사이의 거리에 반비례한다.
② 절연체의 절연도에 비례한다.
③ 금속판의 면적에 비례한다.
④ 정전용량은 가해지는 전압에 반비례한다.

해설 축전기의 용량
① 절연체의 절연도에 비례한다.
② 가한 전압에 정비례한다.
③ 금속판의 면적에 정비례한다.
④ 금속판 사이의 거리에 반비례한다.

02 전기가 이동하지 않고 물질에 정지하고 있는 전기는?

① 동전기 ② 정전기
③ 직류 전기 ④ 교류 전기

해설 정전기란 전기가 이동하지 않고 물질에 정지하고 있는 전기이다.

03 전류의 3대 작용이 아닌 것은?

① 발열작용 ② 자정작용
③ 자기작용 ④ 화학작용

해설 전류의 3대작용
① 발열작용(전구, 예열 플러그 등에서 이용)
② 화학작용(축전지 및 전기 도금에서 이용)
③ 자기작용(발전기와 전동기에서 이용)

04 전류의 자기작용을 응용한 것은?

① 전구 ② 축전지
③ 예열 플러그 ④ 발전기

05 전기 단위 환산으로 맞는 것은?

① 1kV = 1000V
② 1A = 10mA
③ 1kV = 100V
④ 1A = 100mA

06 전압, 전류, 저항에 대한 설명으로 옳은 것은?

① 직렬회로에서 전류와 저항은 비례 관계이다.
② 직렬회로에서 분압 된 전압의 합은 전원전압과 같다.
③ 직렬회로에서 전압과 전류는 반비례 관계이다.
④ 직렬회로에서 전압과 저항은 반비례 관계이다.

해설 직렬접속의 특징
① 합성저항은 각 저항의 합과 같다.
② 어느 저항에서나 똑같은 전류가 흐른다.
③ 전압이 나누어져 저항 속을 흐른다. 즉, 각 저항에 가해지는 전압의 합은 전원전압과 같다.

07 도체에 전류가 흐른다는 것은 전자의 움직임을 뜻한다. 다음 중 전자의 움직임을 방해하는 요소는 무엇인가?

① 전압 ② 저항
③ 전력 ④ 전류

해설 전류, 전력, 전압이란
① 전류란 도선을 통하여 전자가 이동하는 것을 전류라 한다.
② 전력이란 전기가 단위 시간 1초 동안에 하는 일의 양을 전력이라 한다.
③ 전압이란 도체에 전류를 흐르게 하는 전기적인 압력을 전압이라 한다.

정답 01.④ 02.② 03.② 04.④ 05.① 06.② 07.②

08 **도체에도 물질 내부의 원자와 충돌하는 고유저항이 있다. 고유저항과 관련이 없는 것은?**

① 물질의 모양
② 자유전자의 수
③ 원자핵의 구조 또는 온도
④ 물질의 색깔

물질의 고유저항은 재질, 모양, 자유전자의 수, 원자핵의 구조 또는 온도에 따라서 변화한다.

09 **전기장치에서 접촉저항이 발생하는 개소 중 가장 거리가 먼 것은?**

① 기동 전동기 전기자 코일
② 스위치 접점
③ 축전지 터미널
④ 배선 커넥터

접촉저항이 발생하는 개소는 스위치 접점, 축전지 터미널, 배선 커넥터 등이다.

10 **옴의 법칙에 관한 공식으로 맞는 것은? (단, 전류=I, 저항=R, 전압=V)**

① $I = V \times R$ ② $V = \frac{R}{I}$
③ $R = \frac{V}{I}$ ④ $I = \frac{R}{V}$

I = V/R, V= IR, R= V/I

11 **전압이 24V, 저항이 2Ω일 때 전류는 얼마인가?**

① 24A ② 3A
③ 6A ④ 12A

$전류 = \frac{전압}{저항} \therefore \frac{24V}{2\Omega} = 12A$

12 **같은 축전지 2개를 직렬로 접속하면 어떻게 되는가?**

① 전압은 2배가 되고, 용량은 같다.
② 전압은 같고, 용량은 2배가된다.
③ 전압과 용량은 변화가 없다.
④ 전압과 용량 모두 2배가된다.

직렬연결이란 전압과 용량이 동일한 축전지 2개 이상을 (+)단자와 연결대상 축전지의 (−)단자에 서로 연결하는 방식이며, 이때 전압은 축전지를 연결한 개수만큼 증가하나 용량은 1개일 때와 같다.

13 **건설기계에서 사용하는 축전지 2개를 직렬로 연결하였을 때 변화되는 것은?**

① 전압이 증가된다.
② 사용전류가 증가된다.
③ 비중이 증가된다.
④ 전압 및 이용전류가 증가된다.

14 **그림과 같이 12V용 축전지 2개를 사용하여 24V용 건설기계를 시동하고자 한다. 연결 방법으로 옳은 것은?**

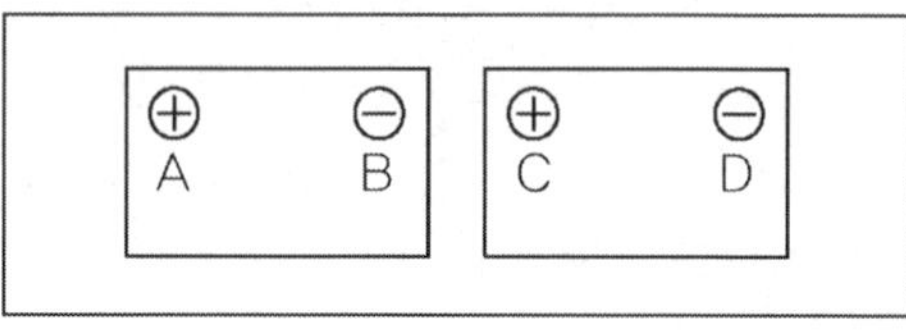

① B − D ② A − C
③ B − C ④ A − B

15 **건설기계에 사용되는 12볼트(V) 80암페어(A) 축전지 2개를 직렬 연결하면 전압과 전류는?**

① 24볼트(V) 160암페어(A)가 된다.
② 12볼트(V) 160암페어(A)가 된다.
③ 24볼트(V) 80암페어(A)가 된다.
④ 12볼트(V) 80암페어(A)가 된다.

12V 80A 축전지 2개를 직렬로 연결하면 전압은 축전지를 연결한 개수만큼 증가하고 용량은 1개일 때와 같기 때문에 24V 80A가 된다.

정답 08.④ 09.① 10.③ 11.④ 12.① 13.① 14.③ 15.③

16 전압이 12V인 배터리를 저항 3Ω, 4Ω, 5Ω을 직렬로 연결할 때의 전류는 얼마인가?

① 1A ② 2A
③ 3A ④ 4A

① 직렬 합성저항 : 3Ω+4Ω+5Ω=12Ω

② 전류 $= \frac{전압}{저항}$ ∴ $\frac{12V}{12\Omega} = 1A$

17 축전지를 병렬로 연결하였을 때 맞는 것은?

① 전압이 증가한다.
② 전압이 감소한다.
③ 전류가 증가한다.
④ 전류가 감소한다.

축전지를 병렬로 연결하면 전류(용량)가 증가한다. 축전지의 병열연결은 같은 축전지 2개 이상을 ⊕ 단자를 다른 축전지의 ⊕ 단자에, ⊖ 단자는 ⊖ 단자에 접속하는 방식으로 용량은 연결한 개수만큼 증가하지만 전압은 1개일 때와 같다.

18 축전지를 병렬로 2개 접속할 경우 가장 적절한 것은?

① 축전지 용량이 증가한다.
② 전압이 증가 또는 감소한다.
③ 축전지 셀의 저항이 감소한다.
④ 축전지 전압이 증가한다.

축전지를 병렬로 접속하는 경우는 전압은 동일하지만 용량이 증가되어 이용전류가 많아진다.

19 건설기계에 사용되는 12볼트(V) 80암페어(A) 축전지 2개를 병렬로 연결하면 전압과 전류는 어떻게 변하는가?

① 24볼트(V), 160암페어(A)가 된다.
② 12볼트(V), 80암페어(A)가 된다.
③ 24볼트(V), 80암페어(A)가 된다.
④ 12볼트(V), 160암페어(A)가 된다.

20 12V 축전지 4개를 병렬로 연결하면 전압은?

① 12V ② 24V
③ 36V ④ 48V

같은 용량·같은 전압의 축전지를 병렬로 연결하면 용량은 2배이고 전압은 한 개일 때와 같다.

21 같은 용량, 같은 전압의 축전지를 병렬로 연결하였을 때 맞는 것은?

① 용량과 전압은 일정하다.
② 용량과 전압이 2배로 된다.
③ 용량은 한 개일 때와 같으나 전압은 2배로 된다.
④ 용량은 2배이고 전압은 한 개일 때와 같다.

22 축전지의 용량만을 크게 하는 방법으로 맞는 것은?

① 직렬 연결법
② 병렬 연결법
③ 직, 병렬 연결법
④ 논리회로 연결법

23 다음 중 전력계산 공식으로 맞지 않는 것은? (단, P=전력, I=전류, E=전압, R=저항이다.)

① $P = EI$ ② $P = E^2R$
③ $P = \frac{E^2}{R}$ ④ $P = I^2R$

전력을 계산하는 공식에는 $P = EI$, $P = \frac{E^2}{R}$, $P = I^2R$이 있다.

24 전력(P)를 구하는 공식으로 틀린 것은? (단, E : 전압, I : 전류, R : 저항)

① $E \times I$ ② $I^2 \times R$
③ $E \times R^2$ ④ E^2/R

정답 16.① 17.③ 18.① 19.④ 20.① 21.④ 22.② 23.② 24.③

25 건설기계의 전구 중에서 작동 시 전기 저항이 가장 큰 것은?

① 24V 24W ② 24V 45W
③ 12V 12W ④ 12V 70W

$R = \frac{E^2}{P}$ [R : 저항, E : 전압, P : 전력]

① $\frac{24V^2}{24W} = 24\Omega$ ② $\frac{24V^2}{45W} = 12.8\Omega$

③ $\frac{12V^2}{12W} = 12\Omega$ ④ $\frac{12V^2}{70W} = 2\Omega$

26 다음 회로에서 퓨즈에는 몇 A가 흐르는가?

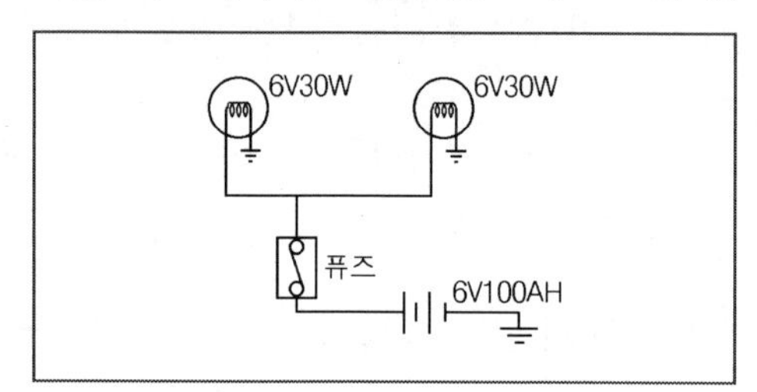

① 5A ② 10A
③ 50A ④ 100A

전류 $= \frac{전력}{전압}$ $\therefore \frac{30W \times 2}{6V} = 10A$

27 건설기계 차량에서 가장 큰 전류가 흐르는 것은?

① 콘덴서 ② 발전기 로터
③ 배전기 ④ 시동 모터

28 기동전동기의 전압이 24V이고 출력이 5kW일 경우 최대 전류는 약 몇 A 인가?

① 50A ② 100A
③ 208A ④ 416A

$P = EI$ 에서 $I = \frac{P}{E}$

[P : 전력, E : 전압, I : 전류, R : 저항]

$\therefore I = \frac{P}{E} = \frac{5 \times 1000}{24} = 208A$

29 야간 작업시 전구를 병렬로 규정 이상 더 많이 연결하여 사용할 때 발생되는 문제점으로 틀린 것은?

① 회로의 배선이 열을 받는다.
② 전류가 많이 소모된다.
③ 전구가 자주 소손된다.
④ 퓨즈가 소손된다.

30 전기회로에서 단락에 의해 전선이 타거나 과대전류가 부하에 흐르지 않도록 하는 구성품은?

① 스위치 ② 릴레이
③ 퓨즈 ④ 축전지

31 전기회로에서 퓨즈의 설치 방법은?

① 직병렬 ② 병렬
③ 상관없다. ④ 직렬

32 전기장치 회로에 사용하는 퓨즈의 재질로 적합한 것은?

① 스틸 합금 ② 구리 합금
③ 알루미늄 합금 ④ 납과 주석 합금

33 퓨즈의 용량 표기가 맞는 것은?

① M ② A
③ E ④ V

A : 암페어(전류) V : 볼트(전압)

34 퓨즈의 접촉이 나쁠 때 나타나는 현상으로 옳은 것은?

① 연결부의 저항이 떨어진다.
② 전류의 흐름이 높아진다.
③ 연결부가 끊어진다.
④ 연결부가 튼튼해진다.

정답 25.① 26.② 27.④ 28.③ 29.③ 30.③ 31.④ 32.④ 33.② 34.③

35 **퓨즈에 대한 설명 중 틀린 것은?**

① 퓨즈는 회로에 흐르는 전류 크기에 따르는 용량의 것을 쓴다.
② 퓨즈는 스타팅 모터의 회로에는 쓰이지 않는다.
③ 퓨즈는 철사로 대용하여도 된다.
④ 퓨즈는 표면이 산화되면 끊어지기 쉽다.

36 **지게차의 전기회로를 보호하기 위한 장치는?**

① 캠버　　② 퓨저블 링크
③ 안전 밸브　　④ 턴시그널 램프

퓨저블 링크는 지나치게 높은 전압이 가해질 경우에 전기가 단절될 수 있도록 배려한 회로 연결 방식을 의미한다.

37 **렌츠의 법칙으로 틀린 것은?**

① 전자유도에 관한 법칙이다.
② 코일 속에 자속을 넣으면 자석을 당기는 흡입력이 발생한다.
③ 전자석에 의해 코일에 전기가 발생하는 것은 반작용 때문이다.
④ 유도 기전력은 코일 내의 자속의 변화를 방해하는 방향으로 발생된다는 법칙이다.

렌츠의 법칙은 전자유도에 관한 법칙으로 유도 기전력은 코일 내의 자속의 변화를 방해하는 방향으로 발생된다는 법칙이며, 전자석에 의해 코일에 전기가 발생하는 것은 반작용 때문이다.

38 **건설기계에 사용되는 전기장치 중 플레밍의 왼손법칙이 적용된 부품은?**

① 발전기　　② 점화코일
③ 릴레이　　④ 시동 전동기

기동 전동기의 원리는 계자철심 내에 설치된 전기자에 전류를 공급하면 전기자는 플레밍의 왼손 법칙에 따르는 방향의 힘을 받는다.

39 **건설기계에 사용되는 전기장치 중 플레밍의 오른손 법칙이 적용되어 사용되는 부품은?**

① 발전기　　② 기동 전동기
③ 점화코일　　④ 릴레이

"오른손 엄지손가락, 인지, 가운데 손가락을 서로 직각이 되게 하고, 인지를 자력선의 방향에, 엄지손가락을 운동의 방향에 일치시키면 가운데 손가락이 유도 기전력의 방향을 표시한다." 이것을 플레밍의 오른손 법칙이라 하며, 발전기의 원리로 사용된다.

40 **「유도 기전력의 방향은 코일 내의 자속의 변화를 방해하려는 방향으로 발생한다.」는 법칙은?**

① 플레밍의 왼손 법칙
② 플레밍의 오른손 법칙
③ 렌츠의 법칙
④ 자기유도 법칙

렌츠의 법칙이란 유도 기전력의 방향은 코일 내의 자속의 변화를 방해하려는 방향으로 발생한다. 는 법칙이다.

기초 전자

01 **다이오드는 P 타입과 N 타입의 반도체를 맞대어 결합한 것이다. 장점이 아닌 것은?**

① 내부의 전력손실이 적다.
② 소형이고 가볍다.
③ 예열 시간을 요구하지 않고 곧바로 작동한다.
④ 200℃ 이상의 고온에서도 사용이 가능하다.

다이오드는 온도가 상승하면 특성이 매우 나빠지며, 파손되기 쉽다.(게르마늄 85℃, 실리콘 150℃)

정답 35.③ 36.② 37.② 38.④ 39.① 40.③ ▮ 01.④

02 **반도체에 대한 설명으로 틀린 것은?**

① 양도체와 절연체의 중간 범위이다.
② 절연체의 성질을 띠고 있다.
③ 고유저항이 $10^{-3} \sim 10^{6}(\Omega m)$ 정도의 값을 가진 것을 말한다.
④ 실리콘, 게르마늄, 셀렌 등이 있다.

03 **빛을 받으면 전류가 흐르지만 빛이 없으면 전류가 흐르지 않는 전기 소자는?**

① 포토 다이오드
② PN 접합 다이오드
③ 제너 다이오드
④ 발광 다이오드

다이오드의 종류
① 발광 다이오드(LED) : 순방향으로 전류를 공급하면 빛이 발생하는 반도체이다.
② 포토 다이오드 : 빛을 받으면 전류가 흐르지만 빛이 없으면 전류가 흐르지 않는 반도체이다.
③ 제너 다이오드 : 어떤 전압 하에서는 역방향으로 전류가 흐르도록 제한하는 반도체이다.
④ PN 접합 다이오드 : P형 반도체와 N형 반도체를 마주 대고 접합한 것으로 정류작용을 하는 반도체이다.

04 **트랜지스터에 대한 일반적인 특성으로 틀린 것은?**

① 고온·고전압에 강하다.
② 내부전압 강하가 적다.
③ 수명이 길다.
④ 소형·경량이다.

반도체의 특징
① 내부의 전력손실이 적다.
② 소형이고 가볍다.
③ 예열시간을 요구하지 않고 곧바로 작동한다.
④ 내부 전압강하가 적다.
⑤ 수명이 길다.
⑥ 고온(150℃ 이상 되면 파손되기 쉽다)·고전압에 약하다.

05 **NPN형 트랜지스터에서 접지되는 단자는?**

① 베이스 ② 이미터
③ 컬렉터 ④ 트랜지스터 몸체

NPN형 트랜지스터에서 접지되는 단자는 이미터 단자이다.

06 **트랜지스터 회로 작용이 아닌 것은?**

① 지연 회로 ② 증폭 회로
③ 발열 회로 ④ 스위칭 회로

트랜지스터의 회로작용에는 증폭회로, 스위칭 회로, 지연회로가 있다.

07 **반도체 소자 중 사이리스터(SCR)의 단자 명칭으로 옳은 것은?**

① 컬렉터 ② 게이트
③ 이미터 ④ 베이스

사이리스터(SCR)는 PNPN 또는 NPNP 접합으로 되어 있고, 스위치 작용을 한다. 일반적으로 단방향 3단자를 사용하는데 ⊕ 쪽을 애노드, ⊖ 쪽을 캐소드, 제어단자를 게이트라고 한다.

축전지

01 **축전지의 구조와 기능에 관련하여 중요하지 않은 것은?**

① 축전지 제조회사
② 단자 기둥의 [+], [-] 구분
③ 축전지의 용량
④ 축전지 단자의 접촉상태

02 **축전지의 충·방전 작용으로 맞는 것은?**

① 화학작용 ② 전기작용
③ 물리작용 ④ 환원작용

축전지의 충·방전작용은 화학작용을 이용한다.

정답 02.② 03.① 04.① 05.② 06.③ 07.② ▌ 01.① 02.①

03 **축전지의 가장 중요한 역할이라고 할 수 있는 것은?**

① 기동장치의 전기적 부하를 담당하기 위하여
② 축전지 점화식에서 주행 중 점화장치에 전류를 공급하기 위하여
③ 주행 중 냉·난방장치에 전류를 공급하기 위하여
④ 주행 중 등화장치에 전류를 공급하기 위하여

축전지의 역할
① 기관을 시동할 때 시동장치에 전원을 공급한다.(가장 주된 목적)
② 발전기가 고장일 때 일시적인 전원을 공급한다.
③ 발전기의 출력과 부하의 불균형을 조정한다.

04 **납산 축전지의 충 · 방전 상태를 나타낸 것이 아닌 것은?**

① 축전지가 방전되면 양극판은 과산화납이 황산납으로 된다.
② 축전지가 방전되면 전해액은 묽은 황산이 물로 변하여 비중이 낮아진다.
③ 축전지가 충전되면 음극판은 황산납이 해면상납으로 된다.
④ 축전지가 충전되면 양극판에서 수소를, 음극판에서 산소를 발생시킨다.

납산 축전지가 충 · 방전 중일 때 화학작용
① 방전되면 양극판의 과산화납은 황산납으로 변화한다.
② 방전되면 음극판의 해면상납은 황산납으로 변화한다.
③ 방전되면 전해액은 묽은 황산이 물로 변하여 비중이 낮아진다.
④ 충전되면 양극판은 황산납이 과산화납으로 된다.
⑤ 충전되면 음극판은 황산납이 해면상납으로 된다.
⑥ 충전되면 전해액은 물이 묽은 황산으로 된다.
⑦ 충전되면 양극판에서 산소를, 음극판에서 수소를 발생시킨다.

05 **납산 축전지의 전해액으로 가장 적합한 것은?**

① 엔진오일 ② 물(경수)
③ 증류수 ④ 묽은 황산

06 **배터리의 완전충전 된 상태의 화학반응식으로 맞는 것은?**

① $PbSO_4$(황산납)+$2H_2O$(물)+$PbSO_4$(황산납)
② $PbSO_4$(황산납)+$2H_2SO_4$(묽은 황산)+Pb(순납)
③ PbO_2(과산화납)+$2H_2SO_4$(묽은 황산)+Pb(순납)
④ PbO_2(과산화납)+$2H_2SO_4$(묽은 황산)+$PbSO_4$(황산납)

① 충전상태의 화학반응식 : PbO_2(과산화납)+$2H_2SO_4$(묽은 황산)+Pb(순납)
② 방전상태의 화학반응식 : $PbSO_4$(황산납)+$2H_2O$(물)+$PbSO_4$(황산납)

07 **축전지에서 방전 중일 때의 화학작용을 설명하였다. 틀린 것은?**

① 음극판 : 해면상납 → 황산납
② 전해액 : 묽은 황산 → 물
③ 격리판 : 황산납 → 물
④ 양극판 : 과산화납 → 황산납

08 **납산 축전지를 방전하면 양극판과 음극판의 재질은 어떻게 변하는가?**

① 황산납이 된다.
② 해면상납이 된다.
③ 일산화납이 된다.
④ 과산화납이 된다.

축전지를 방전하면 양극판(과산화납)과 음극판(해면상납)의 재질은 모두 황산납이 된다.

정답 03.① 04.④ 05.④ 06.③ 07.③ 08.①

09 건설기계 장비에 사용되는 12V 납산 축전지의 구성(셀 수)은 어떻게 되는가?

① 약 3V의 셀이 4개로 되어 있다.
② 약 4V의 셀이 3개로 되어 있다.
③ 약 2V의 셀이 6개로 되어 있다.
④ 약 6V의 셀이 2개로 되어 있다.

12V 축전지는 2.1V의 셀(cell) 6개를 직렬로 접속한 것이다.

10 축전지의 양극과 음극단자의 구별하는 방법으로 틀린 것은?

① 양극은 적색, 음극은 흑색이다.
② 양극 단자에 (+), 음극 단자에는 (–)의 기호가 있다.
③ 양극 단자에 포지티브(positive), 음극 단자에 네거티브(negative)라고 표기되었다.
④ 양극 단자의 직경이 음극 단자의 직경보다 작다.

축전지 터미널의 식별 방법
① P(positive), N(negative)의 문자로 표시
② (+)와 (–)의 부호로 표시
③ 양극 단자(+)는 굵고 음극 단자(–)는 가는 것으로 표시
④ 적색(+)과 흑색(–)으로 표시

11 축전지에서 음극 터미널 단자는?

① 양극보다 높이가 높다.
② 양극보다 크다.
③ 양극보다 작다.
④ 양극의 크기와 같다.

12 배터리에서 셀 커넥터와 터미널의 설명이 아닌 것은?

① 셀 커넥터는 납 합금으로 되었다.
② 양극판이 음극판의 수보다 1장 더 적다.
③ 색깔로 구분되어 있는 것은 ⊖ 가 적색으로 되어있다.
④ 배터리 내의 각각의 셀을 직렬로 연결하기 위한 것이다.

13 축전지를 설명한 것으로 틀린 것은?

① 양극판이 음극판보다 1장 더 적다.
② 단자의 기둥은 양극이 음극보다 굵다.
③ 격리판은 다공성이며 전도성인 물체로 만든다.
④ 일반적으로 12V 축전지의 셀은 6개로 구성되어 있다.

격리판은 양극판과 음극판의 단락을 방지하기 위한 것이며, 다공성이고 비전도성인 물체로 만든다.

14 완전 충전된 축전지의 비중은?

① 1.190 ② 1.230
③ 1.280 ④ 1.210

완전 충전된 축전지의 비중은 20℃에서 1.280이다.

15 축전지 전해액 비중은 1℃ 마다 얼마가 변화하는가?

① 0.1 ② 0.07
③ 1 ④ 0.0007

축전지 전해액 비중은 1℃ 마다 0.0007이 변화한다.

16 축전지 전해액의 온도가 상승하면 비중은?

① 일정하다. ② 올라간다.
③ 내려간다. ④ 무관하다.

축전지 전해액의 온도가 상승하면 비중은 내려가고, 온도가 내려가면 비중은 올라간다.

17 축전지의 온도가 내려갈 때 발생되는 현상이 아닌 것은?

① 비중이 상승한다.
② 전류가 커진다.
③ 용량이 저하한다.
④ 전압이 저하한다.

정답 09.③ 10.④ 11.③ 12.③ 13.③ 14.③ 15.④ 16.③ 17.②

18 **전해액의 빙점은 그 전해액의 비중이 내려감에 따라 어떻게 되는가?**

① 낮은 곳에 머문다.
② 낮아진다.
③ 변화가 없다.
④ 높아진다.

전해액의 빙점(어는 온도)은 그 전해액의 비중이 내려감에 따라 높아진다.

19 **축전지의 기전력은 셀(cell)당 약 2.1V 이지만 전해액의 ( ), 전해액의 ( ), 방전정도에 따라 약간 다르다. ( )에 알맞은 말은?**

① 비중, 온도 ② 압력, 비중
③ 온도, 압력 ④ 농도, 압력

20 **납산 배터리의 전해액을 측정하여 충전상태를 측정할 수 있는 게이지는?**

① 그로울러 테스터
② 압력계
③ 비중계
④ 스러스트 게이지

배터리 충전상태를 측정할 수 있는 게이지는 비중계이다.

21 **축전지 전해액에 관한 내용으로 옳지 않은 것은?**

① 전해액의 온도가 1℃ 변화함에 따라 비중은 0.0007씩 변한다.
② 온도가 올라가면 비중은 올라가고 온도가 내려가면 비중이 내려간다.
③ 전해액은 증류수에 황산을 혼합하여 희석시킨 묽은 황산이다.
④ 축전지 전해액 점검은 비중계로 한다.

전해액의 온도가 올라가면 비중은 내려가고 온도가 내려가면 비중은 올라간다.

22 **축전지 전해액의 비중 측정에 대한 설명으로 틀린 것은?**

① 전해액의 비중을 측정하면 충전여부를 판단할 수 있다.
② 유리 튜브 내에 전해액을 흡입하여 뜨개의 눈금을 읽는 흡인식 비중계가 있다.
③ 측정 면에 전해액을 바른 후 렌즈 내로 보이는 맑고 어두운 경계선을 읽는 광학식 비중계가 있다.
④ 전해액은 황산에 물을 조금씩 혼합하도록 하며 유리 막대 등으로 천천히 저어서 냉각한다.

전해액은 황산을 물에 조금씩 혼합하도록 하며 유리 막대 등으로 천천히 저어서 냉각한다.

23 **납산 축전지의 전해액을 만들 때 올바른 방법은?**

① 황산에 물을 조금씩 부으면서 유리 막대로 젓는다.
② 황산과 물을 1 : 1의 비율로 동시에 붓고 잘 젓는다.
③ 증류수에 황산을 조금씩 부으면서 잘 젓는다.
④ 축전지에 필요한 양의 황산을 직접 붓는다.

전해액을 만드는 순서
① 질그릇 등의 절연체인 용기를 준비한다.
② 증류수에 황산을 부어 혼합한다.
③ 조금씩 혼합하며 잘 저어서 냉각시킨다.
④ 전해액의 온도가 20℃일 때 1.280이 되도록 비중을 측정하면서 작업을 끝낸다.

24 **황산과 증류수를 사용하여 전해액을 만들 때의 설명으로 옳은 것은?**

① 황산을 증류수에 부어야 한다.
② 증류수를 황산에 부어야 한다.
③ 황산과 증류수를 동시에 부어야 한다.
④ 철재 용기를 사용한다.

정답 18.④ 19.① 20.③ 21.② 22.④ 23.③ 24.①

25 **축전지 전해액 내의 황산을 설명한 것이다. 틀린 것은?**

① 피부에 닿게 되면 화상을 입을 수도 있다.
② 의복에 묻으면 구멍을 뚫을 수도 있다.
③ 눈에 들어가면 실명될 수도 있다.
④ 라이터를 사용하여 점검할 수도 있다.

26 **축전지 전해액이 자연 감소되었을 때 보충에 가장 적합한 것은?**

① 증류수 ② 우물물
③ 경수 ④ 수돗물

27 **축전지 케이스와 커버를 청소할 때 용액은?**

① 비수와 물 ② 소금과 물
③ 소다와 물 ④ 오일 가솔린

축전지 케이스와 커버의 청소는 소다와 물로 한다.

28 **축전지의 방전 종지 전압에 대한 설명이 잘못된 것은?**

① 축전지의 방전 끝(한계) 전압을 말한다.
② 한 셀 당 1.7~1.8V 이하로 방전되는 것을 말한다.
③ 방전 종지 전압 이하로 방전시키면 축전지의 성능이 저하된다.
④ 20시간율 전류로 방전하였을 경우 방전종지 전압은 한 셀 당 2.1V이다.

축전지의 방전 종지 전압이란 축전지의 방전 끝(한계) 전압이며, 한 셀 당 1.7~1.8V 이하로 방전되는 현상이다. 방전종지 전압 이하로 방전시키면 축전지의 성능이 저하된다.

29 **12V용 납산 축전지의 방전종지 전압은?**

① 12V ② 10.5V
③ 7.5V ④ 1.75V

12V 축전지는 2.1V 셀 6개가 직렬로 연결되어 있으며, 셀당 방전종지 전압이 1.75V이므로 12V용 납산 축전지의 방전종지 전압은 6 × 1.75V = 10.5V이다.

30 **축전지의 방전은 어느 한도 내에서 단자 전압이 급격히 저하하며 그 이후는 방전능력이 없어지게 된다. 이때의 전압을 ( )이라고 한다. ( )에 들어갈 용어로 옳은 것은?**

① 충전 전압 ② 누전 전압
③ 방전 전압 ④ 방전 종지 전압

축전지의 방전은 어느 한도 내에서 단자 전압이 급격히 저하하며 그 이후는 방전능력이 없어지게 된다. 이때의 전압을 방전 종지 전압이라 한다.

31 **납산 축전지의 용량은 어떻게 결정되는가?**

① 극판의 크기, 극판의 수, 황산의 양에 의해 결정된다.
② 극판의 크기, 극판의 수, 단자의 수에 따라 결정된다.
③ 극판의 수, 셀의 수, 발전기의 충전능력에 따라 결정된다.
④ 극판의 수와 발전기의 충전능력에 따라 결정된다.

축전지의 용량은 극판의 크기, 극판의 수, 황산의 양(전해액의 양)에 의해 결정된다.

32 **축전지 용량을 설명한 것으로 적당한 것은?**

① 극판의 크기에 관계되며, 극판의 형상, 극판의 수에는 관계되지 않는다.
② 전해액의 비중에 관계되며, 전해액의 온도와 전해액의 양에는 관계되지 않는다.
③ 격리판의 재질과 격리판의 형상에 관계되며, 격리판의 크기에는 관계되지 않는다.
④ 방전 전류와 방전 시간의 곱으로 나타낸다.

축전지 용량의 단위는 암페어시 용량(AH ; ampere hour rate)으로 표시하며 이것은 일정 방전 전류(A) × 방전 종지 전압까지의 연속 방전 시간(H)이다. 그리고 축전지 용량의 크기를 결정하는 요소에는 극판의 크기(또는 면적), 극판의 수, 전해액의 양 등이 있다.

정답 25.④ 26.① 27.③ 28.④ 29.② 30.④ 31.① 32.④

33 **축전지의 용량을 결정짓는 인자가 아닌 것은?**

① 셀 당 극판 수 ② 극판의 크기
③ 단자의 크기 ④ 전해액의 양

축전지의 용량을 결정짓는 인자는 셀 당 극판 수, 극판의 크기, 전해액의 양이다.

34 **축전지의 용량을 나타내는 단위는?**

① Amp ② Ω
③ V ④ Ah

축전지 용량의 단위는 암페어시(Ah)이다.

35 **다음 중 축전지의 용량 표시방법이 아닌 것은?**

① 25시간율 ② 25암페어율
③ 냉간율 ④ 20시간율

해설
축전지의 용량표시 방법
① 20시간율 : 일정 방전전류를 연속 방전하여 셀 당 방전종지 전압이 1.75V될 때까지 20시간 방전시킬 수 있는 전류의 총량이며, 일반적으로 사용하는 방전비율이다.
② 25 암페어율 : 26.6℃(80°F)에서 일정방전전류(25A)로 방전하여 셀 당 전압이 1.75V에 이를 때까지 방전하는 것을 측정하는 것이다.
③ 냉간율 : −17.7℃(0°F)에서 300A로 방전하여 셀 당 전압이 1V 강하하기까지 몇 분(分) 정도 소요되는지를 표시한다.

36 **5A로 연속 방전하여 방전종지 전압에 이를 때까지 20시간이 소요되었다면 이 축전지의 용량은?**

① 4Ah ② 50Ah
③ 100Ah ④ 200Ah

축전지 용량(Ah)=방전전류(A)×방전시간(h)
∴ 5A×20h=100Ah

37 **배터리의 자기방전 원인에 대한 설명으로 틀린 것은?**

① 전해액 중에 불순물이 혼입되어 있다.
② 배터리 케이스의 표면에서는 전기 누설이 없다.
③ 이탈된 작용물질이 극판의 아래 부분에 퇴적되어 있다.
④ 배터리의 구조상 부득이하다.

축전지 자기방전의 원인
① 극판의 작용물질이 화학작용으로 황산납이 되기 때문에(구조상 부득이 한 경우)
② 전해액에 포함된 불순물이 국부전지를 구성하기 때문에
③ 탈락한 극판 작용물질이 축전지 내부에 퇴적되기 때문에
④ 축전지 커버와 케이스의 표면에서 전기 누설 때문에

38 **건설기계용 납산 축전지에 대하여 설명한 것이다. 틀린 것은?**

① 화학 에너지를 전기 에너지로 변환하는 것이다.
② 완전 방전시에만 재충전한다.
③ 전압은 셀의 수와 셀 1개당의 전압에 의해 결정된다.
④ 전해액면이 낮아지면 증류수를 보충하여야 한다.

39 **MF(Maintenance Free) 축전지에 대한 설명으로 적합하지 않는 것은?**

① 격자의 재질은 납과 칼슘 합금이다.
② 무보수용 배터리다.
③ 밀봉 촉매마개를 사용한다.
④ 증류수는 매 15일마다 보충한다.

MF 축전지는 증류수를 점검 및 보충하지 않아도 된다.

정답 33.③ 34.④ 35.① 36.③ 37.② 38.② 39.④

40 축전지의 일반적인 충전방법 중 가장 많이 사용되는 것은?

① 정전류 충전 ② 정전압 충전
③ 단별전류 충전 ④ 급속 충전

정전류 충전은 충전을 시작에서부터 완료될 때까지 일정한 전류로 충전하는 방법으로 축전지의 보충전에서 가장 많이 이용한다.

41 축전지의 충전에서 충전말기에 전류가 거의 흐르지 않기 때문에 충전능률이 우수하며 가스발생이 거의 없으나 충전초기에 많은 전류가 흘러 축전지 수명에 영향을 주는 단점이 있는 충전방법은?

① 정전류 충전 ② 정전압 충전
③ 단별전류 충전 ④ 급속충전

정전압 충전은 충전시작에서부터 충전이 완료될 때까지 일정한 전압으로 충전하는 방법이다.

42 납산 일반 축전지가 방전되었을 때 보충전 시 주의하여야 할 사항으로 가장 거리가 먼 것은?

① 충전시 전해액 온도를 45℃이하로 유지할 것
② 충전시 가스발생이 되므로 화기에 주의할 것
③ 충전시 벤트 플러그를 모두 열 것
④ 충전시 배터리 용량보다 조금 높은 전압으로 충전할 것

축전지를 충전할 때 주의할 사항은 ①, ②, ③항 이외에 축전지 단자 전압보다 조금 높은 전압으로 충전한다.

43 납산 축전지를 충전기로 충전할 때 전해액의 온도가 상승하면 위험한 상황이 될 수 있다. 최대 몇 ℃를 넘지 않도록 하여야 하는가?

① 5℃ ② 10℃
③ 25℃ ④ 45℃

44 충전중인 축전지에 화기를 가까이 하면 위험하다. 그 이유는?

① 수소가스가 폭발성 가스이기 때문에
② 산소가스가 폭발성 가스이기 때문에
③ 충전기가 폭발될 위험이 있기 때문에
④ 전해액이 폭발성 액체이기 때문에

충전중인 축전지에 화기를 가까이 하면 음극에서 발생하는 수소가스가 폭발성 가스이기 때문에 위험하다.

45 축전지 급속 충전시 주의사항으로 잘못된 것은?

① 통풍이 잘 되는 곳에서 한다.
② 충전 중인 축전지에 충격을 가하지 않도록 한다.
③ 전해액의 온도가 45℃를 넘지 않도록 특별히 주의한다.
④ 충전시간은 가능한 길게 하고, 가능한 2주에 한 번씩 하도록 한다.

급속 충전은 축전지 용량의 50% 전류로 충전하기 때문에 수명을 단축시키는 요인이 되므로 충전시간은 가능한 짧게 하고, 급속 충전은 가능한 하지 않도록 한다.

46 장비에 장착된 축전지를 급속 충전할 때 축전지의 접지 케이블을 분리시키는 이유로 맞는 것은?

① 과충전을 방지하기 위해
② 발전기의 다이오드를 보호하기 위해
③ 시동 스위치를 보호하기 위해
④ 기동 전동기를 보호하기 위해

건설기계에 장착된 축전지를 급속 충전할 때 축전지의 접지 케이블을 떼어내는 이유는 발전기의 다이오드를 보호하기 위함이다.

정답 40.① 41.② 42.④ 43.④ 44.① 45.④ 46.②

47 **축전지를 오랫동안 방전상태로 두면 사용하지 못하게 되는 원인은?**

① 극판이 영구 황산납이 되기 때문이다.
② 극판에 산화납이 형성되기 때문이다.
③ 극판에 수소가 형성되기 때문이다.
④ 극판에 녹이 슬기 때문이다.

납산 축전지를 오랫동안 방전상태로 두면 극판이 영구 황산납이 되어 사용하지 못하게 된다.

48 **기관을 회전시키고 있을 때 축전지의 전해액이 넘쳐흐른다. 그 원인에 해당되는 것은?**

① 전해액량이 규정보다 5mm 낮게 들어 있다.
② 기관의 회전이 너무 빠르다.
③ 팬벨트의 장력이 너무 팽팽하다.
④ 축전지가 과충전되고 있다.

납산 축전지에 증류수를 자주 보충시키거나 전해액이 넘쳐흐르는 현상은 축전지의 과충전이 원인이다.

49 **축전지의 터미널에 녹이 발생했을 때 조치 방법으로 가장 적합한 것은?**

① 물걸레로 닦아내고 더 조인다.
② 녹을 닦은 후 고정시키고 소량의 그리스를 상부에 도포한다.
③ ⊕와 ⊖ 터미널을 서로 교환한다.
④ 녹슬지 않게 엔진 오일을 도포하고 확실히 더 조인다.

터미널(단자)에 녹이 발생하였으면 녹을 닦은 후 고정시키고 소량의 그리스를 상부에 도포한다.

50 **동절기 축전지 관리요령으로 틀린 것은?**

① 충전이 불량하면 전해액이 결빙될 수 있으므로 완전 충전시킨다.
② 시동을 쉽게 하기 위하여 축전지를 보온시킨다.
③ 전해액 수준이 낮으면 운전 후 증류수를 보충한다.
④ 전해액 수준이 낮으면 운전 시작 전 아침에 증류수를 보충한다.

전해액은 운전 전 점검하여 부족한 경우에 증류수를 보충한다.

51 **축전지를 교환 및 장착할 때의 연결순서로 맞는 것은?**

① ⊕나 ⊖선 중 편리한 것부터 연결하면 된다.
② 축전지의 ⊖ 선을 먼저 부착하고, ⊕선을 나중에 부착한다.
③ 축전지의 ⊕ , ⊖ 선을 동시에 부착한다.
④ 축전지의 ⊕ 선을 먼저 부착하고, ⊖선을 나중에 부착한다.

축전지를 장착할 때에는 ⊕ 선을 먼저 부착하고, ⊖ 선을 나중에 부착한다.

기동 장치

01 **기동 전동기의 기능으로 틀린 것은?**

① 링 기어와 피니언 기어비는 15~20 : 1 정도이다.
② 플라이휠의 링 기어에 기동 전동기의 피니언을 맞물려 크랭크축을 회전시킨다.
③ 기관을 구동시킬 때 사용한다.
④ 기관의 시동이 완료되면 피니언을 링 기어로부터 분리시킨다.

플라이휠 링 기어와 기동전동기 피니언의 기어비는 10~15 : 1 정도이다.

02 **기관 시동장치에서 링 기어를 회전시키는 구동 피니언은 어느 곳에 부착되어 있는가?**

① 변속기　　② 기동 전동기
③ 뒤 차축　　④ 클러치

기관 시동장치에서 링 기어를 회전시키는 구동 피니언은 기동 전동기에 부착되어 있다.

정답 47.① 48.④ 49.② 50.③ 51.④ ▌ 01.① 02.②

03 **전동기의 종류와 특성 설명으로 틀린 것은?**

① 직권 전동기는 계자 코일과 전기자 코일이 직렬로 연결된 것이다.
② 분권 전동기는 계자 코일과 전기자 코일이 병렬로 연결된 것이다.
③ 복권 전동기는 직권 전동기와 분권전동기 특성을 합한 것이다.
④ 내연기관에서는 순간적으로 강한 토크가 요구되는 복권전동기가 주로 사용된다.

해설 내연기관에서는 순간적으로 강한 토크가 요구되는 직권전동기가 사용된다.

04 **직권식 기동 전동기의 전기자 코일과 계자 코일의 연결이 맞는 것은?**

① 병렬로 연결되어 있다.
② 직렬로 연결되어 있다.
③ 직렬·병렬로 연결되어 있다.
④ 계자 코일은 직렬, 전기자 코일은 병렬로 연결되어 있다.

05 **직류 직권 전동기에 대한 설명 중 틀린 것은?**

① 기동 회전력이 분권 전동기에 비해 크다.
② 회전속도의 변화가 크다.
③ 부하가 걸렸을 때 회전속도는 낮아진다.
④ 회전속도가 거의 일정하다.

해설 직류 직권 전동기의 특징
① 기동 회전력이 크다.
② 부하가 걸렸을 때에는 회전속도는 낮으나 회전력이 크다.
③ 회전속도의 변화가 크다.

06 **건설기계에 주로 사용되는 기동 전동기로 맞는 것은?**

① 직류 복권전동기
② 직류 직권전동기
③ 직류 분권전동기
④ 교류 전동기

해설 기관 시동으로 사용하는 전동기는 직류 직권 전동기이다.

07 **기동 전동기의 구성품이 아닌 것은?**

① 전기자 ② 브러시
③ 스테이터 ④ 구동 피니언

08 **기동 전동기 전기자는 (A), 전기자 코일, 축 및 (B)로 구성되어 있고, 축 양끝은 축 받이(bearing)로 지지되어 자극사이를 회전한다. (A), (B) 안에 알맞은 말은?**

① A : 솔레노이드, B : 스테이터 코일
② A : 전기자 철심, B : 정류자
③ A : 솔레노이드, B : 정류자
④ A : 전기자 철심, B : 계철

해설 기동 전동기 전기자는 전기자 철심, 전기자 코일, 축 및 정류자로 구성되어 있고, 축 양끝은 축받이(bearing)로 지지되어 자극사이를 회전한다.

09 **기동 전동기 전기자 코일에 항상 일정한 방향으로 전류가 흐르도록 하기 위해 설치한 것은?**

① 다이오드 ② 슬립링
③ 로터 ④ 정류자

해설 기동 전동기의 정류자는 전기자 코일에 항상 일정한 방향으로 전류가 흐르도록 하는 작용을 한다.

10 **기동 전동기의 브러시는 본래 길이의 얼마 정도 마모되면 교환하는가?**

① $\frac{1}{2}$ 이상 마모되면 교환
② $\frac{1}{3}$ 이상 마모되면 교환
③ $\frac{2}{3}$ 이상 마모되면 교환
④ $\frac{3}{4}$ 이상 마모되면 교환

해설 기동 전동기의 브러시는 본래 길이의 $\frac{1}{3}$ 이상 마모되면 교환한다.

정답 03.④ 04.② 05.④ 06.② 07.③ 08.② 09.④ 10.②

11 **기동 전동기의 동력전달 기구를 동력전달 방식으로 구분한 것이 아닌 것은?**

① 벤딕스식 ② 피니언 섭동식
③ 계자 섭동식 ④ 전기자 섭동식

기동 전동기의 피니언이 엔진의 플라이휠 링 기어에 물리는 방식에는 벤딕스 방식, 피니언 섭동 방식, 전기자 섭동 방식 등이 있다.

12 **기동 전동기의 피니언과 기관의 플라이휠 링 기어가 치합되는 방식 중 피니언의 관성과 직류 직권전동기가 무부하에서 고속 회전하는 특성을 이용한 방식은?**

① 피니언 섭동식 ② 벤딕스식
③ 전기자 섭동식 ④ 전자식

동력전달 방식
① 피니언 섭동식 : 전자력을 이용하여 피니언 기어의 이동과 스위치를 계폐시킨다.
② 벤딕스식 : 피니언의 관성과 전동기의 고속회전을 이용하여 전동기의 회전력을 엔진에 전달하는 방식으로 오버러닝 클러치가 필요 없다.
③ 전기자 섭동식 : 전기자 중심과 계자 중심을 옵셋시켜 자력선이 가까운 거리를 통과하려는 성질을 이용한다.

13 **기동 전동기의 마그넷 스위치는?**

① 기동 전동기의 전자석 스위치이다.
② 기동 전동기의 전류 조절기이다.
③ 기동 전동기의 전압 조절기이다.
④ 기동 전동기의 저항 조절기이다.

마그넷 스위치란 솔레노이드 스위치라고도 부르며, 기동 전동기의 전자석 스위치를 말한다.

14 **기동 전동기 전자석(솔레노이드) 스위치에 구성된 코일로 맞는 것은?**

① 계자 코일, 전기자 코일
② 로터 코일, 스테이터 코일
③ 1차코일, 2차코일
④ 풀인 코일, 홀드인 코일

기동 전동기 전자석 스위치에는 풀인 코일과 홀드인 코일이 있으며, 풀인 코일은 플런저를 잡아당기는 역할을 하고, 홀드인 코일은 플런저의 잡아당긴 상태를 유지시키는 역할을 한다.

15 **기동 전동기의 전기자 축으로부터 피니언 기어로는 동력이 전달되나 피니언 기어로부터 전기자 축으로는 동력이 전달되지 않도록 해주는 장치는?**

① 오버헤드 가드 ② 솔레노이드 스위치
③ 시프트 칼라 ④ 오버런닝 클러치

오버런링 클러치는 기동 전동기의 피니언과 기관 플라이휠 링 기어가 물렸을 때 양 기어의 물림이 풀리는 것을 방지한다. 즉 기동 전동기의 전기자 축으로부터 피니언 기어로는 동력이 전달되나 피니언 기어로부터 전기자 축으로는 동력이 전달되지 않도록 해주는 장치이다.

16 **기관 시동 시 전류의 흐름으로 옳은 것은?**

① 축전지→전기자 코일→정류자→브러시→계자코일
② 축전지→계자코일→브러시→정류자→전기자 코일
③ 축전지→전기자 코일→브러시→정류자→계자코일
④ 축전지→계자코일→정류자→브러시→전기자 코일

기관을 시동할 때 기동전동기에 전류가 흐르는 순서는 축전지→계자코일→브러시→정류자→전기자 코일이다.

17 **기동 전동기 피니언을 플라이휠 링 기어에 물려 기관을 크랭킹시킬 수 있는 점화 스위치 위치는?**

① ON 위치 ② ACC 위치
③ OFF 위치 ④ ST 위치

ST(시동)위치는 기동 전동기 피니언을 플라이휠 링 기어에 물려 기관을 크랭킹하는 점화 스위치의 위치이다.

정답 11.③ 12.② 13.① 14.④ 15.④ 16.② 17.④

18 스타트 릴레이의 설치 목적과 관계없는 것은?

① 회로에 충분한 전류가 공급될 수 있도록 하여 크랭킹이 원활하게 한다.
② 키 스위치를 보호한다.
③ 엔진 시동을 용이하게 한다.
④ 축전지 충전을 용이하게 한다.

스타트 릴레이 설치목적
① 회로에 충분한 전류가 공급될 수 있도록 하여 크랭킹이 원활하게 한다.
② 엔진 시동을 용이하게 한다.
③ 키 스위치(시동스위치)를 보호한다.

19 건설기계 장비의 시동 전동기 취급시 주의사항으로 틀린 것은?

① 시동 전동기의 연속 사용기간은 3분 정도로 한다.
② 기관이 시동된 상태에서 시동 스위치를 켜서는 안 된다.
③ 시동 전동기의 회전속도가 규정 이하이면 오랜 시간 연속 회전시켜도 시동이 되지 않으므로 회전속도에 유의해야한다.
④ 전선 굵기는 규정 이하의 것을 사용하면 안 된다.

20 기동 전동기는 회전되나 엔진은 크랭킹이 되지 않는 원인으로 옳은 것은?

① 플라이휠 링 기어의 소손
② 축전지 방전
③ 발전기 브러시 장력 과다
④ 기동 전동기의 전기자 코일 단선

플라이휠 링 기어가 소손되면 기동 전동기는 회전되지만 엔진은 크랭킹이 되지 않는다.

21 기관을 크랭킹 할 때 시동이 걸린 상태에서 시동스위치를 계속 작동하면 안 되는데 이유로 가장 알맞은 것은?

① 기동 전동기 피니언기어 마모
② 발전기의 부하증가
③ 기동 전동기의 스위치 소손
④ 기동 전동기의 배선 소손

기관 시동시 시동 스위치를 계속 작동하면 안 되는 이유
① 플라이휠의 링 기어와 기동전동기의 피니언 기어 마모
② 기동 전동기가 과열로 인한 손상
③ 축전지 과다 방전으로 인한 손상 등이 발생하기 때문이다.

22 건설기계에서 기동 전동기가 회전하지 않을 경우 점검할 사항으로 틀린 것은?

① 축전지의 방전여부
② 배터리 단자의 접촉여부
③ 팬벨트의 이완여부
④ 배선의 단선여부

팬벨트 이완여부는 기관이 과열되거나 발전기 출력이 약할 때 점검한다.

23 기관을 시동하기 위해 시동키를 작동했지만 기동 모터가 회전하지 않아 점검하려고 한다. 점검 내용으로 틀린 것은?

① 배터리 방전상태 확인
② 인젝션 펌프 솔레노이드 점검
③ 배터리 터미널 접촉상태 확인
④ ST회로 연결 상태 확인

인젝션 펌프의 솔레노이드는 기관을 시동할 때에는 인젝션 펌프의 연료통로를 열고, 기관의 시동을 끄면 인젝션 펌프의 연료 통로를 닫아 연료공급을 차단한다.

정답 18.④ 19.① 20.① 21.① 22.③ 23.②

24 **건설기계 장비에서 다음과 같은 상황의 경우 고장원인으로 가장 적합한 것은?**

> • 기관을 크랭킹 했으나 기동 전동기는 작동되지 않는다.
> • 헤드라이트 스위치를 켜고 다시 시동 전동기 스위치를 켰더니 라이트 빛이 꺼져 버렸다.

① 축전지 방전
② 솔레노이드 스위치 고장
③ 회로의 단선
④ 시동모터 배선의 단선

25 **겨울철에 디젤기관 기동 전동기의 크랭킹 회전수가 낮아지는 원인이 아닌 것은?**

① 엔진 오일의 점도가 상승
② 온도에 의한 축전지의 용량 감소
③ 점화 스위치의 저항증가
④ 기온 저하로 기동부하 증가

겨울철에 기동 전동기 크랭킹 회전수가 낮아지는 원인은 엔진 오일의 점도가 상승, 온도에 의한 축전지의 용량 감소, 기온저하로 기동부하 증가 등이다.

26 **기동 전동기의 회전이 느린 원인이 아닌 것은?**

① 배터리 단자의 접속이 불량하다.
② 기온이 너무 높다.
③ 배터리 전압이 낮다.
④ 계자코일이 단락되었다.

회전이 느린 원인은 ①, ③, ④ 외에 브러시와 정류자의 밀착불량 등이 있다.

27 **기동 전동기의 시험과 관계없는 것은?**

① 부하시험　　② 무부하 시험
③ 관성시험　　④ 저항시험

기동 전동기의 시험 항목에는 회전력(부하)시험, 무부하 시험, 저항시험 등이 있다.

28 **기동 전동기를 기관에서 떼어낸 상태에서 행하는 시험을 (①)시험, 기관에 설치된 상태에서 행하는 시험을 (②)시험이라 한다. ①과 ②에 알맞은 말은?**

① ①-무부하, ②-부하
② ①-부하, ②무부하
③ ①-크랭킹, ②-부하
④ ①-무부하, ②-크랭킹

기동 전동기를 기관에서 떼어낸 상태에서 행하는 시험을 무부하 시험, 기관에 설치된 상태에서 행하는 시험을 부하시험이라 한다.

정답 24.① 25.③ 26.② 27.③ 28.①

2 chapter 충전장치

1 충전장치의 필요성

① 발전기와 발전 조정기로 구성된 전원 공급 장치이다.
② 방전된 축전지를 신속하게 충전하여 기능을 회복시키는 역할을 한다.
③ 각 전장품에 전기를 공급하는 역할을 한다.

2 AC(교류) 발전기의 특징

① 3상 교류 발전기로 저속에서 충전 성능이 우수하다.
② 정류자가 없기 때문에 브러시의 수명이 길다.
③ 정류자를 두지 않아 풀리비를 크게 할 수 있다.(허용 회전속도 한계가 높다)
④ 실리콘 다이오드를 사용하기 때문에 정류 특성이 우수하다.
⑤ 발전 조정기는 전압 조정기 뿐이다.
⑥ 경량이고 소형이며, 출력이 크다.

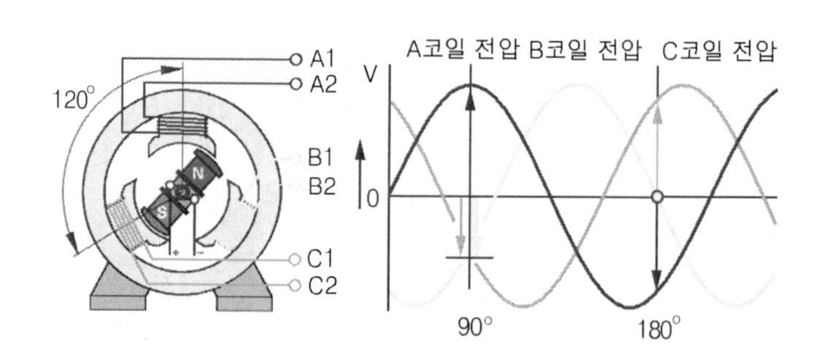

3 교류 발전기의 구조

① 스테이터 : 고정 부분으로 스테이터 코어 및 스테이터 코일로 구성되어 3상 교류가 유기된다.
② 로 터 : 로터 코어, 로터 코일 및 슬립링으로 구성되어 있으며, 회전하여 자속을 형성한다.
③ 슬립 링 : 브러시와 접촉되어 축전지의 여자 전류를 로터 코일에 공급한다.

④ 브러시 : 로터 코일에 축전지 전류를 공급하는 역할을 한다.
⑤ 실리콘 다이오드 : 스테이터 코일에 유기된 교류를 직류로 변환시키는 정류 작용을 하여 외부로 내보낸다.

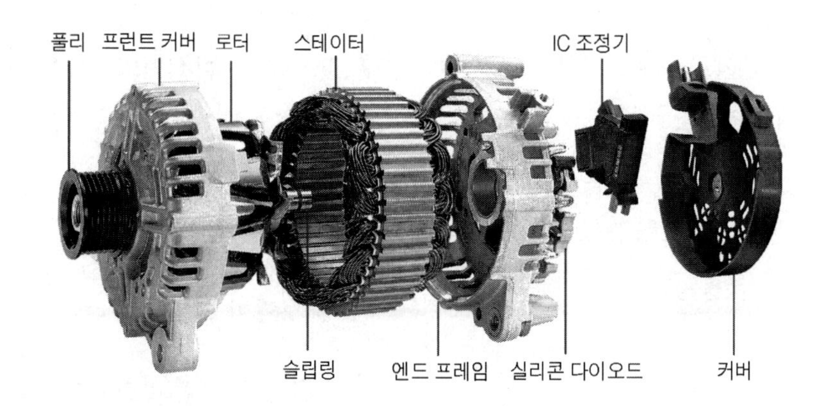

4 IC 전압 조정기의 장점

① 배선을 간소화 할 수 있다.
② 진동에 의한 전압 변동이 없고, 내구성이 크다.
③ 조정 전압의 정밀도 향상이 크다.
④ 내열성이 크며, 출력을 증대시킬 수 있다.
⑤ 초소형화가 가능하므로 발전기 내에 설치할 수 있다.
⑥ 축전지 충전성능이 향상되고, 각 전기부하에 적절한 전력공급이 가능하다.

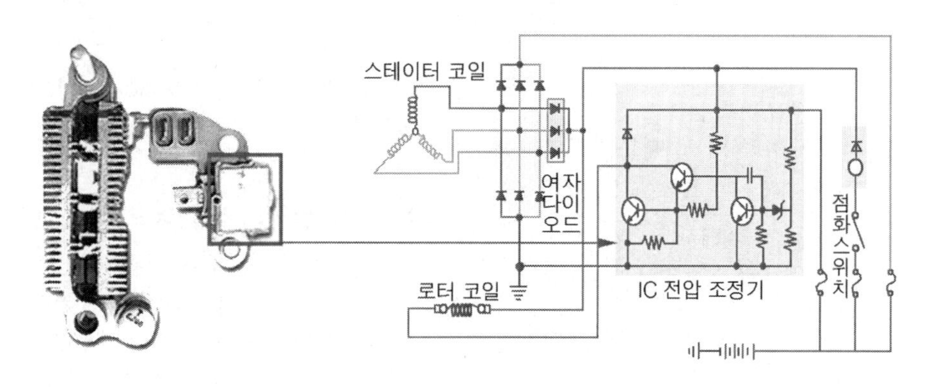

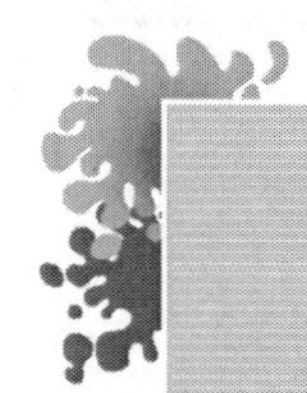

출 제 예 상 문 제

01 충전장치의 역할로 틀린 것은?

① 램프류에 전력을 공급한다.
② 에어컨 장치에 전력을 공급한다.
③ 축전지에 전력을 공급한다.
④ 기동장치에 전력을 공급한다.

해설 기동장치에 전력을 공급하는 것은 축전지이다.

02 발전기는 어떤 축에 의해 구동되는가?

① 크랭크축 ② 캠 축
③ 추진축 ④ 변속기 입력축

해설 발전기, 워터 펌프, 에어컨 컴프레서, 파워 스티어링 오일펌프 등은 크랭크축에서 동력을 받아 구동된다.

03 교류 발전기의 특징으로 틀린 것은?

① 속도변화에 따른 적용 범위가 넓고 소형 · 경량이다.
② 저속에서도 충전이 가능하다.
③ 정류자를 사용한다.
④ 다이오드를 사용하기 때문에 정류 특성이 좋다.

해설 교류 발전기의 특징
① 속도변화에 따른 적용 범위가 넓고 소형 · 경량이다.
② 저속에서도 충전 가능한 출력전압이 발생한다.
③ 실리콘 다이오드로 정류하므로 전기적 용량이 크다.
④ 브러시 수명이 길다.
⑤ 전압 조정기만 있으면 된다.
⑥ 출력이 크고, 고속회전에 잘 견딘다.
⑦ 정류자를 두지 않아 풀리비를 크게 할 수 있다.
⑧ 실리콘 다이오드를 사용하기 때문에 정류특성이 좋다.

04 교류(AC) 발전기의 장점이 아닌 것은?

① 소형 경량이다.
② 저속 시 충전특성이 양호하다.
③ 정류자를 두지 않아 풀리비를 작게 할 수 있다.
④ 반도체 정류기를 사용하므로 전기적 용량이 크다.

05 직류 발전기와 비교한 교류 발전기의 특징으로 틀린 것은?

① 전류 조정기만 있으면 된다.
② 브러시 수명이 길다.
③ 소형이며 경량이다.
④ 저속 시에도 충전이 가능하다.

06 건설기계 장비의 충전장치는 어떤 발전기를 가장 많이 사용하고 있는가?

① 직류 발전기 ② 3상 교류 발전기
③ 와전류 발전기 ④ 단상 교류 발전기

해설 건설기계의 충전장치에서 가장 많이 사용하고 있는 발전기는 3상 교류 발전기이다.

07 교류 발전기의 설명으로 틀린 것은?

① 타려자 방식의 발전기다.
② 고정된 스테이터에서 전류가 생성된다.
③ 정류자와 브러시가 정류작용을 한다.
④ 발전기 조정기는 전압 조정기만 필요하다.

해설 교류 발전기는 타려자 방식의 발전기이며, 전류를 발생하는 스테이터(stator), 전류가 흐르면 전자석이 되는(자계를 발생하는) 로터(rotor), 스테이터 코일에서 발생한 교류를 직류로 정류하는 실리콘 다이오드, 여자 전류를 로터코일에 공급하는 슬립링과 브러시, 엔드 프레임 등으로 되어있다.

정답 01.④ 02.① 03.③ 04.③ 05.① 06.② 07.③

08 **교류 발전기의 주요 구성요소가 아닌 것은?**

① 자계를 발생시키는 로터
② 3상 전압을 유도시키는 스테이터
③ 전류를 공급하는 계자코일
④ 다이오드가 설치되어 있는 엔드 프레임

09 **교류 발전기 부품이 아닌 것은?**

① 다이오드 ② 슬립링
③ 스테이터 ④ 전류 조정기

교류 발전기의 조정기는 전압 조정기만 필요하다.

10 **건설기계에 사용하는 교류 발전기의 구조에 해당하지 않는 것은?**

① 스테이터 코일
② 로터
③ 마그네틱 스위치
④ 다이오드

교류 발전기는 전류를 발생하는 스테이터(stator), 전류가 흐르면 전자석이 되는 로터(rotor), 스테이터 코일에서 발생한 교류를 직류로 정류하는 다이오드, 여자 전류를 로터 코일에 공급하는 슬립링과 브러시 등으로 구성되어 있다.

11 **교류 발전기에서 회전체에 해당하는 것은?**

① 스테이터 ② 브러시
③ 엔드 프레임 ④ 로터

교류 발전기는 전자석이 되는 로터가 회전하며, 직류 발전기는 전류가 발생하는 전기자가 회전한다.

12 **AC 발전기에서 전류가 발생되는 곳은?**

① 여자 코일 ② 레귤레이터
③ 스테이터 코일 ④ 계자 코일

스테이터는 고정 부분으로 스테이터 코어 및 스테이터 코일로 구성되며, 24 ~ 36 개의 홈에 스테이터 코일이 수개씩 설치되어 로터가 회전할 때 3 상 유도 전류가 발생된다.

13 **AC 발전기에서 작동시 전자석이 되는 것은?**

① 아마추어 ② 로터
③ 스테이터 철심 ④ 계자 철심

14 **교류 발전기에서 발생되는 유도 기전력의 크기와 관계없는 것은?**

① 전자력의 크기
② 스테이터 코일의 권수
③ 발전기의 회전속도
④ 콘덴서 수

교류 발전기에서 발생되는 유도 기전력의 크기는 전자력의 크기, 스테이터 코일의 권수, 발전기의 회전속도 등에 관계된다.

15 **교류 발전기의 유도 전류는 어디에서 발생하는가?**

① 로터 ② 전기자
③ 계자 코일 ④ 스테이터

16 **교류 발전기에서 스테이터 코일에 발생한 교류는?**

① 실리콘에 의해 교류로 정류되어 내부로 나온다.
② 실리콘에 의해 교류로 정류되어 외부로 나온다.
③ 실리콘 다이오드에 의해 교류로 정류시킨 뒤 내부로 들어간다.
④ 실리콘 다이오드에 의해 직류로 정류시킨 뒤에 외부로 끌어낸다.

교류 발전기에서 스테이터 코일에 발생한 교류는 실리콘 다이오드에 의해 직류로 정류시킨 뒤에 외부로 끌어낸다.

17 **교류 발전기에 사용되는 반도체인 다이오드를 냉각하기 위한 것은?**

① 냉각 튜브
② 유체 클러치
③ 히트 싱크
④ 엔드 프레임에 설치된 오일장치

정답 08.③ 09.④ 10.③ 11.④ 12.③ 13.② 14.④ 15.④ 16.④ 17.③

18 AC 발전기에서 다이오드의 역할은?

① 여자 전류를 조정하고 역류를 방지한다.
② 전류를 조정한다.
③ 교류를 정류하고 역류를 방지한다.
④ 전압을 조정한다.

교류 발전기의 다이오드는 발전기에서 발생한 교류를 직류로 변환시키는 정류 작용과 축전지의 전류가 발전기로 역류하는 것을 방지한다.

19 자동차 AC 발전기의 B 단자에서 발생되는 전기는?

① 단상 전파 교류전압
② 단상 반파 직류전압
③ 3상 전파 직류전압
④ 3상 반파 교류전압

AC 발전기의 B 단자에서 발생되는 전기는 3상 전파 직류전압이다.

20 충전장치에서 IC 전압 조정기의 장점으로 틀린 것은?

① 조정전압 정밀도 향상이 크다.
② 내열성이 크며 출력을 증대시킬 수 있다.
③ 진동에 의한 전압변동이 크고, 내구성이 우수하다.
④ 초소형화가 가능하므로 발전기 내에 설치할 수 있다.

IC 전압 조정기의 장점
① 배선을 간소화 할 수 있다.
② 진동에 의한 전압변동이 없고, 내구성이 크다.
③ 조정전압 정밀도 향상이 크다.
④ 내열성이 크며, 출력을 증대시킬 수 있다.
⑤ 초소형화가 가능하므로 발전기 내에 설치할 수 있다.
⑥ 축전지 충전성능이 향상되고, 각 전기부하에 적절한 전력공급이 가능하다.

21 다음 중 AC와 DC 발전기의 조정기에서 공통으로 가지고 있는 것은?

① 전압 조정기
② 전류 조정기
③ 컷 아웃 릴레이
④ 전력 조정기

AC와 DC발전기의 조정기에서 공통으로 가지고 있는 것은 전압 조정기이다.

22 충전장치에서 교류 발전기는 무엇을 변화시켜 충전 출력을 조정하는가?

① 회전속도
② 로터 코일 전류
③ 브러시 위치
④ 스테이터 전류

교류 발전기의 출력은 로터 코일에 공급되는 전류를 변화시켜 조정한다.

23 작동 중인 교류 발전기에서 작동 중 소음 발생의 원인으로 가장 거리가 먼 것은?

① 고정 볼트가 풀렸다.
② 벨트장력이 약하다.
③ 베어링이 손상되었다.
④ 축전지가 방전되었다.

24 운전 중 갑자기 계기판에 충전 경고등이 점등되었다. 그 현상으로 맞는 것은?

① 정상적으로 충전이 되고 있음을 나타낸다.
② 충전이 되지 않고 있음을 나타낸다.
③ 충전계통에 이상이 없음을 나타낸다.
④ 주기적으로 점등되었다가 소등되는 것이다.

운전 중 계기판에 충전 경고등이 점등되면 충전이 되지 않고 있음을 나타낸다.

정답 18.③ 19.③ 20.③ 21.① 22.② 23.④ 24.②

25 **기관을 회전하여도 전류계가 움직이지 않는 원인으로 틀린 것은?**

① 전류계 불량
② 스테이터 코일 단선
③ 레귤레이터 고장
④ 축전지 방전

기관이 회전하여도 전류계가 움직이지 않는 원인
① 전류계 불량
② 스테이터 코일 단선
③ 다이오드 손상
④ 레귤레이터 고장

26 **그림과 같은 충전회로에서 발전 전류 측정 위치는?**

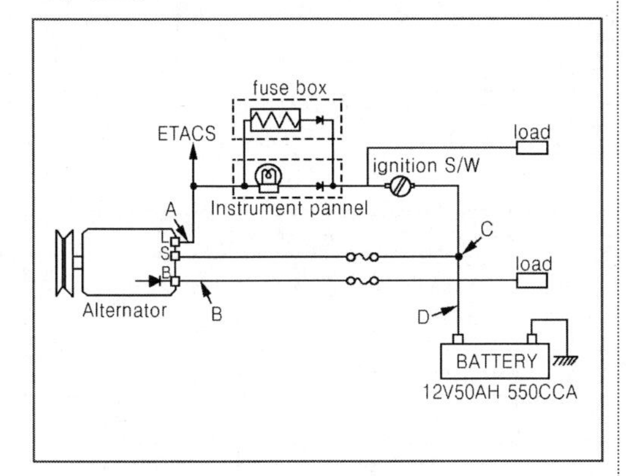

① A　　② B
③ C　　④ D

27 **축전지가 낮은 충전율로 충전되는 이유가 아닌 것은?**

① 축전지의 노후
② 레귤레이터의 고장
③ 전해액 비중의 과다
④ 발전기의 고장

축전지가 충전되지 않는 원인
① 레귤레이터(전압 조정기)가 고장일 때
② 축전지 극판이 손상되었거나 노후 된 때
③ 축전지 접지 케이블의 접속이 이완되었을 때
④ 축전지 본선(B+) 연결부분의 접속이 이완되었을 때
⑤ 발전기가 고장 났을 때
⑥ 전장부품에서 전기 사용량이 많을 때

28 **굴삭기의 발전기가 충전작용을 하지 못하는 경우에 점검해야 할 사항이 아닌 것은?**

① 발전기 구동 벨트
② 레귤레이터
③ 솔레노이드 스위치
④ 충전회로

발전기가 충전작용을 하지 못하는 경우에는 발전기 구동벨트 장력, 레귤레이터, 충전회로 등을 점검한다.

정답 25.④ 26.② 27.③ 28.③

3 chapter 조명장치

1 배선

① 절연선 : 면이나 비닐 등을 이용하여 동선 또는 철선을 감싸서 절연시킨 전선.
② 접지선 : 동선이나 철선이 절연되지 않은 전선.
③ 전선은 단면적, 기본색(바탕색), 보조색으로 표시되어 있다.
0.5GR : 0.5 는 단면적(mm^2), G 는 바탕색(녹색), R 은 보조색(적색)

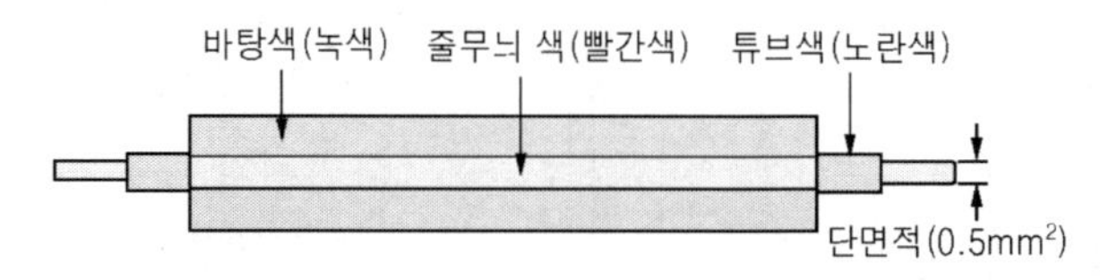

기호	영문	색	기호	영문	색
B	BLACK	검정색	O	ORANGE	오렌지색
Be	BEIGE	베이지색	P	PINK	분홍색
Br	BROWN	갈색	Pp	PURPLE	자주색
G	GREEN	녹색	R	RED	빨간색
Gr	GRAY	회색	T	TAWNINESS	황갈색
L	BLUE	파랑색	W	WHITE	흰색
Lg	LIGHT GREEN	연두색	Y	YELLOW	노란색
Ll	LIGHT BLUE	연청색			

2 조명의 용어

① 광속 : 광원에서 나오는 빛의 다발을 말하며, 단위는 루멘(lumen, 기호는 lm)이다.
② 광도 : 빛의 세기를 말하며, 단위는 칸델라(기호는 cd)이다.
③ 조도 : 빛을 받는 면의 밝기를 말하며, 단위는 룩스(lux, 기호는 Lx)이다.

3 등화장치의 종류

① 조명용 : 전조등, 후진등, 안개등, 실내등
② 신호용 : 제동등, 방향지시등, 비상등
③ 외부 표시용 : 차폭등, 차고등, 후미등, 번호판등, 주차등

4 배선의 종류

(1) 단선식 배선

① 입력 쪽에만 전선을 이용하여 배선한다.
② 접지쪽은 고정 부분에 의해서 자체적으로 접지된다.
③ 적은 전류가 흐르는 회로에 이용한다.

(2) 복선식 배선

① 입력 및 접지 쪽에도 모두 전선을 이용하여 배선한다.
② 전조등과 같이 큰 전류가 흐르는 회로에 이용한다.
③ 접지 불량에 의한 전압 강하가 없다.

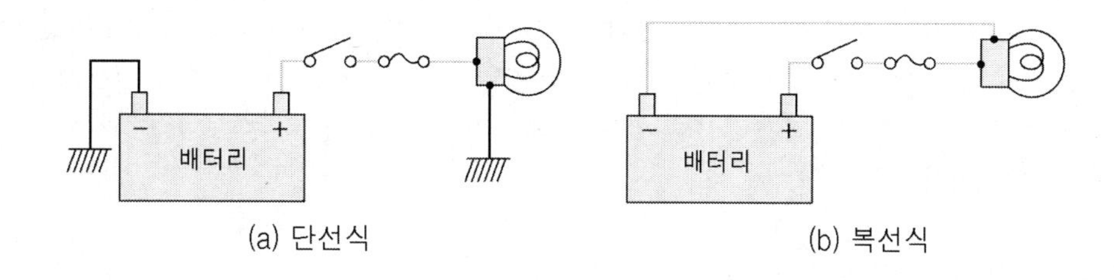

(a) 단선식 (b) 복선식

5 전조등

(1) 실드빔 전조등

① 반사경에 필라멘트를 붙이고 렌즈를 녹여 붙인 전조등이다.
② 내부에 불활성 가스를 넣어 그 자체가 1개의 전구가 되도록 한 것이다.
③ 밀봉되어 있기 때문에 광도의 변화가 적다.
④ 대기의 조건에 따라 반사경이 흐려지지 않는다.
⑤ 필라멘트가 끊어지면 전체를 교환하여야 한다.

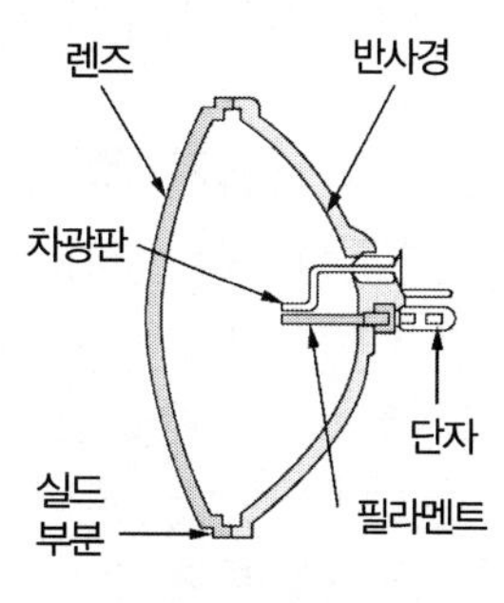

실드 빔 형식

(2) 세미 실드빔 전조등

① 렌즈와 반사경이 일체로 되어 있는 전조등이다.
② 전구는 별개로 설치한다.
③ 공기가 유통되기 때문에 반사경이 흐려진다.
④ 필라멘트가 끊어지면 전구만 교환한다.

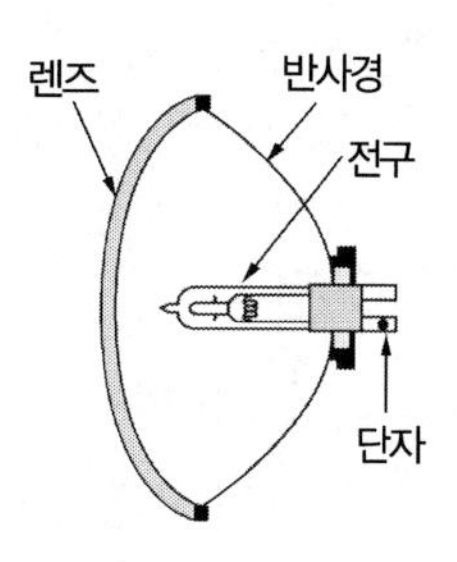

세미실드 빔 형식

(3) 할로겐 전조등

① 할로겐 전구를 사용한 세미 실드빔 형식이다.
② 필라멘트에서 증발한 텅스텐 원자와 휘발성의 할로겐 원자가 결합하여 휘발성 할로겐 텅스텐을 형성한다.
③ 할로겐 사이클로 흑화 현상이 없어 수명이 다할 때까지 밝기가 변하지 않는다.
④ 색 온도가 높아 밝은 백색의 빛을 얻을 수 있다.
⑤ 교행용의 필라멘트 아래에 차광판이 있어 눈부심이 적다.
⑥ 전구의 효율이 높아 밝기가 밝다.

6 방향지시등

① 전류를 일정한 주기로 단속하여 점멸시키거나 광도를 증감시킨다.
② 전자열선 방식 플래셔 유닛은 열에 의한 열선의 신축작용을 이용하여 단속한다.
③ 플래셔 유닛을 사용하여 램프에 흐르는 전류를 일정한 주기로 단속 점멸한다.
④ 중앙에 있는 전자석과 이 전자석에 의해 끌어 당겨지는 2조의 가동 접점으로 구성되어 있다.

7 좌우 방향 지시등의 점멸 회수가 다른 원인

① 전구의 용량이 규정과 다르다.
② 전구의 접지가 불량하다.
③ 하나의 전구가 단선되었다.

8 에탁스(전자제어 시간경보 장치)의 제어 기능

① 와셔연동 와이퍼 제어
② 간헐와이퍼 및 차속감응 와이퍼 제어
③ 시동키 구멍 조명제어
④ 파워윈도 타이머 제어
⑤ 안전띠 경고등 타이머 제어
⑥ 뒤 유리 열선 타이머 제어(사이드 미러 열선 포함)
⑦ 시동키 회수 제어
⑧ 미등 자동소등 제어
⑨ 감광방식 실내등 제어

9 에어컨

(1) 냉동 사이클

① 압축기 → 응축기(콘덴서) → 리시버 드라이어 → 팽창 밸브 → 증발기
② 냉매는 냉동 사이클을 순환하여 냉방 작용이 이루어진다.
③ 실내의 공기가 증발기를 통과할 때 수분은 증발기 외측에 결빙되어 제습이 된다.

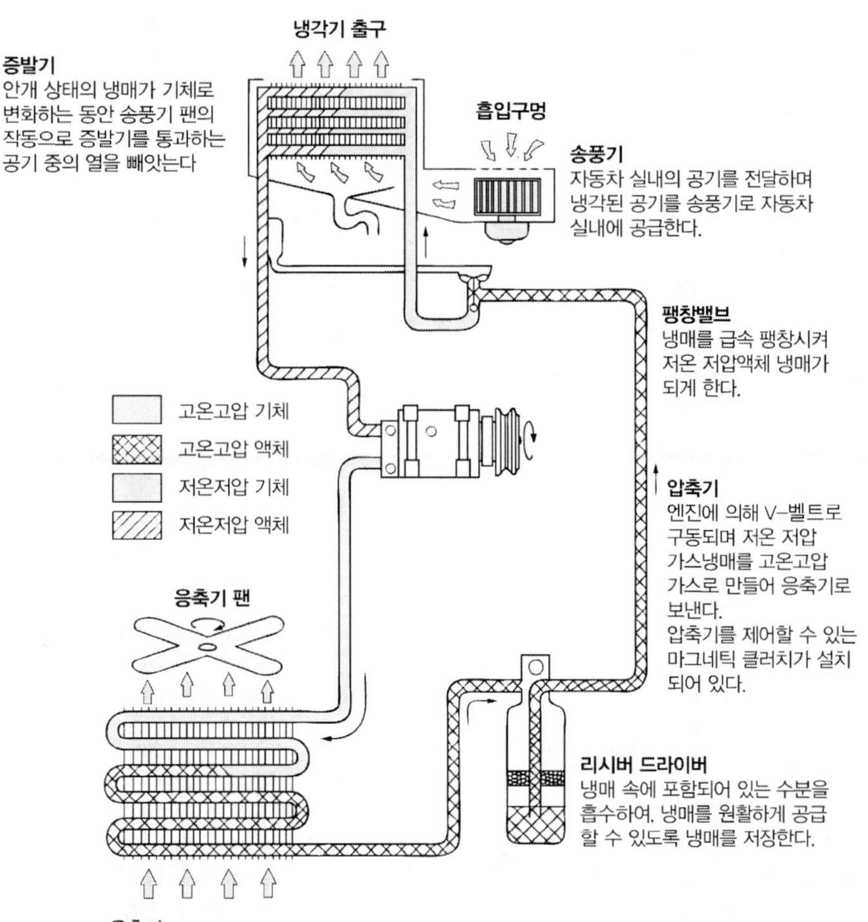

(2) 에어컨의 구조

① 압축기 : 증발기에서 기화된 냉매를 고온·고압가스로 변환시켜 응축기로 보낸다.

② 응축기 : 고온·고압의 기체냉매를 냉각에 의해 액체냉매 상태로 변화시킨다.

③ 리시버 드라이어 : 응축기에서 보내온 냉매를 일시 저장하고 항상 액체상태의 냉매를 팽창밸브로 보낸다.

④ 팽창밸브 : 고온·고압의 액체냉매를 급격히 팽창시켜 저온·저압의 무상(기체)냉매로 변화시킨다.

⑤ 증발기 : 주위의 공기로부터 열을 흡수하여 기체 상태의 냉매로 변환시킨다.

⑥ 송풍기 : 직류직권 전동기에 의해 구동되며 공기를 증발기에 순환시킨다.

출 제 예 상 문 제

01 배선 회로도에서 표시된 0.85RW의 "R"은 무엇을 나타내는가?

① 단면적 ② 바탕색
③ 줄 색 ④ 전선의 재료

해설 0.85RW : 0.85는 전선의 단면적, R은 바탕색, W는 줄 색을 나타낸다.

02 다음 배선의 색과 기호에서 파랑색의 기호는?

① G ② L
③ B ④ R

해설 G(Green, 녹색), L((Blue, 파랑색), B(Black, 검정색), R(Red, 빨강색)

03 조명에 관련된 용어의 설명으로 틀린 것은?

① 조도의 단위는 루멘이다.
② 피조면의 밝기는 조도로 나타낸다.
③ 광도의 단위는 cd이다.
④ 빛의 밝기를 광도라 한다.

해설 조도의 단위는 룩스(Lux)이다.

04 다음 램프 중 조명용인 것은?

① 주차등 ② 번호판등
③ 후진등 ④ 후미등

해설 주차등, 번호판등, 후미등, 차폭등, 차고등은 외부 표시용 등화이다.

05 건설기계의 등화장치 종류 중에서 조명용 등화가 아닌 것은?

① 전조등 ② 안개등
③ 번호등 ④ 후진등

해설 전조등, 후퇴등(후진등), 안개등, 실내등은 조명용 등화이다.

06 전조등 회로의 구성으로 틀린 것은?

① 퓨즈 ② 점화스위치
③ 라이트 스위치 ④ 디머스위치

해설 전조등 회로는 퓨즈, 전조등 릴레이, 라이트 스위치, 디머 스위치로 구성되어 있다.

07 실드빔식 전조등에 대한 설명으로 맞지 않는 것은?

① 대기조건에 따라 반사경이 흐려지지 않는다.
② 내부에 불활성 가스가 들어있다.
③ 사용에 따른 광도의 변화가 적다.
④ 필라멘트를 갈아 끼울 수 있다.

해설 실드빔 형(shield beam type)은 렌즈・반사경 및 전구를 일체로 제작한 것이다.

08 전조등의 필라멘트가 끊어진 경우 렌즈나 반사경에 이상이 없어도 전조등 전부를 교환하여야 하는 형식은?

① 전구형 ② 분리형
③ 세미 실드빔형 ④ 실드빔형

해설 실드빔 형은 전조등의 필라멘트가 끊어진 경우 렌즈나 반사경에 이상이 없어도 전조등 전부를 교환하여야 한다.

09 헤드라이트에서 세미 실드빔 형은?

① 렌즈, 반사경 및 전구를 분리하여 교환이 가능한 것
② 렌즈와 반사경을 분리하여 제작한 것
③ 렌즈, 반사경 및 전구가 일체인 것
④ 렌즈와 반사경은 일체이고, 전구는 교환이 가능한 것

해설 헤드라이트에서 세미 실드빔 형이란 렌즈와 반사경은 일체이고, 전구는 교환이 가능한 것

정답 01.② 02.② 03.① 04.③ 05.③ 06.② 07.④ 08.④ 09.④

10 **세미 실드빔 형식을 사용하는 건설기계 장비에서 전조등이 점등되지 않을 때 가장 올바른 조치 방법은?**

① 렌즈를 교환한다.
② 반사경을 교환한다.
③ 전구를 교환한다.
④ 전조등을 교환한다.

11 **현재 널리 사용되고 있는 할로겐 램프에 대하여 운전사 두 사람(A, B)이 아래와 같이 서로 주장하고 있다. 어느 운전사의 말이 옳은가?**

운전사 A : 실드빔 형이다.
운전사 B : 세미실드빔 형이다.

① A가 맞다.
② B가 맞다.
③ A, B 모두 맞다.
④ A, B 모두 틀리다.

할로겐 램프를 사용한 세미 실드빔 형식으로 필라멘트가 단선되면 램프를 교환한다.

12 **전조등의 좌우 램프 간 회로에 대한 설명으로 맞는 것은?**

① 직렬 또는 병렬로 되어 있다.
② 병렬과 직렬로 되어 있다.
③ 병렬로 되어 있다.
④ 직렬로 되어 있다.

양쪽의 전조등은 하이 빔과 로우 빔이 각각 병렬로 연결되어 있으며, 복선식의 배선이다.

13 **야간작업 시 헤드라이트가 한쪽만 점등되었다. 고장 원인으로 가장 거리가 먼 것은? (단, 헤드램프 퓨즈가 좌·우측으로 구성됨)**

① 헤드라이트 스위치 불량
② 전구 접지불량
③ 회로의 퓨즈 단선
④ 전구 불량

헤드라이트 스위치가 불량하면 등화가 모두 점등되지 않는다.

14 **방향지시등에 대한 설명으로 틀린 것은?**

① 램프를 점멸시키거나 광도를 증감시킨다.
② 전자 열선식 플래셔 유닛은 전압에 의한 열선의 차단작용을 이용한 것이다.
③ 점멸은 플래셔 유닛을 사용하여 램프에 흐르는 전류를 일정한 주기로 단속 점멸한다.
④ 중앙에 있는 전자석과 이 전자석에 의해 끌어 당겨지는 2조의 가동 접점으로 구성되어 있다.

전자열선 방식 플래셔 유닛은 열에 의한 열선(heat coil)의 신축작용을 이용한 것이며, 중앙에 있는 전자석과 이 전자석에 의해 끌어 당겨지는 2조의 가동접점으로 구성되어 있다. 방향지시기 스위치를 좌우 어느 방향으로 넣으면 접점은 열선의 장력에 의해 열려지는 힘을 받고 있다. 따라서 열선이 가열되어 늘어나면 닫히고, 냉각되면 다시 열리며 이에 따라 방향지시등이 점멸한다.

15 **방향지시등의 한쪽 등이 빠르게 점멸하고 있을 때 운전자가 가장 먼저 점검하여야 할 곳은?**

① 전구(램프)
② 플래셔 유닛
③ 콤비네이션 스위치
④ 배터리

방향지시등의 한쪽 등이 빠르게 점멸하고 있을 때 가장 먼저 점검하여야 할 곳은 전구(램프)이다.

16 **한쪽의 방향지시등만 점멸속도가 빠른 원인으로 옳은 것은?**

① 전조등 배선 접촉 불량
② 플래셔 유닛 고장
③ 한쪽 램프의 단선
④ 비상등 스위치 고장

한쪽 램프가 단선되면 한쪽의 방향지시등만 점멸속도가 빨라진다.

정답 10.③ 11.② 12.③ 13.① 14.② 15.① 16.③

17 **방향지시등 스위치를 작동할 때 한쪽은 정상이고, 다른 한쪽은 점멸 작용이 정상과 다르게(빠르게 또는 느리게) 작용한다. 고장원인이 아닌 것은?**

① 전구 1개가 단선 되었을 때
② 전구를 교체하면서 규정 용량의 전구를 사용하지 않았을 때
③ 플래셔 유닛이 고장 났을 때
④ 한쪽 전구 소켓에 녹이 발생하여 전압강하가 있을 때

플래셔 유닛이 고장 나면 모든 방향지시등이 점멸되지 못한다.

18 **종합경보장치인 에탁스(ETACS)의 기능으로 가장 거리가 먼 것은?**

① 간헐 와이퍼 제어 기능
② 뒤 유리 열선 타이머
③ 감광 룸 램프 제어 기능
④ 메모리 파워시트 제어 기능

에탁스(전자제어 시간경보 장치)의 제어 기능
① 와셔연동 와이퍼 제어
② 간헐와이퍼 및 차속감응 와이퍼 제어
③ 시동키 구멍 조명제어
④ 파워윈도 타이머 제어
⑤ 안전띠 경고등 타이어 제어
⑥ 뒤 유리 열선 타이머 제어(사이드 미러 열선 포함)
⑦ 시동키 회수 제어
⑧ 미등 자동소등 제어
⑨ 감광방식 실내등 제어

19 **다음 등화장치 설명 중 내용이 잘못된 것은?**

① 후진등은 변속기 시프트 레버를 후진 위치로 넣으면 점등된다.
② 방향지시등은 방향지시등의 신호가 운전석에서 확인되지 않아도 된다.
③ 번호등은 단독으로 점멸되는 회로가 있어서는 안 된다.
④ 제동등은 브레이크 페달을 밟았을 때 점등된다.

방향지시등의 신호를 운전석에서 확인할 수 있는 파일럿 램프가 설치되어 있다.

20 **건설기계에서 윈드 실드 와이퍼를 작동시키는 형식으로 가장 일반적으로 사용하는 것은?**

① 압축 공기식 ② 기계식
③ 진공식 ④ 전기식

21 **경음기 스위치를 작동하지 않았는데 경음기가 계속 울리는 고장이 발생하였다면 그 원인에 해당될 수 있는 것은?**

① 경음기 릴레이의 접점이 융착
② 배터리의 과충전
③ 경음기 접지선이 단선
④ 경음기 전원 공급선이 단선

22 **에어컨 시스템에서 기화된 냉매를 액화하는 장치는?**

① 건조기 ② 응축기
③ 팽창밸브 ④ 컴프레서

에어컨의 구조
① 압축기 : 증발기에서 기화된 냉매를 고온고압 가스로 변환시켜 응축기로 보낸다.
② 응축기 : 고온고압의 기체냉매를 냉각에 의해 액체냉매 상태로 변화시킨다.
③ 리시버 드라이어 : 응축기에서 보내온 냉매를 일시 저장하고 항상 액체상태의 냉매를 팽창밸브로 보낸다.
④ 팽창밸브 : 고온고압의 액체냉매를 급격히 팽창시켜 저온저압의 무상(기체)냉매로 변화시킨다.
⑤ 증발기 : 주위의 공기로부터 열을 흡수하여 기체 상태의 냉매로 변환시킨다.
⑥ 송풍기 : 직류직권 전동기에 의해 구동되며 공기를 증발기에 순환시킨다.

23 **에어컨 장치에서 환경보존을 위한 대체물질로 신 냉매가스에 해당되는 것은?**

① R-12 ② R-22
③ R-12a ④ R-134a

에어컨 장치에서 사용하는 신 냉매 가스는 R-134a이다.

정답 17.③ 18.④ 19.② 20.④ 21.① 22.② 23.④

4 chapter 계기장치

1 차량에 사용되는 계기 장치의 구비조건

① 구조가 간단하고 내구성 및 내진성이 있을 것
② 소형・경량일 것.
③ 지침을 읽기가 쉬울 것
④ 지시가 안정되어 있고 확실할 것.
⑤ 장식적인 면도 고려되어 있을 것.
⑥ 가격이 쌀 것

2 경고등

① 유압 경고등 : 엔진이 작동되는 도중 유압이 규정값 이하로 떨어지면 경고등이 점등된다.
② 충전 경고등 : 충전장치에 이상이 발생된 경우에 경고등이 점등된다.
③ 냉각수 경고등 : 엔진의 냉각수가 부족한 경우에 경고등이 점등된다.

유압 경고등

충전 경고등

냉각수 경고등

3 냉각수 온도계(수온계)

① 수온계는 실린더 헤드 물재킷 부분의 냉각수 온도를 나타낸다.
② 75~95℃정도면 정상이다.

4 전류계

① 전류계는 충전・방전되는 전류량을 나타낸다.
② 발전기에서 축전지로 충전되는 경우는 지침이 (+) 방향을 지시한다.
③ 축전지에서 부하로 방전되는 경우는 지침이 (−) 방향을 지시한다.

5 연료계

① 연료계는 연료의 잔량을 나타낸다.
② 전기식 연료계의 종류 : 밸런싱 코일식, 바이메탈 저항식, 서모스탯 바이메탈식

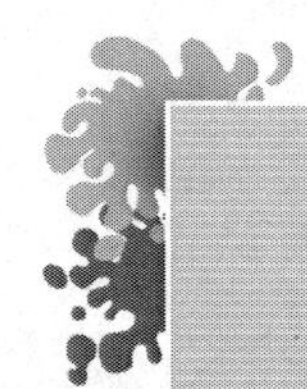

출제예상문제

01 차량에 사용되는 계기의 장점으로 틀린 것은?

① 구조가 복잡할 것
② 소형이고 경량일 것
③ 지침을 읽기가 쉬울 것
④ 가격이 쌀 것

02 계기판을 통하여 엔진 오일의 순환 상태를 알 수 있는 것은?

② 연료 잔량계　② 오일 압력계
③ 전류계　④ 진공계

오일 압력계는 오일 공급 계통에 오일이 순환되는 압력을 계기판에 나타내어 운전석에서 알 수 있도록 한 계기를 말한다.

03 운전석 계기판에 아래 그림과 같은 경고등이 점등되었다면 가장 관련이 있는 경고등은?

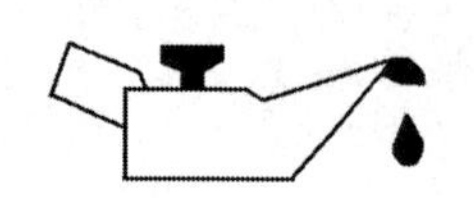

① 엔진 오일 압력 경고등
② 엔진 오일 온도 경고등
③ 냉각수 배출 경고등
④ 냉각수 온도 경고등

04 엔진 오일 압력 경고등이 켜지는 경우가 아닌 것은?

① 오일이 부족할 때
② 오일 필터가 막혔을 때
③ 가속을 하였을 때
④ 오일 회로가 막혔을 때

엔진이 작동 중에 오일의 순환 압력이 규정 이하인 경우에 경고등이 점등된다.

05 건설기계 장비 작업시 계기판에서 오일 경고등이 점등되었을 때 우선 조치사항으로 적합한 것은?

① 엔진을 분해한다.
② 즉시 시동을 끄고 오일계통을 점검한다.
③ 엔진 오일을 교환하고 운전한다.
④ 냉각수를 보충하고 운전한다.

계기판의 오일경고등이 점등되면 즉시 엔진의 시동을 끄고 오일계통을 점검한다.

06 작업 중 운전자가 확인해야 할 것으로 가장 거리가 먼 것은?

① 온도계기　② 전류계기
③ 오일압력계기　④ 실린더 압력계기

작업 중 운전자가 확인해야 하는 계기는 전류계기, 오일 압력계기, 온도계기 등이다.

07 기관 온도계가 표시하는 온도는 무엇인가?

① 연소실 내의 온도
② 작동유 온도
③ 기관오일 온도
④ 냉각수 온도

기관의 냉각수 온도는 실린더 헤드 물재킷 부분의 온도로 나타내며, 75~95℃정도면 정상이다.

08 작업 중 냉각계통의 순환여부를 확인하는 방법은?

① 유압계의 작동상태를 수시로 확인한다.
② 엔진의 소음으로 판단한다.
③ 전류계의 작동상태를 수시로 확인한다.
④ 온도계의 작동상태를 수시로 확인한다.

정답 01.① 02.② 03.① 04.③ 05.② 06.④ 07.④ 08.④

09 **건설기계 장비 운전 시 계기판에서 냉각수량 경고등이 점등되었다. 그 원인으로 가장 거리가 먼 것은?**

① 냉각수량이 부족할 때
② 냉각계통의 물 호스가 파손되었을 때
③ 라디에이터 캡이 열린 채 운행하였을 때
④ 냉각수 통로에 스케일(물때)이 많이 퇴적되었을 때

냉각수 경고등은 라디에이터 내에 냉각수가 부족할 때 점등되며, 냉각수 통로에 스케일(물때)이 많이 퇴적되면 기관이 과열한다.

10 **운전 중 운전석 계기판에 그림과 같은 등이 갑자기 점등되었다. 무슨 표시인가?**

① 배터리 완전충전 표시등
② 전원차단 경고등
③ 전기계통 작동 표시등
④ 충전 경고등

충전계통에 이상이 발생되면 그림과 같은 경고등이 점등된다.

11 **엔진 정지 상태에서 계기판 전류계의 지침이 정상에서 (-)방향을 지시하고 있다. 그 원인이 아닌 것은?**

① 전조등 스위치가 점등위치에서 방전되고 있다.
② 배선에서 누전되고 있다.
③ 엔진 예열장치를 동작시키고 있다.
④ 발전기에서 축전지로 충전되고 있다.

발전기에서 축전지로 충전되면 전류계의 지침은 (+)방향을 지시한다.

12 **건설기계 장비로 현장에서 작업시 온도계기는 정상인데 엔진부조가 발생하기 시작했다. 다음 중 점검사항으로 가장 적합한 것은?**

① 연료계통을 점검한다.
② 충전계통을 점검한다.
③ 윤활계통을 점검한다.
④ 냉각계통을 점검한다.

디젤기관에서 부조가 발생하면 연료계통을 점검한다.

13 **전기식 연료계의 종류에 속하지 않는 것은?**

① 밸런싱 코일식
② 플래셔 유닛식
③ 바이메탈 저항식
④ 서모스탯 바이메탈식

전기식 연료계의 종류에는 밸런싱 코일식, 바이메탈 저항식, 서모스탯 바이메탈식이 있다.

정답 09.④ 10.④ 11.④ 12.① 13.②

5 chapter 예열장치

1 예열 장치

예열 장치는 흡기다기관이나 연소실 내의 공기를 미리 가열하여 시동을 쉽도록 하는 장치이다.

2 흡기 가열식

① 흡입되는 공기를 예열하여 실린더에 공급한다.
② 직접 분사실식에 사용된다.
③ 연소열을 이용하는 흡기 히터와 가열 코일을 이용하는 히트 레인지가 있다.

3 예열 플러그식

① 연소실에 흡입된 공기를 직접 가열하는 방식
② 예연소실식과 와류실식 엔진에 사용된다.

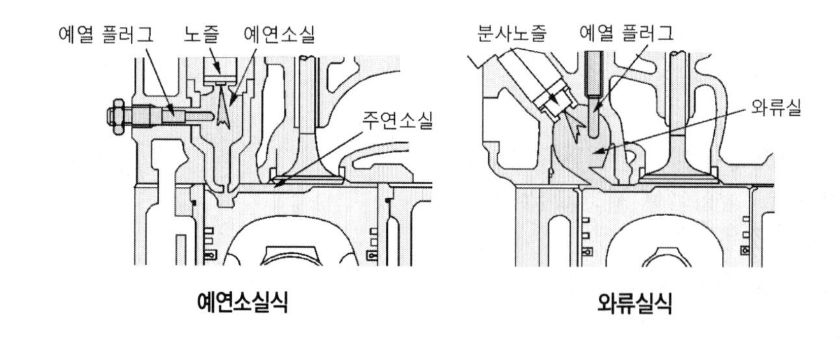

예연소실식　　　와류실식

(1) 코일형 예열 플러그

① 흡입 공기 속에 히트 코일이 노출되어 있기 때문에 예열 시간이 짧다.
② 히트 코일은 굵은 열선으로 되어 있으며, 직렬로 연결되어 있다.
③ 전체 저항값이 작기 때문에 회로 내에 예열 플러그 저항이 설치되어 있다.
④ 예열 플러그 저항은 과대 전류의 흐름을 방지하여 예열 플러그의 소손을 방지한다.
⑤ 내진성 및 연소 가스에 의한 부식에 약하다.

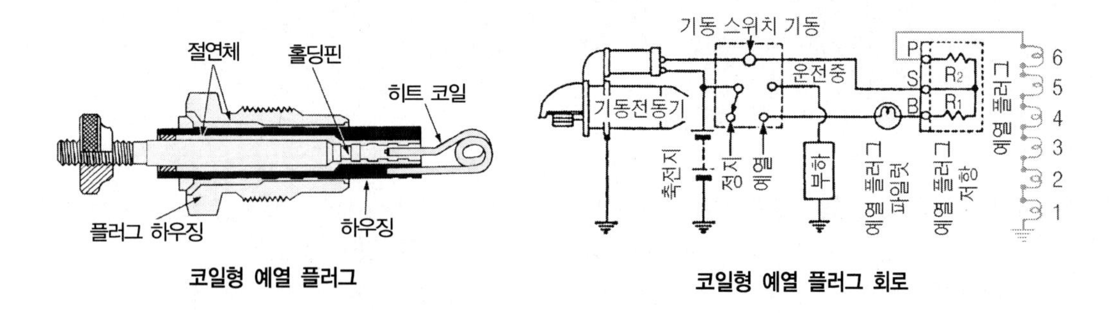

코일형 예열 플러그

코일형 예열 플러그 회로

(2) 시일드형 예열 플러그

① 히트 코일이 가는 열선으로 되어 예열 플러그 자체의 저항이 크다.
② 예열 플러그 저항이 필요 없으며, 병렬로 연결되어 있다.
③ 발열량 및 열용량이 크다.
④ 히트 코일이 보호 금속 튜브 내에 설치되어 적열되는 시간이 길다.
⑤ 히트 코일이 연소열의 영향을 적게 받으므로 내구성이 향상된다.
⑥ 열용량이나 발열량이 커 시동성이 향상된다.

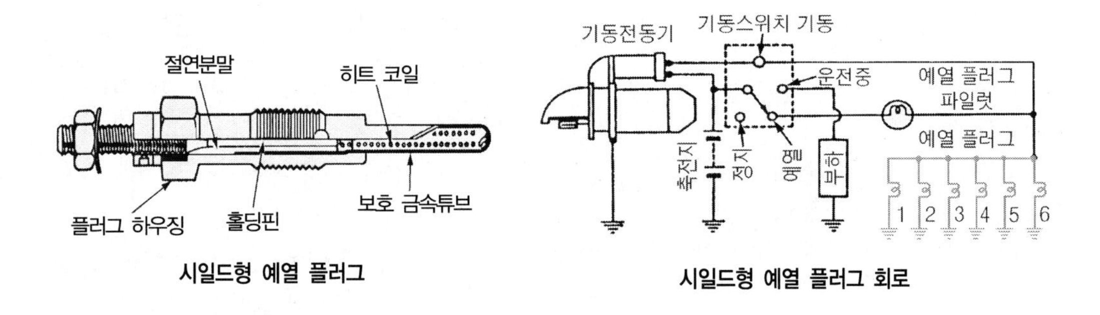

시일드형 예열 플러그

시일드형 예열 플러그 회로

(3) 예열 플러그의 단선 원인

① 예열시간이 너무 길 때
② 기관이 과열된 상태에서 빈번한 예열
③ 예열 플러그를 규정 토크로 조이지 않았을 때(접지 불량)
④ 정격이 아닌 예열 플러그를 사용했을 때
⑤ 규정 이상의 과대전류가 흐를 때

(4) 예열 플러그가 심하게 오염된 원인

불완전 연소 또는 노킹이 발생하였기 때문이다.

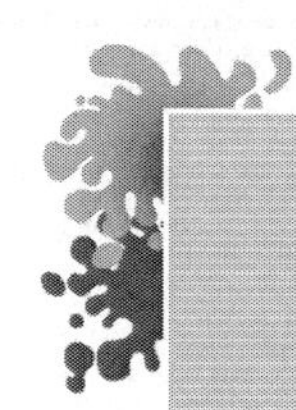

출제예상문제

01 **예열장치의 설치 목적으로 옳은 것은?**

① 연료를 압축하여 분무성을 향상시키기 위함이다.
② 냉간 시동 시 시동을 원활히 하기 위함이다.
③ 연료 분사량을 조절하기 위함이다.
④ 냉각수의 온도를 조절하기 위함이다.

해설 예열장치는 한랭한 상태에서 기관을 시동할 때 시동을 원활히 하기 위해 사용한다.

02 **디젤기관에서만 해당되는 회로는?**

① 예열 플러그 회로
② 시동회로
③ 충전회로
④ 등화회로

해설 디젤 엔진은 압축착화 방식이므로 한랭한 경우에는 경유가 잘 착화되지 못해 시동이 어렵다. 따라서 디젤 엔진에서는 시동을 보조하기 위해 예열 플러그 회로가 설치되어 있다.

03 **디젤기관의 예연소실식 예열방식에서 연소실 내의 압축공기를 직접 예열하는 방식은?**

① 예열 플러그식
② 흡기 가열식
③ 흡기 히터식
④ 히트 레인지식

해설 예열장치
① 예열 플러그식 : 연소실에 압축된 공기를 직접 가열하는 방식으로 예연소실식과 와류실식 엔진에 사용된다.
② 흡기 가열식 : 공기를 예열하여 실린더에 공급하는 방식으로 직접 분사실식에 사용되며, 흡기 히터와 히트 레인지로 분류된다.

04 **디젤기관에서 시동을 돕기 위해 설치된 부품으로 맞는 것은?**

① 과급장치 ② 발전기
③ 디퓨저 ④ 히트 레인지

해설 시동 보조 장치로는 연소열을 이용하는 흡기 히터와 가열 코일을 이용하는 히트 레인지 및 연소실에 압축된 공기를 직접 가열하는 예열 플러그가 있다.

05 **디젤기관의 연소실 방식에서 흡기 가열식 예열장치를 사용하는 것은?**

① 직접분사식 ② 예연소실식
③ 와류실식 ④ 공기실식

해설 흡기 가열방식은 실린더 내로 흡입되는 공기를 흡기 다기관에서 가열하는 방식으로 흡기 히터와 히트 레인지가 있으며, 주로 직접분사식 연소실에서 사용한다.

06 **디젤엔진의 예열장치에서 연소실 내의 압축공기를 직접 예열하는 형식은?**

① 히트 릴레이식
② 예열 플러그식
③ 흡기 히터식
④ 히트 레인지식

07 **예열 플러그의 사용시기로 가장 알맞은 것은?**

① 냉각수의 양이 많을 때
② 기온이 영하로 떨어졌을 때
③ 축전지가 방전되었을 때
④ 축전지가 과충전되었을 때

해설 예열 플러그는 한랭한 상태에서 기관을 시동할 때 시동을 원활히 하기 위해 사용한다.

정답 01.② 02.① 03.① 04.④ 05.① 06.② 07.②

08 실드형 예열 플러그에 대한 설명으로 맞는 것은?

① 히트 코일이 노출되어 있다.
② 발열량은 많으나 열용량은 적다.
③ 열선이 병렬로 결선되어 있다.
④ 축전지의 전압을 강하시키기 위하여 직렬접속 한다.

실드형 예열 플러그는 보호금속 튜브에 히트 코일이 밀봉되어 있으며, 발열량과 열용량이 크고, 열선이 병렬로 접속되어 있다.

09 예열 플러그가 스위치 ON 후 15~20초에서 완전히 가열되었을 경우의 설명으로 옳은 것은?

① 정상상태이다.
② 접지되었다.
③ 단락되었다.
④ 다른 플러그가 모두 단선 되었다.

예열 플러그가 15~20초에서 완전히 가열된 경우는 정상상태이다.

10 예열 플러그의 고장이 발생하는 경우로 거리가 먼 것은?

① 엔진이 과열되었을 때
② 발전기의 발전 전압이 낮을 때
③ 예열시간이 길었을 때
④ 정격이 아닌 예열 플러그를 사용했을 때

예열 플러그의 단선 원인
① 예열시간이 너무 길 때
② 기관이 과열된 상태에서 빈번한 예열
③ 예열 플러그를 규정 토크로 조이지 않았을 때
④ 정격이 아닌 예열 플러그를 사용했을 때
⑤ 규정 이상의 과대전류가 흐를 때

11 디젤기관에서 예열 플러그가 단선되는 원인으로 틀린 것은?

① 너무 짧은 예열시간
② 규정 이상의 과대 전류 흐름
③ 기관의 과열상태에서 잦은 예열
④ 예열 플러그 설치할 때 조임 불량

12 예열장치의 고장 원인이 아닌 것은?

① 가열시간이 너무 길면 자체 발열에 의해 단선된다.
② 접지가 불량하면 전류의 흐름이 적어 발열이 충분하지 못하다.
③ 규정 이상의 전류가 흐르면 단선되는 고장의 원인이 된다.
④ 예열 릴레이가 회로를 차단하면 예열 플러그가 단선된다.

예열 릴레이는 예열을 시킬 때에는 예열 플러그로만 축전지 전류를 공급하고, 시동할 때에는 기동 전동기로만 전류를 공급하는 부품이다.

13 6기통 디젤 기관의 병렬로 연결된 예열 플러그 중 3번 기통의 예열 플러그가 단선 되었을 때 나타나는 현상에 대한 설명으로 옳은 것은?

① 2번과 4번의 예열 플러그도 작동이 안 된다.
② 예열 플러그 전체가 작동이 안 된다.
③ 3번 실린더 예열 플러그만 작동이 안 된다.
④ 축전지 용량의 배가 방전된다.

병렬로 연결된 예열 플러그 중 3번 실린더의 예열 플러그가 단선되면 3번 실린더 예열 플러그만 작동되지 않는다.

14 예열 플러그를 빼서 보았더니 심하게 오염되어 있다. 그 원인은?

① 불완전 연소 또는 노킹
② 엔진 과열
③ 플러그의 용량과다
④ 냉각수 부족

정답 08.③ 09.① 10.② 11.① 12.④ 13.③ 14.①

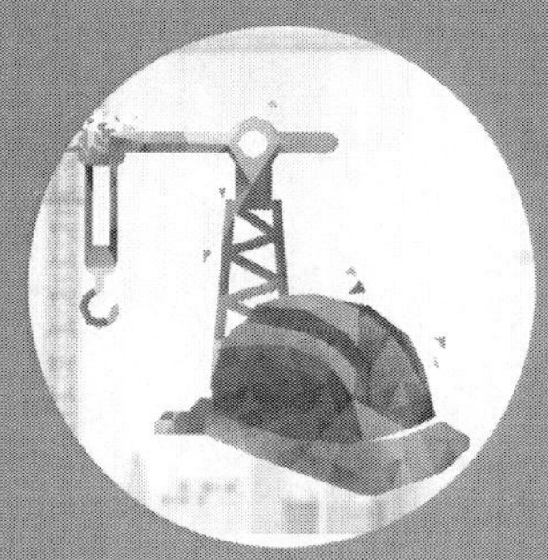

PART 4
건설기계 섀시장치

01_동력전달장치
02_제동장치
03_조향장치
04_주행장치

1 chapter 동력전달장치

01 클러치

1 클러치의 기능

① 클러치는 엔진과 변속기 사이에 설치되어 있다.
② 엔진의 동력을 변속기에 전달하거나 차단하는 역할을 한다.

2 클러치의 필요성

① 시동시 엔진을 무부하 상태로 유지하기 위하여 필요하다.
② 엔진의 동력을 차단하여 기어 변속이 원활하게 이루어지도록 한다.
③ 엔진의 동력을 차단하여 자동차의 관성 주행이 되도록 한다.

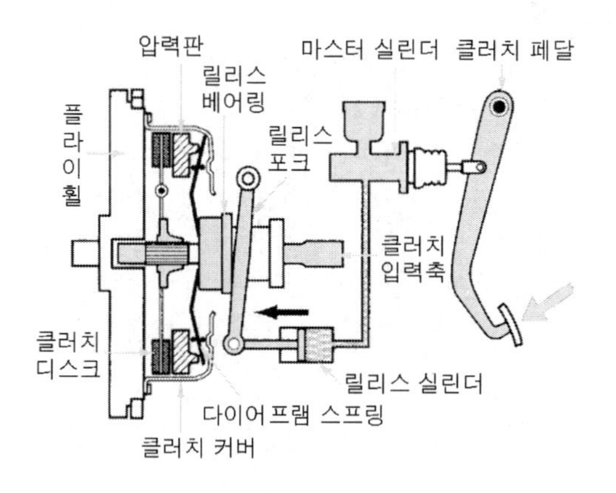

동력을 차단할 때

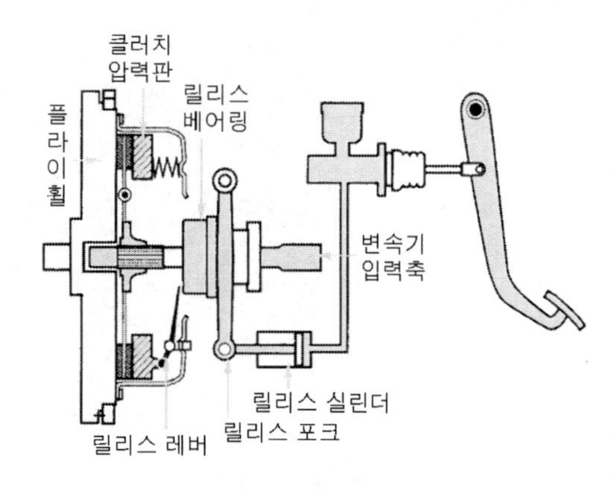

동력을 전달할 때

3 클러치의 구비 조건

① 동력의 차단이 신속하고 확실할 것.
② 동력의 전달을 시작할 경우에는 미끄러지면서 서서히 전달될 것.
③ 클러치가 접속된 후에는 미끄러지는 일이 없을 것.

④ 회전 부분은 동적 및 정적 평형이 좋을 것.
⑤ 회전 관성이 적을 것.
⑥ 방열이 양호하고 과열되지 않을 것.
⑦ 구조가 간단하고 고장이 적을 것.

4 클러치의 구성

(1) 클러치 라이닝의 구비조건

① 고온에 견디고 내마모성이 우수하여야 한다.
② 알맞은 마찰계수를 갖추어야 한다.
③ 온도 변화에 의한 마찰 계수의 변화가 적을 것.
④ 기계적 강도가 커야 한다.

(2) 클러치 판(clutch disc)

① 플라이휠과 압력판 사이에 설치되어 마찰력으로 변속기에 동력을 전달한다.
② 중앙부의 허브 스플라인은 변속기 입력축 스플라인과 결합되어 있다.
③ 비틀림 코일(댐퍼) 스프링은 클러치판이 플라이휠에 접속될 때 회전충격을 흡수한다.
④ 쿠션 스프링은 클러치판의 변형, 편마모, 파손을 방지한다.

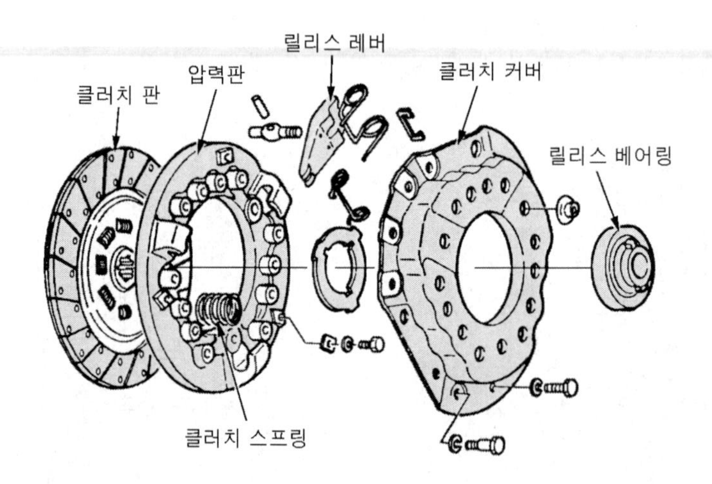

(3) 압력판과 클러치 스프링

① 압력판은 플라이휠과 항상 같이 회전한다.
② 클러치 스프링은 압력판에 강력한 힘이 발생되도록 한다.
③ 스프링의 장력이 약하면 급가속시 엔진의 회전수는 상승해도 차속이 증속되지 않는다.

(4) 릴리스 레버

① 릴리스 베어링에서 압력을 받아 압력판을 클러치판으로부터 분리시키는 역할을 한다.
② 릴리스 레버 높이 차이가 있으면 동력전달시 진동을 발생한다.
③ 클러치가 연결되어 있을 때 릴리스 베어링과 릴리스 레버가 분리되어 있다.

(5) 릴리스 베어링

① 클러치 페달을 밟아 동력을 차단할 때 작동한다.
② 릴리스 포크에 의해 축방향으로 이동되어 회전중인 릴리스 레버를 누르는 역할을 한다.
③ 릴리스 베어링은 영구 주유식으로 볼 베어링형, 앵귤러 접촉형, 카본형이 있다.
④ 릴리스 베어링은 액체의 세척제로 세척하면 그리스가 용융되어 사용할 수 없다.

5 다이어프램식 클러치의 특징

① 압력판에 작용하는 압력이 균일하다.
② 부품이 원판형이기 때문에 평형을 잘 이룬다.
③ 고속 회전시에 원심력에 의한 스프링 장력의 변화가 없다.
④ 클러치판이 어느 정도 마멸되어도 압력판에 가해지는 압력의 변화가 적다.
⑤ 클러치 페달을 밟는 힘이 적게 든다.
⑥ 구조와 다루기가 간단하다.

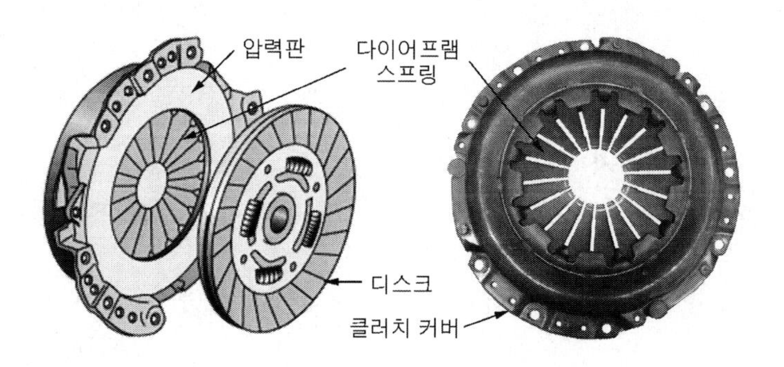

6 클러치 페달의 자유간극

① 클러치 페달을 놓았을 때 릴리스 베어링과 릴리스 레버 사이의 간극.
② 릴리스 베어링은 동력을 차단할 때 이외에는 접촉되어서는 안된다.
③ 페달 자유유격은 일반적으로 20~30mm 정도로 조정한다.
④ 자유간극이 작으면 : 릴리스 베어링이 마멸되고 슬립이 발생되어 클러치판이 소손된다.
⑤ 자유간극이 크면 : 클러치 페달을 밟았을 때 동력의 차단이 불량하게 된다.

7 클러치가 미끄러지는 원인

① 클러치 페달의 유격이 작다.
② 클러치판에 오일이 묻었다.
③ 클러치 스프링의 장력이 작다.
④ 클러치 스프링의 자유고가 감소되었다.
⑤ 클러치 판 또는 압력판이 마멸되었다.

8 클러치 페달을 밟았을 때 소음의 원인

① 릴리스 베어링이 마모되었다.
② 파일럿 베어링이 마모되었다.
③ 클러치 허브 스플라인이 마모되었다.

9 클러치 차단이 불량한 원인

① 클러치 페달의 유격이 크다.
② 릴리스 포크가 마모되었다.
③ 릴리스 실린더 컵이 소손되었다.
④ 유압 장치에 공기가 혼입되었다.

02 수동변속기

1 변속기의 필요성 및 역할

① 회전력을 증대시키기 위하여 필요하다.
② 엔진을 시동할 때 무부하 상태로 있게 하기 위하여 필요하다.
③ 자동차의 후진을 위하여 필요하다.
④ 주행 조건에 알맞은 회전력으로 바꾸는 역할을 한다.

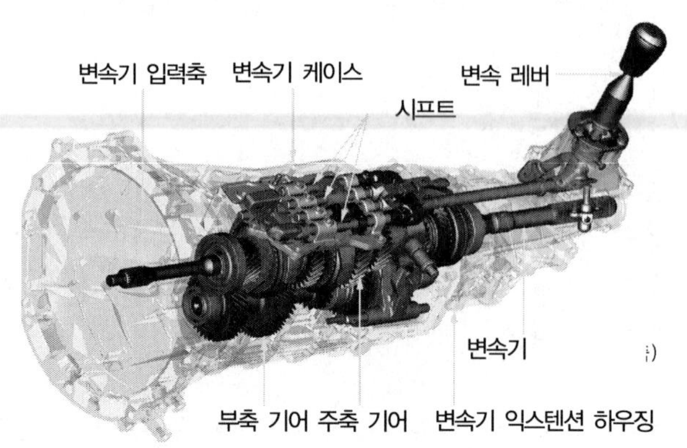

2 변속기의 구비조건

① 단계 없이 연속적으로 변속될 것.
② 조작이 쉽고, 민속, 확실, 정숙하게 행해질 것.
③ 전달 효율이 좋을 것.
④ 소형 경량이고 고장이 없으며, 다루기 쉬울 것.

3 변속기 조작기구

① 로킹 볼과 스프링 : 주행 중 물려 있는 기어가 빠지는 것을 방지한다.
② 인터록 : 기어의 이중 물림을 방지한다.

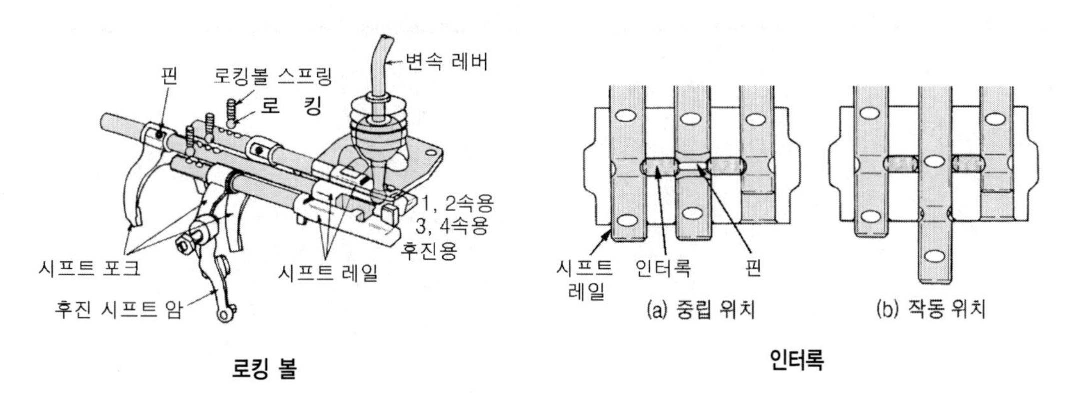

로킹 볼

인터록

4 주행 중 기어가 빠지는 원인

① 록킹 볼 스프링의 장력이 작다.
② 기어의 마모가 심하다.
③ 록킹 볼이 마멸 되었다.
④ 기어가 충분히 물리지 않았다.

5 변속기에서 마찰음이 발생되는 원인

① 변속기 기어의 마모
② 변속기 베어링의 마모
③ 변속기 오일의 부족
④ 변속기 기어의 백래시 과다

6 변속할 때 마찰음이 발생되는 원인

① 클러치 유격이 과대하다.
② 클러치의 차단이 불량하다.

03 토크 컨버터 및 자동변속기

1 유체 클러치의 구조

① 펌프 : 크랭크축에 연결되어 엔진이 회전하면 유체 에너지를 발생한다.
② 터빈 : 변속기 입력축 스플라인에 접속되어 유체 에너지에 의해 회전한다.
③ 가이드 링 : 유체의 와류를 감소시키는 역할을 한다.
④ 펌프와 터빈의 날개는 방사선상(레이디얼)으로 배열되어 있다.
⑤ 펌프와 터빈의 회전속도가 같을 때 토크 변환율은 1 : 1 이다.

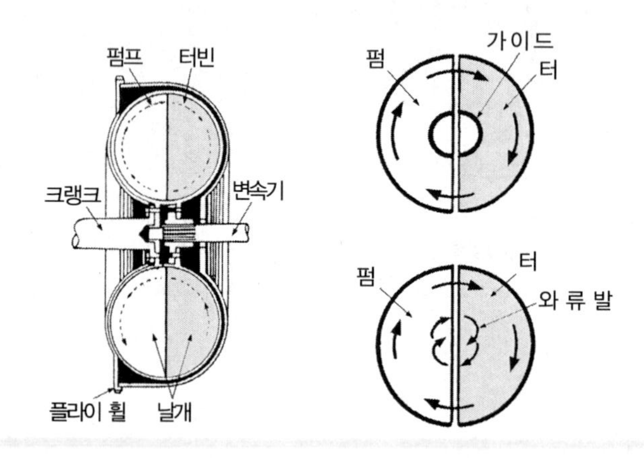

2 토크 컨버터의 구조

① 펌프 : 크랭크축에 연결되어 엔진이 회전하면 유체 에너지를 발생한다.
② 터빈 : 입력축 스플라인에 접속되어 유체 에너지에 의해 회전한다.
③ 스테이터 : 오일의 흐름 방향을 바꾸어 회전력을 증대시킨다.
④ 날개는 어떤 각도를 두고 와류형으로 배열되어 있다.
⑤ 토크 변환율은 2~3 : 1 이며, 동력 전달 효율은 97~98%이다.

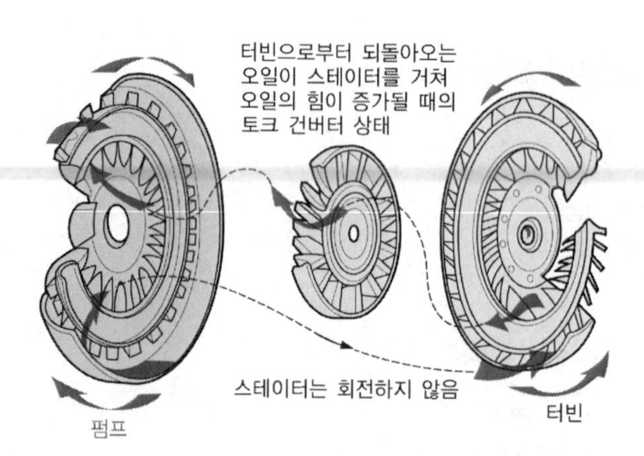

3 토크 컨버터의 특징

① 유체가 완충 작용을 하기 때문에 운전 중 소음이 없다.
② 주행 상태에 따라 자동적으로 회전력이 변화 된다.
③ 기계적인 마모가 없고 자동차의 출발이 유연하다.
④ 자동차의 출발시 충격에 의해 엔진이 정지되지 않는다.
⑤ 마찰 클러치에 비하여 연료의 소비량이 많다.
⑥ 엔진의 회전력에 의한 충격과 회전 진동을 유체에 의해 흡수 및 감쇠 된다.
⑦ 자동차의 전부하 출발시에도 최대 회전력이 발생된다.
⑧ 클러치의 설치 공간을 작게 할 수 있다.

4 토크 컨버터 오일의 구비조건

① 점도가 낮을 것
② 비중이 클 것
③ 착화점이 높을 것
④ 내산성이 클 것
⑤ 유성이 좋을 것
⑥ 비점이 높을 것
⑦ 융점이 낮을 것
⑧ 윤활성이 클 것

04 자동변속기

1 개요

① 토크 컨버터, 유성 기어 유닛, 유압 제어 장치로 구성되어 있다.
② 각 요소의 제어에 의해 변속시기, 변속의 조작이 자동적으로 이루어진다.
③ 토크 컨버터는 연비를 향상시키기 위하여 토크비가 작게 설정되어 있다.
④ 토크 컨버터 내에 댐퍼 클러치가 설치되어 있다.

2 유성기어 유닛의 필요성

① 큰 구동력을 얻기 위하여 필요하다.
② 엔진을 무부하 상태로 유지하기 위하여 필요하다.
③ 후진시에 구동 바퀴를 역회전시키기 위하여 필요하다.
④ 유성기어 유닛은 선 기어, 유성기어, 유성기어 캐리어, 링 기어로 구성되어 있다.

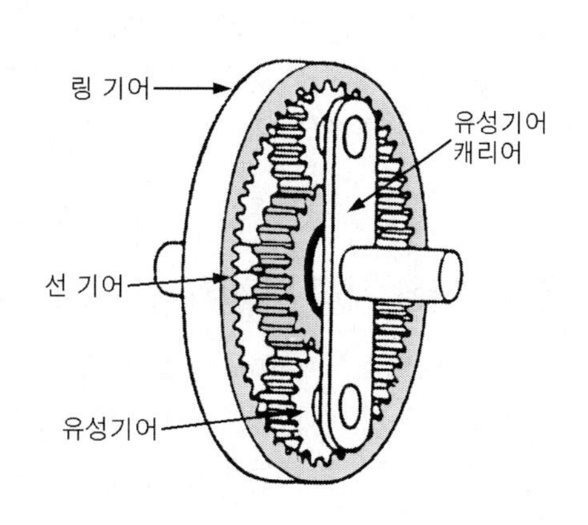

3 자동변속기의 메인 압력이 떨어지는 이유

① 오일펌프 내 공기가 생성되고 있는 경우
② 오일 필터가 막힌 경우
③ 오일이 규정보다 부족한 경우

4 자동변속기의 과열 원인

① 메인 압력이 규정보다 높은 경우
② 과부하 운전을 계속하는 경우
③ 오일이 규정량보다 적은 경우
④ 변속기 오일 쿨러가 막힌 경우

05 드라이브 라인

1 드라이브 라인

① 변속기에서 전달되는 회전력을 종감속 기어장치에 전달하는 역할을 한다.
② 자재 이음, 추진축, 슬립 이음으로 구성되어 있다.

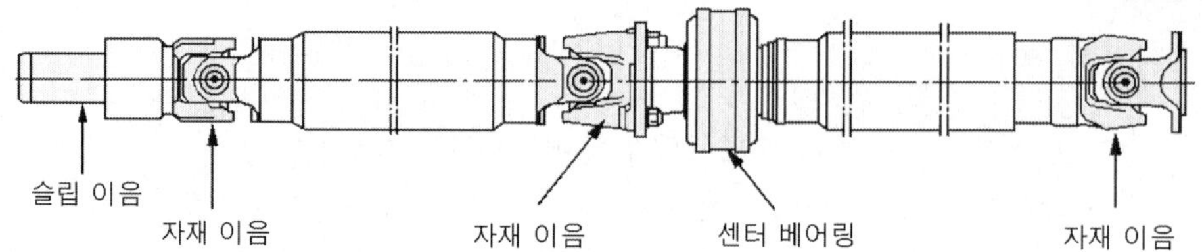

2 자재 이음(universal joint)

① 자재 이음은 2개의 축이 동일 평면상에 있지 않은 축에 동력을 전달할 때 사용한다.
② 각도 변화에 대응하여 피동축에 원활한 회전력을 전달하는 역할을 한다.
③ 추진축 앞뒤에 각각 1개의 자재 이음을 설치하면 속도의 변화를 상쇄시켜 일정한 회전 속도를 유지한다.

3 십자형 자재 이음(훅 조인트)

① 요크, 스파이더, 4조의 니들 롤러 베어링으로 구성되어 있다.
② 구조가 간단하고 동력 전달이 확실하다.
③ 각속도는 구동축이 등속운동을 하여도 피동축은 90°마다 증속과 감속이 반복하여 변동된다.

④ 동력전달 각도가 12~18° 이상 되면 진동이 발생되고 동력전달 효율이 저하된다.
⑤ 추진축 앞뒤에 각각 1개의 자재 이음을 설치하면 속도의 변화를 상쇄시켜 일정한 회전 속도를 유지한다.
⑥ 구동축 요크와 피동축 요크의 방향은 동일 평면상에 있어야 진동이 방지된다.

4 슬립 이음(slip joint)

① 변속기 출력축 스플라인에 설치되어 추진축의 길이 방향에 변화를 주기 위함이다.
② 액슬축의 상하 운동에 의해 축 방향으로 길이가 변화되어 동력이 전달된다.

5 추진축이 진동하는 원인

① 니들 롤러 베어링의 파손 또는 마모되었다.
② 추진축이 휘었거나 밸런스 웨이트가 떨어졌다.
③ 슬립 조인트의 스플라인이 마모되었다.
④ 구동축과 피동축의 요크 방향이 틀리다.
⑤ 체결 볼트의 조임이 헐겁다.

6 출발 및 타행시 소음이 발생되는 원인

① 구동축과 피동축의 요크의 방향이 다르다.
② 추진축의 밸런스 웨이트가 떨어졌다.
③ 추진축의 센터 베어링이 마모되었다.
④ 니들 롤러 베어링이 파손 또는 마모되었다.
⑤ 슬립 조인트의 스플라인이 마모되었다.
⑥ 체결 볼트의 조임이 헐겁다.

06 종감속 기어장치

1 종감속 기어(final drive gear)의 역할

① 회전력을 직각 또는 직각에 가까운 각도로 바꾸어 차축에 전달한다.
② 최종적으로 속도를 감속하여 회전력을 증대시킨다.

2 종감속비

① 종감속비는 중량, 등판 성능, 엔진의 출력, 가속 성능 등에 따라 결정된다.
② 종감속비가 크면 등판 성능 및 가속 성능은 향상된다.
③ 종감속비가 적으면 가속 성능 및 등판 성능은 저하된다.
④ 종감속비는 나누어지지 않는 값으로 정하여 이의 마멸을 고르게 한다.

3 차동기어 장치

① 래크와 피니언 기어의 원리를 이용하여 좌우 바퀴의 회전수를 변화시킨다.
② 선회시에 양쪽 바퀴가 미끄러지지 않고 원활하게 선회할 수 있도록 한다.
③ 회전할 때 바깥쪽 바퀴의 회전수를 빠르게 한다.
④ 요철 노면을 주행할 경우 양쪽 바퀴의 회전수를 변화시킨다.

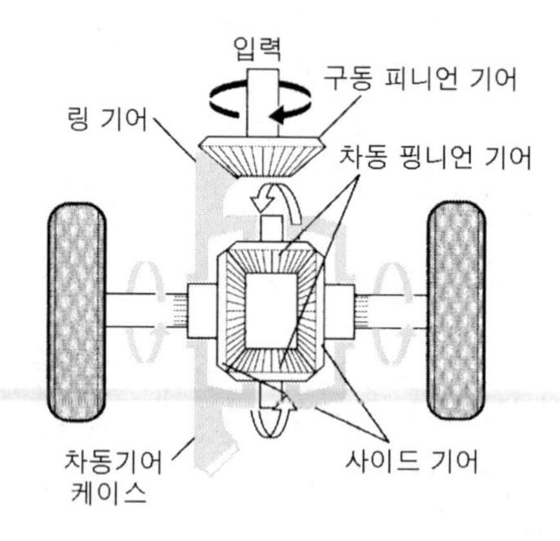

4 차축(액슬축)

① 액슬축은 종감속기어 및 차동기어 장치에서 전달된 동력을 구동바퀴에 전달하는 역할을 한다.
② 안쪽 끝 부분의 스플라인은 사이드 기어 스플라인에 결합되어 있다.
③ 바깥쪽 끝 부분은 구동 바퀴와 결합되어 있다.
④ 액슬축을 지지하는 방식은 반부동식, 3/4 부동식, 전부동식으로 분류된다.

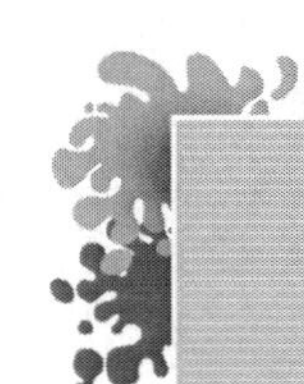

출제예상문제

클러치

01 기관과 변속기 사이에 설치되어 동력의 차단 및 전달의 기능을 하는 것은?

① 변속기　　② 클러치
③ 추진축　　④ 차축

클러치는 기관과 변속기 사이에 부착되어 있으며(기관 플라이휠 뒷면에 부착), 동력전달장치로 전달되는 기관의 동력을 연결하거나 차단하는 장치이다.

02 클러치의 필요성으로 틀린 것은?

① 전·후진을 위해
② 관성운동을 하기 위해
③ 기어 변속 시 기관의 동력을 차단하기 위해
④ 기관 시동 시 기관을 무부하 상태로 하기 위해

전·후진을 위해 둔 부품은 변속기이다.

03 기계식 변속기가 장착된 건설기계 장비에서 클러치 사용방법으로 가장 올바른 것은?

① 클러치 페달에 항상 발을 올려놓는다.
② 저속 운전 시에만 발을 올려놓는다.
③ 클러치 페달은 변속시에만 밟는다.
④ 클러치 페달은 커브 길에서만 밟는다.

해설 클러치 페달은 기관을 시동하는 경우와 변속할 때에만 밟는다.

04 수동변속기에서 클러치의 구성품에 해당되지 않는 것은?

① 클러치 디스크　② 릴리스 레버
③ 어저스팅 암　　④ 릴리스 베어링

클러치의 구성 부품으로는 클러치 디스크, 압력판, 릴리스 레버, 클러치 스프링, 릴리스 포크, 릴리스 베어링 등이 있다.

05 플라이휠과 압력판 사이에 설치되고 클러치 축을 통하여 변속기로 동력을 전달하는 것은?

① 클러치 스프링　② 릴리스 베어링
③ 클러치 판　　　④ 클러치 커버

클러치 판은 플라이휠과 압력판 사이에 설치되며, 클러치 축을 통하여 변속기로 동력을 전달한다.

06 클러치 라이닝의 구비조건 중 틀린 것은?

① 내마멸성, 내열성이 적을 것
② 알맞은 마찰계수를 갖출 것
③ 온도에 의한 변화가 적을 것
④ 내식성이 클 것

클러치 라이닝의 구비조건
① 고온에 견디고 내마모성이 우수하여야 한다.
② 알맞은 마찰계수를 갖추어야 한다.
③ 온도 변화에 의한 마찰 계수의 변화가 적을 것
④ 기계적 강도가 커야 한다.

07 기계식 변속기가 설치된 건설기계에서 클러치 판의 비틀림 코일 스프링의 역할은?

① 클러치 판이 더욱 세게 부착되도록 한다.
② 클러치 작동시 충격을 흡수한다.
③ 클러치의 회전력을 증가시킨다.
④ 클러치 압력판의 마멸을 방지한다.

비틀림 코일(댐퍼) 스프링은 클러치 판이 플라이휠에 접속될 때 회전 충격을 흡수한다.

정답 01.② 02.① 03.③ 04.③ 05.③ 06.① 07.②

08 휠 구동식 건설기계의 수동변속기에서 클러치 판 댐퍼 스프링의 역할은?

① 클러치 브레이크 역할을 한다.
② 클러치 접속시 회전충격을 흡수한다.
③ 클러치 판에 압력을 가한다.
④ 클러치 분리가 잘 되도록 한다.

09 클러치 디스크의 편 마멸, 변형, 파손 등의 방지를 위해 설치하는 스프링은?

① 쿠션 스프링 ② 댐퍼 스프링
③ 편심 스프링 ④ 압력 스프링

쿠션 스프링은 클러치판 의 변형, 편마모 및 파손을 방지한다.

10 클러치 판(clutch plate)의 변형을 방지하는 것은?

① 압력판(pressure plate)
② 쿠션(cushion) 스프링
③ 토션(torsion) 스프링
④ 릴리스 레버 스프링

11 수동변속기가 장착된 건설기계의 동력전달 장치에서 클러치 판은 어떤 축의 스플라인에 끼어져 있는가?

① 추진축 ② 차동기어 장치
③ 크랭크축 ④ 변속기 입력축

클러치 판의 허브 스플라인은 변속기 입력축의 스플라인에 끼어져 있다.

12 클러치에서 압력판의 역할로 맞는 것은?

① 클러치 판을 밀어서 플라이휠에 압착시키는 역할을 한다.
② 제동역할을 위해 설치한다.
③ 릴리스 베어링의 회전을 용이하게 한다.
④ 엔진의 동력을 받아 속도를 조절한다.

클러치의 압력 판은 클러치 판을 밀어서 플라이휠에 압착시키는 역할을 한다.

13 기관의 플라이휠과 항상 같이 회전하는 부품은?

① 압력판 ② 릴리스 베어링
③ 클러치 축 ④ 디스크

클러치 압력판은 기관의 플라이휠과 항상 같이 회전한다.

14 기계식 변속기가 장착된 건설기계에서 클러치 스프링의 장력이 약하면 어떤 현상이 발생되는가?

① 주행속도가 빨라진다.
② 기관의 회전속도가 빨라진다.
③ 기관이 정지한다.
④ 클러치가 미끄러진다.

클러치 스프링은 압력판과 클러치 커버 사이에 설치되어 압력판에 강력한 힘이 발생되도록 한다. 스프링의 장력이 약하면 클러치가 미끄러진다.

15 기계식 변속기의 클러치에서 릴리스 베어링과 릴리스 레버가 분리되어 있을 때로 맞는 것은?

① 클러치가 연결되어 있을 때
② 접촉하면 안 되는 것으로 분리되어 있을 때
③ 클러치가 분리되어 있을 때
④ 클러치가 연결, 분리되어 있을 때

클러치 릴리스 베어링은 페달을 밟으면 릴리스 레버를 눌러 클러치를 분리시킨다.

16 수동식 변속기가 장착된 장비에서 클러치 페달에 유격을 두는 이유는?

① 클러치 용량을 크게 하기 위해
② 클러치의 미끄럼을 방지하기 위해
③ 엔진 출력을 증가시키기 위해
④ 제동성능을 증가시키기 위해

클러치 페달에 유격을 두는 이유는 클러치의 미끄럼을 방지하기 위함이다.

정답 08.② 09.① 10.② 11.④ 12.① 13.① 14.④ 15.① 16.②

17 **클러치 페달에 대한 설명으로 틀린 것은?**

① 펜던트식과 플로어식이 있다.
② 페달 자유유격은 일반적으로 20~30mm 정도로 조정한다.
③ 클러치 판이 마모될수록 자유유격이 커져서 미끄러지는 현상이 발생한다.
④ 클러치가 완전히 끊긴 상태에서도 발판과 페달과의 간격은 20mm 이상 확보해야 한다.

클러치 판이 마모되면 페달의 자유유격이 작아지며, 클러치가 미끄러지는 현상이 발생한다.

18 **클러치 페달의 자유간극 조정방법은?**

① 클러치 링키지 로드로 조정
② 클러치 베어링을 움직여서 조정
③ 클러치 스프링 장력으로 조정
④ 클러치 페달 리턴스프링 장력으로 조정

클러치 페달의 자유간극은 클러치 링키지 로드로 조정한다.

19 **출발 시 클러치의 페달이 거의 끝부분에서 차량이 출발되는 원인으로 틀린 것은?**

① 클러치 디스크 과대 마모
② 클러치 자유간극 조정 불량
③ 클러치 케이블 불량
④ 클러치 오일의 부족

클러치의 페달이 거의 끝부분에서 차량이 출발되는 원인은 클러치 디스크 과대 마모, 클러치 자유간극 조정 불량, 클러치 케이블 불량 등이다.

20 **클러치 용량에 대한 설명으로 틀린 것은?**

① 엔진 회전력의 약 2~3배 정도 커야 한다.
② 용량이 너무 크면 연결시 엔진이 정지하기 쉽다.
③ 용량이 너무 적으면 클러치가 미끄러진다.
④ 엔진 회전력보다 용량이 적어야 한다.

클러치 용량
① 엔진 회전력의 약 2~3배정도 커야 한다.
② 용량이 너무 크면 연결시 엔진이 정지하기 쉽다.
③ 용량이 너무 적으면 클러치가 미끄러진다.
④ 엔진 회전력보다 용량이 커야 한다.

21 **일반적으로 클러치의 용량은 엔진 회전력의 몇 배이며 이보다 클 때 나타나는 현상은?**

① 1.5~2.5배 정도이며 클러치가 엔진 플라이휠에서 분리될 때 충격이 오기 쉽다.
② 1.5~2.5배 정도이며 클러치가 엔진 플라이휠에 접속될 때 엔진이 정지되기 쉽다.
③ 3.5~4.5배 정도이며 압력판이 엔진 플라이휠에 접속될 때 엔진이 정지되기 쉽다.
④ 3.5~4.5배 정도이며 압력판이 엔진 플라이휠에서 분리될 때 엔진이 정지되기 쉽다.

클러치 용량이란 클러치가 전달할 수 있는 회전력의 크기이며, 엔진 회전력의 1.5~2.5배로 설계한다. 용량이 크면 클러치가 접속될 때 엔진이 정지되기 쉽고, 용량이 적으면 클러치가 미끄러진다.

22 **클러치에 대한 설명으로 틀린 것은?**

① 클러치는 수동식 변속기에 사용된다.
② 클러치 용량이 너무 크면 엔진이 정지하거나 동력전달 시 충격이 일어나기 쉽다.
③ 엔진 회전력보다 클러치 용량이 적어야 한다.
④ 클러치 용량이 너무 적으면 클러치가 미끄러진다.

클러치의 용량은 엔진 회전력의 1.5~2.5배로 설계한다.

정답 17.③ 18.① 19.④ 20.④ 21.② 22.③

23 **클러치의 미끄러짐은 언제 가장 현저하게 나타나는가?**

① 공전 ② 저속
③ 가속 ④ 고속

클러치의 미끄러짐은 가속할 때 가장 현저하게 나타난다.

24 **운전 중 클러치가 미끄러질 때의 영향이 아닌 것은?**

① 속도감소
② 견인력 감소
③ 연료 소비량 증가
④ 엔진의 과냉

25 **기계식 변속기가 장착된 건설기계 장비에서 클러치가 미끄러지는 원인으로 맞는 것은?**

① 클러치 페달의 유격이 크다.
② 릴리스 레버가 마멸되었다.
③ 클러치 압력판 스프링이 약해졌다.
④ 파일럿 베어링이 마멸되었다.

클러치가 미끄러지는 원인
① 클러치 페달의 자유간극(유격)이 작다.
② 클러치 판의 마멸이 심하다.
③ 클러치 판에 오일이 묻었다.
④ 플라이휠 및 압력판이 손상 또는 변형되었다.
⑤ 클러치 스프링의 장력이 약하거나, 자유높이가 감소되었다.

26 **수동식 변속기 건설기계를 운행 중 급가속시켰더니 기관의 회전은 상승하는데 차속이 증속되지 않았다. 그 원인에 해당되는 것은?**

① 클러치 파일럿 베어링의 파손
② 릴리스 포크의 마모
③ 클러치 페달의 유격 과대
④ 클러치 디스크 과대 마모

주행 중 급가속을 할 때 기관의 회전은 상승하는데 차속이 증속되지 않는 원인은 클러치 디스크가 과대 마모되어 클러치가 미끄러지기 때문이다.

27 **마찰 클러치에서 클러치가 미끄러지는 원인과 관계없는 것은?**

① 클러치 면에 오일이 묻었다.
② 플라이휠 면이 마모되었다.
③ 클러치 페달의 유격이 없다.
④ 클러치 페달의 유격이 크다.

클러치 페달의 유격이 크면 동력의 차단이 불량하게 된다.

28 **수동변속기가 설치된 건설기계에서 클러치가 미끄러지는 원인으로 가장 거리가 먼 것은?**

① 클러치 페달의 자유간극 과소
② 압력판의 마멸
③ 클러치 판에 오일부착
④ 클러치 판의 런 아웃 과다

클러치 판의 런아웃이 과다하면 동력의 차단이 불량하게 된다.

29 **기계식 변속기가 설치된 건설기계 장비에서 출발 시 진동을 일으키는 원인으로 가장 적합한 것은?**

① 릴리스 레버가 마멸 되었다.
② 릴리스 레버의 높이가 같지 않다.
③ 페달 리턴 스프링이 강하다.
④ 클러치 스프링이 강하다.

릴리스 레버의 높이가 0.5mm 이상 차이가 있으면 출발할 때 진동이 발생한다.

30 **클러치 페달을 밟을 때 클러치에서 소음이 나는 원인으로 맞는 것은?**

① 디스크 페이싱에 오일이 묻었을 때
② 릴리스 베어링이 윤활부족 및 파손 시
③ 디스크 페이싱 과도한 마모 시
④ 릴리스 레버 높이가 서로 틀릴 경우

릴리스 베어링이 파손되었거나 윤활이 부족하면 클러치 페달을 밟았을 때 소음이 난다.

정답 23.③ 24.④ 25.③ 26.④ 27.④ 28.④ 29.② 30.②

31 **동력전달장치에서 클러치의 고장과 관계없는 것은?**

① 클러치 압력판 스프링 손상
② 클러치 면의 마멸
③ 플라이휠 링 기어의 마멸
④ 릴리스 레버의 조정불량

32 **수동식 변속기가 장착된 건설장비에서 클러치가 끊어지지 않는 원인으로 맞는 것은?**

① 클러치 페달의 유격이 너무 크다.
② 클러치 페달의 유격이 작다.
③ 클러치 디스크의 마모가 많다.
④ 압력판의 마모가 많다.

33 **클러치 차단이 불량한 원인이 아닌 것은?**

① 릴리스 레버의 마멸
② 클러치 판의 흔들림
③ 페달 유격이 과대
④ 토션 스프링의 약화

토션(비틀림) 스프링은 클러치 접촉시 회전충격을 흡수한다.

수동변속기

01 **변속기의 필요조건이 아닌 것은?**

① 회전력을 증대시킨다.
② 기관을 무부하 상태로 한다.
③ 회전수를 증가시킨다.
④ 역전이 가능하다.

변속기의 필요성
① 회전력을 증대시키기 위하여 필요하다.
② 엔진을 시동할 때 무부하 상태로 있게 하기 위하여 필요하다.
③ 자동차의 후진을 위하여 필요하다..

02 **변속기의 필요성과 관계가 먼 것은?**

① 기관의 회전력을 증대시킨다.
② 시동시 장비를 무부하 상태로 한다.
③ 장비의 후진시 필요하다.
④ 환향을 빠르게 한다.

03 **건설기계에서 변속기의 구비조건으로 가장 적합한 것은?**

① 대형이고, 고장이 없어야 한다.
② 조작이 쉬우므로 신속할 필요는 없다.
③ 연속적 변속에는 단계가 있어야 한다.
④ 전달효율이 좋아야 한다.

변속기의 구비조건
① 소형이고, 고장이 없어야 한다.
② 조작이 쉽고 신속하여야 한다.
③ 단계가 없이 연속적으로 변속이 되어야 한다.
④ 전달효율이 좋아야 한다.

04 **변속기의 록킹 볼이 마멸되면 어떻게 되는가?**

① 변속할 때 소리가 난다.
② 변속 레버의 유격이 크게 된다.
③ 기어가 이중으로 물린다.
④ 기어가 빠지기 쉽다.

록킹 볼은 변속 시에 변속 감각과 기어의 물림이 빠지는 것을 방지한다. 록킹 볼이 마멸되거나 스프링의 장력이 작으면 기어의 물림이 빠지게 된다.

05 **장비의 운행 중 변속레버가 빠질 수 있는 원인에 해당되는 것은?**

① 기어가 충분히 물리지 않았을 때
② 클러치 조정이 불량할 때
③ 릴리스 베어링이 파손되었을 때
④ 클러치 연결이 분리되었을 때

기어가 빠지는 원인
① 록킹 볼 스프링의 장력이 작다.
② 기어의 마모가 심하다.
③ 록킹 볼이 마멸 되었다.
④ 기어가 충분히 물리지 않았다.

정답 31.③ 32.① 33.④ ▌ 01.③ 02.④ 03.④ 04.④ 05.①

06 **수동변속기가 장착된 건설기계에서 기어의 이중 물림을 방지하는 장치는?**

① 인젝션 장치 ② 인터쿨러 장치
③ 인터록 장치 ④ 인터널 기어장치

인터록 장치는 시프트 레일 홈 사이에 인터록 볼을 설치하여 변속 중 기어가 이중으로 물리는 것을 방지한다.

07 **클러치가 연결된 상태에서 기어 변속을 하면 일어나는 현상은?**

① 기어에서 소리가 나고 기어가 상한다.
② 변속 레버가 마모된다.
③ 클러치 디스크가 마멸된다.
④ 변속이 원활하다.

클러치가 연결된 상태에서 기어 변속을 하면 기어에서 소리가 나고 기어가 상한다.

08 **수동변속기에서 변속할 때 기어가 끌리는 소음이 발생하는 원인으로 맞는 것은?**

① 브레이크 라이닝의 마모
② 클러치 판의 마모
③ 변속기 출력축의 속도계 구동기어 마모
④ 클러치가 유격이 너무 클 때

클러치 유격이 과대하면 클러치 차단이 불량하여 변속할 때 기어의 소음이 발생된다.

09 **건설기계 장비의 변속기에서 기어의 마찰소리가 나는 이유가 아닌 것은?**

① 기어 백래시가 과다.
② 변속기 베어링의 마모
③ 변속기의 오일부족
④ 웜과 웜기어의 마모

변속기에서 기어의 마찰소리가 나는 이유
① 기어 백래시가 과다.
② 변속기 베어링의 마모
③ 변속기의 오일부족

10 **정상 작동되었던 변속기에서 심한 소음이 난다. 그 원인과 가장 거리가 먼 것은?**

① 변속기 베어링의 마모
② 변속기 기어의 마모
③ 변속기 오일의 부족
④ 점도지수가 높은 오일 사용

11 **타이어식 건설기계에서 전·후 주행이 되지 않을 때 점검하여야 할 곳으로 틀린 것은?**

① 타이로드 엔드를 점검한다.
② 변속장치를 점검한다.
③ 유니버설 조인트를 점검한다.
④ 주차 브레이크 잠김 여부를 점검한다.

토크 컨버터

01 **유체 클러치에서 가이드 링의 역할은?**

① 유체 클러치의 와류를 증가시킨다.
② 유체 클러치의 유격을 조정한다.
③ 유체 클러치의 와류를 감소시킨다.
④ 유체 클러치의 마찰을 감소시킨다.

02 **유체 클러치에서 펌프와 터빈의 회전속도가 같을 때 토크 변환율은 약 얼마인가?**

① 1 : 0.5 ② 1 : 0.8
③ 1 : 1 ④ 2 : 1

03 **토크 컨버터 동력전달 매체로 맞는 것은?**

① 클러치 판 ② 유체
③ 벨트 ④ 기어

토크 컨버터는 유체 클러치에 스테이터를 추가로 설치하여 회전력을 증대시키며, 엔진에서 전달되는 동력을 유체의 운동 에너지로 변환시킨다.

정답 06.③ 07.① 08.④ 09.④ 10.④ 11.① ▮ 01.③ 02.③ 03.②

04 **토크 컨버터의 3대 구성요소가 아닌 것은?**

① 오버런링 클러치
② 스테이터
③ 펌프
④ 터빈

토크 컨버터는 엔진과 함께 회전하는 펌프, 변속기 입력축에 연결되어 동력을 전달하는 터빈, 펌프와 터빈 사이에 설치되어 오일의 흐름 방향을 바꾸는 스테이터로 구성되어 있다.

05 **토크 컨버터 구성 요소 중 기관에 의해 직접 구동되는 것은?**

① 터빈 ② 펌프
③ 스테이터 ④ 가이드 링

토크 컨버터의 구조
① 펌프 : 크랭크축에 연결되어 엔진이 회전하면 유체 에너지를 발생한다.
② 터빈 : 입력축 스플라인에 접속되어 유체 에너지에 의해 회전한다.
③ 스테이터 : 오일의 흐름 방향을 바꾸어 회전력을 증대시킨다.

06 **엔진과 직결되어 같은 회전수로 회전하는 토크 컨버터의 구성품은?**

① 터빈 ② 펌프
③ 스테이터 ④ 변속기 출력축

07 **토크 컨버터가 유체 클러치와 구조상 다른 점은?**

① 임펠러 ② 터빈
③ 스테이터 ④ 펌프

토크 컨버터가 유체 클러치와 다른 점은 펌프와 터빈 사이에 스테이터를 추가로 설치하여 오일의 흐름 방향을 바꾸어 회전력을 증대시킨다.

08 **토크 컨버터의 오일의 흐름방향을 바꾸어 주는 것은?**

① 펌프 ② 터빈
③ 변속기축 ④ 스테이터

09 **토크 컨버터 구성품 중 스테이터의 기능으로 옳은 것은?**

① 오일의 방향을 바꾸어 회전력을 증대시킨다.
② 토크 컨버터의 동력을 전달 또는 차단시킨다.
③ 오일의 회전속도를 감속하여 견인력을 증대시킨다.
④ 클러치 판의 마찰력을 감소시킨다.

토크 컨버터는 엔진과 함께 회전하는 펌프, 변속기 입력축에 연결되어 동력을 전달하는 터빈, 펌프와 터빈 사이에 설치되어 오일의 흐름 방향을 바꾸어 회전력을 증대시키는 스테이터로 구성되어 있다.

10 **토크 컨버터에 대한 설명으로 맞는 것은?**

① 구성품 중 펌프(임펠러)는 변속기 입력축과 기계적으로 연결되어 있다.
② 펌프, 터빈, 스테이터 등이 상호 운동하여 회전력을 변환시킨다.
③ 엔진 속도가 일정한 상태에서 장비의 속도가 줄어들면 토크는 감소한다.
④ 구성품 중 터빈은 기관의 크랭크축과 기계적으로 연결되어 구동된다.

토크 컨버터의 구조 및 작용
① 펌프(임펠러), 터빈(러너), 스테이터 등이 상호운동 하여 회전력을 변환시킨다.
② 펌프는 기관의 크랭크축에, 터빈은 변속기 입력축과 연결되어 있다.
③ 스테이터는 펌프와 터빈사이의 오일 흐름 방향을 바꾸어 회전력을 증대시킨다.
④ 토크 변환율은 2~3 : 1 이다.
⑤ 오일의 충돌에 의한 효율저하 방지를 위하여 가이드 링을 둔다.
⑥ 엔진 속도가 일정한 상태에서 장비의 속도가 줄어들면 회전력은 증가한다.
⑦ 일정 이상의 과부하가 걸려도 엔진이 정지하지 않는다.
⑧ 마찰 클러치에 비해 연료 소비율이 더 높다.

정답 04.① 05.② 06.② 07.③ 08.④ 09.① 10.②

11 **장비에 부하가 걸릴 때 토크 컨버터의 터빈 속도는 어떻게 되는가?**

① 빨라진다. ② 느려진다.
③ 일정하다. ④ 관계없다.

해설 장비에 부하가 걸릴 때 토크 컨버터의 터빈 속도는 느려진다.

12 **동력전달장치에서 토크 컨버터에 대한 설명 중 틀린 것은?**

① 조작이 용이하고 엔진에 무리가 없다.
② 기계적인 충격을 흡수하여 엔진의 수명을 연장한다.
③ 부하에 따라 자동적으로 변속한다.
④ 일정 이상의 과부하가 걸리면 엔진이 정지한다.

해설 유체가 완충 작용을 하기 때문에 운전 중 소음이 없으며, 일정 이상의 과부하가 걸리면 엔진이 정지되지 않는다.

13 **다음에서 토크 변환기 오일의 구비조건 중 알맞은 것은?**

① 점도가 낮을 것
② 비중이 작을 것
③ 착화점이 낮을 것
④ 비점이 낮을 것

해설 토크 컨버터 오일의 구비조건
① 점도가 낮을 것 ② 비중이 클 것
③ 착화점이 높을 것 ④ 비점이 높을 것
⑤ 윤활성이 좋을 것 ⑥ 응고점이 낮을 것
⑦ 유성이 좋을 것 등이다.

14 **토크 컨버터가 설치된 건설기계 장비의 출발 방법은?**

① 저・고속 레버를 저속위치로 하고 클러치 페달을 밟는다.
② 클러치 페달을 조작할 필요 없이 가속 페달을 서서히 밟는다.
③ 저・고속 레버를 저속위치로 하고 브레이크 페달을 밟는다.
④ 클러치 페달에서 서서히 발을 때면서 가속페달을 밟는다.

15 **토크 컨버터 오일의 구비조건이 아닌 것은?**

① 점도가 높을 것
② 착화점이 높을 것
③ 빙점이 낮을 것
④ 비점이 높을 것

자동변속기

01 **유성기어 장치의 주요 부품은?**

① 유성기어, 베벨기어, 선기어
② 선기어, 클러치기어, 헬리컬 기어
③ 유성기어, 베벨기어, 클러치 기어
④ 선기어, 유성기어, 링기어, 유성캐리어

해설 유성기어 장치의 주요 부품은 선기어, 유성기어, 링기어, 유성캐리어이다.

02 **자동변속기의 구성품이 아닌 것은?**

① 토크 변환기
② 유압 제어장치
③ 싱크로메시 기구
④ 유성기어 유닛

해설 토크 컨버터, 유성 기어 유닛, 유압 제어 장치로 구성되어 있다.

03 **자동변속기의 메인 압력이 떨어지는 이유가 아닌 것은?**

① 클러치판 마모
② 오일펌프 내 공기 생성
③ 오일필터 막힘
④ 오일 부족

해설 자동변속기의 메인 압력이 떨어지는 이유는 오일펌프 내 공기 생성, 오일필터 막힘, 오일 부족 등이다.

정답 11.② 12.④ 13.① 14.② 15.① ▮ 01.④ 02.③ 03.①

04 자동변속기의 과열 원인이 아닌 것은?

① 메인 압력이 높다.
② 과부하 운전을 계속하였다.
③ 오일이 규정량보다 많다.
④ 변속기 오일 쿨러가 막혔다.

자동변속기의 과열 원인
① 메인 압력이 규정보다 높은 경우
② 과부하 운전을 계속하는 경우
③ 오일이 규정량보다 적은 경우
④ 변속기 오일 쿨러가 막힌 경우

05 자동변속기가 장착된 건설기계에서 엔진은 회전하나 장비가 움직이지 않을 때 점검사항으로 옳지 않은 것은?

① 트랜스미션 에어 브리드 점검
② 트랜스미션 오일량 점검
③ 변속레버(인히비트 스위치)점검
④ 컨트롤 밸브(control valve) 오일 압력 점검

자동변속기가 장착된 건설기계에서 엔진은 회전하나 장비가 움직이지 않을 때에는 트랜스미션 오일량 점검, 변속레버(인히비트 스위치) 점검, 컨트롤 밸브(control valve) 오일 압력 점검 등을 한다.

드라이브 라인

01 유니버설 조인트 중에서 훅형(십자형) 조인트가 가장 많이 사용되는 이유가 아닌 것은?

① 구조가 간단하다.
② 급유가 불필요하다.
③ 큰 동력의 전달이 가능하다.
④ 작동이 확실하다.

훅형(십자형) 조인트를 많이 사용하는 이유는 구조가 간단하고, 작동이 확실하며, 큰 동력의 전달이 가능하기 때문이다. 그리고 훅형 조인트에는 그리스를 급유하여야 한다.

02 변속기와 종감속기어 사이의 구동 각도에 변화를 줄 수 있는 동력전달 기구로 옳은 것은?

① 슬립이음　② 자재이음
③ 스태빌라이저　④ 크로스 멤버

자재이음(유니버설 조인트)은 두 축 간의 충격 완화와 각도 변화를 융통성 있게 동력 전달하는 기구이다.

03 동력전달 장치에서 두 축 간의 충격 완화와 각도 변화를 융통성 있게 동력 전달하는 기구는?

① 슬립이음(slip joint)
② 유니버설 조인트(universal joint)
③ 파워 시프트(power shift)
④ 크로스 멤버(cross member)

04 양축 끝에 십자형의 조인트를 가지며 중간 축은 Y형의 원통으로 되어 있고 그 양끝의 각 축에 십자축이 설치되어 있는 조인트는 무엇인가?

① 파빌레 조인트
② 스파이더 그랜저 조인트
③ 트랙터 조인트
④ 벤딕스 조인트

스파이더 그랜저 조인트는 구동축 요크, 피동축 요크, 스파이더, 4조의 니들 롤러 베어링으로 구성되어 있다.

05 십자축 자재이음을 추진축 앞뒤에 둔 이유를 가장 적합하게 설명한 것은?

① 추진축의 진동을 방지하기 위하여
② 회전 각속도의 변화를 상쇄하기 위하여
③ 추진축의 굽음을 방지하기 위하여
④ 길이의 변화를 다소 가능케 하기 위하여

십자축 자재이음은 각도 변화를 주는 부품이며, 추진축 앞뒤에 둔 이유는 회전 각속도의 변화를 상쇄하기 위함이다.

정답 04.③ 05.① ▮ 01.② 02.② 03.② 04.② 05.②

06 드라이브 라인에 슬립 이음을 사용하는 이유는?

① 회전력을 직각으로 전달하기 위해
② 출발을 원활하게 하기 위해
③ 추진축의 길이 방향에 변화를 주기 위해
④ 추진축의 각도변화에 대응하기 위해

드라이브 라인에 슬립이음을 사용하는 이유는 추진축의 길이 방향에 변화를 주기 위함이다.

07 휠 형식 장비의 동력전달 장치에서 슬립 이음이 변화를 가능하게 하는 것은?

① 축의 길이 ② 회전속도
③ 드라이브 각 ④ 축의 진동

슬립이음을 사용하는 이유는 추진축의 길이 변화를 주기 위함이다.

08 동력전달장치에서 추진축의 길이의 변동을 흡수하도록 되어 있는 장치는?

① 슬립이음 ② 자재이음
③ 2중 십자이음 ④ 차축

09 타이어식 건설장비에서 추진축의 스플라인부가 마모되면 어떤 현상이 발생하는가?

① 차동 기어의 물림이 불량하다.
② 클러치 페달의 유격이 크다.
③ 가속 시 미끄럼 현상이 발생한다.
④ 주행 중 소음이 나고 차체에 진동이 있다.

추진축의 스플라인부분이 마모되면 주행 중 소음이 나고 차체에 진동이 발생한다.

10 타이어식 건설기계의 동력전달장치에서 추진축의 밸런스 웨이트에 대한 설명으로 맞는 것은?

① 추진축의 비틀림을 방지한다.
② 추진축의 회전수를 높인다.
③ 변속조작 시 변속을 용이하게 한다.
④ 추진축의 회전 시 진동을 방지한다.

밸런스 웨이트는 추진축이 회전할 때 진동을 방지한다.

11 슬립이음이나 유니버설 조인트에 윤활 주입으로 가장 좋은 것은?

① 유압유 ② 기어 오일
③ 그리스 ④ 엔진 오일

슬립이음이나 유니버설 조인트에 주입하는 윤활유는 그리스이다.

종감속 기어장치 및 자동기어

01 굴삭기 동력전달 계통에서 최종적으로 구동력 증가시키는 것은?

① 트랙 모터 ② 종감속 기어
③ 스프로켓 ④ 변속기

종감속 기어는 동력전달 계통에서 최종적으로 구동력 증가시킨다.

02 엔진에서 발생한 회전동력을 바퀴까지 전달할 때 마지막으로 감속작용을 하는 것은?

① 클러치
② 트랜스미션
③ 프로펠러 샤프트
④ 파이널 드라이브 기어

파이널 드라이브 기어(종감속 기어)는 엔진의 동력을 바퀴까지 전달할 때 마지막으로 감속하여 전달한다.

03 타이어식 장비에서 커브를 돌 때 장비의 회전을 원활히 하기 위한 장치로 맞는 것은?

① 차동장치 ② 최종 감속기어
③ 변속기 ④ 유니버설 조인트

차동장치는 커브를 돌 때 장비의 회전을 원활히 하는 장치이다.

정답 06.③ 07.① 08.① 09.④ 10.④ 11.③ | 01.② 02.④ 03.①

04 **하부 추진체가 휠로 되어 있는 건설기계 장비로 커브를 돌 때 선회를 원활하게 해주는 장치는?**

① 변속기　　② 차동장치
③ 최종 구동장치　　④ 트랜스퍼 케이스

차동장치는 타이어형 건설기계에서 선회할 때 바깥쪽 바퀴의 회전속도를 안쪽 바퀴보다 빠르게 하여 커브를 돌 때 선회를 원활하게 해주는 작용을 한다.

05 **종감속비에 대한 설명으로 맞지 않는 것은?**

① 종감속비는 링 기어 잇수를 구동피니언 잇수로 나눈 값이다.
② 종감속비가 크면 가속성능이 향상된다.
③ 종감속비가 적으면 등판능력이 향상된다.
④ 종감속비는 나누어서 떨어지지 않는 값으로 한다.

종감속비가 적으면 가속성능 및 등판성능은 저하된다.

06 **타이어식 건설기계의 종감속 장치에서 열이 발생하고 있다. 그 원인으로 틀린 것은?**

① 윤활유 부족
② 오일 오염
③ 종감속 기어의 접촉상태 불량
④ 종감속기 하우징 볼트의 과도한 조임

종감속 장치에서 열이 발생하는 원인
① 윤활유 부족
② 윤활유 오염
③ 종감속 기어의 접촉상태 불량

07 **동력전달장치에 사용되는 차동기어 장치에 대한 설명으로 틀린 것은?**

① 선회할 때 좌·우 구동바퀴의 회전속도를 다르게 한다.
② 선회할 때 바깥쪽 바퀴의 회전속도를 증대시킨다.
③ 보통 차동기어 장치는 노면의 저항을 작게 받는 구동바퀴가 더 많이 회전하도록 한다.
④ 기관의 회전력을 크게 하여 구동바퀴에 전달한다.

기관의 회전력을 크게 하여 구동바퀴에 전달하는 장치는 변속기와 종감속 기어이다.

08 **액슬축과 액슬 하우징의 조합 방법에서 액슬축의 지지방식이 아닌 것은?**

① 전부동식　　② 반부동식
③ 3/4 부동식　　④ 1/4 부동식

액슬축(차축) 지지방식
① 전부동식 : 차량을 하중을 하우징이 모두 받고, 액슬축은 동력만을 전달하는 형식
② 반부동식 : 액슬축에서 1/2, 하우징이 1/2 정도의 하중을 지지하는 형식
③ 3/4부동식 : 액슬축이 동력을 전달함과 동시에 차량 하중의 1/4을 지지하는 형식

09 **타이어식 건설기계의 액슬 허브에 오일을 교환하고자 한다. 오일을 배출시킬 때와 주입할 때의 플러그 위치로 옳은 것은?**

① 오일을 배출시킬 때는 플러그를 6시 방향에, 주입할 때는 플러그 방향을 9시에 위치시킨다.
② 오일을 배출시킬 때는 플러그를 3시 방향에, 주입할 때는 플러그 방향을 9시에 위치시킨다.
③ 오일을 배출시킬 때는 플러그를 2시 방향에, 주입할 때는 플러그 방향을 12시에 위치시킨다.
④ 오일을 배출시킬 때는 플러그를 1시 방향에, 주입할 때는 플러그 방향을 9시에 위치시킨다.

액슬 허브 오일을 교환할 때 오일을 배출시킬 경우에는 플러그를 6시 방향에, 주입할 때는 플러그 방향을 9시에 위치시킨다.

정답 04.② 05.③ 06.④ 07.④ 08.④ 09.①

2 chapter 제동장치

1 개요

① 주행 중인 건설기계를 감속 또는 정지시키는 역할을 한다.
② 건설기계의 주차 상태를 유지시키는 역할을 한다.
③ 건설기계의 운동에너지를 열에너지로 바꾸어 제동 작용을 한다.

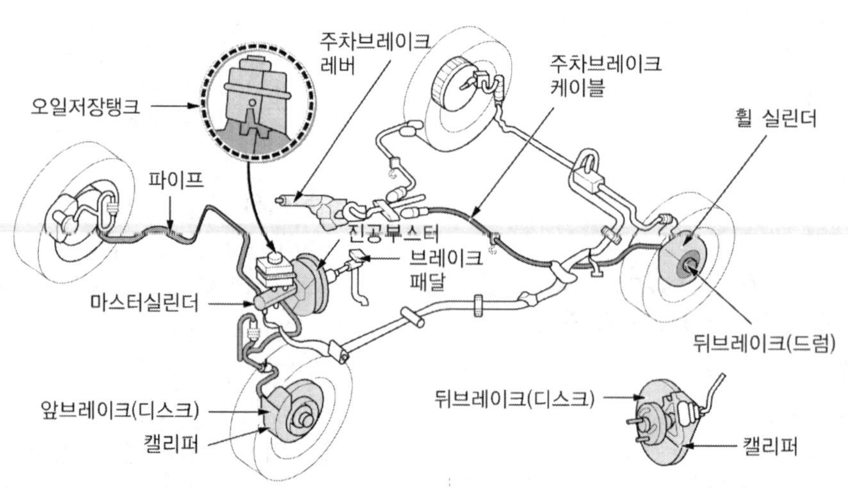

2 구비 조건

① 최고 속도와 차량 중량에 대하여 항상 충분한 제동 작용을 할 것.
② 작동이 확실하고 효과가 클 것.
③ 신뢰성이 높고 내구성이 우수할 것.
④ 점검이나 조정하기가 쉬울 것.
⑤ 조작이 간단하고 운전자에게 피로감을 주지 않을 것.
⑥ 브레이크를 작동시키지 않을 때에는 각 바퀴의 회전에 방해되지 않을 것.

3 유압식 브레이크

① 브레이크 페달의 조작력에 의해 마스터 실린더에서 유압을 발생시킨다.
② 유압은 브레이크 파이프를 통하여 휠 실린더에 전달된다.
③ 휠 실린더는 유압에 의해 피스톤이 이동되어 브레이크슈가 확장되어 제동력을 발생시킨다.

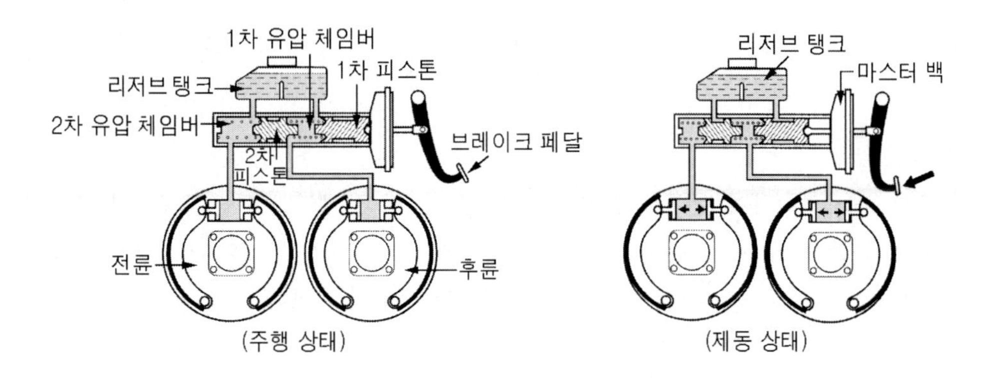

4 유압 브레이크의 구조

① 마스터 실린더 : 브레이크 페달의 조작력을 유압으로 변환시킨다. 체크 밸브는 오일 라인에 잔압을 유지시키는 역할을 한다.
② 휠 실린더 : 마스터 실린더에서 유압을 받아 브레이크 슈를 압착시키는 역할을 한다.
③ 브레이크 슈 : 휠 실린더 피스톤에 의해 브레이크 드럼을 압착시키는 역할을 한다.
④ 브레이크 드럼 : 바퀴와 함께 회전하며, 브레이크 슈와 접촉되어 제동력을 발생시킨다.
⑤ 브레이크 파이프 : 마스터 실린더의 유압을 휠 실린더에 전달한다.

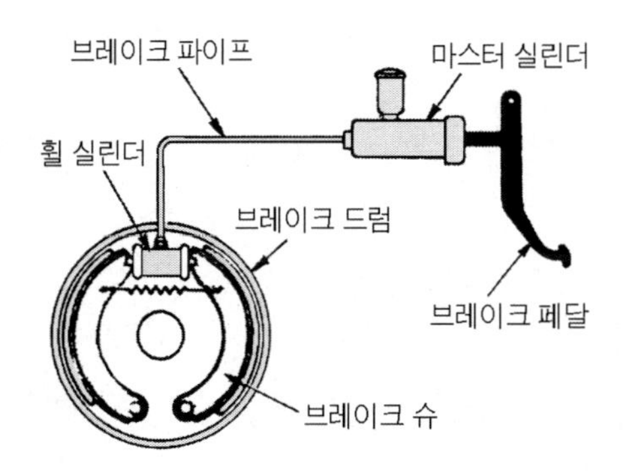

5 베이퍼 록

브레이크 회로 내의 오일이 비등・기화하여 오일의 압력전달 작용을 방해하는 현상이며 그 원인은 다음과 같다.

① 긴 내리막길에서 과도한 풋 브레이크를 사용하는 경우
② 브레이크 드럼과 라이닝의 끌림에 의해 가열되는 경우
③ 마스터 실린더, 브레이크슈 리턴 스프링 쇠손에 의한 잔압이 저하된 경우
④ 브레이크 오일 변질에 의한 비점의 저하 및 불량한 오일을 사용하는 경우

6 페이드 현상

브레이크를 연속하여 자주 사용하면 브레이크 드럼이 과열되어 마찰계수가 떨어지며, 브레이크가 잘 듣지 않는 것으로서 짧은 시간 내에 반복 조작이나 내리막길을 내려갈 때 브레이크 효과가 나빠지는 현상이며. 방지책으로는 다음과 같다.

① 드럼의 냉각성능을 크게 한다.
② 드럼은 열팽창률이 적은 재질을 사용한다.
③ 온도 상승에 따른 마찰계수 변화가 작은 라이닝을 사용한다.
④ 드럼의 열팽창률이 적은 형상으로 한다.

7 배력장치

① 작은 힘으로 큰 제동력을 얻기 위한 장치이다.
② 압축공기 또는 흡기다기관의 진공을 이용하여 더욱 강한 제동력을 얻게 하는 보조기구이다.
③ 진공식(하이드로 백) : 엔진 흡기다기관의 진공과 대기압의 압력차를 이용한다. 배력 장치에 고장이 발생하여도 통상적인 유압 브레이크는 작동한다.
④ 공기식(에어 백) : 공기 압축기의 압력과 대기압의 압력차를 이용한 것이다.

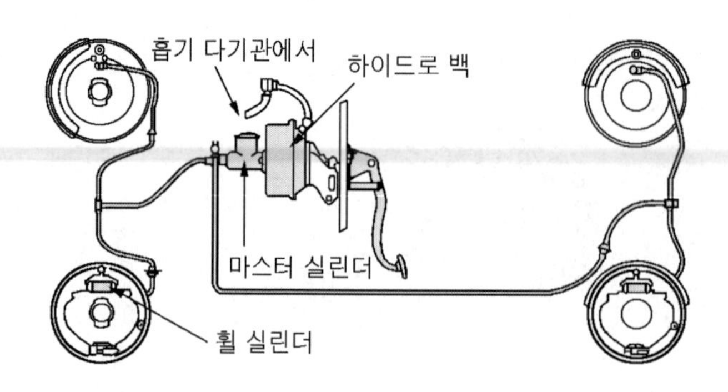

8 공기 브레이크

① 대형 차량에서 압축공기를 이용하여 제동력을 발생시키는 형식이다.
② 브레이크 페달을 밟으면 압축공기가 캠을 이용하여 브레이크 슈를 드럼에 압착시켜 제동력을 발생한다.

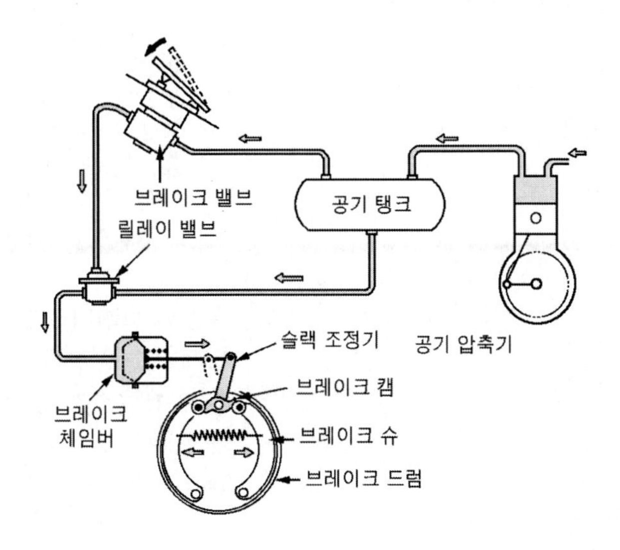

9 브레이크가 잘 듣지 않을 때의 원인

① 휠 실린더 오일 누출
② 라이닝에 오일이 묻었을 때
③ 브레이크 드럼의 간극이 클 때
④ 브레이크 페달 자유 간극이 클 때

10 브레이크가 풀리지 않는 원인

① 마스터 실린더 리턴 포트의 막힘
② 마스터 실린더 컵이 부풀었을 때
③ 브레이크 페달 자유 간극이 적을 때
④ 브레이크 페달 리턴 스프링이 불량할 때
⑤ 마스터 실린더 리턴 스프링이 불량할 때
⑥ 라이닝이 드럼에 소결되었을 때
⑦ 푸시로드를 길게 조정하였을 때

출제예상문제

01 제동장치의 구비조건 중 틀린 것은?

① 작동이 확실하고 잘되어야 한다.
② 신뢰성과 내구성이 뛰어나야 한다.
③ 점검 및 조정이 용이해야 한다.
④ 마찰력이 작아야 한다.

해설 제동장치의 구비 조건
① 점검 및 조정이 용이해야 한다.
② 작동이 확실하고 잘되어야 한다.
③ 신뢰성과 내구성이 뛰어나야 한다.
④ 최고 속도와 차량 중량에 대하여 항상 충분한 제동 작용을 할 것.
⑤ 조작이 간단하고 운전자에게 피로감을 주지 않을 것.

02 유압 브레이크 장치에서 잔압을 유지시켜 주는 부품으로 옳은 것은?

① 피스톤 ② 피스톤 컵
③ 체크 밸브 ④ 실린더 보디

해설 유압 브레이크에서 잔압을 유지시키는 것은 체크밸브이다.

03 브레이크 오일이 비등하여 송유 압력의 전달 작용이 불가능하게 되는 현상은?

① 페이드 현상 ② 베이퍼록 현상
③ 사이클링 현상 ④ 브레이크 록 현상

해설 베이퍼록 현상은 브레이크 회로 내의 오일이 비등·기화하여 송유 압력의 전달이 불가능하게 되는 현상이다.

04 브레이크 장치의 베이퍼 록 발생 원인이 아닌 것은?

① 긴 내리막길에서 과도한 브레이크 사용
② 엔진 브레이크를 장시간 사용
③ 드럼과 라이닝의 끌림에 의한 가열
④ 오일의 변질에 의한 비등점의 저하

해설 베이퍼 록이 발생하는 원인
① 지나친 브레이크 조작
② 드럼의 과열 및 잔압의 저하
③ 긴 내리막길에서 과도한 브레이크 사용
④ 라이닝과 드럼의 간극 과소
⑤ 오일의 변질에 의한 비점 저하
⑥ 불량한 오일 사용
⑦ 드럼과 라이닝의 끌림에 의한 가열

05 유압식 브레이크에서 베이퍼 록의 원인과 관계없는 것은?

① 비점이 높은 브레이크 오일 사용
② 브레이크 간극이 작아 끌림 현상 발생
③ 드럼의 과열
④ 과도한 브레이크 사용

06 타이어식 건설기계 장비의 브레이크 파이프 내에 베이퍼 록이 생기는 원인이다. 관계없는 것은?

① 드럼의 과열
② 지나친 브레이크 조작
③ 잔압의 저하
④ 라이닝과 드럼의 간극 과대

07 긴 내리막길을 내려갈 때 베이퍼 록을 방지하려고 하는 좋은 운전방법은?

① 변속 레버를 중립으로 놓고 브레이크 페달을 밟고 내려간다.
② 시동을 끄고 브레이크 페달을 밟고 내려간다.
③ 엔진 브레이크를 사용한다.
④ 클러치를 끊고 브레이크 페달을 계속 밟고 속도를 조정하면서 내려간다.

해설 경사진 내리막길을 내려갈 때 베이퍼 록을 방지하려면 엔진 브레이크를 사용한다.

정답 01.④ 02.③ 03.② 04.② 05.① 06.④ 07.③

08 **브레이크를 연속하여 자주 사용하면 브레이크 드럼이 과열되어 마찰계수가 떨어지고 브레이크가 잘 듣지 않는 것으로 짧은 시간 내에 반복 조작이나, 내리막길을 내려갈 때 브레이크 효과가 나빠지는 현상은?**

① 자기작동 ② 페이드
③ 하이드로 플래닝 ④ 와전류

용어의 정의
① 자기작동 : 제동시 마찰력에 의해 드럼과 함께 회전하려는 경향이 생겨 마찰력이 더욱 증대되는 작용을 말한다.
② 하이드로 플래닝(수막 현상) : 물이 고인 노면을 고속으로 주행할 때 타이어는 홈 사이에 있는 물을 배수하는 기능이 감소되어 물의 저항에 의해 노면으로부터 떠올라 물위를 미끄러지듯이 되는 현상을 말한다.

09 **제동장치의 페이드 현상 방지책으로 틀린 것은?**

① 드럼의 냉각성능을 크게 한다.
② 드럼은 열팽창률이 적은 재질을 사용한다.
③ 온도 상승에 따른 마찰계수 변화가 큰 라이닝을 사용한다.
④ 드럼의 열팽창률이 적은 형상으로 한다.

페이드 현상은 브레이크 라이닝 및 드럼에 마찰열이 축척되어 마찰계수 저하로 제동력이 감소되는 현상으로 방지책은 ①, ②, ④항 이외에 온도 상승에 따른 마찰계수 변화가 작은 라이닝을 사용한다.

10 **운행 중 브레이크에 페이드 현상이 발생했을 때 조치방법은?**

① 브레이크 페달을 자주 밟아 열을 발생시킨다.
② 운행속도를 조금 올려준다.
③ 운행을 멈추고 열이 식도록 한다.
④ 주차 브레이크를 대신 사용한다.

브레이크에 페이드 현상이 발생하면 정차시켜 열이 식도록 한다.

11 **브레이크에서 하이드로 백에 관한 설명으로 틀린 것은?**

① 대기압과 흡기다기관 부압과의 차를 이용하였다.
② 하이드로 백에 고장이 나면 브레이크가 전혀 작동이 안 된다.
③ 외부에 누출이 없는데도 브레이크 작동이 나빠지는 것은 하이드로 백 고장일 수도 있다.
④ 하이드로 백은 브레이크 계통에 설치되어 있다.

하이드로 백에 고장이 나더라도 브레이크가 작동된다.

12 **진공식 제동 배력장치의 설명 중에서 옳은 것은?**

① 진공밸브가 새면 브레이크가 전혀 작동되지 않는다.
② 릴레이 밸브의 다이어프램이 파손되면 브레이크가 작동되지 않는다.
③ 릴레이 밸브 피스톤 컵이 파손되어도 브레이크는 작동된다.
④ 하이드로릭 피스톤의 체크 볼이 밀착 불량이면 브레이크가 작동되지 않는다.

진공 제동 배력장치(하이드로 백)는 흡기다기관의 진공과 대기압과의 차이를 이용한 것이므로 배력장치에 고장이 발생하여도 일반적인 유압 브레이크로 작동할 수 있도록 하고 있다.

13 **공기 브레이크에서 브레이크 슈를 직접 작동시키는 것은?**

① 릴레이 밸브 ② 브레이크 페달
③ 캠 ④ 유압

공기 브레이크에서 브레이크 페달을 밟으면 압축 공기는 브레이크 체임버에서 변화된 기계적 에너지가 푸시로드를 통하여 레버에 전달되어 캠이 좌우 브레이크 슈를 드럼에 압착시켜 제동력이 발생된다.

정답 08.② 09.③ 10.③ 11.② 12.③ 13.③

14 **브레이크가 잘 작동되지 않을 때의 원인으로 가장 거리가 먼 것은?**

① 라이닝에 오일이 묻었을 때
② 휠 실린더 오일이 누출되었을 때
③ 브레이크 페달 자유간극이 작을 때
④ 브레이크 드럼의 간극이 클 때

브레이크가 잘 듣지 않을 때의 원인
① 휠 실린더 오일 누출
② 라이닝에 오일이 묻었을 때
③ 브레이크 드럼의 간극이 클 때
④ 브레이크 페달 자유 간극이 클 때

16 **유압식 브레이크 장치에서 제동이 잘 풀리지 않는 원인에 해당되는 것은?**

① 브레이크 오일 점도가 낮기 때문
② 파이프내의 공기의 침입
③ 첵 밸브의 접촉 불량
④ 마스터 실린더의 리턴구멍 막힘

마스터 실린더의 리턴구멍 막히면 제동이 풀리지 않는다.

17 **브레이크를 밟았을 때 차가 한쪽방향으로 쏠리는 원인으로 가장 거리가 먼 것은?**

① 브레이크 오일 회로에 공기혼입
② 타이어의 좌·우 공기압이 틀릴 때
③ 드럼 슈에 그리스나 오일이 붙었을 때
④ 드럼의 변형

브레이크 회로에 공기가 들어있으면 제동 작용이 잘 안 된다.

정답 14.③ 16.④ 17.①

3 chapter 조향장치

01 조향장치

1 조향장치의 개요

① 건설기계의 주행 방향을 임의로 변환시키는 장치
② 조향 휠을 조작하면 앞바퀴가 향하는 위치가 변환되는 구조로 되어있다.
③ 조향 핸들, 조향 기어 박스, 링크 기구로 구성되어 있다.
④ 조향 조작력의 전달 순서 : 조향 핸들→조향 축→조향 기어→피트먼 암 → 드래그 링크→타이로드→조향 암→바퀴

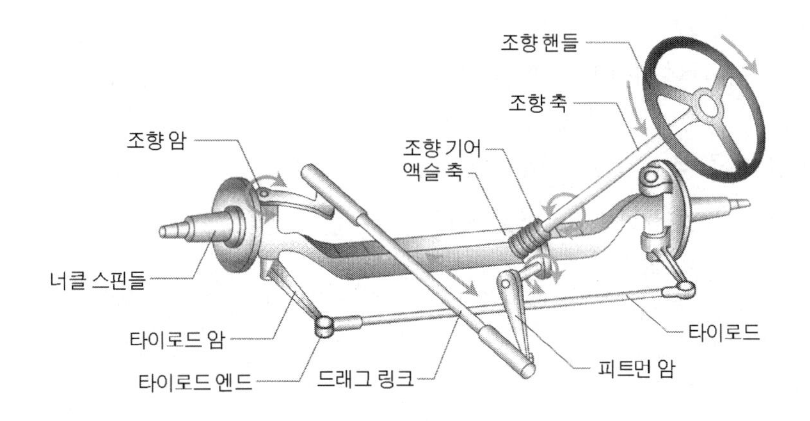

2 조향장치의 원리

① 조향장치는 애커먼 장토식의 원리를 이용한 것이다.
② 직진 상태에서 좌우 타이로드 엔드의 중심 연장선이 뒤차축 중심 점 에서 만난다.
③ 조향 핸들을 회전시키면 좌우 바퀴의 너클 스핀들 중심 연장선이 뒤차축 중심 연장선에서 만난다.
④ 앞바퀴는 어떤 선회 상태에서도 동심원을 그리며 선회한다.
⑤ 액슬 양 끝에는 조향 너클을 설치하기 위하여 킹핀을 끼우는 홈이 있다.

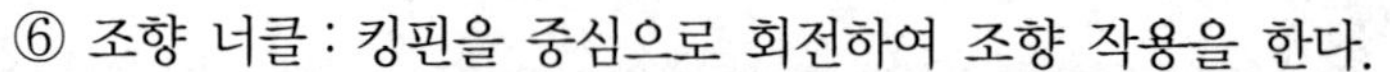

⑥ 조향 너클 : 킹핀을 중심으로 회전하여 조향 작용을 한다.

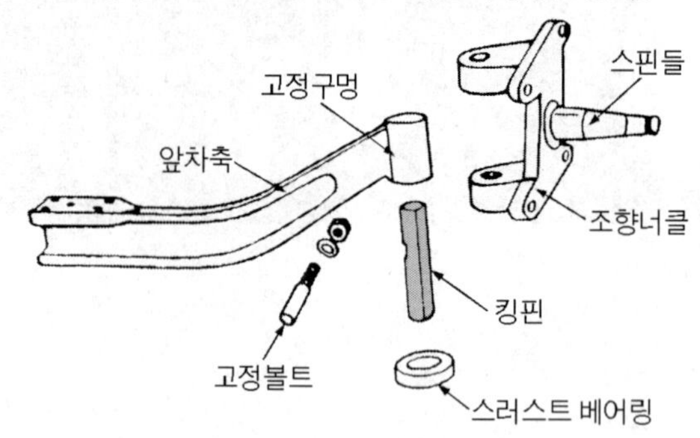

3 조향 핸들의 유격이 크게 되는 원인

① 조향 기어의 백래시가 크다.
② 조향 기어가 마모되었다.
③ 조향기어 링키지 조정이 불량하다.
④ 조향바퀴 베어링 마모
⑤ 피트먼 암이 헐겁다.
⑥ 조향 너클 암이 헐겁다.
⑦ 아이들 암 부시의 마모
⑧ 타이로드의 볼 조인트 마모
⑨ 조향(스티어링) 기어박스 장착부의 풀림

4 조향 핸들의 조작을 가볍게 하는 방법

① 타이어의 공기압을 적정압으로 한다.
② 앞바퀴 정렬을 정확히 한다.
③ 조향 휠을 크게 한다.
④ 동력 조향장치를 사용한다.
⑤ 하중을 감소시킨다.
⑥ 조향기어 관계의 베어링을 잘 조정한다.

5 조향 핸들이 한쪽으로 쏠리는 원인

① 타이어 공기압이 불균일하다.
② 앞차축 한쪽의 스프링이 절손되었다.
③ 브레이크 라이닝 간극이 불균일하다.
④ 휠 얼라인먼트 조정이 불량하다.
⑤ 한쪽의 허브 베어링이 마모되었다.
⑥ 한쪽 쇽업소버의 작동이 불량하다.

6 동력 조향장치의 장점

① 작은 힘으로 조향 조작을 할 수 있다.
② 조향 기어비를 조작력에 관계없이 선정할 수 있다.
③ 굴곡 노면에서 충격을 흡수하여 핸들에 전달되는 것을 방지한다.
④ 조향 핸들의 시미 현상을 줄일 수 있다.
⑤ 노면에서 발생되는 충격을 흡수하기 때문에 킥 백을 방지할 수 있다.

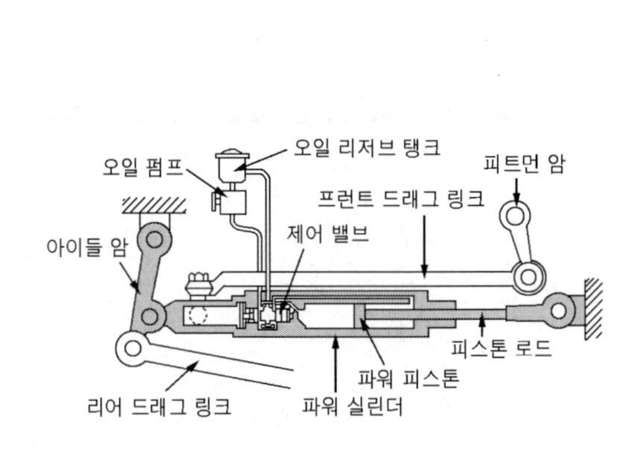

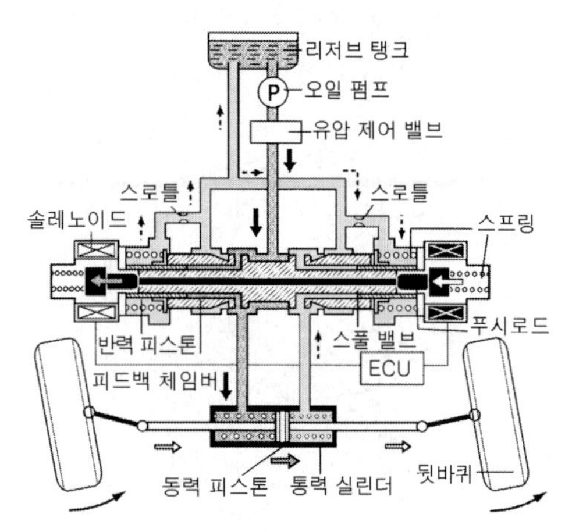

7 동력 조향핸들의 조작이 무거운 원인

① 유압계통 내에 공기가 유입되었다.
② 타이어의 공기 압력이 너무 낮다.
③ 오일이 부족하거나 유압이 낮다.
④ 조향펌프(오일펌프)의 회전속도가 느리다.
⑤ 오일펌프의 벨트가 파손되었다.
⑥ 오일호스가 파손되었다.

02 앞바퀴 정렬(휠 얼라인먼트)

1 앞바퀴 정렬의 필요성

① 조향 핸들의 조작을 작은 힘으로 쉽게 할 수 있도록 한다.
② 조향 핸들의 조작을 확실하게 하고 안전성을 준다.
③ 진행 방향을 변환시키면 조향 핸들에 복원성을 준다.
④ 선회시 사이드슬립을 방지하여 타이어의 마멸을 최소로 한다.
⑤ 얼라인먼트의 요소 : 캠버, 캐스터, 토인, 킹핀 경사각

2 앞바퀴 정렬의 요소

(1) 캠버(camber)

앞바퀴를 앞에서 보았을 때 타이어 중심선이 수선에 대해 어떤 각도를 두고 설치되어 있는 상태를 말한다. 필요성은 다음과 같다.

① 조향 핸들의 조작을 가볍게 한다.
② 수직 방향의 하중에 의한 앞 차축의 휨을 방지한다.
③ 하중을 받았을 때 바퀴의 아래쪽이 바깥쪽으로 벌어지는 것을 방지한다.
④ 토(Toe)와 관련성이 있다.

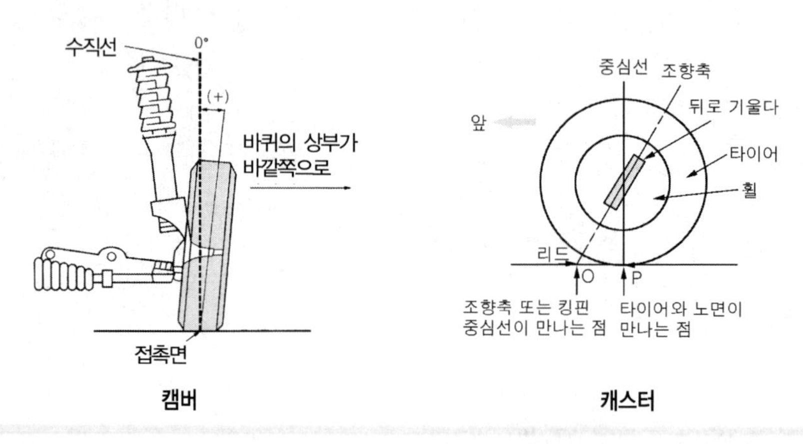

캠버 캐스터

(2) 캐스터(caster)

앞바퀴를 옆에서 보았을 때 킹핀의 중심선이 수선에 대해 어떤 각도를 두고 설치되어 있는 상태를 말하며, 캐스터의 효과는 정의 캐스터에서만 얻을 수 있다.

(3) 토인(toe-in)

앞바퀴를 위에서 보았을 때 좌우 타이어 중심선간의 거리가 앞쪽이 뒤쪽보다 좁은 것으로 보통 2 ~ 6 mm 정도가 좁다. 토인의 필요성은 다음과 같다.

① 앞바퀴를 평행하게 회전시킨다.
② 앞바퀴가 옆 방향으로 미끄러지는 것을 방지한다.
③ 타이어의 이상 마멸을 방지한다.
④ 조향 링키지의 마멸에 의해 토 아웃됨을 방지한다.
⑤ 토인은 반드시 직진상태에서 측정해야 한다.
⑥ 토인은 타이로드 길이로 조정한다.

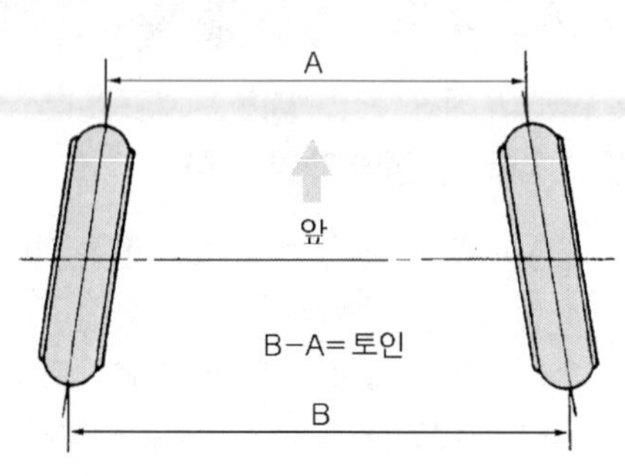

출 제 예 상 문 제

조향장치

01 **건설기계 장비의 조향장치 원리는 무슨 형식인가?**

① 애커먼 장토식 ② 포토래스형
③ 전부동식 ④ 빌드업형

해설 조향 장치는 선회하는 안쪽 바퀴의 조향각을 바깥쪽 바퀴의 조향각보다 크게 하여 동심원을 그리며 선회할 수 있도록 하는 애커먼 장토식의 원리를 이용한 것이다.

02 **조향핸들에서 바퀴까지의 조작력 전달순서로 다음 중 가장 적합한 것은?**

① 핸들→피트먼 암→드래그 링크→조향 기어→타이로드→조향암→바퀴
② 핸들→드래그 링크→조향기어→피트먼 암→타이로드→조향암→바퀴
③ 핸들→조향암→조향기어→드래그 링크→피트먼 암→타이로드→바퀴
④ 핸들→조향기어→피트먼 암→드래그 링크→타이로드→조향암→바퀴

해설 조향 조작력의 전달순서 : 핸들→조향축→조향기어→피트먼 암→드래그 링크→타이로드→조향암→바퀴

03 **조향기구 장치에서 앞 액슬과 너클 스핀들을 연결하는 것은?**

① 타이로드 ② 스티어링 암
③ 드래그 링크 ④ 킹핀

해설 액슬 양 끝에는 조향 너클을 설치하기 위하여 킹핀을 끼우는 홈이 있다.

04 **기계식 조향 장치에서 조향 기어의 구성품이 아닌 것은?**

① 웜 기어 ② 섹터 기어
③ 조정 스크루 ④ 하이포이드 기어

05 **타이어식 장비에서 핸들 유격이 클 경우가 아닌 것은?**

① 타이로드의 볼 조인트 마모
② 스티어링 기어 박스 장착부의 풀림
③ 스태빌라이저 마모
④ 아이들 암 부시의 마모

해설 조향 핸들의 유격이 커지는 원인
① 조향(스티어링) 기어 박스 장착부의 풀림
② 조향 기어 링키지 조정 불량
③ 피트먼 암의 헐거움
④ 아이들 암 부시의 마모
⑤ 타이로드의 볼 조인트 마모
⑥ 조향 바퀴 베어링 마모
⑦ 조향 기어 백래시 과다

06 **조향 핸들의 유격이 커지는 원인과 관계없는 것은?**

① 피트먼 암의 헐거움
② 타이어 공기압 과대
③ 조향 기어 링키지 조정 불량
④ 앞바퀴 베어링 과대 마모

07 **조향기어 백래시가 클 경우 발생될 수 있는 현상은?**

① 핸들의 유격이 커진다.
② 조향 핸들의 축 방향 유격이 커진다.
③ 조향 각도가 커진다.
④ 핸들이 한쪽으로 쏠린다.

정답 01.① 02.④ 03.④ 04.④ 05.③ 06.② 07.①

08 **타이어식 건설기계 장비에서 평소에 비하여 조작력이 더 요구될 때(핸들이 무거울 때) 점검해야 할 사항으로 가장 거리가 먼 것은?**

① 기어박스 내의 오일
② 타이어 공기압
③ 타이어 트레드 모양
④ 앞바퀴 정렬

핸들이 무거울 때 점검해야 할 사항은 기어박스 내의 오일, 타이어 공기압, 앞바퀴 정렬 등이다.

09 **조향핸들의 조작을 가볍게 하는 방법으로 틀린 것은?**

① 저속으로 주행한다.
② 바퀴의 정렬을 정확히 한다.
③ 동력조향을 사용한다.
④ 타이어의 공기압을 높인다.

핸들의 조작을 가볍게 하는 방법
① 타이어의 공기압을 높인다.
② 바퀴의 정렬을 정확히 한다.
③ 조향 휠을 크게 한다.
④ 고속으로 주행한다.
⑤ 차량의 하중을 감소시킨다.
⑥ 조향 기어 관계의 베어링을 잘 조정한다.
⑦ 동력 조향을 사용한다.

10 **타이어식 건설기계 장비에서 조향 핸들의 조작을 가볍고 원활하게 하는 방법과 가장 거리가 먼 것은?**

① 동력조향을 사용한다.
② 바퀴의 정렬을 정확히 한다.
③ 타이어 공기압을 적정압으로 한다.
④ 종감속 장치를 사용한다.

11 **타이어식 건설기계에서 주행 중 핸들이 떨리는 원인으로 가장거리가 먼 것은?**

① 타이어 밸런스가 맞지 않을 때
② 휠이 휘었을 때
③ 스티어링 기어의 마모가 심할 때
④ 포크가 휘었을 때

12 **타이어식 건설기계에서 주행 중 조향핸들이 한쪽으로 쏠리는 원인이 아닌 것은?**

① 타이어 공기압 불균일
② 브레이크 라이닝 간극 조정 불량
③ 베이퍼 록 현상 발생
④ 휠 얼라인먼트 조정 불량

베이퍼록 현상은 액체가 흐르는 파이프에 열이 가해져 액체가 증기로 되어 액체의 흐름을 방해하는 현상으로 연료장치나 제동장치 등에서 발생하기 쉽다.

동력 조향장치

01 **동력 조향장치의 장점으로 적합하지 않은 것은?**

① 작은 조작력으로 조향 조작을 할 수 있다.
② 조향 기어비는 조작력에 관계없이 선정할 수 있다.
③ 굴곡 노면에서의 충격을 흡수하여 조향 핸들에 전달되는 것을 방지한다.
④ 조작이 미숙하면 엔진이 자동으로 정지된다.

동력 조향장치의 장점
① 작은 조작력으로 조향 조작을 할 수 있다.
② 조향 기어비를 조작력에 관계없이 선정할 수 있다.
③ 굴곡 노면에서의 충격을 흡수하여 조향핸들에 전달되는 것을 방지한다.
④ 조향 핸들의 시미 현상을 줄일 수 있다.

02 **동력 조향장치의 장점과 거리가 먼 것은?**

① 작은 조작력으로 조향 조작이 가능하다.
② 조향 핸들의 시미현상을 줄일 수 있다.
③ 설계·제작 시 조향 기어비를 조작력에 관계없이 선정할 수 있다.
④ 조향 핸들의 유격 조정이 자동으로 되어 볼 조인트의 수명이 반영구적이다.

정답 08.③ 09.① 10.④ 11.④ 12.③ | 01.④ 02.④

03 **파워 스티어링에서 핸들이 매우 무거워 조작하기 힘든 상태일 때의 원인으로 맞는 것은?**

① 바퀴가 습지에 있다.
② 조향 펌프에 오일이 부족하다.
③ 볼 조인트의 교환시기가 되었다.
④ 핸들 유격이 크다.

조향 핸들의 조작이 무거운 원인
① 유압계통 내에 공기가 유입되었다.
② 타이어의 공기 압력이 너무 낮다.
③ 오일이 부족하거나 유압이 낮다.
④ 조향 펌프(오일펌프)의 회전속도가 느리다.
⑤ 오일펌프의 벨트가 파손되었다.
⑥ 오일 호스가 파손되었다.

04 **조향 핸들의 조작이 무거운 원인으로 틀린 것은?**

① 유압유 부족 시
② 타이어 공기압 과다 주입 시
③ 앞바퀴 휠 얼라인먼트 조정불량 시
④ 유압계통 내에 공기혼입 시

05 **타이어식 건설기계 주행 중 동력 조향 핸들의 조작이 무거운 이유가 아닌 것은?**

① 유압이 낮다.
② 호스나 부품 속에 공기가 침입했다.
③ 오일펌프의 회전이 빠르다.
④ 오일이 부족하다.

휠 얼라인먼트

01 **타이어식 건설기계에서 앞바퀴 정렬의 역할과 거리가 먼 것은?**

① 브레이크의 수명을 길게 한다.
② 타이어 마모를 최소로 한다.
③ 방향 안정성을 준다.
④ 조향 핸들의 조작을 작은 힘으로 쉽게 할 수 있다.

앞바퀴 정렬의 필요성
① 조향 핸들의 조작을 작은 힘으로 쉽게 할 수 있도록 한다.
② 조향 핸들의 조작을 확실하게 하고 안전성을 준다.
③ 진행 방향을 변환시키면 조향핸들에 복원성을 준다.
④ 선회시 사이드슬립을 방지하여 타이어의 마멸을 최소로 한다.

02 **타이어식 건설장비에서 조향바퀴의 얼라인먼트 요소와 관련 없는 것은?**

① 캠버　　② 캐스터
③ 토인　　④ 부스터

03 **앞바퀴 정렬 중 캠버의 필요성에서 가장 거리가 먼 것은?**

① 앞차축의 휨을 적게 한다.
② 조향 휠의 조작을 가볍게 한다.
③ 조향시 바퀴의 복원력이 발생한다.
④ 토(Toe)와 관련성이 있다.

캠버의 필요성
① 조향 핸들의 조작을 가볍게 한다.
② 수직 하중에 의한 앞차축의 휨을 방지한다.
③ 하중을 받았을 때 바퀴의 아래쪽이 바깥쪽으로 벌어지는 것을 방지한다.
④ 토(Toe)와 관련성이 있다.

04 **타이어식 건설기계의 휠 얼라인먼트에서 토인의 필요성이 아닌 것은?**

① 조향바퀴의 방향성을 준다.
② 타이어 이상 마멸을 방지한다.
③ 조향바퀴를 평행하게 회전시킨다.
④ 바퀴가 옆 방향으로 미끄러지는 것을 방지한다.

토인의 필요성
① 앞바퀴를 평행하게 회전시킨다.
② 앞바퀴가 옆 방향으로 미끄러지는 것을 방지한다.
③ 타이어의 이상 마멸을 방지한다.
④ 조향 링키지의 마멸에 의해 토 아웃됨을 방지한다.

정답 03.② 04.② 05.③ ▮ 01.① 02.④ 03.③ 04.①

05 **타이어식 장비에서 캠버가 틀어졌을 때 가장 거리가 먼 것은?**

① 핸들의 쏠림 발생
② 로어 암 휨 발생
③ 타이어 트레드의 편마모 발생
④ 휠 얼라인먼트 점검 필요

06 **타이어식 건설기계 장비에서 토인에 대한 설명으로 틀린 것은?**

① 토인은 반드시 직진상태에서 측정해야 한다.
② 토인은 직진성을 좋게 하고 조향을 가볍도록 한다.
③ 토인은 좌·우 앞바퀴의 간격이 앞보다 뒤가 좁은 것이다.
④ 토인 조정이 잘못되면 타이어가 편 마모된다.

토인은 좌·우 앞바퀴의 간격이 뒤보다 앞이 좁은 것이다.

07 **타이어식 건설기계에서 조향바퀴의 토인을 조정하는 것은?**

① 핸들 ② 타이로드
③ 웜 기어 ④ 드래그 링크

토인은 타이로드에서 조정한다.

정답 05.② 06.③ 07.②

주행장치

01 타이어

1 개요

① 타이어는 휠의 림에 설치되어 일체로 회전한다.
② 노면으로부터의 충격을 흡수하여 승차감을 향상시킨다.
③ 노면과 접촉하여 건설기계의 구동이나 제동을 가능하게 한다.

2 휠의 구조

① 림 : 타이어를 지지하는 부분이다.
② 디스크 : 휠을 허브에 지지하는 부분이다.
③ 림에 균열이 발생된 경우에는 교환하여야 한다.

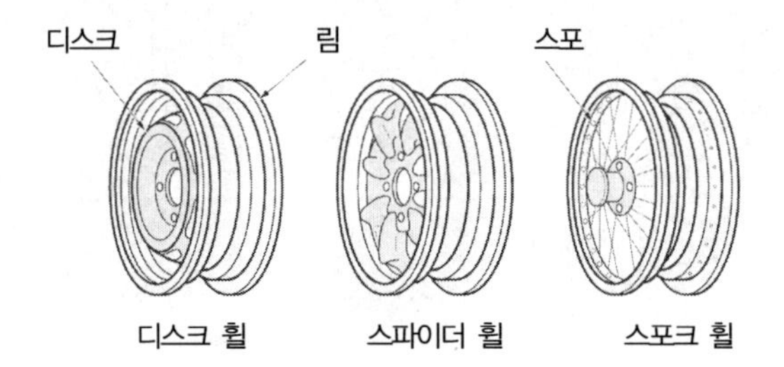

3 타이어의 사용 압력에 의한 분류

① 고압 타이어, 저압 타이어, 초저압 타이어로 분류한다.
② 타이어식 굴삭기에는 고압 타이어를 사용한다.

4 튜브리스 타이어의 장점

① 고속 주행을 하여도 발열이 적다.
② 튜브가 없기 때문에 중량이 가볍다.
③ 못 같은 것이 박혀도 공기가 잘 새지 않는다.
④ 펑크의 수리가 간단하다

5 타이어의 구조

① 트레드 : 노면과 접촉되어 마모에 견디고 적은 슬립으로 견인력을 증대시킨다.
② 카커스 : 고무로 피복된 코드를 여러 겹 겹친 층에 해당되며, 타이어 골격을 이루는 부분이다.
③ 브레이커 : 노면에서의 충격을 완화하고 트레이드의 손상이 카커스에 전달되는 것을 방지한다.
④ 비드 : 타이어가 림과 접촉하는 부분이며, 비드부가 늘어나는 것을 방지하고 타이어가 림에서 빠지는 것을 방지한다.

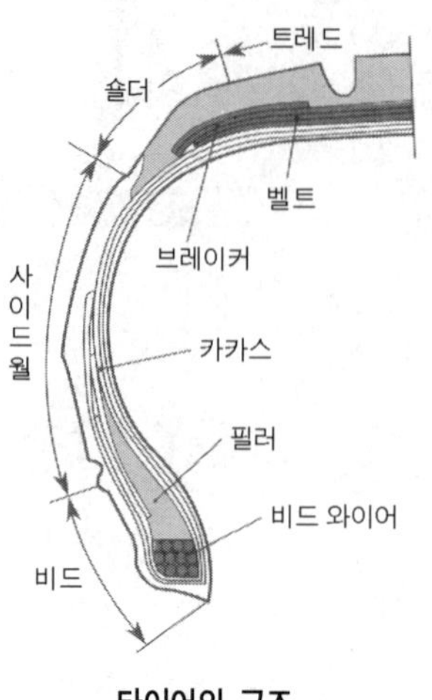

타이어의 구조

6 트레드 패턴의 필요성

① 타이어 내부의 열을 발산한다.
② 트레드에 생긴 절상 등의 확대를 방지한다.
③ 전진 방향의 미끄러짐이 방지되어 구동력을 향상시킨다.
④ 타이어의 옆 방향 미끄러짐이 방지되어 선회 성능이 향상된다.
⑤ 패턴과 관련 요소 : 제동력·구동력 및 견인력, 타이어의 배수 효과, 조향성·안정성 등이다.

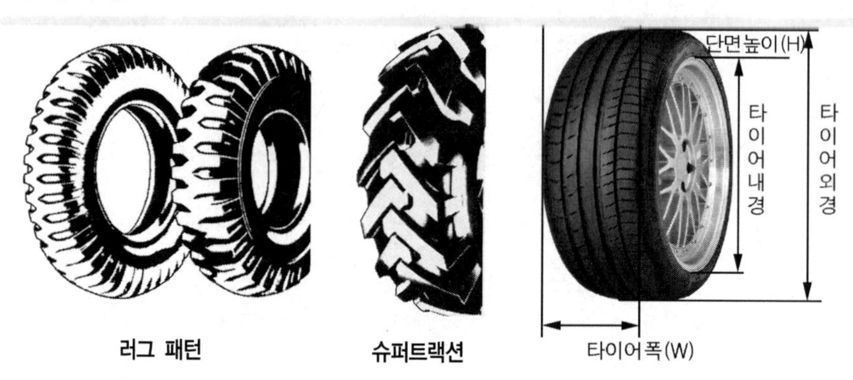

러그 패턴 슈퍼트랙션

7 타이어 호칭치수

① 저압 타이어 : 타이어 폭(inch) − 타이어 내경(inch) − 플라이 수
② 고압 타이어 : 타이어 외경(inch) × 타이어 폭(inch) − 플라이 수
11.00 − 20 − 12PR
11.00 : 타이어 폭(inch)
20 : 타이어 내경(inch)
12 : 플라이 수

출제예상문제

01 타이어 림에 대한 설명 중 틀린 것은?

① 경미한 균열은 용접하여 재사용한다.
② 변형 시 교환한다.
③ 경미한 균열도 교환한다.
④ 손상 또는 마모 시 교환한다.

02 튜브리스 타이어의 장점이 아닌 것은?

① 펑크 수리가 간단하다.
② 못이 박혀도 공기가 잘 새지 않는다.
③ 고속 주행하여도 발열이 적다.
④ 타이어 수명이 길다.

해설 튜브리스 타이어의 장점
① 펑크 수리가 간단하다.
② 못이 박혀도 공기가 잘 새지 않는다.
③ 고속 주행하여도 발열이 적다.

03 타이어의 구조에서 직접 노면과 접촉되어 마모에 견디고 적은 슬립으로 견인력을 증대시키는 것의 명칭은?

① 비드(bead)
② 트레드(tread)
③ 카커스(carcass)
④ 브레이커(breaker)

해설 타이어의 구조
① 비드 : 타이어가 림에 부착된 상태를 유지시키는 역할을 한다.
② 트레드 : 노면과 접촉되어 마모에 견디고 적은 슬립으로 견인력을 증대시킨다.
③ 카커스 : 내부의 공기 압력을 받으며, 고무로 피복 된 코드를 여러 겹 겹친 층으로 타이어의 골격을 이루는 부분이다.
④ 브레이커 : 노면에서의 충격을 완화하고 트레이드의 손상이 카커스에 전달되는 것을 방지한다.

04 사용압력에 따른 타이어의 분류에 속하지 않는 것은?

① 고압 타이어　② 초고압 타이어
③ 저압 타이어　④ 초저압 타이어

해설 사용 압력에 따른 타이어의 분류에는 고압 타이어, 저압 타이어, 초저압 타이어가 있다.

05 타이어에서 고무로 피복 된 코드를 여러 겹으로 겹친 층에 해당되며 타이어 골격을 이루는 부분은?

① 카커스(carcass)부
② 트레드(tread)부
③ 숄더(should)부
④ 비드(bead)부

06 타이어에서 트레드 패턴과 관련 없는 것은?

① 제동력, 구동력 및 견인력
② 타이어의 배수효과
③ 편평률
④ 조향성, 안정성

해설 타이어 트레드 패턴의 필요성
① 타이어의 배수 효과를 위하여 필요하다.
② 타이어 내부의 열을 발산한다.
③ 제동력, 견인력, 구동력이 증가된다.
④ 조향성 및 안정성이 향상된다.

07 건설기계에 사용되는 저압 타이어 호칭치수 표시는?

① 타이어의 외경 – 타이어의 폭 – 플라이 수
② 타이어의 폭 – 타이어의 내경 – 플라이 수
③ 타이어의 폭 – 림의 지름
④ 타이어 내경 – 타이어의 폭 – 플라이 수

정답 01.① 02.④ 03.② 04.② 05.① 06.③ 07.②

08 **타이어의 트레드에 대한 설명으로 가장 옳지 못한 것은?**

① 트레드가 마모되면 구동력과 선회능력이 저하된다.
② 트레드가 마모되면 지면과 접촉 면적이 크게 되어 마찰력이 크게 된다.
③ 타이어의 공기압이 높으면 트레드의 양단부보다 중앙부의 마모가 크다.
④ 트레드가 마모되면 열의 발산이 불량하게 된다.

트레드가 마모되면 지면과의 마찰력이 감소된다.

09 **타이어식 건설기계의 타이어에서 저압 타이어의 안지름이 20인치, 바깥지름이 32인치, 폭이 12인치, 플라이 수가 18인 경우 표시 방법은?**

① 20.00 - 32 - 18PR
② 20.00 - 12 - 18PR
③ 12.00 - 20 - 18PR
④ 32.00 - 12 - 18PR

저압 타이어의 호칭치수는 타이어의 폭(인치) - 타이어의 내경(인치) - 플라이 수로 표기한다.

10 **타이어에 11.00 - 20 - 12PR 이란 표시 중 "11.00"이 나타내는 것은?**

① 타이어 외경을 인치로 표시한 것
② 타이어 폭을 센티미터로 표시한 것
③ 타이어 내경을 인치로 표시한 것
④ 타이어 폭을 인치로 표시한 것

11.00-20-12PR에서 11.00은 타이어 폭(인치), 20은 타이어 내경(인치), 14PR은 플라이 수를 의미한다.

11 **타이어식 로더의 앞 타이어를 손쉽게 교환할 수 있는 방법은?**

① 뒤 타이어를 빼고 장비를 기울여서 교환한다.
② 버킷을 들고 작업을 한다.
③ 잭으로만 고인다.
④ 버킷을 이용하여 차체를 들고 잭을 고인다.

앞 타이어를 교환할 때에는 버킷을 이용하여 차체를 들고 잭을 고인 후 작업한다.

12 **주행 중 특정속도에서 조향 핸들의 떨림이 발생되는 원인으로 틀린 것은?**

① 타이어 좌우 공기압이 틀림
② 타이어 사이즈와 휠 사이즈가 틀림
③ 타이어 휠 밸런스가 맞지 않음
④ 타이어 또는 휠 불량

주행 중 특정속도에서 조향 핸들의 떨림이 발생되는 원인은 타이어 사이즈와 휠 사이즈가 틀림, 타이어 휠 밸런스가 맞지 않음, 타이어 또는 휠의 불량 때문이다.

13 **휠형 건설기계 타이어의 정비점검 중 틀린 것은?**

① 휠 너트를 풀기 전에 차체에 고임목을 고인다.
② 림 부속품의 균열이 있는 것은 재가공, 용접, 땜질, 열처리하여 사용한다.
③ 적절한 공구를 이용하여 절차에 맞춰 수행한다.
④ 타이어와 림의 정비 및 교환 작업은 위험하므로 반드시 숙련공이 한다.

림 부속품의 균열이 있는 것은 교환한다.

정답 08.② 09.③ 10.④ 11.④ 12.① 13.②

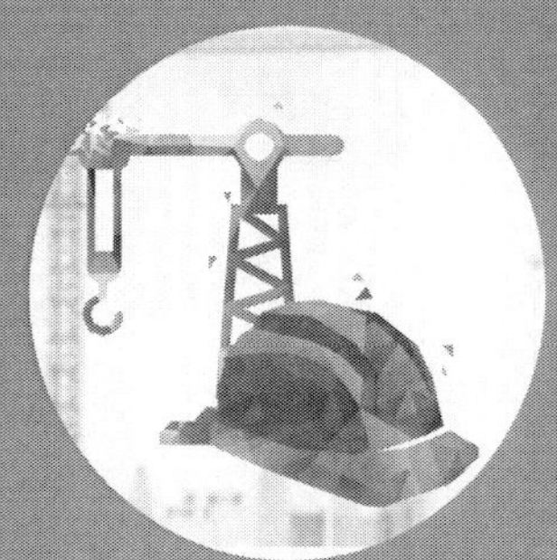

PART 5

건설기계 유압 일반

1 chapter 유압유

1 유압유가 갖추어야 할 조건

① 압축성, 밀도, 열팽창계수가 작을 것
② 체적 탄성계수 및 점도지수가 클 것
③ 인화점 및 발화점이 높고, 내열성이 클 것
④ 화학적 안정성이 클 것 즉 산화 안정성이 좋을 것
⑤ 방청 및 방식성이 좋을 것
⑥ 적절한 유동성과 점성을 갖고 있을 것
⑦ 온도에 의한 점도변화가 적을 것
⑧ 윤활성 및 소포성(기포 분리성)이 클 것
⑨ 유압유 중의 물・먼지 등의 불순물과 분리가 잘 될 것
⑩ 유압장치에 사용되는 재료에 대해 불활성일 것

2 유압유의 점도가 너무 높을 경우의 영향

① 유압이 높아지므로 유압유 누출은 감소한다.
② 유동 저항이 커져 압력 손실이 증가한다.
③ 동력 손실이 증가하여 기계효율이 감소한다.
④ 내부 마찰이 증가하고, 압력이 상승한다.
⑤ 파이프 내의 마찰 손실과 동력 손실이 커진다.
⑥ 열 발생의 원인이 될 수 있다.
⑦ 소음이나 공동 현상(캐비테이션)이 발생한다.

3 유압유의 점도가 너무 낮을 경우의 영향

① 유압 펌프의 효율이 저하된다.
② 실린더 및 컨트롤 밸브에서 누출 현상이 발생한다.
③ 계통(회로)내의 압력이 저하된다.
④ 유압 실린더의 속도가 늦어진다.

4 유압유의 열화 판정 및 과열 원인

(1) 유압유의 열화 판정 방법

① 점도의 상태로 판정한다.
② 냄새로 확인(자극적인 악취)한다.
③ 색깔의 변화나 침전물의 유무로 판정한다.
④ 수분의 유무를 확인한다.
⑤ 흔들었을 때 생기는 거품이 없어지는 양상 확인한다.

(2) 유압유가 과열하는 원인

① 유압유의 점도가 너무 높을 때
② 유압장치 내에서 내부 마찰이 발생될 때
③ 유압회로 내의 작동 압력이 너무 높을 때
④ 유압회로 내에서 캐비테이션이 발생될 때
⑤ 릴리프 밸브가 닫힌 상태로 고장일 때
⑥ 오일 냉각기의 냉각핀이 오손되었을 때
⑦ 유압유가 부족할 때
※ 유압회로에서 유압유의 정상 작동 온도 범위는 40~80℃이다

(3) 유압유의 온도가 과도하게 상승하면 나타나는 현상

① 유압유의 산화작용을 촉진한다.
② 실린더의 작동불량이 생긴다.
③ 기계적인 마모가 생긴다.
④ 유압 기기의 작동이 불량해진다.
⑤ 중합이나 분해가 일어난다.
⑥ 고무 같은 물질이 생긴다.
⑦ 점도가 저하된다.
⑧ 유압 펌프의 효율이 저하한다.
⑨ 유압유 누출이 증대된다.
⑩ 밸브류의 기능이 저하된다.

5 유압유 첨가제

소포제(거품 방지제), 유동점 강하제, 유성 향상제, 산화 방지제, 점도지수 향상제 등이 있다.

6 유압 장치

(1) 유압 장치의 정의

① 유체의 압력 에너지를 이용하여 기계적인 일을 하도록 하는 것을 말한다.
② 기본 구성 요소 : 유압 구동장치(엔진), 유압 발생장치(유압 펌프), 유압 제어장치(유압 제어 밸브)이다.

(2) 파스칼의 원리

① 밀폐 용기 속의 유체 일부에 가해진 압력은 각 부분에 똑같은 세기로 전달된다.
② 유체의 압력은 면에 대하여 수직으로 작용한다.
③ 각 점의 압력은 모든 방향으로 같다.
④ 유압기기에서 작은 힘으로 큰 힘을 얻기 위해 적용하는 원리이다.

(3) 압력

① 단위 면적당 작용하는 힘을 압력이라 한다. 즉, 압력=가해진 힘/단면적
② 정지하고 있는 액체의 내부에 있어서의 압력은 액면의 깊이에 비례한다.
③ 단위는 PSI, kg/cm^2, kPa, cmHg, bar 등이 있다.
④ 1기압(atm) = 101325(Pa) = 1013.25(hPa) = 101.325(kPa)
= 0.101325(MPa) = 1013250dyne/cm^2 = 1013.25(mbar) = 1.01325(bar)
= 1.033227kg/cm^2 = 14.7(psi)

(4) 유압 장치의 장점

① 윤활성, 내마모성, 방청성이 좋다.
② 속도제어(speed control)와 힘의 연속적 제어가 용이하다.
③ 작은 동력원으로 큰 힘을 낼 수 있다.
④ 과부하 방지가 용이하다.
⑤ 운동방향을 쉽게 변경할 수 있다.
⑥ 전기·전자의 조합으로 자동제어가 용이하다.
⑦ 에너지 축적이 가능하며, 힘의 전달 및 증폭이 용이하다.
⑧ 무단변속이 가능하고, 정확한 위치제어를 할 수 있다.
⑨ 미세 조작 및 원격조작이 가능하다.
⑩ 진동이 작고, 작동이 원활하다.

(5) 유압 장치의 단점

① 고압 사용으로 인한 위험성 및 이물질에 민감하다.
② 유온의 영향에 따라 정밀한 속도와 제어가 곤란하다.
③ 폐유에 의한 주변 환경이 오염될 수 있다.

④ 오일은 가연성이 있어 화재에 위험하다.
⑤ 회로의 구성이 어렵고 누설되는 경우가 있다.
⑥ 오일의 온도에 따라서 점도가 변하므로 기계의 속도가 변한다.
⑦ 에너지의 손실이 크다.
⑧ 유압장치의 점검이 어렵다.
⑨ 고장 원인의 발견이 어렵고, 구조가 복잡하다.

7 공동 현상(캐비테이션 현상)

(1) 공동 현상의 정의

① 유동하고 있는 액체의 압력이 국부적으로 저하되어, 포화 증기압 또는 공기 분리 압력에 달하여 증기를 발생시키거나 용해 공기 등이 분리되어 기포를 일으키는 현상이다.
② 유압장치 내부에 국부적인 높은 압력이 발생하여 소음과 진동 등이 발생하는 현상이다.
③ 양정과 효율이 급격히 저하되며, 날개 등에 부식을 일으키는 등 수명을 단축시키는 현상을 말한다.

(2) 공동 현상 방지 방법

① 흡입 구멍의 양정을 1m이하로 한다.
② 펌프의 운전 속도를 규정 속도 이상으로 하지 않는다.
③ 흡입관의 굵기를 유압 본체의 연결 구멍의 크기와 같은 것으로 사용한다.

(3) 공동 현상이 발생하였을 때 조치 방법

유압 회로 내의 압력 변화를 없앤다. 즉, 일정 압력을 유지시킨다.

8 서지 압력(surge pressure)

과도적으로 발생하는 이상 압력의 최대 값을 말하며, 유량 제어밸브의 가변 오리피스를 급격히 닫거나 방향 제어밸브의 유로를 급히 전환 또는 고속 실린더를 급정지시키면 유로에 순간적으로 이상 고압이 발생하는 현상이다.

9 유압 실린더의 숨 돌리기 현상이 생겼을 때 일어나는 현상

오일 공급 부족으로 인해 피스톤 작동이 불안정하게 되고, 시간의 지연이 생기며, 서지 압력이 발생한다.

출제예상문제

01 유압유가 갖추어야 할 성질로 틀린 것은?

① 점도가 적당할 것
② 인화점이 낮을 것
③ 강인한 유막을 형성할 것
④ 점성과 온도와의 관계가 양호할 것

해설 유압유가 갖추어야 할 조건
① 압축성, 밀도, 열팽창계수가 작을 것
② 체적 탄성계수 및 점도지수가 클 것
③ 인화점 및 발화점이 높고, 내열성이 클 것
④ 화학적 안정성이 클 것 즉 산화 안정성이 좋을 것
⑤ 방청 및 방식성이 좋을 것
⑥ 적절한 유동성과 점성을 갖고 있을 것
⑦ 온도에 의한 점도변화가 적을 것
⑧ 윤활성 및 소포성(기포 분리성)이 클 것
⑨ 유압유 중의 물·먼지 등의 불순물과 분리가 잘 될 것
⑩ 유압장치에 사용되는 재료에 대해 불활성일 것

02 유압 작동유가 갖추어야 할 성질이 아닌 것은?

① 물, 먼지 등의 불순물과 혼합이 잘 될 것
② 온도에 의한 점도 변화가 적을 것
③ 거품이 적을 것
④ 방청 방식성이 있을 것

03 유압유 성질 중 가장 중요한 것은?

① 점도 ② 온도
③ 습도 ④ 열효율

04 유압유에 점도가 서로 다른 2종류의 오일을 혼합하였을 경우에 대한 설명으로 맞는 것은?

① 오일 첨가제의 좋은 부분만 작동하므로 오히려 더욱 좋다.
② 점도가 달리지나 사용에는 전혀 지장이 없다.
③ 혼합은 권장 사항이며, 사용에는 전혀 지장이 없다.
④ 열화 현상을 촉진시킨다.

해설 유압유에 점도가 서로 다른 2종류의 오일을 혼합하면 열화 현상을 촉진시킨다.

05 유압유의 주요 기능이 아닌 것은?

① 열을 흡수한다.
② 동력을 전달한다.
③ 필요한 요소 사이를 밀봉한다.
④ 움직이는 기계요소를 마모시킨다.

06 유압 작동유의 점도가 지나치게 높을 때 나타날 수 있는 현상으로 가장 적합한 것은?

① 내부 마찰이 증가하고, 압력이 상승한다.
② 누유가 많아진다.
③ 파이프 내의 마찰 손실이 작아진다.
④ 펌프의 체적효율이 감소한다.

해설 유압유의 점도가 너무 높을 경우의 영향
① 유압이 높아지므로 유압유 누출은 감소한다.
② 유동 저항이 커져 압력 손실이 증가한다.
③ 동력 손실이 증가하여 기계효율이 감소한다.
④ 내부 마찰이 증가하고, 압력이 상승한다.
⑤ 관내의 마찰 손실과 동력 손실이 커진다.
⑥ 열 발생의 원인이 될 수 있다.

07 유압회로에서 유압유의 점도가 높을 때 발생될 수 있는 현상이 아닌 것은?

① 관내의 마찰 손실이 커진다.
② 동력 손실이 커진다.
③ 열 발생의 원인이 될 수 있다.
④ 유압이 낮아진다.

정답 01.② 02.① 03.① 04.④ 05.④ 06.① 07.④

08 **유압 작동유의 점도가 지나치게 낮을 때 나타날 수 있는 현상은?**

① 출력이 증가한다.
② 압력이 상승한다.
③ 유동저항이 증가한다.
④ 유압 실린더의 속도가 늦어진다.

유압유의 점도가 너무 낮을 경우의 영향
① 유압 펌프의 효율이 저하된다.
② 실린더 및 컨트롤 밸브에서 누출 현상이 발생한다.
③ 계통(회로)내의 압력이 저하된다.
④ 유압 실린더의 속도가 늦어진다.

09 **보기 항에서 유압 계통에 사용되는 오일의 점도가 너무 낮을 경우 나타날 수 있는 현상으로 모두 맞는 것은?**

보기
ㄱ. 펌프 효율 저하
ㄴ. 오일 누설 증가
ㄷ. 유압회로 내의 압력 저하
ㄹ. 시동 저항 증가

① ㄱ, ㄷ, ㄹ ② ㄱ, ㄴ, ㄷ
③ ㄴ, ㄷ, ㄹ ④ ㄱ, ㄴ, ㄹ

오일의 점도가 너무 낮으면 유압 펌프의 효율 저하, 오일누설 증가, 유압회로 내의 압력저하 등이 발생한다.

10 **온도 변화에 따라 점도 변화가 큰 오일의 점도지수는?**

① 점도지수가 높은 것이다.
② 점도지수가 낮은 것이다.
③ 점도지수는 변하지 않는 것이다.
④ 점도 변화와 점도지수는 무관하다.

점도지수란 오일이 온도의 변화에 따라 점도가 변화하는 정도를 수치로 표시하는 것으로 점도지수가 클수록 온도에 의한 점도의 변화가 적은 것을 나타낸다.

11 **유압유의 열화를 촉진시키는 가장 직접적인 요인은?**

① 유압유의 온도상승
② 배관에 사용되는 금속의 강도 약화
③ 공기 중의 습도 저하
④ 유압 펌프의 고속회전

유압유의 온도가 상승하면 열화가 촉진된다.

12 **작동유의 열화 및 수명을 판정하는 방법으로 적합하지 않은 것은?**

① 점도상태로 확인
② 오일을 가열 후 냉각되는 시간확인
③ 냄새로 확인
④ 색깔이나 침전물의 유무확인

유압유의 열화 판정 방법
① 점도의 상태로 판정한다.
② 냄새로 확인(자극적인 악취)한다.
③ 색깔의 변화나 침전물의 유무로 판정한다.
④ 수분의 유무를 확인한다.
⑤ 흔들었을 때 생기는 거품이 없어지는 양상을 확인한다.

13 **유압유가 과열되는 원인으로 가장 거리가 먼 것은?**

① 유압 유량이 규정보다 많을 때
② 오일 냉각기의 냉각핀이 오손되었을 때
③ 릴리프 밸브(Relief Valve)가 닫힌 상태로 고장일 때
④ 유압유가 부족할 때

유압유가 과열하는 원인
① 유압유의 점도가 너무 높을 때
② 유압장치 내에서 내부 마찰이 발생될 때
③ 유압회로 내의 작동 압력이 너무 높을 때
④ 유압회로 내에서 캐비테이션이 발생될 때
⑤ 릴리프 밸브(relief valve)가 닫힌 상태로 고장일 때
⑥ 오일 냉각기의 냉각핀이 오손되었을 때
⑦ 유압유가 부족할 때

정답 08.④ 09.② 10.② 11.① 12.② 13.①

14 운전 중 작동유는 공기 중의 산소와 화합하여 열화 된다. 이 열화를 촉진시키는 직접적인 인자에 속하지 않는 것은?

① 열의 영향
② 금속의 영향
③ 수분의 영향
④ 유압이 낮을 때의 영향

15 유압 오일의 온도가 상승할 때 나타날 수 있는 결과가 아닌 것은?

① 오일 누설 발생
② 펌프 효율 저하
③ 점도 상승
④ 유압 밸브의 기능 저하

유압유의 온도가 과도하게 상승하면 나타나는 현상
① 유압유의 산화 작용을 촉진한다.
② 실린더의 작동 불량이 생긴다.
③ 기계적인 마모가 생긴다.
④ 유압 기기의 작동이 불량해진다.
⑤ 중합이나 분해가 일어난다.
⑥ 고무 같은 물질이 생긴다.
⑦ 점도가 저하된다.
⑧ 유압 펌프의 효율이 저하한다.
⑨ 오일의 누출이 증대된다.
⑩ 밸브류의 기능이 저하된다.

16 작동유 온도가 과열되었을 때 유압계통에 미치는 영향으로 틀린 것은?

① 열화를 촉진한다.
② 점도의 저하에 의해 누유 되기 쉽다.
③ 유압 펌프 등의 효율은 좋아진다.
④ 온도변화에 의해 유압기기가 열 변형되기 쉽다.

17 오일량은 정상인데 유압오일이 과열되고 있다면 우선적으로 어느 부분을 점검해야 하는가?

① 유압 호스　② 필터
③ 오일 쿨러　④ 컨트롤 밸브

오일량은 정상인데 유압오일이 과열되면 오일 쿨러를 가장 먼저 점검한다.

18 유압회로에서 작동유의 정상작동 온도에 해당되는 것은?

① 5~10℃　② 40~80℃
③ 112~115℃　④ 125~140℃

작동유의 정상 작동 온도 범위는 40~80℃ 정도이다.

19 유압유에서 잔류 탄소의 함유량은 무엇을 예측하는 척도인가?

① 포화　② 산화
③ 열화　④ 발화

20 유압유의 첨가제가 아닌 것은?

① 소포제　② 유동점 강하제
③ 산화 방지제　④ 점도지수 방지제

소포제(거품 방지제), 유동점 강하제, 유성 향상제, 산화 방지제, 점도지수 향상제 등이 있다.

21 유압유에 사용되는 첨가제 중 산의 생성을 억제함과 동시에 금속의 표면에 부식억제 피막을 형성하여 산화 물질이 금속에 직접 접촉하는 것을 방지하는 것은?

① 산화 방지제　② 산화 촉진제
③ 소포제　④ 방청제

22 금속간의 마찰을 방지하기 위한 방안으로 마찰계수를 저하시키기 위하여 사용되는 첨가제는?

① 방청제　② 유성 향상제
③ 점도지수 향상제　④ 유동점 강하제

유성 향상제는 금속 표면에 유막을 형성하여 마찰계수를 저하시키기 위하여 사용되는 첨가제이다.

정답 14.④ 15.③ 16.③ 17.③ 18.② 19.② 20.④ 21.① 22.②

23 난연성 작동유의 종류에 해당하지 않는 것은?

① 석유계 작동유
② 유중수형 작동유
③ 물-글리콜형 작동유
④ 인산 에스텔형 작동유

24 유압유에 수분이 생성되는 주원인으로 맞는 것은?

① 유압유 누출 ② 공기 혼입
③ 슬러지 생성 ④ 기름의 열화

25 유압 작동유에 수분이 미치는 영향이 아닌 것은?

① 작동유의 윤활성을 저하시킨다.
② 작동유의 방청성을 저하시킨다.
③ 작동유의 내마모성을 향상시킨다.
④ 작동유의 산화와 열화를 촉진시킨다.

26 현장에서 오일의 오염도 판정 방법 중 가열한 철판 위에 오일을 떨어뜨리는 방법은 오일의 무엇을 판정하기 위한 방법인가?

① 산성도
② 수분 함유
③ 오일의 열화
④ 먼지나 이물질 함유

현장에서 오일의 오염도를 판정하는 방법 중 가열한 철판 위에 오일을 떨어뜨리는 방법은 오일에 수분이 함유 되었는가를 판정하기 위한 방법이다.

27 사용 중인 작동유의 수분 함유 여부를 현장에서 판정하는 것으로 가장 적절한 방법은?

① 오일의 냄새를 맡아본다.
② 오일을 가열한 철판 위에 떨어뜨려 본다.
③ 여과지에 약간(3~4방울)의 오일을 떨어뜨려 본다.
④ 오일을 시험관에 담아, 침전물을 확인한다.

28 유압 작동유를 교환하고자 할 때 선택 조건으로 가장 적합한 것은?

① 유명 정유회사 제품
② 가장 가격이 비싼 유압 작동유
③ 제작사에서 해당 장비에 추천하는 유압 작동유
④ 시중에서 쉽게 구입할 수 있는 유압 작동유

29 유압유 교환을 판단하는 조건이 아닌 것은?

① 점도의 변화 ② 색깔의 변화
③ 수분의 함량 ④ 유량의 감소

30 유압장치의 구성요소가 아닌 것은?

① 제어 밸브 ② 오일 탱크
③ 펌프 ④ 차동장치

유압장치의 구성 요소는 오일 탱크, 오일 필터, 오일펌프, 제어 밸브, 어큐뮬레이터, 유압 실린더, 유압 모터 등이다.

31 파스칼의 원리를 설명한 것 중 틀린 것은?

① 유체의 압력은 면에 대하여 수직으로 작용한다.
② 각 점의 압력은 모든 방향으로 같다.
③ 정지해 있는 유체에 힘을 가하면 단면적이 적은 곳은 속도가 느리게 전달된다.
④ 밀폐 용기 속의 유체 일부에 가해진 압력은 각부에 똑같은 세기로 전달된다.

파스칼의 원리
① 밀폐 용기 속의 유체 일부에 가해진 압력은 각부에 똑같은 세기로 전달된다.
② 유체의 압력은 면에 대하여 수직으로 작용한다.
③ 각 점의 압력은 모든 방향으로 같다.
④ 유압기기에서 작은 힘으로 큰 힘을 얻기 위해 적용하는 원리이다.

정답 23.① 24.② 25.③ 26.② 27.② 28.③ 29.④ 30.④ 31.③

32 **"밀폐된 용기 속의 유체 일부에 가해진 압력은 각부의 모든 부분에 같은 세기로 전달된다."는 원리는?**

① 베르누이의 원리
② 렌츠의 원리
③ 파스칼의 원리
④ 보일 샤를의 원리

33 **밀폐된 용기 내의 액체 일부에 가해진 압력은 어떻게 전달되는가?**

① 유체 각 부분에 다르게 전달된다.
② 유체 각 부분에 동시에 같은 크기로 전달된다.
③ 유체의 압력이 돌출부분에 더 세게 작용된다.
④ 유체의 압력이 홈 부분에서 더 세게 작용된다.

34 **유압기기는 작은 힘으로 큰 힘을 얻기 위해 어느 원리를 적용하는가?**

① 베르누이 원리
② 아르키메데스의 원리
③ 보일의 원리
④ 파스칼의 원리

유압식 브레이크 및 유압기기에 사용되는 유압장치는 파스칼의 원리를 이용한다.

35 **압력을 표현한 식으로 옳은 것은?**

① 압력 = 힘 ÷ 면적
② 압력 = 면적 × 힘
③ 압력 = 면적 ÷ 힘
④ 압력 = 힘 − 면적

단위 면적 당 작용하는 힘을 압력이라 한다. 즉, 압력 = 가해진 힘 ÷ 단면적. 정지하고 있는 액체의 내부에 있어서의 압력은 액면의 깊이에 비례한다.

36 **각종 압력을 설명한 것으로 틀린 것은?**

① 계기 압력 : 대기압을 기준으로 한 압력
② 절대 압력 : 완전 진공을 기준으로 한 압력
③ 대기 압력 : 절대 압력과 계기 압력을 곱한 압력
④ 진공 압력 : 대기압 이하의 압력, 즉 음(−)의 계기 압력

대기 압력의 단위는 수은주의 높이를 mm로 표시하며, 760mmHg를 1기압으로 하는데, 기상학에서는 밀리바(mb)를 사용한다. 기압은 보통 수은 기압계에 의하여 mmHg를 측정하고, 이것을 mb로 환산한다.

37 **다음 중 압력 단위가 아닌 것은?**

① bar　② atm
③ Pa　④ J

압력의 단위에는 atm, psi, kg/cm², Pa(kPa, MPa), mmHg, bar, mAq 등이 있다.

38 **압력 1atm(지구 대기압)과 같지 않은 것은?**

① 14.7psi　② 75kg·m/s
③ 760mmHg　④ 1013mbar

1기압(atm) = 101325(Pa) = 1013.25(hPa)
= 101.325(kPa) = 0.101325(MPa)
= 1013250dyne/cm² = 1013.25(mb)
=1.01325(bar) = 1.033227kg/cm²
= 14.696(psi) = 760mmHg

39 **오리피스가 설치된 다음 그림에서 압력에 대한 설명으로 맞는 것은?**

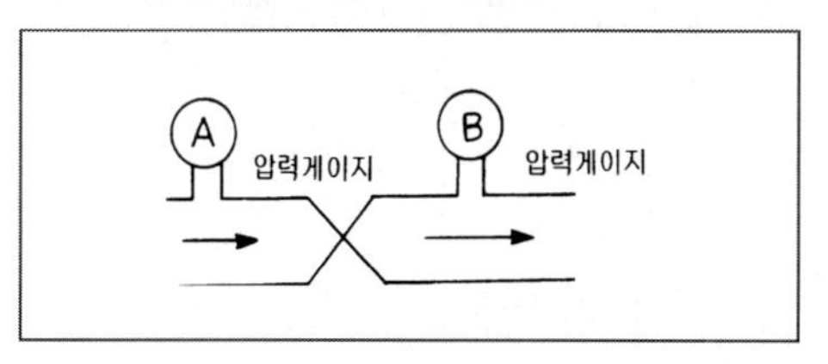

① A=B　② A>B
③ A<B　④ A와 B는 무관

정답 32.③ 33.② 34.④ 35.① 36.③ 37.④ 38.② 39.②

40 유압장치의 장점이 아닌 것은?

① 작은 동력원으로 큰 힘을 낼 수 있다.
② 과부하 방지가 용이하다.
③ 운동방향을 쉽게 변경할 수 있다.
④ 고장 원인의 발견이 쉽고 구조가 간단하다.

해설 고장 원인의 발견이 어렵고 구조가 복잡하다.

41 유압장치의 단점이 아닌 것은?

① 관로를 연결하는 곳에서 유체가 누출될 수 있다.
② 고압 사용으로 인한 위험성 및 이물질에 민감하다.
③ 작동유에 대한 화재의 위험이 있다.
④ 전기·전자의 조합으로 자동 제어가 곤란하다.

해설 유압장치의 단점
① 고압 사용으로 인한 위험성 및 이물질에 민감하다.
② 유온의 영향에 따라 정밀한 속도와 제어가 곤란하다.
③ 폐유에 의한 주변 환경이 오염될 수 있다.
④ 오일은 가연성이 있어 화재에 위험하다.
⑤ 회로의 구성이 어렵고 누설되는 경우가 있다.
⑥ 오일의 온도에 따라서 점도가 변하므로 기계의 속도가 변한다.
⑦ 에너지의 손실이 크다.
⑧ 유압장치의 점검이 어렵다.
⑨ 고장 원인의 발견이 어렵고, 구조가 복잡하다.

42 유압 라인에서 압력에 영향을 주는 요소로 가장 관계가 적은 것은?

① 유체의 흐름량
② 유체의 점도
③ 관로 직경의 크기
④ 관로의 좌·우 방향

해설 압력에 영향을 주는 요소는 유체의 흐름량, 유체의 점도, 관로 직경의 크기이다.

43 유압 기기에 대한 단점 중 틀린 것은?

① 오일은 가연성이 있어 화재에 위험하다.
② 회로 구성이 어렵고 누설되는 경우가 있다.
③ 오일의 온도에 따라서 점도가 변하므로 기계의 속도가 변한다.
④ 에너지의 손실이 적다.

44 유압장치의 장점이 아닌 것은?

① 속도 제어가 용이하다.
② 힘의 연속적 제어가 용이하다.
③ 온도의 영향을 많이 받는다.
④ 윤활성, 내마멸성, 방청성이 좋다.

해설 유압장치의 장점
① 작은 동력원으로 큰 힘을 낼 수 있다.
② 과부하 방지가 용이하다.
③ 운동방향을 쉽게 변경할 수 있다.
④ 속도 제어가 용이하다.
⑤ 에너지 축적이 가능하다.
⑥ 힘의 전달 및 증폭이 용이하다.
⑦ 힘의 연속적 제어가 용이하다.
⑧ 윤활성·내마멸성 및 방청성이 좋다.

45 오일의 압력이 낮아지는 원인이 아닌 것은?

① 오일 펌프의 마모
② 오일의 점도가 높아졌을 때
③ 오일의 점도가 낮아졌을 때
④ 계통 내에서 누설이 있을 때

46 공동(Cavitation) 현상이 발생하였을 때의 영향 중 가장 거리가 먼 것은?

① 체적효율이 감소한다.
② 고압부분의 기포가 과포화 상태로 된다.
③ 최고 압력이 발생하여 급격한 압력파가 일어난다.
④ 유압장치 내부에 국부적인 고압이 발생하여 소음과 진동이 발생된다.

해설 공동 현상이 발생하면 최고 압력이 발생하여 급격한 압력파가 일어나고, 체적효율이 감소하며, 유압장치 내부에 국부적인 고압이 발생하여 소음과 진동이 발생된다.

정답 40.④ 41.④ 42.④ 43.④ 44.③ 45.② 46.②

47 유압장치에서 진공에 가깝게 되어 기포가 생기며, 기포가 파괴되어 국부적 고압이나 소음을 발생시키는 현상은?

① 벤트 포트 ② 오리피스
③ 캐비테이션 ④ 노이즈

캐비테이션 현상은 공동 현상이라고도 부르며, 유압이 진공에 가까워짐으로서 기포가 발생하여 국부적인 고압이나 소음과 진동이 발생하고, 양정과 효율이 저하되는 현상이다.

48 유압회로 내에 기포가 발생할 때 일어날 수 있는 현상과 가장 거리가 먼 것은?

① 작동유의 누설저하
② 소음 증가
③ 공동 현상 발생
④ 액추에이터의 작동불량

유압회로 내에 기포가 생기면 공동 현상 발생, 오일 탱크의 오버플로, 소음 증가, 액추에이터의 작동불량 등이 발생한다.

49 유압회로 내에서 서지압(surge pressure)이란?

① 과도적으로 발생하는 이상압력의 최댓값
② 정상적으로 발생하는 압력의 최댓값
③ 정상적으로 발생하는 압력의 최솟값
④ 과도적으로 발생하는 이상압력의 최솟값

서지압이란 유압회로에서 과도하게 발생하는 이상 압력의 최댓값이다.

50 건설기계 장비의 유압장치 관련 취급 시 주의사항으로 적합하지 않은 것은?

① 작동유가 부족하지 않은지 점검하여야 한다.
② 유압장치는 워밍업 후 작업하는 것이 좋다.
③ 오일량을 1주 1회 소량 보충한다.
④ 작동유에 이물질이 포함되지 않도록 관리 취급하여야 한다.

51 유압회로 내의 밸브를 갑자기 닫았을 때, 오일의 속도 에너지가 압력 에너지로 변하면서 일시적으로 큰 압력 증가가 생기는 현상을 무엇이라 하는가?

① 캐비테이션(cavitation) 현상
② 서지(surge) 현상
③ 채터링(chattering) 현상
④ 에어레이션(aeration) 현상

서지 현상은 유압회로 내의 밸브를 갑자기 닫았을 때, 오일의 속도 에너지가 압력 에너지로 변하면서 일시적으로 큰 압력 증가가 생기는 현상이다.

52 유압 실린더의 숨 돌리기 현상이 생겼을 때 일어나는 현상이 아닌 것은?

① 작동 지연 현상이 생긴다.
② 서지압이 발생한다.
③ 오일의 공급이 과대해진다.
④ 피스톤 작동이 불안정하게 된다.

유압 실린더의 숨 돌리기 현상이 생겼을 때 일어나는 현상은 ①, ②, ④항 이외에 오일의 공급이 부족해진다.

53 유압장치에서 오일에 거품이 생기는 원인으로 가장 거리가 먼 것은?

① 오일 탱크와 펌프 사이에서 공기가 유입될 때
② 오일이 부족하여 공기가 일부 흡입되었을 때
③ 펌프 축 주위의 흡입측 실(seal)이 손상되었을 때
④ 유압유의 점도지수가 클 때

54 유압장치의 일상점검 개소가 아닌 것은?

① 오일의 양 점검
② 변질상태 점검
③ 오일의 누유 여부 점검
④ 탱크 내부 점검

정답 47.③ 48.① 49.① 50.③ 51.② 52.③ 53.④ 54.④

2 chapter 유압펌프

1 유압 펌프의 기능

원동기의 기계적 에너지를 유압 에너지로 변환한다.

2 유압 펌프의 구비조건

① 소형 경량이고 토출량이 커야 한다.
② 내구성이 커 오랫동안 사용할 수 있어야 한다.
③ 흡입력이 커야한다.
④ 동력 손실이 적어야 한다.
⑤ 구조가 간단하고 고장이 적어야 한다.

3 유압 펌프의 종류

(1) 기어 펌프

① 외접과 내접기어 방식이 있다.
② 유압유 속에 기포 발생이 적다.
③ 구조가 간단하고 흡입 성능이 우수하다.
④ 소음과 토출량의 맥동(진동)이 비교적 크고, 효율이 낮다.
⑤ 정용량형이므로 구동되는 기어 펌프의 회전속도가 변화하면 흐름 용량이 바뀐다.
⑥ 트로코이드 펌프는 안쪽에 내·외측 로터로 바깥쪽은 하우징으로 구성되어 있다.

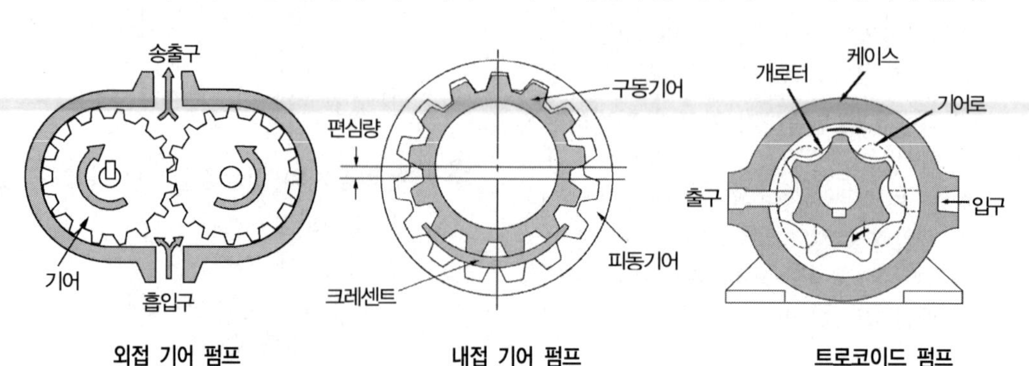

외접 기어 펌프　　내접 기어 펌프　　트로코이드 펌프

(2) 베인 펌프

① 날개(vane)로 펌프 작용을 시키는 것이다.
② 구조가 간단해 수리와 관리가 용이하다.
③ 소형 · 경량이므로 값이 싸다.
④ 자체 보상 기능이 있으며, 맥동과 소음이 적다.

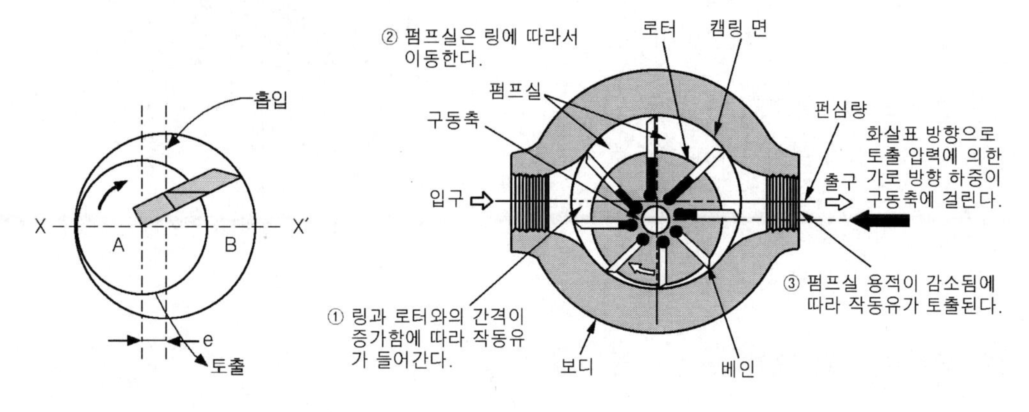

베인 펌프

1) 베인 펌프의 장점

① 출구 압력의 맥동과 소음이 적다.
② 구조가 간단하고 성능이 좋다.
③ 펌프 출력에 비해 소형 · 경량이다.
④ 베인의 마모에 의한 압력 저하가 발생하지 않는다.
⑤ 비교적 고장이 적고 수리 및 관리가 쉽다.
⑥ 수명이 길고 장시간 안정된 성능을 발휘할 수 있다.

2) 베인 펌프의 단점

① 제작할 때 높은 정밀도가 요구된다.
② 유압유의 점도에 제한을 받는다.
③ 유압유의 오염에 주의하고 흡입 진공도가 허용 한도이하이어야 한다.

(3) 피스톤(플런저) 펌프

① 유압 펌프 중 가장 고압 · 고효율이며, 맥동적 출력을 하나 다른 펌프에 비하여 일반적으로 최고 압력의 토출이 가능하고, 펌프 효율에서도 전체 압력 범위가 높아 최근에 많이 사용된다.
② 가변 용량에 적합하다(토출량의 변화 범위가 넓다).
③ 다른 펌프에 비해 수명이 길고, 용적 효율과 최고압력이 높다.
④ 구조가 복잡하다.

1) 피스톤 펌프의 장점

① 피스톤이 직선운동을 한다.
② 축은 회전 또는 왕복운동을 한다.
③ 펌프 효율이 가장 높다.
④ 가변 용량에 적합하다.
(토출량의 변화 범위가 넓다).
⑤ 일반적으로 토출 압력이 높다.

2) 피스톤 펌프의 단점

① 베어링에 부하가 크다.
② 구조가 복잡하고 수리가 어렵다.
③ 흡입 능력이 가장 낮다.
④ 가격이 비싸다.

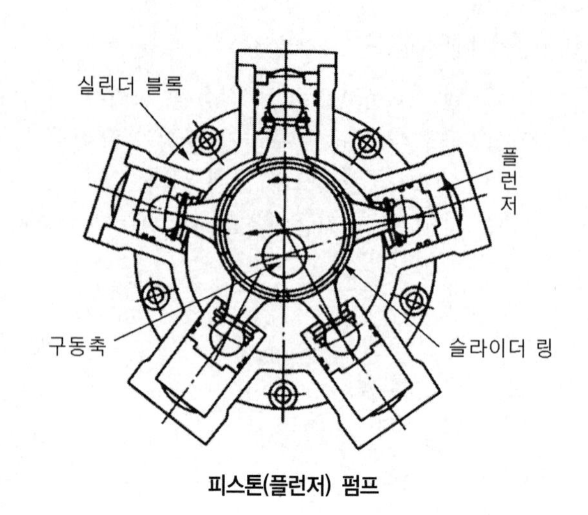

피스톤(플런저) 펌프

4 유압 펌프의 크기

① 유압 펌프의 크기는 주어진 속도와 그때의 토출량으로 표시한다.
② GPM(또는 LPM)이란 계통 내에서 이동되는 액체의 양을 말한다.

5 펌프가 오일을 토출하지 못하는 원인

① 유압 펌프의 회전수가 너무 낮다.
② 흡입관 또는 스트레이너가 막혔다.
③ 회전방향이 반대로 되어있다.
④ 흡입관으로부터 공기가 흡입되고 있다.
⑤ 오일 탱크의 유면이 낮다.
⑥ 유압유의 점도가 너무 높다.

6 유압 펌프에서 소음이 발생하는 원인

① 유압유의 양이 부족하거나 공기가 들어 있을 때
② 유압유 점도가 너무 높을 때
③ 스트레이너가 막혀 흡입 용량이 작아졌을 때
④ 유압 펌프의 베어링이 마모되었을 때
⑤ 펌프 흡입관 접합부로부터 공기가 유입될 때
⑥ 유압 펌프 축의 편심 오차가 클 때
⑦ 유압 펌프의 회전속도가 너무 빠를 때

출 제 예 상 문 제

01 **유압펌프의 기능을 설명한 것으로 가장 적합한 것은?**

① 유압회로 내의 압력을 측정하는 기구이다.
② 어큐뮬레이터와 동일한 기능을 한다.
③ 유압에너지를 동력으로 변환한다.
④ 원동기의 기계적 에너지를 유압에너지로 변환한다.

해설 유압펌프는 원동기의 기계적 에너지를 유압에너지로 변환한다.

02 **유압펌프의 종류에 포함되지 않는 것은?**

① 기어 펌프　② 진공 펌프
③ 베인 펌프　④ 플런저 펌프

해설 유압펌프의 종류에는 기어펌프, 베인 펌프, 피스톤(플런저)펌프, 나사펌프, 트로코이드 펌프 등이 있다.

03 **유압장치에 사용되는 펌프가 아닌 것은?**

① 기어 펌프　② 원심 펌프
③ 베인 펌프　④ 플런저 펌프

해설 유압펌프의 종류에는 기어펌프, 베인 펌프, 피스톤(플런저)펌프, 나사펌프, 트로코이드 펌프 등이 있다.

04 **기어펌프의 장·단점이 아닌 것은?**

① 소형이며 구조가 간단하다.
② 피스톤 펌프에 비해 흡입력이 나쁘다.
③ 피스톤 펌프에 비해 수명이 짧고 진동 소음이 크다.
④ 초고압에는 사용이 곤란하다.

해설

기어펌프의 장점	기어펌프의 단점
㉮ 구조가 간단하다. ㉯ 흡입저항이 작아 공동현상 발생이 적다. ㉰ 고속회전이 가능하다. ㉱ 가혹한 조건에 잘 견딘다.	㉮ 토출량의 맥동이 커 소음과 진동이 크다. ㉯ 수명이 비교적 짧다. ㉰ 대용량의 펌프로 하기가 곤란하다. ㉱ 초고압에는 사용이 곤란하다.

05 **기어펌프의 특징이 아닌 것은?**

① 외접식과 내접식이 있다.
② 베인펌프에 비해 소음이 비교적 크다.
③ 펌프의 발생 압력이 가장 높다.
④ 구조가 간단하고 흡입성이 우수하다.

해설 기어펌프의 특징
① 외접식과 내접식이 있다.
② 베인 펌프에 비해 소음이 비교적 크다.
③ 구조가 간단하고 흡입성이 우수하다.

06 **구동되는 기어펌프의 회전수가 변하였을 때 가장 적합한 것은?**

① 오일 흐름의 양이 바뀐다.
② 오일 압력이 바뀐다.
③ 오일 흐름방향이 바뀐다.
④ 회전 경사판의 각도가 바뀐다.

해설 기어펌프는 정용량형 펌프라서 회전수가 변하면 오름의 흐름양이 바뀐다.

07 **기어식 유압펌프에서 소음이 나는 원인이 아닌 것은?**

① 흡입라인의 막힘
② 오일량의 과다
③ 펌프의 베어링 마모
④ 오일의 과부족

정답 01.④ 02.② 03.② 04.② 05.③ 06.① 07.②

08 **외접형 기어펌프의 폐입 현상에 대한 설명으로 틀린 것은?**

① 폐입현상은 소음과 진동의 원인이 된다.
② 폐입된 부분의 기름은 압축이나 팽창을 받는다.
③ 보통 기어 측면에 접하는 펌프 측판(side plate)에 홈을 만들어 방지한다.
④ 펌프의 압력, 유량, 회전수 등이 주기적으로 변동해서 발생하는 진동현상이다.

폐입현상에 대한 설명은 ①,②,③항 이외에 토출된 유량 일부가 입구 쪽으로 귀환하여 토출량 감소, 축동력 증가 및 케이싱 마모 등의 원인을 유발하는 현상이다.

09 **기어식 유압펌프에 폐쇄작용이 생기면 어떤 현상이 생길 수 있는가?**

① 기름의 토출 ② 기포의 발생
③ 기어진동의 소멸 ④ 출력의 증가

폐쇄작용이란 토출된 유량일부가 입구 쪽으로 복귀하여 토출량 감소, 펌프를 구동하는 동력 증가 및 케이싱 마모, 기포발생 등의 원인을 유발하는 현상이다. 폐쇄 된 부분의 유압유는 압축이나 팽창을 받으므로 소음과 진동의 원인이 된다.

10 **다음 그림과 같이 안쪽은 내·외측 로터로 바깥쪽은 하우징으로 구성되어 있는 오일펌프는?**

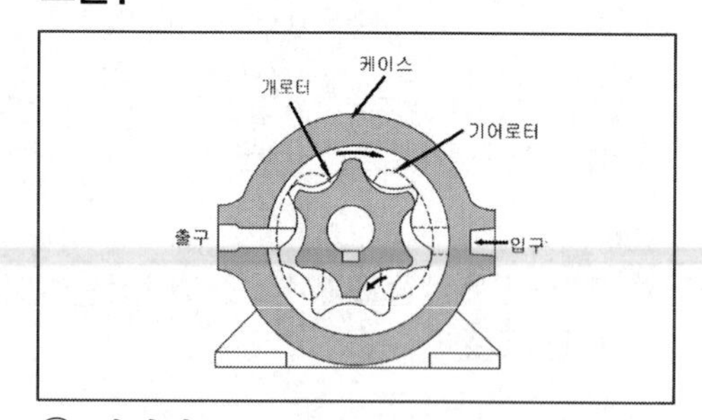

① 기어펌프
② 베인 펌프
③ 트로코이드 펌프
④ 피스톤 펌프

11 **베인 펌프의 일반적인 특성 설명 중 맞지 않는 것은?**

① 맥동과 소음이 적다.
② 소형·경량이다.
③ 간단하고 성능이 좋다.
④ 수명이 짧다.

베인펌프의 일반적인 특성
① 출구 압력의 맥동과 소음이 적다
② 구조가 간단하고 성능이 좋다.
③ 펌프 출력에 비해 소형·경량이다.
④ 베인의 마모에 의한 압력 저하가 발생하지 않는다.
⑤ 비교적 고장이 적고 수리 및 관리가 쉽다.
⑥ 수명이 길고 장시간 안정된 성능을 발휘할 수 있다.

12 **날개로 펌핑 동작을 하며, 소음과 진동이 적은 유압 펌프는?**

① 기어 펌프 ② 플런저 펌프
③ 베인 펌프 ④ 나사 펌프

베인 펌프는 원통형 캠링(cam ring)안에 편심된 로터(rotor)가 들어 있으며 로터에는 홈이 있고, 그 홈 속에 판 모양의 날개(vane)가 끼워져 자유롭게 작동유가 출입할 수 있도록 되어있다.

13 **베인 펌프의 펌핑 작용과 관련되는 주요 구성요소만 나열한 것은?**

① 배플, 베인, 캠링
② 베인, 캠링, 로터
③ 캠링, 로터, 스풀
④로터, 스풀, 배플

베인 펌프의 구성부품은 베인(vane), 캠링(cam ring), 로터(rotor) 등이다.

14 **플런저식 유압펌프의 특징이 아닌 것은?**

① 구동축이 회전운동을 한다.
② 플런저가 회전운동을 한다.
③ 가변용량형과 정용량형이 있다.
④ 기어펌프에 비해 최고압력이 높다.

정답 08.④ 09.② 10.③ 11.④ 12.③ 13.② 14.②

15 **플런저식 유압펌프의 특징이 아닌 것은?**

① 기어펌프에 비해 최고압력이 높다.
② 피스톤이 회전운동을 한다.
③ 축은 회전 또는 왕복운동을 한다.
④ 가변용량이 가능하다.

플런저식 유압펌프의 특징
① 기어펌프에 비해 최고압력이 높다.
② 축은 회전 또는 왕복운동을 한다.
③ 가변용량이 가능하다.
④ 피스톤은 왕복운동을 한다.

16 **펌프의 최고 토출압력, 평균효율이 가장 높아, 고압 대출력에 사용하는 유압펌프로 가장 적합한 것은?**

① 기어 펌프
② 베인 펌프
③ 트로코이드 펌프
④ 피스톤 펌프

피스톤 펌프는 최고 토출압력, 평균효율이 가장 높아, 고압 대출력에서 주로 사용한다.

17 **일반적으로 유압펌프 중 가장 고압·고효율인 것은?**

① 베인 펌프　② 플런저 펌프
③ 2단 베인 펌프　④ 기어펌프

18 **유압펌프 중 압력발생이 가장 높은 것은?**

① 기어 펌프　② 베인 펌프
③ 나사 펌프　④ 피스톤 펌프

19 **유압펌프 중 토출량을 변화시킬 수 있는 것은?**

① 가변 토출량형　② 고정 토출량형
③ 회전 토출량형　④ 수평 토출량형

유압펌프의 토출량을 변화시킬 수 있는 것은 가변 토출형이며, 회전수가 같을 때 펌프의 토출량이 변화하는 펌프를 가변용량형 펌프라 한다.

20 **유압펌프에서 경사판의 각을 조정하여 토출유량을 변환시키는 펌프는?**

① 기어펌프　② 로터리 펌프
③ 베인 펌프　④ 플런저 펌프

21 **피스톤식 유압펌프에서 회전 경사판의 기능으로 가장 적합한 것은?**

① 펌프 압력을 조정
② 펌프 출구의 개폐
③ 펌프 용량을 조정
④ 펌프 회전속도를 조정

피스톤식 유압펌프에서 회전경사판의 기능은 펌프의 용량 조정이다.

22 **다음 유압펌프 중 가장 높은 압력조건에 사용할 수 있는 펌프는?**

① 기어 펌프　② 로터리 펌프
③ 플런저 펌프　④ 베인 펌프

플런저 펌프는 맥동적 토출을 하지만 다른 펌프에 비해 일반적으로 최고압력 토출이 가능하고, 펌프효율이 가장 높다.

23 **다음 유압펌프 중 토출압력이 가장 높은 것은?**

① 베인 펌프
② 레디얼 플런저 펌프
③ 기어 펌프
④ 엑시얼 플런저 펌프

유압펌프의 토출압력
① 기어펌프 :10~250kg/cm²
② 베인 펌프 : 35~140kg/cm²
③ 레이디얼 플런저 펌프 : 140~250kg/cm²
④ 엑시얼 플런저 펌프 : 210~400kg/cm²

24 **단위 시간에 이동하는 유체의 체적을 무엇이라 하는가?**

① 토출압　② 드레인
③ 언더랩　④ 유량

유량이란 단위 시간에 이동하는 유체의 체적을 말한다.

정답 15.② 16.④ 17.② 18.④ 19.① 20.④ 21.③ 22.③ 23.④ 24.④

25 **유압펌프에서 사용되는 GPM의 의미는?**

① 분당 토출하는 작동유의 양
② 복동 실린더의 치수
③ 계통 내에서 형성되는 압력의 크기
④ 흐름에 대한 저항

GPM(gallon per minute)이란 계통 내에서 이동되는 유체(오일)의 양 즉 분당 토출하는 작동유의 양이다.

26 **유압펌프의 토출량을 표시하는 단위로 옳은 것은?**

① L/min ② kgf−m
③ kgf/cm^2 ④ kW 또는 PS

유압펌프의 토출량이란 펌프가 단위시간당 토출하는 액체의 체적이며, 토출량의 단위는 L/min(LPM)이나 GPM을 사용한다.

27 **유압펌프가 오일을 토출하지 않을 경우는?**

① 펌프의 회전이 너무 빠를 때
② 유압유의 점도가 낮을 때
③ 흡입관으로부터 공기가 흡입되고 있을 때
④ 릴리프 밸브의 설정 압이 낮을 때

펌프가 오일을 토출하지 못하는 원인
① 유압펌프의 회전수가 너무 낮다.
② 흡입 관 또는 스트레이너가 막혔다.
③ 회전방향이 반대로 되어있다.
④ 흡입관으로부터 공기가 흡입되고 있다.
⑤ 오일탱크의 유면이 낮다.
⑥ 유압유의 점도가 너무 높다.

28 **유압펌프가 오일을 토출하지 않을 경우 점검항목 중 틀린 것은?**

① 오일탱크에 오일이 규정량으로 들어 있는지 점검한다.
② 흡입 스트레이너가 막혀 있지 않은지 점검한다.
③ 흡입 관로에 공기를 빨아들이지 않는지 점검한다.
④ 토출측 회로에 압력이 너무 낮은지 점검한다.

29 **유압펌프 내의 내부 누설은 무엇에 반비례하여 증가하는가?**

① 작동유의 오염 ② 작동유의 점도
③ 작동유의 압력 ④ 작동유의 온도

유압펌프 내의 내부 누설은 작동유의 점도에 반비례하여 증가한다.

30 **유압유의 압력이 상승하지 않을 때의 원인을 점검하는 것으로 가장 거리가 먼 것은?**

① 펌프의 토출량 점검
② 유압회로의 누유상태 점검
③ 릴리프 밸브의 작동상태 점검
④ 펌프설치 고정 볼트의 강도점검

31 **건설기계 운전 시 갑자기 유압이 발생되지 않을 때 점검 내용으로 가장 거리가 먼 것은?**

① 오일 개스킷 파손여부 점검
② 유압 실린더의 피스톤 마모 점검
③ 오일파이프 및 호스가 파손되었는지 점검
④ 오일량 점검

갑자기 유압이 발생되지 않을 때 점검사항은 오일 개스킷 파손여부 점검, 오일파이프 및 호스가 파손되었는지 점검, 오일량 점검, 유압펌프 고장여부 등이다.

32 **건설기계 작업 중 갑자기 유압회로 내의 유압이 상승되지 않아 점검하려고 한다. 내용으로 적합하지 않은 것은?**

① 펌프로부터 유압발생이 되는지 점검
② 오일탱크의 오일량 점검
③ 오일이 누출되었는지 점검
④ 자기탐상법에 의한 작업장치의 균열 점검

갑자기 유압상승이 되지 않을 경우 점검 내용
① 유압펌프로부터 유압이 발생되는지 점검
② 오일탱크의 오일량 점검
③ 릴리프 밸브의 고장인지 점검
④ 오일이 누출되었는지 점검

정답 25.① 26.① 27.③ 28.④ 29.② 30.④ 31.② 32.④

33 **유압펌프의 소음발생 원인으로 틀린 것은?**

① 펌프 흡입관부에서 공기가 혼입된다.
② 흡입오일 속에 기포가 있다.
③ 펌프의 속도가 너무 빠르다.
④ 펌프 축의 센터와 원동기 축의 센터가 일치한다.

유압펌프에서 소음이 발생하는 원인
① 유압유의 양이 부족하거나 공기가 들어 있을 때
② 유압유 점도가 너무 높을 때
③ 스트레이너가 막혀 흡입용량이 작아졌을 때
④ 유압펌프의 베어링이 마모되었을 때
⑤ 펌프흡입관 접합부로부터 공기가 유입될 때
⑥ 유압펌프 축의 편심오차가 클 때
⑦ 유압펌프의 회전속도가 너무 빠를 때

34 **유압펌프에서 소음이 발생할 수 있는 원인으로 거리가 가장 먼 것은?**

① 오일의 양이 적을 때
② 유압펌프의 회전속도가 느릴 때
③ 오일 속에 공기가 들어 있을 때
④ 오일의 점도가 너무 높을 때

정답 33.④ 34.②

3 chapter 유압 제어 밸브

1 제어 밸브(컨트롤 밸브)의 종류

① 압력 제어 밸브 : 유압을 조절하여 일의 크기를 제어한다.
② 유량 제어 밸브 : 유량을 변화시켜 일의 속도를 제어한다.
③ 방향 제어 밸브 : 유압유의 흐름 방향을 바꾸거나 정지시켜서 일의 방향을 제어한다.

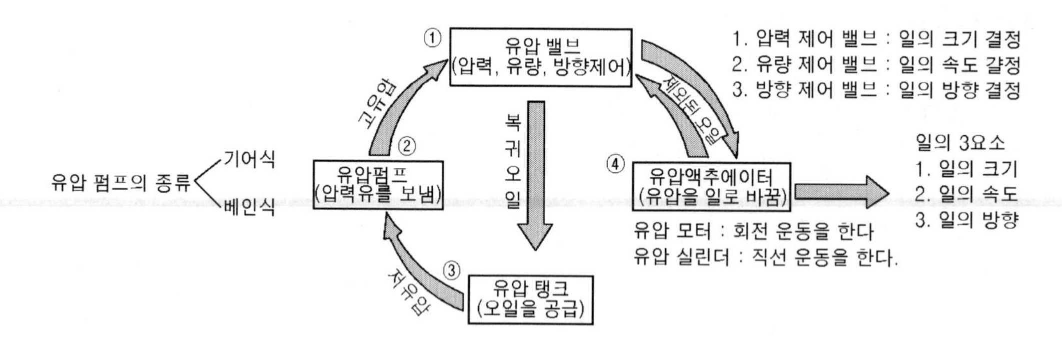

2 압력 제어 밸브

(1) 릴리프 밸브(relief valve)

1) 릴리프 밸브의 기능

① 유압장치의 과부하 방지와 유압 기기의 보호를 위하여 최고 압력을 규제하고 유압 회로 내의 필요한 압력을 유지하는 밸브이다.
② 유압 펌프의 토출 측에 위치하여 회로 전체의 압력을 제어하는 밸브이다.
③ 유압장치 내의 압력을 일정하게 유지하고, 최고압력을 제한하며 회로를 보호하며, 과부하 방지와 유압 기기의 보호를 위하여 최고 압력을 규제한다.

2) 릴리프 밸브 설치 위치

릴리프 밸브는 유압 펌프와 제어 밸브 사이 즉, 유압 펌프와 방향 전환 밸브 사이에 설치되어 있다. 따라서 유압회로의 압력을 점검하는 위치는 유압 펌프에서 제어 밸브 사이이다

3) 채터링(chattering) 현상

유압계통에서 릴리프 밸브 스프링의 장력이 약화될 때 발생되는 현상을 말한다. 즉 직동형 릴리프 밸브(Relief valve)에서 자주 일어나며 볼(ball)이 밸브의 시트(seat)를 때려 소음을 발생시키는 현상이다.

(2) 감압 밸브(리듀싱 밸브 ; reducing valve)

① 유압 실린더 내의 유압은 동일하여도 각각 다른 압력으로 나눌 수 있는 밸브이다.
② 1차 쪽의 압력이 변화하거나 2차 쪽의 유량 변동에 대하여 설정 압력의 변동을 억제하는 밸브이다(유압회로에서 입구 압력을 감압하여 유압 실린더 출구 설정 유압으로 유지한다).
③ 분기회로에서 2차측 압력을 낮게 할 때 사용한다.

(3) 시퀀스 밸브(순차 밸브, sequence valve)

① 2개 이상의 분기회로가 있을 때 순차적인 작동을 하기 위한 압력 제어 밸브이다.
② 2개 이상의 분기회로에서 실린더나 모터의 작동순서를 결정하는 자동 제어 밸브이다.

(4) 언로더 밸브(무부하 밸브, unloader valve)

① 유압회로의 압력이 설정 압력에 도달하였을 때 유압 펌프로부터 전체 유량을 작동유 탱크로 리턴시키는 밸브이다.
② 유압장치에서 통상 고압 소용량, 저압 대용량 펌프를 조합 운전할 때 작동 압력이 규정 압력 이상으로 상승할 때 동력을 절감하기 위하여 사용하는 밸브이다.
③ 유압장치에서 두 개의 펌프를 사용하는데 있어 펌프의 전체 송출량을 필요로 하지 않을 경우, 동력의 절감과 유온 상승을 방지하는 밸브이다.

(5) 카운터 밸런스 밸브(counter balance valve)

유압 실린더의 복귀 쪽에 배압을 발생시켜 피스톤이 중력에 의하여 자유 낙하하는 것을 방지하여 하강 속도를 제어하기 위해 사용된다.

3 유량 제어 밸브

① 액추에이터의 운동속도를 조정하기 위하여 사용되는 밸브이다.
② 유량 제어 밸브의 종류에는 분류 밸브(dividing valve), 니들 밸브(needle valve), 오리피스 밸브(orifice valve), 교축 밸브(throttle valve), 급속 배기 밸브 등이 있다.

③ 교축 밸브는 점도가 달라져도 유량이 그다지 변화하지 않도록 설치된 밸브이다.
④ 니들 밸브는 내경이 작은 파이프에서 미세한 유량을 조정하는 밸브이다.

4 방향 제어 밸브

(1) 방향 제어밸브의 기능

① 유체의 흐름방향을 변환한다.
② 유체의 흐름방향을 한쪽으로만 허용한다.
③ 유압 실린더나 유압 모터의 작동 방향을 바꾸는데 사용한다.
④ 방향 제어밸브를 동작시키는 방식에는 수동식, 전자식, 전자·유압 파일럿식 등이 있다.

(2) 방향 제어 밸브의 종류

방향 제어 밸브의 종류에는 디셀러레이션 밸브, 체크 밸브, 스풀 밸브[매뉴얼 밸브(로터리형)] 등이 있다.

① 디셀러레이션 밸브(deceleration valve) : 유압 실린더를 행정 최종 단에서 실린더의 속도를 감속하여 서서히 정지시키고자할 때 사용되는 밸브이다.
② 체크 밸브(check valve) : 역류를 방지하는 밸브 즉, 한쪽 방향으로의 흐름은 자유로우나 역방향의 흐름을 허용하지 않는 밸브이다.
③ 스풀 밸브(spool valve) : 원통형 슬리브 면에 내접되어 축 방향으로 이동하여 작동유의 흐름 방향을 바꾸기 위해 사용하는 밸브이다.

5 서보 밸브(servo valve)

① 작동유 흐름이나 압력 및 유량을 조절하는 밸브이다.
② 전기 또는 그 밖의 입력 신호에 따라서 유량 또는 압력을 제어하는 밸브이다.

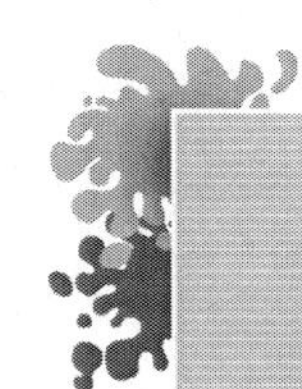

출제예상문제

01 **유압장치에서 유압의 제어 방법이 아닌 것은?**

① 압력 제어　② 방향 제어
③ 속도 제어　④ 유량 제어

02 **유압회로에 사용되는 제어 밸브의 역할과 종류의 연결사항으로 틀린 것은?**

① 일의 속도 제어 : 유량 조절 밸브
② 일의 시간 제어 : 속도 제어 밸브
③ 일의 방향 제어 : 방향 전환 밸브
④ 일의 크기 제어 : 압력 제어 밸브

해설 제어 밸브에는 일의 크기를 제어하는 압력 제어 밸브, 일의 속도를 제어하는 유량 조절 밸브, 일의 방향을 제어하는 방향 전환 밸브가 있다.

03 **보기에서 유압회로에 사용되는 제어 밸브가 모두 나열된 것은?**

[보기] ㄱ. 압력 제어 밸브　ㄴ. 속도 제어 밸브
ㄷ. 유량 제어 밸브　ㄹ. 방향 제어 밸브

① ㄱ, ㄴ, ㄷ　② ㄱ, ㄴ, ㄹ
③ ㄴ, ㄷ, ㄹ　④ ㄱ, ㄷ, ㄹ

해설 제어 밸브의 기능
① 압력 제어 밸브 : 일의 크기 결정
② 유량 제어 밸브 : 일의 속도 결정
③ 방향 제어 밸브 : 일의 방향 결정

04 **유압 장치의 과부하 방지와 유압기기의 보호를 위하여 최고 압력을 규제하고 유압 회로 내의 필요한 압력을 유지하는 밸브는?**)

① 압력 제어 밸브
② 유량 제어 밸브
③ 방향 제어 밸브
④ 온도 제어 밸브

해설 압력 제어 밸브는 유압 장치의 과부하 방지와 유압기기의 보호를 위하여 최고 압력을 규제하고 유압 회로 내의 필요한 압력을 유지한다.

05 **유압 작동유의 압력을 제어하는 밸브가 아닌 것은?**

① 릴리프 밸브　② 체크밸브
③ 리듀싱 밸브　④ 시퀀스 밸브

해설 압력제어 밸브의 종류에는 릴리프 밸브, 리듀싱(감압)밸브, 시퀀스(순차) 밸브, 언로드(무부하) 밸브, 카운터밸런스 밸브 등이 있다.

06 **유압장치에서 압력제어 밸브가 아닌 것은?**

① 릴리프 밸브　② 감압 밸브
③ 시퀀스 밸브　④ 서보 밸브

07 **다음 중 압력제어 밸브가 아닌 것은?**

① 릴리프 밸브
② 체크 밸브
③ 언로더 밸브
④ 카운터밸런스 밸브

08 **압력제어 밸브의 종류가 아닌 것은?**

① 교축 밸브(throttle valve)
② 릴리프 밸브(relief valve)
③ 시퀀스밸브(sequence valve)
④ 카운터 밸런스 밸브(counter balance valve)

09 **압력제어 밸브의 종류에 해당하지 않는 것은?**

① 감압밸브　② 시퀀스 밸브
③ 교축밸브　④ 언로더 밸브

정답 01.③ 02.② 03.④ 04.① 05.② 06.④ 07.② 08.① 09.③

10 유압회로 내에서 유압을 일정하게 조절하여 일의 크기를 결정하는 밸브가 아닌 것은?

① 시퀀스 밸브
② 서보 밸브
③ 언로드 밸브
④ 카운터 밸런스 밸브

11 유압회로 내의 압력이 설정압력에 도달하면 펌프에 토출된 오일의 일부 또는 전량을 직접 탱크로 돌려보내 회로의 압력을 설정 값으로 유지하는 밸브는?

① 시퀀스 밸브 ② 릴리프 밸브
③ 언로드 밸브 ④ 체크밸브

릴리프 밸브는 유압장치 내의 압력을 일정하게 유지하고 최고 압력을 제한하여 회로를 보호하며, 과부하 방지와 유압기기의 보호를 위하여 최고 압력을 규제한다.

12 유압회로의 최고압력을 제어하는 밸브로서, 회로의 압력을 일정하게 유지시키는 밸브는?

① 체크 밸브
② 감압 밸브
③ 릴리프 밸브
④ 카운터 밸런스 밸브

13 유압 계통 내의 최대압력을 제어하는 밸브는?

① 체크밸브 ② 초크밸브
③ 오리피스 밸브 ④ 릴리프 밸브

14 유압조정 밸브에서 조정 스프링의 장력이 클 때 발생할 수 있는 현상으로 가장 적합한 것은?

① 유압이 낮아진다.
② 유압이 높아진다.
③ 채터링 현상이 생긴다.
④ 플래터 현상이 생긴다.

유압조정 밸브의 스프링 장력이 크면 유압이 높아진다.

15 릴리프 밸브에서 포펫밸브를 밀어 올려 기름이 흐르기 시작할 때의 압력은?

① 설정압력 ② 허용압력
③ 크랭킹 압력 ④ 전량압력

크랭킹 압력이란 릴리프 밸브에서 포펫밸브를 밀어 올려 기름이 흐르기 시작할 때의 압력을 말한다.

16 유압회로에서 입구 압력을 감압하여 유압실린더 출구 설정 유압으로 유지하는 밸브는?

① 릴리프 밸브
② 리듀싱 밸브
③ 언로딩 밸브
④ 카운터 밸런스 밸브

리듀싱(감압)밸브는 유압회로에서 입구 압력을 감압하여 유압실린더 출구 설정 유압으로 유지한다.

17 다음 중 감압밸브의 사용 용도로 적합한 것은?

① 분기회로에서 2차측 압력을 낮게 사용할 때
② 귀환회로에서 잔류압력을 유지하고자 할 때
③ 귀환회로에서 잔류압력을 낮게 하고자 할 때
④ 공급회로에서 압력을 높게 하고자 할 때

감압밸브는 분기회로에서 2차측 압력을 낮게 할 때 사용한다.

18 2개 이상의 분기회로에서 작동순서를 자동적으로 제어하는 밸브는?

① 시퀀스 밸브 ② 릴리프 밸브
③ 언로드 밸브 ④ 감압 밸브

시퀀스 밸브는 유압원에서의 주회로부터 액추에이터 등이 2개 이상의 분기회로를 가질 때, 각 액추에이터를 일정한 순서로 순차 작동시킨다.

정답 10.② 11.② 12.③ 13.④ 14.② 15.③ 16.② 17.① 18.①

19 **유압원에서의 주회로부터 유압 실린더 등이 2개 이상의 분기회로를 가질 때, 각 유압실린더를 일정한 순서로 순차 작동시키는 밸브는?**

① 시퀀스 밸브 ② 감압 밸브
③ 릴리프 밸브 ④ 체크밸브

20 **2개 이상의 분기회로를 갖는 회로 내에서 작동순서를 회로의 압력 등에 의하여 제어하는 밸브는?**

① 체크밸브 ② 시퀀스 밸브
③ 한계밸브 ④ 서보밸브

21 **유압실린더 등이 중력에 의한 자유낙하를 방지하기 위해 배압을 유지하는 압력제어 밸브는?**

① 시퀀스 밸브
② 언로드 밸브
③ 카운터 밸런스 밸브
④ 감압밸브

카운터 밸런스 밸브(counter balance valve)는 유압실린더 등이 중력에 의한 자유낙하를 방지하기 위해 배압을 유지하는 압력 제어밸브이다.

22 **유압장치에서 배압을 유지하는 밸브는?**

① 릴리프 밸브
② 카운터 밸런스 밸브
③ 유량제어 밸브
④ 방향제어 밸브

23 **체크밸브가 내장되는 밸브로서 유압회로의 한방향의 흐름에 대해서는 설정된 배압을 생기게 하고, 다른 방향의 흐름은 자유롭게 흐르도록 한 밸브는?**

① 셔틀 밸브
② 언로더 밸브
③ 슬로리턴 밸브
④ 카운터 밸런스 밸브

카운터 밸런스 밸브는 체크밸브가 내장되는 밸브로서 유압회로의 한방향의 흐름에 대해서는 설정된 배압을 생기게 하고, 다른 방향의 흐름은 자유롭게 흐르도록 한다.

24 **유압으로 작동되는 작업 장치에서 작업 중 힘이 떨어질 때의 원인과 가장 밀접한 밸브는?**

① 메인 릴리프 밸브
② 체크(check)밸브
③ 방향전환 밸브
④ 메이크업 밸브

유압으로 작동되는 작업 장치에서 작업 중 힘이 떨어지면 메인 릴리프 밸브를 점검한다.

25 **유압장치에서 작동체의 속도를 바꿔주는 밸브는?**

① 압력제어 밸브
② 유량제어 밸브
③ 방향제어 밸브
④ 체크밸브

① 압력제어 밸브 : 일의 크기 결정
② 유량제어 밸브 : 일의 속도 결정
③ 방향제어 밸브 : 일의 방향결정

26 **액추에이터의 운동속도를 조정하기 위하여 사용되는 밸브는?**

① 압력제어 밸브
② 온도제어 밸브
③ 유량제어 밸브
④ 방향제어 밸브

27 **유압식 작업 장치의 속도가 느릴 때의 원인으로 가장 맞는 것은?**

① 오일 쿨러의 막힘이 있다.
② 유압펌프의 토출압력이 높다.
③ 유압조정이 불량하다.
④ 유량조정이 불량하다.

유량이 부족하면 작업 장치의 속도가 느려진다.

정답 19.① 20.② 21.③ 22.② 23.④ 24.① 25.② 26.③ 27.④

28 다음에서 설명하는 유압밸브는?

> 액추에이터의 속도를 서서히 감속시키는 경우나 서서히 증속시키는 경우에 사용되며, 일반적으로 캠(cam)으로 조작된다. 이 밸브는 행정에 대응하여 통과 유량을 조정하며 원활한 감속 또는 증속을 하도록 되어 있다.

① 디셀러레이션 밸브
② 카운터밸런스밸브
③ 방향제어밸브
④ 프레필밸브

디셀러레이션 밸브는 액추에이터의 속도를 서서히 감속시키는 경우나 서서히 증속시키는 경우에 사용되며, 일반적으로 캠(cam)으로 조작된다. 이 밸브는 행정에 대응하여 통과 유량을 조정하며 원활한 감속 또는 증속을 하도록 되어 있다.

29 일반적으로 캠(cam)으로 조작되는 유압밸브로써 액추에이터의 속도를 서서히 감속시키는 밸브는?

① 카운터 밸런스 밸브
② 프레필 밸브
③ 방향제어 밸브
④ 디셀러레이션 밸브

디셀러레이션 밸브는 캠(cam)으로 조작되는 유압밸브로써 액추에이터의 속도를 서서히 감속시키고자 할 때 사용한다.

30 유압회로 내의 압력이 설정압력에 도달하면 펌프에서 토출된 오일을 전부 탱크로 회송시켜 펌프를 무부하로 운전시키는데 사용하는 밸브는?

① 체크밸브(check valve)
② 시퀀스 밸브(sequence valve)
③ 언로드 밸브(unloader valve)
④ 카운터밸런스 밸브(count balance valve)

언로드(무부하)밸브는 유압회로 내의 압력이 설정압력에 도달하면 펌프에서 토출된 오일을 전부 탱크로 회송시켜 펌프를 무부하로 운전시키는데 사용한다.

31 고압·소용량, 저압·대용량 펌프를 조합 운전할 경우 회로 내의 압력이 설정압력에 도달하면 저압 대용량 펌프의 토출량을 기름 탱크로 귀환시키는데 사용하는 밸브는?

① 무부하 밸브
② 카운터 밸런스 밸브
③ 체크밸브
④ 시퀀스 밸브

무부하 밸브는 유압장치에서 고압·소용량, 저압·대용량 펌프를 조합 운전할 때, 작동압력이 규정압력 이상으로 상승할 때 동력절감을 하기 위해 사용하는 밸브이다.

32 유압장치에서 두 개의 펌프를 사용하는데 있어 펌프의 전체 송출량을 필요로 하지 않을 경우, 동력의 절감과 유온 상승을 방지하는 것은?

① 압력스위치(pressure switch)
② 카운터 밸런스 밸브(counter balance valve)
③ 감압밸브(pressure reducing valve)
④ 무부하 밸브(unloading valve)

무부하 밸브(unloading valve)는 2개의 펌프를 사용하는데 있어 펌프의 전체 송출량을 필요로 하지 않을 경우, 동력의 절감과 유온상승을 방지하는 밸브이다.

33 유압장치에서 방향제어 밸브의 설명 중 가장 적절한 것은?

① 오일의 흐름방향을 바꿔주는 밸브이다.
② 오일의 압력을 바꿔주는 밸브이다.
③ 오일의 유량을 바꿔주는 밸브이다.
④ 오일의 온도를 바꿔주는 밸브이다.

34 회로 내 유체의 흐름 방향을 제어하는데 사용되는 밸브는?

① 감압 밸브 ② 유압 액추에이터
③ 셔틀 밸브 ④ 교축 밸브

방향제어 밸브의 종류에는 스풀밸브, 체크밸브, 디셀러레이션 밸브, 셔틀밸브 등이 있다.

정답 28.① 29.④ 30.③ 31.① 32.④ 33.① 34.③

35 방향전환밸브 포트의 구성요소가 아닌 것은?

① 유로의 연결포트 수
② 작동방향 수
③ 작동위치 수
④ 감압위치 수

36 방향제어 밸브를 동작시키는 방식이 아닌 것은?

① 수동식
② 전자-유압 파일럿식
③ 전자식
④ 스프링식

방향제어 밸브를 동작시키는 방식에는 수동식, 전자유압 파일럿식, 전자식 등이 있다.

37 유압장치의 방향전환밸브(중립상태)에서 실린더가 외력에 의해 충격을 받았을 때 발생되는 고압을 릴리프 시키는 밸브는?

① 반전 방지 밸브
② 메인 릴리프 밸브
③ 과부하(포트)릴리프 밸브
④ 유량감지 밸브

38 유압회로에서 오일을 한쪽 방향으로만 흐르도록 하는 밸브는?

① 릴리프 밸브(relief valve)
② 파일럿 밸브(pilot valve)
③ 체크밸브(check valve)
④ 오리피스 밸브(orifice valve)

체크밸브(check valve)는 역류를 방지하고, 회로내의 잔류압력을 유지시키며, 오일의 흐름이 한쪽 방향으로만 가능하게 한다.

39 한쪽 방향의 오일 흐름은 가능하지만 반대 방향으로는 흐르지 못하게 하는 밸브는?

① 분류 밸브 ② 감압 밸브
③ 체크 밸브 ④ 제어 밸브

40 유압장치에서 오일의 역류를 방지하기 위한 밸브는?

① 변환 밸브 ② 압력조절 밸브
③ 체크 밸브 ④ 흡기 밸브

41 유압 작동기의 방향을 전환시키는 밸브에 사용되는 형식 중 원통형 슬리브 면에 내접하여 축 방향으로 이동하면서 유로를 개폐하는 형식은?

① 스풀형식
② 포핏 형식
③ 베인 형식
④ 카운터밸런스 밸브 형식

스풀 밸브는 원통형 슬리브 면에 내접하여 축 방향으로 이동하고 유로를 개폐하여 오일의 흐름을 바꾼다.

42 릴리프 밸브 등에서 밸브 시트를 때려 비교적 높은 소리를 내는 진동현상을 무엇이라 하는가?

① 채터링 ② 캐비테이션
③ 점핑 ④ 서지압

채터링이란 릴리프 밸브에서 볼이 밸브의 시트를 때려 소음을 내는 진동현상이다.

정답 35.④ 36.④ 37.③ 38.③ 39.③ 40.③ 41.① 42.①

chapter 4 유압 실린더와 유압 모터

1 유압 액추에이터

액추에이터(Actuator)는 작동유의 압력 에너지(힘)를 기계적 에너지(일)로 변환시키는 작용을 하는 장치로서 유압 펌프를 통하여 송출된 에너지를 직선 운동이나 회전 운동을 통하여 기계적 일을 하는 기기를 말한다. 그 종류에는 유압 실린더와 유압 모터가 있다.

2 유압 실린더

① 유압 실린더는 직선 왕복운동을 하는 액추에이터이다.
② 유압 실린더의 종류에는 단동 실린더, 복동 실린더(싱글 로드형과 더블 로드형), 다단 실린더, 램형 실린더 등이 있다.
③ 유압 실린더 지지 방식 : 푸트형(축방향 푸트형, 축 직각 푸트형), 플랜지형(캡측 플랜지 지지형, 헤드측 플랜지 지지형), 트러니언형(헤드측 지지형, 캡측 지지형, 센터 지지향), 클레비스형(클래비스 지지형, 아이 지지형)
④ 쿠션 기구 : 유압 실린더에 피스톤이 고속으로 왕복 운동할 때 행정의 끝에서 피스톤이 커버에 충돌하여 발생하는 충격을 흡수하고, 그 충격력에 의해서 발생하는 유압 회로의 악영향이나 유압기기의 손상을 방지하기 위해 설치된다.

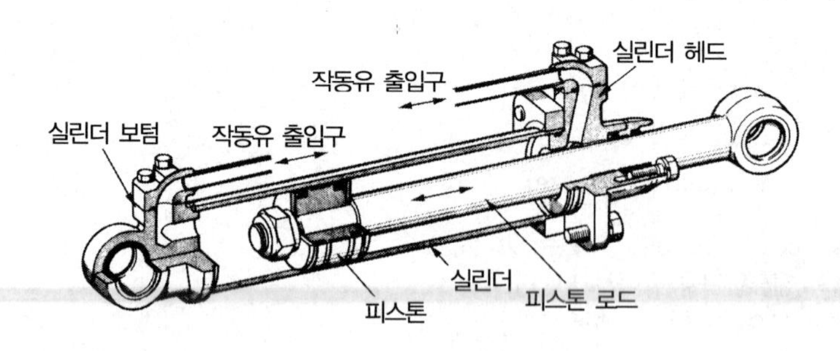

(1) 유압 실린더를 정비할 때 주의 사항

① 조립할 때 O링, 패킹에는 그리스를 발라서는 안 된다.
② 분해 조립할 때 무리한 힘을 가하지 않는다.
③ 도면을 보고 순서에 따라 분해 조립을 한다.
④ 쿠션 기구의 작은 유로는 압축 공기를 불어 막힘 여부를 검사한다.

(2) 유압 실린더의 누유 검사 방법

① 정상적인 작동 온도에서 실시한다.
② 각 유압 실린더를 몇 번씩 작동 후 점검한다.
③ 얇은 종이를 펴서 로드에 대고 앞뒤로 움직여본다.

(3) 실린더의 과도한 자연 낙하 원인

① 실린더 내의 피스톤 실링의 마모
② 컨트롤 밸브 스풀의 마모
③ 릴리프 밸브의 조정 불량

3 유압 모터

유압 모터는 회전운동을 하는 액추에이터이며, 종류에는 기어 모터, 베인 모터, 피스톤(플런저) 모터 등이 있다.

(1) 유압 모터의 장점

① 넓은 범위의 무단변속이 용이하다.
② 소형·경량으로서 큰 출력을 낼 수 있다.
③ 과부하에 대해 안전하다.
④ 정·역회전 변화가 가능하다.
⑤ 자동 원격 조작이 가능하고 작동이 신속·정확하다.
⑥ 속도나 방향의 제어가 용이하다.
⑦ 회전체의 관성이 작아 응답성이 빠르다.
⑧ 구조가 간단하며, 과부하에 대해 안전하다.

(2) 유압 모터의 단점

① 유압유의 점도 변화에 의하여 유압 모터의 사용에 제약이 있다.
② 유압유는 인화하기 쉽다.
③ 유압유에 먼지나 공기가 침입하지 않도록 특히 보수에 주의해야 한다.
④ 공기와 먼지 등이 침투하면 성능에 영향을 준다.
⑤ 전동 모터에 비하여 급정지가 쉽다.

(3) 유압 모터에서 소음과 진동이 발생하는 원인

① 유압유 속에 공기가 유입되었다.
② 체결 볼트가 이완되었다.
③ 내부 부품이 파손되었다.

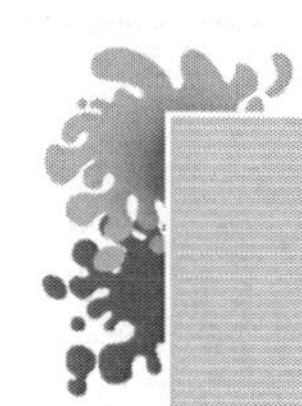

출 제 예 상 문 제

유압 실린더

01 건설기계에 사용되는 유압 실린더는 어떠한 원리를 응용한 것인가?

① 베르누이의 정리 ② 파스칼의 원리
③ 지렛대의 원리 ④ 후크의 법칙

해설 파스칼의 원리는 밀폐된 용기 안에 정지하고 있는 액체의 일부에 힘을 가하면 세기가 변하지 않고 용기안의 모든 액체에 똑같은 압력으로 전달되며, 각 면에 수직으로 작용한다.

02 유압장치의 구성요소 중 유압 액추에이터에 속하는 것은?

① 유압 펌프 ② 엔진 또는 전기모터
③ 오일 탱크 ④ 유압 실린더

03 유압유의 유체 에너지(압력, 속도)를 기계적인 일로 변환시키는 유압장치는?

① 유압펌프 ② 유압액추에이터
③ 어큐뮬레이터 ④ 유압밸브

해설 유압 액추에이터는 압력(유압)에너지를 기계적 에너지(일)로 바꾸는 장치이다.

04 유압 액추에이터의 기능에 대한 설명으로 맞는 것은?

① 유압의 방향을 바꾸는 장치이다.
② 유압을 일로 바꾸는 장치이다.
③ 유압의 빠르기를 조정하는 장치이다.
④ 유압의 오염을 방지하는 장치이다.

05 유압 실린더의 주요 구성부품이 아닌 것은?

① 피스톤 로드 ② 피스톤
③ 실린더 ④ 커넥팅 로드

06 일반적인 유압 실린더의 종류에 해당하지 않는 것은?

① 다단 실린더 ② 단동 실린더
③ 레디얼 실린더 ④ 복동 실린더

해설 유압 실린더의 종류에는 단동 실린더, 복동 실린더, 다단 실린더, 램형 실린더 등이 있다.

07 유압 실린더 지지방식 중 트러니언형 지지방식이 아닌 것은?

① 캡측 플랜지 지지형
② 헤드측 지지형
③ 캡측 지지형
④ 센터 지지형

08 유압 실린더 중 피스톤의 양쪽에 유압유를 교대로 공급하여 양방향의 운동을 유압으로 작동시키는 형식은?

① 단동식 ② 복동식
③ 다동식 ④ 편동식

해설
① 단동식 : 한쪽 방향에 대해서만 유효한 일을 하고, 복귀는 중력이나 복귀스프링에 의한다.
② 복동식 : 유압 실린더 피스톤의 양쪽에 유압유를 교대로 공급하여 양방향의 운동을 유압으로 작동시킨다.

09 유압 실린더의 작동속도가 정상보다 느릴 경우, 예상되는 원인으로 가장 적합한 것은?

① 계통 내의 흐름용량이 부족하다.
② 작동유의 점도가 약간 낮아짐을 알 수 있다.
③ 작동유의 점도지수가 높다.
④ 릴리프 밸브의 설정압력이 너무 높다.

해설 유압실린더의 작동속도가 정상보다 느린 원인은 유압 계통 내의 흐름용량(유량)이 부족하다

정답 01.② 02.④ 03.② 04.② 05.④ 06.③ 07.① 08.② 09.①

10 **유압 실린더의 움직임이 느리거나 불규칙할 때의 원인이 아닌 것은?**

① 피스톤 링이 마모되었다.
② 유압유의 점도가 너무 높다.
③ 회로 내에 공기가 혼입되고 있다.
④ 체크밸브의 방향이 반대로 설치되어 있다.

11 **실린더의 피스톤이 고속으로 왕복 운동할 때 행정의 끝에서 피스톤이 커버에 충돌하여 발생하는 충격을 흡수하고, 그 충격력에 의해서 발생하는 유압회로의 악영향이나 유압기기의 손상을 방지하기 위해서 설치하는 것은?**

① 쿠션기구 ② 밸브기구
③ 유량제어기구 ④ 셔틀기구

쿠션기구는 유압실린더에서 피스톤 행정이 끝날 때 발생하는 충격을 흡수하기 위해 설치하는 장치이다.

12 **유압 실린더에서 피스톤 행정이 끝날 때 발생하는 충격을 흡수하기 위해 설치하는 장치는?**

① 쿠션기구 ② 압력보상 장치
③ 서보밸브 ④ 스로틀 밸브

쿠션기구는 유압실린더에서 피스톤 행정이 끝날 때 발생하는 충격을 흡수하기 위해 설치하는 장치이다.

13 **유압실린더를 교환하였을 경우 조치해야 할 작업으로 가장 거리가 먼 것은?**

① 오일교환
② 공기빼기 작업
③ 누유 점검
④ 공회전하여 작동상태 점검

액추에이터(작업 장치)를 교환하였을 경우 반드시 해야 할 작업은 공회전하여 작동상태 점검, 공기빼기 작업, 누유 점검, 오일보충이다.

14 **다음 보기 중 유압실린더에서 발생되는 피스톤 자연하강현상(cylinder drift)의 발생 원인으로 모두 맞는 것은?**

보기
ㄱ. 작동압력이 높은 때
ㄴ. 실린더 내부 마모
ㄷ. 컨트롤 밸브의 스풀 마모
ㄹ. 릴리프 밸브의 불량

① ㄱ, ㄴ, ㄷ ② ㄱ, ㄴ, ㄹ
③ ㄴ, ㄷ, ㄹ ④ ㄱ, ㄷ, ㄹ

실린더 자연하강현상(cylinder drift)의 발생원인은 작동압력이 낮은 때, 실린더 내부 마모, 컨트롤 밸브의 스풀 마모, 릴리프 밸브의 불량 등이다.

15 **유압 실린더에서 실린더의 과도한 자연 낙하현상이 발생하는 원인으로 가장 거리가 먼 것은?**

① 컨트롤밸브 스풀의 마모
② 릴리프 밸브의 조정불량
③ 작동압력이 높을 때
④ 실린더 내의 피스톤 실의 마모

실린더의 과도한 자연 낙하현상이 발생하는 원인
① 컨트롤밸브 스풀의 마모
② 릴리프 밸브의 조정불량
③ 작동압력이 낮을 때
④ 실린더 내의 피스톤 실의 마모

16 **유압 실린더의 로드 쪽으로 오일이 누유되는 결함이 발생하였다. 그 원인이 아닌 것은?**

① 실린더 로드 패킹 손상
② 실린더 헤드 더스트 실(seal) 손상
③ 실린더 로드의 손상
④ 실린더 피스톤 패킹 손상

정답 10.④ 11.① 12.① 13.① 14.③ 15.③ 16.④

유압 모터

01 유압장치에서 작동유압 에너지에 의해 연속적으로 회전운동 함으로써 기계적인 일을 하는 것은?

① 유압모터 ② 유압실린더
③ 유압제어밸브 ④ 유압탱크

02 유압 에너지를 공급받아 회전운동을 하는 유압기기는?

① 유압실린더 ② 유압모터
③ 유압밸브 ④ 롤러 리미터

유압모터는 유압 에너지에 의해 연속적으로 회전운동 함으로서 기계적인 일을 하는 장치이다.

03 유압장치에 사용되는 것으로 회전운동을 하는 것은?

① 유압 실린더 ② 셔틀밸브
③ 유압모터 ④ 컨트롤 밸브

유압모터는 유압 에너지에 의해 연속적으로 회전운동 함으로써 기계적인 일을 하는 장치이다.

04 유압 모터의 특징으로 틀린 것은?

① 관성력이 크다.
② 구조가 간단하다.
③ 무단변속이 가능하다.
④ 자동 원격조작이 가능하다.

05 유압 모터에 대한 설명 중 맞는 것은?

① 유압발생장치에 속한다.
② 압력, 유량, 방향을 제어한다.
③ 직선운동을 하는 작동기(actuator)이다.
④ 유압 에너지를 기계적 일로 변환한다.

해설
유압모터의 장점
① 넓은 범위의 무단변속이 용이하다.
② 소형·경량으로서 큰 출력을 낼 수 있다.
③ 구조가 간단하며, 과부하에 대해 안전하다.
④ 정·역회전 변화가 가능하다.
⑤ 자동 원격조작이 가능하고 작동이 신속·정확하다.
⑥ 전동모터에 비하여 급속정지가 쉽다.
⑦ 속도나 방향의 제어가 용이하다.
⑧ 회전체의 관성이 작아 응답성이 빠르다.

06 유압 모터의 특징 중 거리가 가장 먼 것은?

① 무단변속이 가능하다.
② 속도나 방향의 제어가 용이하다.
③ 작동유의 점도변화에 의하여 유압모터의 사용에 제약이 있다.
④ 작동유가 인화되기 어렵다.

유압모터는 무단변속이 가능하고, 속도나 방향의 제어가 용이한 장점이 있으나 작동유의 점도변화에 의하여 유압모터의 사용에 제약이 따르고, 작동유가 인화되기 쉬운 단점이 있다.

07 유압모터의 일반적인 특징으로 가장 적합한 것은?

① 운동량을 직선으로 속도조절이 용이하다.
② 운동량을 자동으로 직선조작 할 수 있다.
③ 넓은 범위의 무단변속이 용이하다.
④ 각도에 제한 없이 왕복 각운동을 한다.

유압모터의 가장 큰 특징은 넓은 범위의 무단변속이 용이하다.

08 유압모터의 장점이 아닌 것은?

① 효율이 기계식에 비해 높다.
② 무단계로 회전속도를 조절할 수 있다.
③ 회전체의 관성이 작아 응답성이 빠르다.
④ 동일출력 원동기에 비해 소형이 가능하다.

정답 01.① 02.② 03.③ 04.① 05.④ 06.④ 07.③ 08.①

09 유압 모터의 장점이 될 수 없는 것은?

① 소형·경량으로서 큰 출력을 낼 수 있다.
② 공기와 먼지 등이 침투하여도 성능에는 영향이 없다.
③ 변속·역전의 제어도 용이하다.
④ 속도나 방향의 제어가 용이하다.

10 유압모터의 장점이 아닌 것은?

① 작동이 신속·정확하다.
② 관성력이 크며, 소음이 크다.
③ 전동모터에 비하여 급속정지가 쉽다.
④ 광범위한 무단변속을 얻을 수 있다.

유압모터의 장점은 작동이 신속·정확하고, 전동모터에 비하여 급속정지가 쉬우며, 광범위한 무단변속을 얻을 수 있다.

11 다음 중 유압모터에 속하는 것은?

① 플런저 모터
② 보올 모터
③ 터빈 모터
④ 디젤 모터

12 유압장치에서 기어형 모터의 장점이 아닌 것은?

① 가격이 싸다.
② 구조가 간단하다.
③ 소음과 진동이 작다.
④ 먼지나 이물질이 많은 곳에서도 사용이 가능하다.

기어모터의 장점 및 단점

장점	단점
① 구조가 간단하고 가격이 싸다. ② 가혹한 운전조건에서 비교적 잘 견딘다. ③ 먼지나 이물질에 의한 고장 발생률이 낮다.	① 유량잔류가 많다. ② 토크변동이 크다. ③ 수명이 짧다. ④ 효율이 낮다.

13 유압장치에서 기어모터에 대한 설명 중 잘못된 것은?

① 내부 누설이 적어 효율이 높다.
② 구조가 간단하고 가격이 저렴하다.
③ 일반적으로 스퍼기어를 사용하나 헬리컬 기어도 사용한다.
④ 유압유에 이물질이 혼입되어도 고장발생이 적다.

14 베인 모터는 항상 베인을 캠링(cam ring)면에 압착시켜두어야 한다. 이 때 사용하는 장치는?

① 볼트와 너트
② 스프링 또는 로킹 빔(locking beam)
③ 스프링 또는 배플 플레이트
④ 캠링 홀더(cam ring holder)

베인 모터에서 항상 베인을 캠링(cam ring)내면에 압착시켜두기 위해 사용하는 장치는 스프링 또는 로킹 빔(locking beam)이다.

15 펌프의 최고 토출압력, 평균효율이 가장 높아 고압 대출력에 사용하는 유압모터로 가장 적절한 것은?

① 기어 모터
② 베인 모터
③ 트로코이드 모터
④ 피스톤 모터

16 플런저가 구동축의 직각방향으로 설치되어 있는 유압 모터는?

① 캠형 플런저 모터
② 액시얼 플런저 모터
③ 블래더 플런저 모터
④ 레이디얼 플런저 모터

레이디얼 플런저 모터는 플런저가 구동축의 직각방향으로 설치되어 있다.

정답 09.② 10.② 11.① 12.③ 13.① 14.② 15.④ 16.④

17 **유압모터의 속도결정에 가장 크게 영향을 미치는 것은?**

① 오일의 압력 ② 오일의 점도
③ 오일의 유량 ④ 오일의 온도

18 **유압모터와 연결된 감속기의 오일수준을 점검할 때의 유의사항으로 틀린 것은?**

① 오일이 정상 온도일 때 오일수준을 점검해야 한다.
② 오일량은 영하(−)의 온도상태에서 가득 채워야 한다.
③ 오일수준을 점검하기 전에 항상 오일수준 게이지 주변을 깨끗하게 청소한다.
④ 오일량이 너무 적으면 모터 유닛이 올바르게 작동하지 않거나 손상될 수 있으므로 오일량은 항상 정량유지가 필요하다.

유압모터의 감속기 오일수준을 점검할 때 유의사항은 ①,③,④항이다.

19 **유압모터에서 소음과 진동이 발생할 때의 원인이 아닌 것은?**

① 내부부품의 파손
② 작동유 속에 공기혼입
③ 체결볼트의 이완
④ 펌프의 최고 회전속도 저하

유압모터에서 소음과 진동이 발생하는 원인
① 작동유 속에 공기가 유입되었다.
② 체결볼트가 이완되었다.
③ 내부부품이 파손되었다

정답 17.③ 18.② 19.④

5 chapter 기타 부속장치

1 유압유 탱크

(1) 유압유 탱크의 기능

① 계통 내의 필요한 유량을 확보한다.
② 내부의 격판(배플)에 의해 기포 발생 방지 및 제거한다.
③ 유압유 탱크 외벽의 냉각에 의한 적정온도 유지한다.
④ 흡입 스트레이너가 설치되어 회로 내 불순물 혼입을 방지한다.

(2) 유압유 탱크의 구비 조건

① 배유구(드레인 플러그)와 유면계를 설치하여야 한다.
② 흡입 관과 복귀 관 사이에 격판(배플)을 설치하여야 한다.
③ 흡입 유압유를 위한 스트레이너(strainer)를 설치하여야 한다.
④ 적당한 크기의 주유구를 설치하여야 한다.
⑤ 발생한 열을 방산할 수 있어야 한다.
⑥ 공기 및 수분 등의 이물질을 분리할 수 있어야 한다.
⑦ 오일에 이물질이 유입되지 않도록 밀폐되어야 한다.

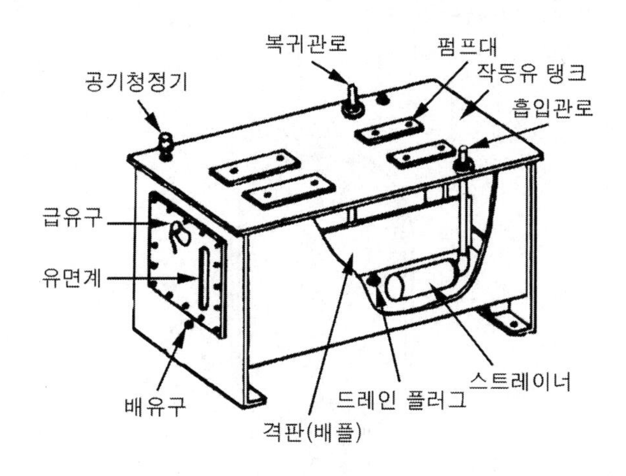

(3) 유압유 탱크의 크기

유압유 탱크의 크기는 중력에 의하여 복귀되는 장치 내의 모든 오일을 받아들일 수 있는 크기로 하여야 한다(유압 펌프 토출량의 2~3배가 표준이다).

(4) 유압유 탱크의 구조

유압유 탱크의 구성부품은 스트레이너, 드레인 플러그, 배플, 주입구 캡, 유면계 등이며, 배플(격판)은 유압유 탱크로 귀환하는 유압유와 유압 펌프로 공급되는 유압유를 분리시키는 기능을 한다.

① 펌프 흡입구와 탱크로의 귀환구(복귀구) 사이에는 격리판을 설치한다.
② 펌프 흡입구는 탱크로의 귀환구(복귀구)로부터 될 수 있는 한 멀리 떨어진 위치에 설치한다.
③ 펌프 흡입구에는 스트레이너(오일 여과기)를 설치한다.

2 어큐뮬레이터(축압기, Accumulator)

(1) 어큐뮬레이터의 기능

① 어큐뮬레이터는 유압 에너지를 일시 저장하는 역할을 한다.
② 고압유를 저장하는 방법에 따라 중량에 의한 것, 스프링에 의한 것, 공기나 질소 가스 등의 기체 압축성을 이용한 것 등이 있다.

(2) 어큐뮬레이터의 용도

① 유압 에너지 저장
② 유압 펌프의 맥동을 제거해 준다.
③ 충격 압력을 흡수한다.
④ 압력을 보상해 준다.
⑤ 기액(기체 액체)형 어큐뮬레이터에 사용되는 가스는 질소이다.
⑥ 종류 : 피스톤형, 다이어프램형, 블래더형

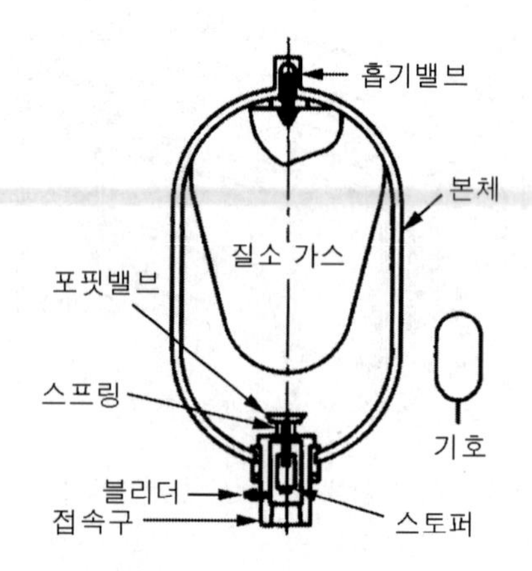

3 오일 필터(Oil filter)

① 스트레이너 : 유압유를 유압 펌프의 흡입 관로에 보내는 통로에 사용되는 것.
② 필터 : 유압 펌프의 토출 관로나 유압유 탱크로 되돌아오는 통로(드레인 회로)에 사용되는 것
③ 관로용 필터의 종류 : 압력 여과기, 리턴 여과기, 라인 여과기
④ 라인 필터의 종류 : 흡입관 필터, 압력관 필터, 복귀관 필터
⑤ 오일 필터의 여과 입도가 너무 조밀하면(여과 입도 수(mesh)가 높으면) 공동현상(캐비테이션)이 발생한다.

4 유압 호스

① 와이어 블레이드 호스 : 유압 호스 중 가장 큰 압력에 견딜 수 있다.
② 고압 호스가 자주 파열되는 원인 : 릴리프 밸브의 설정 유압 불량(유압을 너무 높게 조정한 경우)이다.
③ 유압 호스의 노화 현상
㉮ 호스가 굳어 있는 경우
㉯ 표면에 크랙(Crack, 균열)이 발생한 경우
㉰ 정상적인 압력 상태에서 호스가 파손될 경우

5 오일 실의 구비 조건

① 압축 복원성이 좋고 압축 변형이 작아야 한다.
② 유압유의 체적 변화나 열화가 적어야 하며, 내약품성이 양호하여야 한다.
③ 고온에서의 열화나 저온에서의 탄성 저하가 작아야 한다.
④ 장시간의 사용에 견디는 내구성 및 내마멸성이 커야 한다.
⑤ 내마멸성이 적당하고 비중이 적어야 한다.
⑥ 정밀 가공 면을 손상시키지 않아야 한다.

6 플러싱(flushing) 후 처리

① 플러싱을 완료한 후 오일을 반드시 제거하여야 한다.
② 플러싱 오일을 제거한 후에는 유압유 탱크 내부를 다시 세척하고 라인 필터 엘리먼트를 교환한다.
③ 플러싱 작업을 완료한 후에는 가능한 한 빨리 유압유를 넣고 수 시간 운전하여 전체 유압 라인에 유압유가 공급되도록 한다.

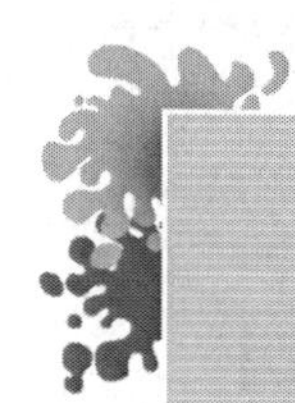

출제예상문제

01 유압탱크의 기능이 아닌 것은?

① 계통 내에 필요한 유량확보
② 배플에 의한 기포발생 방지 및 소멸
③ 탱크 외벽의 방열에 의한 적정온도 유지
④ 계통 내에 필요한 압력의 설정

해설 오일탱크의 기능
① 계통 내의 필요한 유량확보
② 격판(배플)에 의한 기포발생 방지 및 제거
③ 스트레이너 설치로 회로 내 불순물 혼입 방지
④ 탱크 외벽의 방열에 의한 적정온도 유지

02 건설기계 유압장치의 작동유 탱크의 구비조건 중 거리가 가장 먼 것은?

① 배유구(드레인 플러그)와 유면계를 두어야 한다.
② 흡입관과 복귀관 사이에 격판(차폐장치, 격리판)을 두어야 한다.
③ 유면을 흡입라인 아래까지 항상 유지할 수 있어야 한다.
④ 흡입 작동유 여과를 위한 스트레이너를 두어야 한다.

해설 유면은 적정위치 "Full"에 가깝게 유지하여야 한다.

03 일반적인 오일탱크의 구성품이 아닌 것은?

① 스트레이너
② 유압태핏
③ 드레인 플러그
④ 배플 플레이트

해설 오일탱크는 유압펌프로 흡입되는 유압유를 여과하는 스트레이너, 탱크 내의 오일량을 표시하는 유면계, 유압유의 출렁거림을 방지하고 기포발생 방지 및 제거하는 배플 플레이트(격판) 유압유를 배출시킬 때 사용하는 드레인 플러그 등으로 구성된다.

04 유압탱크의 조건으로 가장 거리가 먼 것은?

① 적당한 크기의 주유구 및 스트레이너를 설치한다.
② 드레인(배출밸브) 및 유면계를 설치한다.
③ 오일에 이물질이 유입되지 않도록 밀폐되어야 한다.
④ 오일냉각을 위한 쿨러를 설치한다.

해설 ①, ②, ③항 이외에 탱크의 크기는 중력에 의하여 복귀되는 장치 내의 모든 오일을 받아들일 수 있는 크기로 한다.

05 유압탱크의 주요 구성요소가 아닌 것은?

① 유면계 ② 주입구
③ 유압계 ④ 격판(배플)

해설 오일탱크는 유압펌프로 흡입되는 유압유를 여과하는 스트레이너, 탱크 내의 오일량을 표시하는 유면계, 유압유의 출렁거림을 방지하고 기포발생 방지 및 제거하는 배플 플레이트(격판) 유압유를 배출시킬 때 사용하는 드레인 플러그 등으로 구성된다.

06 오일탱크 내의 오일을 전부 배출시킬 때 사용하는 것은?

① 리턴 라인 ② 배플
③ 어큐뮬레이터 ④ 드레인 플러그

07 축압기(어큐뮬레이터)의 기능과 관계가 없는 것은?

① 충격압력 흡수
② 유압 에너지 축적
③ 릴리프 밸브 제어
④ 유압펌프 맥동 흡수

해설 어큐뮬레이터(accumulator, 축압기)는 유압펌프에서 발생한 유압을 저장하고(유압 에너지 저장), 충격흡수, 맥동을 소멸시키는 장치이다.

정답 01.④ 02.③ 03.② 04.④ 05.③ 06.④ 07.③

08 **축압기의 용도로 적합하지 않은 것은?**

① 유압 에너지 저장
② 충격흡수
③ 유량분배 및 제어
④ 압력보상

어큐뮬레이터(축압기)의 용도는 압력보상, 체적변화 보상, 유압 에너지 축적, 유압회로 보호, 맥동감쇠, 충격압력 흡수, 일정압력 유지, 보조 동력원으로 사용 등이다.

09 **축압기(accumulator)의 사용목적이 아닌 것은?**

① 압력보상
② 유체의 맥동감쇠
③ 유압회로 내의 압력제어
④ 보조 동력원으로 사용

10 **유압에너지의 저장, 충격흡수 등에 이용되는 것은?**

① 축압기(accumulator)
② 스트레이너(strainer)
③ 펌프(pump)
④ 오일탱크(oil tank)

11 **유압 펌프에서 발생한 유압을 저장하고 맥동을 제거시키는 것은?**

① 어큐뮬레이터 ② 언로딩 밸브
③ 릴리프 밸브 ④ 스트레이너

12 **기체-오일식 어큐뮬레이터에 가장 많이 사용되는 가스는?**

① 산소 ② 질소
③ 아세틸렌 ④ 이산화탄소

가스형 어큐뮬레이터(축압기)에는 질소가스를 주입한다.

13 **유압장치에서 금속가루 또는 불순물을 제거하기 위해 사용되는 부품으로 짝지어진 것은?**

① 여과기와 어큐뮬레이터
② 스크레이퍼와 필터
③ 필터와 스트레이너
④ 어큐뮬레이터와 스트레이너

14 **유압유에 포함된 불순물을 제거하기 위해 유압펌프 흡입관에 설치하는 것은?**

① 부스터 ② 스트레이너
③ 공기청정기 ④ 어큐뮬레이터

스트레이너(strainer)는 유압펌프의 흡입관에 설치하여 여과작용을 하는 필터이다.

15 **건설기계에 사용하고 있는 필터의 종류가 아닌 것은?**

① 배출필터 ② 흡입필터
③ 고압필터 ④ 저압필터

16 **필터의 여과 입도 수(mesh)가 너무 높을 때 발생 할 수 있는 현상으로 가장 적절한 것은?**

① 블로바이 현상 ② 맥동 현상
③ 베이퍼록 현상 ④ 캐비테이션 현상

해설 필터의 여과 입도수(mesh)가 높으면 여과된 오일의 공급이 부족해 공기가 침입한다.

17 **다음 중 여과기를 설치위치에 따라 분류할 때 관로용 여과기에 포함되지 않는 것은?**

① 라인 여과기 ② 리턴 여과기
③ 압력 여과기 ④ 흡입 여과기

관로용 여과기는의 종류는 압력 여과기, 리턴 여과기, 라인 여과기가 있으며, 라인 필터의 종류는 흡입관 필터, 압력관 필터, 복귀관 필터가 있다.

정답 08.③ 09.③ 10.① 11.① 12.② 13.③ 14.② 15.① 16.④ 17.④

18 유압장치의 수명연장을 위해 가장 중요한 요소는?

① 오일탱크의 세척
② 오일냉각기의 점검 및 세척
③ 오일펌프의 교환
④ 오일필터의 점검 및 교환

유압장치의 수명연장을 위한 가장 중요한 요소는 오일 및 오일필터의 점검 및 교환이다.

19 유압호스 중 가장 큰 압력에 견딜 수 있는 형식은?

① 고무형식
② 나선 와이어 형식
③ 와이어리스 고무 블레이드 형식
④ 직물 블레이드 형식

유압장치에 사용하는 유압호스로 가장 큰 압력에 견딜 수 있는 것은 나선 와이어 블레이드 형식이다.

20 유압 건설기계의 고압호스가 자주 파열되는 원인으로 가장 적합한 것은?

① 유압펌프의 고속회전
② 오일의 점도저하
③ 릴리프 밸브의 설정압력 불량
④ 유압모터의 고속회전

릴리프 밸브의 설정압력 불량하면 고압호스가 자주 파열된다.

21 유압회로에서 호스의 노화현상이 아닌 것은?

① 호스의 표면에 갈라짐이 발생한 경우
② 코킹부분에서 오일이 누유 되는 경우
③ 액추에이터의 작동이 원활하지 않을 경우
④ 정상적인 압력상태에서 호스가 파손될 경우

호스의 노화현상
① 호스의 표면에 갈라짐(crack)이 발생한 경우
② 호스의 탄성이 거의 없는 상태로 굳어 있는 경우
③ 정상적인 압력상태에서 호스가 파손될 경우
④ 코킹부분에서 오일이 누유 되는 경우

22 유압장치 운전 중 갑작스럽게 유압배관에서 오일이 분출되기 시작하였을 때 가장 먼저 운전자가 취해야 할 조치는?

① 작업 장치를 지면에 내리고 시동을 정지한다.
② 작업을 멈추고 배터리 선을 분리한다.
③ 오일이 분출되는 호스를 분리하고 플러그를 막는다.
④ 유압회로 내의 잔압을 제거한다.

유압배관에서 오일이 분출되기 시작하면 가장 먼저 작업 장치를 지면에 내리고 기관 시동을 정지한다.

23 유압 작동부에서 오일이 누유 되고 있을 때 가장 먼저 점검하여야 할 곳은?

① 실(seal) ② 피스톤
③ 기어 ④ 펌프

유압 작동부분에서 오일이 누유 되면 가장 먼저 실(seal)을 점검하여야 한다.

24 유압 계통에서 오일누설 시의 점검사항이 아닌 것은?

① 오일의 윤활성
② 실(seal)의 마모
③ 실(seal)의 파손
④ 펌프 고정 볼트의 이완

25 일반적으로 유압 계통을 수리할 때마다 항상 교환해야 하는 것은?

① 샤프트 실(shaft seals)
② 커플링(couplings)
③ 밸브 스풀(valve spools)
④ 터미널 피팅(terminal fitting)

정답 18.④ 19.② 20.③ 21.③ 22.① 23.① 24.① 25.①

26 **유압장치에서 회전축 둘레의 누유를 방지하기 위하여 사용되는 밀봉장치(seal)는?**

① 오일(O-ring)
② 개스킷(gasket)
③ 더스트 실(dust seal)
④ 기계적 실(mechanical seal)

27 **다음은 유압기기를 점검 중 이상 발견시 조치 사항이다. ( )안의 내용을 순서대로 나열한 것은?**

> 작동유가 누출되는 상태라면 이음부를 더 조여주거나 부품을 ( )하는 등 응급조치를 하는 것이 당연하지만, 그 원인을 조사하여 재발을 방지하고 고장이 더 확대되지 않도록 유압기기 전체를 ( )하는 일도 필요하다.

① 플러싱, 교환　② 교환, 재점검
③ 열화, 재점검　④ 재점검, 교환

28 **유압회로 내의 이물질, 열화 된 오일 및 슬러지 등을 회로 밖으로 배출시켜 회로를 깨끗하게 하는 것을 무엇이라 하는가?**

① 푸싱(pushing)
② 리듀싱(reducing)
③ 언로딩(unloading)
④ 플래싱(flashing)

해설 플래싱은 유압회로 내의 이물질, 열화 된 오일 및 슬러지 등을 회로 밖으로 배출시켜 회로를 깨끗하게 하는 작업이다.

29 **유압장치의 부품을 교환 후 다음 중 가장 우선 시행하여야 할 작업은?**

① 최대부하 상태의 운전
② 유압을 점검
③ 유압장치의 공기빼기
④ 유압 오일쿨러 청소

해설 유압장치의 부품을 교환 후 가장 우선 시행하여야 할 작업은 유압장치의 공기빼기이다.

정답 26.④ 27.② 28.④ 29.③

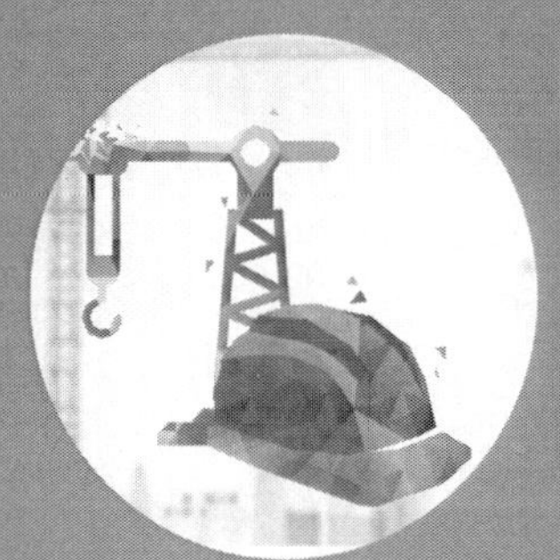

PART 6

건설기계 안전관리

1 안전 관리의 목적

① 사고의 발생을 사전에 방지한다.
② 생산성의 향상과 손실을 최소화한다.
③ 재해로부터 인간의 생명과 재산을 보호할 수 있다.

2 하인리히 안전의 3요소와 사고 예방원리 5단계

(1) 하인리히 안전의 3요소

① 관리적 요소
② 기술적 요소
③ 교육적 요소

(2) 하인리히 사고 예방 원리 5단계

① 1 단계 : 안전관리 조직(안전관리 조직과 책임부여, 안전관리 규정의 제정, 안전관리 계획수립)
② 2 단계 : 사실의 발견(자료수집, 작업공정의 분석 및 점검, 위험의 확인 검사 및 조사 실시)
③ 3 단계 : 분석평가(재해 조사의 분석, 안전성의 진단 및 평가, 작업 환경의 측정)
④ 4 단계 : 시정책의 선정(기술적인 개선안, 관리적인 개선안, 제도적인 개선안)
⑤ 5 단계 : 시정책의 적용(목표의 설정 및 실시, 재평가의 실시)

3 재해 예방의 4대 원칙

① 예방가능의 원칙
② 손실우연의 원칙
③ 원인연계의 원칙
④ 대책선정의 원칙

4 재해의 발생의 직접적인 원인

(1) 불안전한 조건

① 불안전한 방법 및 공정
② 불안전한 환경
③ 불안전한 복장과 보호구
④ 위험한 배치
⑤ 불안전한 설계, 구조, 건축
⑥ 안전 방호장치의 결함
⑦ 방호장치 불량 상태의 방치.
⑧ 불안전한 조명

(2) 불안전한 행동

① 불안전한 자세 및 행동을 하는 경우
② 잡담이나 장난을 하는 경우
③ 안전장치를 제거하는 경우
④ 불안전한 속도를 조절하는 경우
⑤ 작동중인 기계에 주유, 수리, 점검, 청소 등을 하는 경우
⑥ 불안전한 기계를 사용하는 경우
⑦ 공구 대신 손을 사용하는 경우
⑧ 안전복장을 착용하지 않은 경우
⑨ 보호구를 착용하지 않은 경우

5 재해 발생의 원인

① 안전의식 및 안전교육 부족
② 방호장치(안전장치, 보호장치)의 결함
③ 정리정돈 및 조명장치가 불량
④ 부적합한 공구의 사용
⑤ 작업 방법의 미흡
⑥ 관리 감독의 소홀

6 재해 조사의 목적

① 재해원인의 규명 및 예방자료 수집
② 적절한 예방대책을 수립하기 위하여
③ 동종 재해의 재발방지
④ 유사 재해의 재발방지

7 재해조사 방법

① 재해 발생 직후에 실시한다.
② 재해 현장의 물리적 흔적을 수집한다.
③ 재해 현장을 사진 등으로 촬영하여 보관하고 기록한다.
④ 목격자, 현장 책임자 등 많은 사람들에게 사고시의 상황을 의뢰한다.
⑤ 재해 피해자로부터 재해 직전의 상황을 듣는다.
⑥ 판단하기 어려운 특수재해나 중대재해는 전문가에게 조사를 의뢰한다.

8 재해율의 정의

① 연천인율 : 1000명의 근로자가 1년을 작업하는 동안에 발생한 재해 빈도를 나타내는 것.

$$\text{연천인율} = \frac{\text{재해자수}}{\text{연평균 근로자수}} \times 1000$$

② 강도율 : 근로시간 1000시간당 재해로 인하여 근무하지 않는 근로 손실일수로서 산업재해의 경·중의 정도를 알기 위한 재해율로 이용된다.

$$\text{강도율} = \frac{\text{근로 손실일수}}{\text{연근로시간}} \times 1{,}000$$

③ 도수율 : 연 근로시간 100만 시간 동안에 발생한 재해 빈도를 나타내는 것.

$$\text{도수율} = \frac{\text{재해 발생 건수}}{\text{연근로시간}} \times 1{,}000{,}000$$

④ 천인율 : 평균 재적근로자 1000명에 대하여 발생한 재해자수를 나타내어 1000배 한 것이다.

$$\text{천인율} = \frac{\text{재해자수}}{\text{평균 근로자수}} \times 1{,}000$$

9 운반 작업시 주의사항

(1) 인력에 의한 운반시 주의사항

1) 물건을 들어 올릴 때 주의사항

① 긴 물건은 앞을 조금 높여서 운반한다.
② 무거운 물건은 여러 사람과 협동으로 운반하거나 운반차를 이용한다.

③ 물품을 몸에 밀착시켜 몸의 평형을 유지하여 비틀거리지 않도록 한다.
④ 물품을 운반하고 있는 사람과 마주치면 그 발밑을 방해하지 않게 피한다.
⑤ 몸의 평형을 유지하도록 발을 어깨너비 만큼 벌리고 허리를 충분히 낮추고 물품을 수직으로 들어올린다.

2) 2 사람 이상의 협동 운반 작업시 주의사항

① 육체적으로 고르고 키가 큰 사람으로 조를 편성한다.
② 정해진 지휘자의 구령 또는 호각 등에 따라 동작한다.
③ 운반물의 하중이 여러 사람에게 평균적으로 걸리도록 한다.
④ 지휘자를 정하고 지휘자는 작업자를 보고 지휘할 수 있는 위치에 선다.
⑤ 긴 물건을 어깨에 메고 운반하는 경우에는 각 작업자와 같은 쪽의 어깨에 메고서 보조를 맞춘다.

(2) 운반차를 사용하여 운반할 때 주의사항

① 볼트와 같이 세밀한 물품은 상자에 넣고 쌓는다.
② 둥근 물건은 차대에서 구르지 않도록 쐐기를 끼운다.
③ 하물 위에 올라타거나 공차(空車)에 편승하면 안된다.
④ 출입구, 교차로, 커브에 이르면 운반차의 취급에 주의한다.
⑤ 운반차의 요동으로 떨어지기 쉬운 물건은 로프로 반드시 묶는다.
⑥ 로프를 풀고 물품을 내릴 때는 떨어질 위험이 있으므로 주의한다.
⑦ 여러 가지 물건을 쌓을 때는 무거운 것은 밑에, 가벼운 것은 위에 쌓는다.
⑧ 운반차의 성능을 잘 알고 능력을 생각하여 규정 중량 이상은 적재하지 않는다.

10 보호구

(1) 보호구의 구비조건

① 착용이 간편할 것.
② 작업에 방해가 안될 것.
③ 구조와 끝마무리가 양호할 것.
④ 겉 표면이 섬세하고 외관상 좋을 것.
⑤ 보호 장구는 원재료의 품질이 양호한 것일 것.
⑥ 유해 위험 요소에 대한 방호 성능이 충분할 것.

(2) 보호구 선택시 유의 사항

① 보호구는 사용 목적에 적합하여야 한다.
② 무게가 가볍고 크기가 사용자에게 알맞아야 한다.
③ 사용하는 방법이 간편하고 손질하기가 쉬워야 한다.
④ 보호구는 검정에 합격된 품질이 양호한 것이어야 한다.

(3) 보호구 사용시 유의사항

① 보호구는 작업할 때 반드시 사용하도록 숙지시킨다.
② 보호구의 사용이 불편하지 않도록 보관하여야 한다.
③ 작업자에게 올바른 보호구의 사용 방법을 숙지시킨다.
④ 작업장에는 필요한 소요량의 보호구를 비치하여야 한다.
⑤ 작업의 종류에 의해서 정해진 적절한 보호구를 선택한다.

(4) 보호구의 보관 방법

① 광선을 피하고 통풍이 잘 되는 장소에 보관할 것.
② 발열성 물질을 보관하는 주변에 가까이 두지 말 것.
③ 부식성, 유해성, 인화성, 액체 등과 혼합하여 보관하지 말 것.
④ 모래, 진흙 등이 묻은 경우는 깨끗이 닦고 그늘에 건조시킬 것.
⑤ 땀으로 오염된 경우는 세척하고 건조시켜 변형이 되지 않게 한다.

(5) 장갑

① 장갑은 감겨들 위험이 있는 작업에는 착용을 하지 않는다.
② 착용 금지 작업 : 선반 작업, 드릴 작업, 목공기계 작업, 연삭 작업, 해머 작업, 정밀기계 작업 등

11 방호장치의 종류

① **격리형 방호장치** : 작업점 외에 직접 사람이 접촉하여 말려들거나 다칠 위험이 있는 장소를 덮어씌우는 방호장치 방법이다.
② **완전 차단형 방호조치** : 어떠한 방향에서도 위험장소까지 도달할 수 없도록 완전히 차단하는 것이다.
③ **덮개형 방호조치** : 작업점 외에 직접 사람이 접촉하여 말려들거나 다칠 위험이 있는 위험 장소를 덮어씌우는 방법으로 V벨트나 평 벨트 또는 기어가 회전하면서 접선방향으로 물려 들어가는 장소에 많이 설치한다.
④ **위치 제한형 방호장치** : 위험을 초래할 가능성이 있는 기계에서 작업자나 직접 그 기계와 관련되어 있는 조작자의 신체부위가 위험한계 밖에 있도록 의도적으로 기계의 조작 장치를 기계에서 일정거리 이상 떨어지게 설치해 놓고, 조작하는 두 손 중에서 어느 하나가 떨어져도 기계의 동작을 멈춰지게 하는 장치이다.
⑤ **접근 반응형 방호장치** : 작업자의 신체부위가 위험한계 또는 그 인접한 거리로 들어오면 이를 감지하여 그 즉시 동작하던 기계를 정지시키거나 스위치가 꺼지도록 하는 방호법이다.

12 안전 · 보건 표지의 종류

(1) 금지 표지

 출입 금지	 보행 금지	 차량통행금지	 사용 금지
 탑승 금지	 금연	 화기 금지	 물체이동금지

(2) 경고 표지

 인화성물질경고	 산화성물질경고	 폭발성물질경고	 급성독성물질경고
 부식성물질경고	 방사성물질경고	 고압전기경고	 매달린물체경고
 낙하물경고	 고온경고	 저온경고	 몸균형상실경고
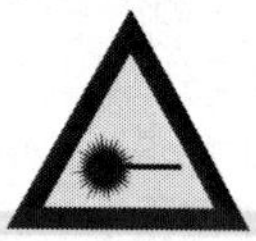 레이저광선경고	 발암성 · 변이원성 · 생식독성 · 전신독성 · 호흡기 과민성 물질 경고	 위험장소경고	

(3) 지시 표지

보안경 착용	방독마스크착용	방진마스크착용	보안면 착용
안전모 착용	귀마개 착용	안전화 착용	안전장갑 착용
안전복 착용			

(4) 안내 표지

녹십자 표지	응급구호 표지	들것	세안장치
비상용 기구	비상구	좌측 비상구	우측 비상구

(5) 안전·보건 표지의 종류별 용도, 사용 장소, 형태 및 색채

① 금지 표지 : 바탕은 흰색, 기본 모형은 빨간색, 관련 부호 및 그림은 검은색
② 경고 표지 : 바탕은 무색, 기본 모형은 빨간색(검은색도 가능)
③ 인화성 경고 표지 : 바탕은 노란색, 기본 모형, 관련 부호 및 그림은 검은색
④ 지시 표지 : 바탕은 파란색, 관련 그림은 흰색
⑤ 안내 표지 : 바탕은 흰색, 기본 모형 및 관련 부호는 녹색, 바탕은 녹색, 관련 부호 및 그림은 흰색

13 화재의 종류 및 소화기 표식

① A급 화재 : 일반 가연물의 화재로 냉각소화의 원리에 의해서 소화되며, 소화기에 표시된 원형 표식은 백색으로 되어 있다.
② B급 화재 : 가솔린, 알코올, 석유 등의 유류 화재로 질식소화의 원리에 의해서 소화되며, 소화기에 표시된 원형의 표식은 황색으로 되어 있다.
③ C급 화재 : 전기 기계, 전기 기구 등에서 발생되는 화재로 질식소화의 원리에 의해서 소화되며, 소화기에 표시된 원형의 표식은 청색으로 되어 있다.
④ D급 화재 : 마그네슘 등의 금속 화재로 질식소화의 원리에 의해서 소화시켜야 한다.

14 소화 방법

① 가연물 제거 : 가연물을 연소구역에서 멀리 제거하는 방법으로, 연소방지를 위해 파괴하거나 폭발물을 이용한다.
② 산소의 차단 : 산소의 공급을 차단하는 질식소화 방법으로 이산화탄소 등의 불연성 가스를 이용하거나 발포제 또는 분말소화제에 의한 냉각효과 이외에 연소 면을 덮는 직접적 질식효과와 불연성 가스를 분해·발생시키는 간접적 질식효과가 있다.
③ 열량의 공급 차단 : 냉각시켜 신속하게 연소열을 빼앗아 연소물의 온도를 발화점 이하로 낮추는 소화방법이며, 일반적으로 사용되고 있는 보통 화재 때의 주수소화(注水消火)는 물이 다른 것보다 열량을 많이 흡수하고, 증발할 때에도 주위로부터 많은 열을 흡수하는 성질을 이용한다.

출제예상문제

01 안전관리의 근본 목적으로 가장 적합한 것은?

① 생산의 경제적 운용
② 근로자의 생명 및 신체보호
③ 생산과정의 시스템화
④ 생산량 증대

02 안전제일에서 가장 먼저 선행되어야 하는 이념으로 맞는 것은?

① 재산보호 ② 생산성 향상
③ 신뢰성 향상 ④ 인명보호

안전제일의 이념은 인간 존중 즉 인명보호이다.

03 산업안전을 통한 기대효과로 옳은 것은?

① 기업의 생산성이 저하된다.
② 근로자의 생명만 보호된다.
③ 기업의 재산만 보호된다.
④ 근로자와 기업의 발전이 도모된다.

04 산업체에서 안전을 지킴으로서 얻을 수 있는 이점과 가장 거리가 먼 것은?

① 직장의 신뢰도를 높여준다.
② 직장 상·하 동료 간 인간관계 개선효과도 기대된다.
③ 기업의 투자 경비가 늘어난다.
④ 사내 안전수칙이 준수되어 질서유지가 실현된다.

05 하인리히가 말한 안전의 3요소에 속하지 않는 것은?

① 교육적 요소 ② 자본적 요소
③ 기술적 요소 ④ 관리적 요소

안전의 3요소에는 관리적 요소, 기술적 요소, 교육적 요소가 있다.

06 하인리히의 사고 예방원리 5단계를 순서대로 나열한 것은?

① 조직, 사실의 발견, 평가분석, 시정책의 선정, 시정책의 적용
② 시정책의 적용, 조직, 사실의 발견, 평가분석, 시정책의 선정
③ 사실의 발견, 평가분석, 시정책의 선정, 시정책의 적용, 조직
④ 시정책의 선정, 시정책의 적용, 조직, 사실의 발견, 평가분석

하인리히의 사고 예방원리 5단계 순서는 조직→사실의 발견→평가분석→시정책의 선정→시정책의 적용이다.

07 산업안전보건법상 산업재해의 정의로 옳은 것은?

① 고의로 물적 시설을 파손한 것을 말한다.
② 운전 중 본인의 부주의로 교통사고가 발생된 것을 말한다.
③ 일상 활동에서 발생하는 사고로서 인적 피해에 해당하는 부분을 말한다.
④ 근로자가 업무에 관계되는 건설물·설비·원재료·가스·증기·분진 등에 의하거나 작업 또는 그 밖의 업무로 인하여 사망 또는 부상하거나 질병에 걸리게 되는 것을 말한다.

산업재해란 근로자가 업무에 관계되는 건설물·설비·원재료·가스·증기·분진 등에 의하거나 작업 또는 그 밖의 업무로 인하여 사망 또는 부상하거나 질병에 걸리는 것을 말한다.

정답 01.② 02.④ 03.④ 04.③ 05.② 06.① 07.④

08 **인간공학적 안전설정으로 페일세이프에 관한 설명 중 가장 적절한 것은?**

① 안전도 검사방법을 말한다.
② 안전통제의 실패로 인하여 원상복귀가 가장 쉬운 사고의 결과를 말한다.
③ 안전사고 예방을 할 수 없는 물리적 불안전 조건과 불안전 인간의 행동을 말한다.
④ 인간 또는 기계에 과오나 동작상의 실패가 있어도 안전사고를 발생시키지 않도록 하는 통제책을 말한다.

페일세이프란 인간 또는 기계에 과오나 동작상의 실패가 있어도 안전사고를 발생시키지 않도록 하는 통제방책이다.

09 **생산 활동 중 신체장애와 유해물질에 의한 중독 등으로 직업성 질환에 걸려 나타난 장애를 무엇이라 하는가?**

① 안전관리 ② 산업재해
③ 산업안전 ④ 안전사고

10 **건설기계 장비를 조작함에 있어 불안전한 행동과 상태를 발견하기 위해 필요로 하는 사항이 아닌 것은?**

① 기계장치 기구 등의 각 부분이 양호한 상태인가?
② 안전장치 등이 확실하게 사용되고 있는가?
③ 작업자의 행동은 안전기준에 적합한가?
④ 건설장치 연식이 내구연한에 적합한가?

11 **산업재해 원인은 직접원인과 간접원인으로 구분되는데 다음 직접원인 중에서 불안전한 행동에 해당되지 않는 것은?**

① 허가 없이 장치를 운전
② 불충분한 경보 시스템
③ 결함 있는 장치를 사용
④ 개인 보호구 미사용

12 **산업재해 발생원인 중 직접원인에 해당되는 것은?**

① 유전적 요소 ② 사회적 환경
③ 불안전한 행동 ④ 인간의 결함

재해발생의 직접적인 원인은 불안전한 조건 및 불안전한 행동이 있다.

13 **재해 발생원인 중 직접원인이 아닌 것은?**

① 기계배치의 결함
② 교육훈련 미숙
③ 불량 공구 사용
④ 작업 조명의 불량

14 **산업재해의 직접원인 중 인적 불안전 행위가 아닌 것은?**

① 작업복의 부적당
② 작업태도 불안전
③ 위험한 장소의 출입
④ 기계공구의 결함

인적 불안전 행위에는 작업태도 불안전, 위험한 장소의 출입, 작업복의 부적당 등이 있다.

15 **불안전한 행동으로 인하여 오는 산업재해가 아닌 것은?**

① 불안전한 자세
② 안전구의 미착용
③ 방호장치의 결함
④ 안전장치의 기능제거

방호장치의 결함은 불안전한 조건으로 인하여 발생되는 산업재해이다.

16 **사고의 원인 중 불안전한 행동이 아닌 것은?**

① 허가 없이 기계장치 운전
② 사용 중인 공구에 결함 발생
③ 작업 중 안전장치 기능 제거
④ 부적당한 속도로 기계장치 운전

정답 08.④ 09.② 10.④ 11.② 12.③ 13.② 14.④ 15.③ 16.②

17 **불안전한 조명, 불안전한 환경, 방호장치의 결함으로 인하여 오는 산업재해 요인은?**

① 지적요인 ② 물적 요인
③ 신체적 요인 ④ 정신적 요인

물적 요인이란 불안전한 조명, 불안전한 환경, 방호장치의 결함으로 인하여 오는 산업재해 요인이다.

18 **재해의 원인 중 생리적인 원인에 해당되는 것은?**

① 작업자의 피로
② 작업복의 부적당
③ 안전장치의 불량
④ 안전수칙의 미 준수

생리적인 원인은 작업자의 피로이다.

19 **다음 중 재해발생 원인이 아닌 것은?**

① 작업 장치 회전반경 내 출입금지
② 방호장치의 기능제거
③ 작업방법 미흡
④ 관리감독 소홀

재해 발생의 원인
① 안전의식 및 안전교육 부족
② 방호장치(안전장치, 보호장치)의 결함
③ 정리정돈 및 조명장치가 불량
④ 부적합한 공구의 사용
⑤ 작업 방법의 미흡
⑥ 관리 감독의 소홀

20 **다음 중 산업재해 조사의 목적에 대한 설명으로 가장 적절한 것은?**

① 적절한 예방대책을 수립하기 위하여
② 작업능률 향상과 근로기강 확립을 위하여
③ 재해발생에 대한 통계를 작성하기 위하여
④ 재해를 유발한 자의 책임을 추궁하기 위하여

21 **재해조사의 직접적인 목적에 해당되지 않는 것은?**

① 동종 재해의 재발방지
② 유사 재해의 재발방지
③ 재해관련 책임자 문책
④ 재해원인의 규명 및 예방자료 수집

22 **다음 중 일반적인 재해 조사방법으로 적절하지 않은 것은?**

① 현장의 물리적 흔적을 수집한다.
② 재해 조사는 사고 종결 후에 실시한다.
③ 재해 현장은 사진 등으로 촬영하여 보관하고 기록한다.
④ 목격자, 현장 책임자 등 많은 사람들에게 사고 시의 상황을 듣는다.

재해 조사는 재해 발생 직후에 실시한다.

23 **사고를 많이 발생시키는 원인 순서로 나열한 것은?**

① 불안전 행위〉불가항력〉불안전 조건
② 불안전 조건〉불안전 행위〉불가항력
③ 불안전 행위〉불안전 조건〉불가항력
④ 불가항력〉불안전 조건〉불안전 행위

사고를 많이 발생시키는 원인 순서는 불안전 행위〉불안전 조건〉불가항력이다.

24 **사고의 원인 중 가장 많은 부분을 차지하는 것은?**

① 불가항력 ② 불안전한 환경
③ 불안전한 행동 ④ 불안전한 지시

25 **재해의 복합 발생요인이 아닌 것은?**

① 환경의 결함 ② 사람의 결함
③ 품질의 결함 ④ 시설의 결함

정답 17.② 18.① 19.① 20.① 21.③ 22.② 23.③ 24.③ 25.③

26 **산업안전관리를 위한 작업환경의 기본적인 개념으로 적절하지 않은 것은?**

① 작업의 안전을 위한 교육을 실시한다.
② 위험하거나 부적절한 것은 격리시킨다.
③ 청결한 작업환경을 유지하기 위해 환기가 잘되게 한다.
④ 작업의 효율향상을 위해 공기구 및 재료 등은 원칙적으로 혼합하여 사용한다.

27 **작업환경 개선방법으로 거리가 먼 것은?**

① 채광을 좋게 한다.
② 조명을 밝게 한다.
③ 부품을 신품으로 모두 교환한다.
④ 소음을 줄인다.

28 **작업자의 안전에 대한 책임 및 업무 내용이 아닌 것은?**

① 안전 활동의 평가
② 안전 작업의 이행
③ 작업 전후 안전 점검 실시
④ 보고, 신호, 안전수칙 준수

29 **다음 중 현장에서 작업자가 작업 안전상 꼭 알아두어야 할 사항은?**

① 장비의 가격
② 종업원의 작업환경
③ 종업원의 기술정도
④ 안전규칙 및 수칙

30 **작업장에서 지킬 안전사항 중 틀린 것은?**

① 안전모는 반드시 착용한다.
② 고압전기, 유해가스 등에 적색 표지판을 부착한다.
③ 해머작업을 할 때는 장갑을 착용한다.
④ 기계의 주유시는 동력을 차단한다.

장갑을 끼고 해머 작업을 하면 미끄러워 손에서 놓칠 위험이 있어 자신과 타인의 안전하지 못하다.

31 **보기에서 작업자의 올바른 안전자세로 모두 짝지어진 것은?**

보기
a. 자신의 안전과 타인의 안전을 고려한다.
b. 작업에 임해서는 아무런 생각 없이 작업한다.
c. 작업장 환경조성을 위해 노력한다.
d. 작업 안전사항을 준수한다.

① a, b, c　② a, c, d
③ a, b, d　④ a, b, c, d

32 **작업장 안전을 위해 작업장의 시설을 정기적으로 안전점검을 하여야 하는데 그 대상이 아닌 것은?**

① 설비의 노후화 속도가 빠른 것
② 노후화의 결과로 위험성이 큰 것
③ 작업자가 출퇴근 시 사용하는 것
④ 변조에 현저한 위험을 수반하는 것

33 **점검주기에 따른 안전점검의 종류에 해당되지 않는 것은?**

① 수시점검　② 정기점검
③ 특별점검　④ 구조점검

안전점검의 종류에는 일상점검, 정기점검, 수시점검, 특별점검 등이 있다.

34 **산업안전에서 근로자가 안전하게 작업을 할 수 있는 세부작업 행동지침을 무엇이라고 하는가?**

① 안전수칙　② 안전표지
③ 작업지시　④ 작업수칙

안전수칙이란 근로자가 안전하게 작업을 할 수 있는 세부작업 행동지침이다.

정답 26.④ 27.③ 28.① 29.④ 30.③ 31.② 32.③ 33.④ 34.①

35 산업재해 방지대책을 수립하기 위하여 위험요인을 발견하는 방법으로 가장 적합한 것은?

① 안전점검
② 재해사후 조치
③ 경영층 참여와 안진조직 진단
④ 안전대책 회의

36 작업현장에서 작업 시 사고예방을 위해 알아 두어야 할 가장 중요한 사항은?

① 장비의 최고 주행속도
② 1인당 작업량
③ 최신 기술적용 정도
④ 안전수칙

37 ILO(국제노동기구)의 구분에 의한 근로 불능 상해의 종류 중 응급조치 상해는 며칠간 치료를 받은 다음부터 정상작업에 임할 수 있는 정도의 상해를 의미하는가?

① 1일 미만 ② 3~5일
③ 10일 미만 ④ 2 주 미만

응급조치 상해란 1일 미만의 치료를 받고 다음부터 정상작업에 임할 수 있는 정도의 상해이다.

38 안전사고와 부상의 종류에서 재해의 분류상 중상해는?

① 부상으로 1주 이상의 노동손실을 가져온 상해 정도
② 부상으로 2주 이상의 노동손실을 가져온 상해 정도
③ 부상으로 3주 이상의 노동손실을 가져온 상해 정도
④ 부상으로 4주 이상의 노동손실을 가져온 상해 정도

경상해와 중상해의 기준
① 경상해 : 부상으로 1일 이상 14일 이하의 노동손실을 가져온 상해 정도
② 중상해 : 부상으로 인하여 2주 이상의 노동손실을 가져온 상해 정도

39 재해율 중 연천인율 계산식으로 옳은 것은?

① (재해자수/연평균근로자수)×1000
② (재해율×근로자수)/1000
③ 강도율×1000
④ 재해자수÷연평균근로자수

천인율과 연천인율
① 천인률 : 평균 재적근로자 1000명에 대하여 발생한 재해자 수를 나타내어 1000배한 것.

$$\text{천인율} = \frac{\text{재해자수}}{\text{평균 근로자수}} \times 1,000$$

② 연천인율 : 1000명의 근로자가 1년을 작업하는 동안에 발생한 재해 빈도를 나타내는 것.

$$\text{연천인율} = \frac{\text{재해자수}}{\text{연평균 근로자수}} \times 1000$$

40 근로자 1000명 당 1년 간에 발생하는 재해자 수를 나타낸 것은?

① 도수율 ② 강도율
③ 연천인율 ④ 사고율

도수율과 강도율
① 도수율 : 연 근로시간 100만 시간 동안에 발생한 재해 빈도를 나타내는 것.

$$\text{도수율} = \frac{\text{재해 발생 건수}}{\text{연 근로 시간 수}} \times 1,000,000$$

② 강도율 : 근로시간 1000시간당 재해로 인하여 근무하지 않는 근로 손실일수로서 산업재해의 경·중의 정도를 알기 위한 재해율로 이용된다.

$$\text{강도율} = \frac{\text{근로 손실일수}}{\text{연근로 시간}} \times 1,000$$

정답 35.① 36.④ 37.① 38.② 39.① 40.③

41 **운반 작업을 하는 작업장의 통로에서 통과 우선순위로 가장 적당한 것은?**

① 짐차 – 빈차 – 사람
② 빈차 – 짐차 – 사람
③ 사람 – 짐차 – 빈차
④ 사람 – 빈차 – 짐차

운반 작업을 하는 작업장의 통로에서 통과 우선순위는 짐차–빈차–사람이다.

42 **운반작업 시 지켜야 할 사항으로 옳은 것은?**

① 운반 작업은 장비를 사용하기 보다는 가능한 많은 인력을 동원하여 하는 것이 좋다.
② 인력으로 운반 시 무리한 자세로 장시간 취급하지 않는다.
③ 인력으로 운반 시 보조구를 사용하되 몸에서 멀리 떨어지게 하고, 가슴위치에서 하중이 걸리게 한다.
④ 통로 및 인도에 가까운 곳에서는 빠른 속도로 벗어나는 것이 좋다.

43 **인력으로 운반 작업을 할 때 틀린 것은?**

① 긴 물건은 앞쪽을 위로 올린다.
② 드럼통과 LPG 봄베는 굴려서 운반한다.
③ 무리한 몸가짐으로 물건을 들지 않는다.
④ 공동운반에서는 서로 협조를 하여 작업한다.

44 **길이가 긴 물건을 공동으로 운반 작업을 할 때의 주의사항과 거리가 먼 것은?**

① 작업 지휘자를 반드시 정한다.
② 두 사람이 운반할 때는 힘 센 사람이 하중을 더 많이 분담한다.
③ 물건을 들어 올리거나 내릴 때는 서로 같은 소리를 내는 등의 방법으로 동작을 맞춘다.
④ 체력과 신장이 서로 잘 어울리는 사람끼리 작업한다.

45 **작업장에서 공동 작업으로 물건을 들어 이동할 때 잘못된 것은?**

① 힘을 균형을 유지하여 이동할 것
② 불안전한 물건은 드는 방법에 주의할 것
③ 보조를 맞추어 들도록 할 것
④ 운반도중 상대방에게 무리하게 힘을 가할 것

46 **무거운 물건을 들어 올릴 때의 주의사항에 관한 설명으로 가장 적합하지 않은 것은?**

① 장갑에 기름을 묻히고 든다.
② 가능한 이동식 크레인을 이용한다.
③ 힘센 사람과 약한 사람과의 균형을 잡는다.
④ 약간씩 이동하는 것은 지렛대를 이용할 수도 있다.

47 **중량물 운반 시 안전사항으로 틀린 것은?**

① 크레인은 규정용량을 초과하지 않는다.
② 화물을 운반할 경우에는 운전반경 내를 확인한다.
③ 무거운 물건을 상승시킨 채 오랫동안 방치하지 않는다.
④ 흔들리는 화물은 사람이 승차하여 붙잡도록 한다.

48 **다음 중 보호구를 선택할 때의 유의사항으로 틀린 것은?**

① 작업행동에 방해되지 않을 것
② 사용목적에 구애받지 않을 것
③ 보호구 성능기준에 적합하고 보호성능이 보장될 것
④ 착용이 용이하고 크기 등 사용자에게 편리할 것

보호구는 사용 목적에 적합하여야 한다.

정답 41.① 42.② 43.② 44.② 45.④ 46.① 47.④ 48.②

49 **공장에서 엔진 등 중량물을 이동하려고 한다. 가장 좋은 방법은?**

① 여러 사람이 들고 조용히 움직인다.
② 체인블록이나 호이스트를 사용한다.
③ 로프로 묶어 인력으로 당긴다.
④ 지렛대를 이용하여 움직인다.

50 **다음 중 올바른 보호구 선택방법으로 가장 적합하지 않은 것은?**

① 잘 맞는지 확인하여야 한다.
② 사용 목적에 적합하여야 한다.
③ 사용 방법이 간편하고 손질이 쉬워야 한다.
④ 품질보다는 식별기능 여부를 우선해야 한다.

보호구는 검정에 합격된 품질이 양호한 것이어야 한다.

51 **시력을 교정하고 비산물로부터 눈을 보호하기 위한 보안경은?**

① 고글형 보안경
② 도수렌즈 보안경
③ 유리 보안경
④ 플라스틱 보안경

52 **아크 용접에서 눈을 보호하기 위한 보안경 선택으로 맞는 것은?**

① 도수 안경 ② 방진 안경
③ 차광용 안경 ④ 실험실용 안경

53 **먼지가 많은 장소에서 착용하여야 하는 마스크는?**

① 방독 마스크 ② 산소 마스크
③ 방진 마스크 ④ 일반 마스크

분진(먼지)이 발생하는 장소에서는 방진마스크를 착용하여야 한다.

54 **다음 중 사용구분에 따른 차광 보안경의 종류에 해당하지 않는 것은?**

① 자외선용 ② 적외선용
③ 용접용 ④ 비산방지용

55 **다음 중 산소결핍의 우려가 있는 장소에서 착용하여야 하는 마스크의 종류는?**

① 방독 마스크 ② 방진 마스크
③ 송기 마스크 ④ 가스 마스크

56 **귀마개가 갖추어야 할 조건으로 틀린 것은?**

① 내습, 내유성을 가질 것
② 적당한 세척 및 소독에 견딜 수 있을 것
③ 가벼운 귓병이 있어도 착용할 수 있을 것
④ 안경이나 안전모와 함께 착용을 하지 못하게 할 것

57 **안전모에 대한 설명으로 적합하지 않은 것은?**

① 혹한기에 착용하는 것이다.
② 안전모의 상태를 점검하고 착용한다.
③ 안전모의 착용으로 불안전한 상태를 제거한다.
④ 올바른 착용으로 안전도를 증가시킬 수 있다.

58 **안전모의 관리 및 착용방법으로 틀린 것은?**

① 큰 충격을 받은 것은 사용을 피한다.
② 사용 후 뜨거운 스팀으로 소독하여야 한다.
③ 정해진 방법으로 착용하고 사용하여야 한다.
④ 통풍을 목적으로 모체에 구멍을 뚫어서는 안 된다.

59 **중량물 운반 작업 시 착용해야 할 안전화는?**

① 중작업용 ② 보통작업용
③ 경작업용 ④ 절연용

정답 49.② 50.④ 51.② 52.③ 53.③ 54.④ 55.③ 56.④ 57.① 58.② 59.①

60 **작업점 외에 직접 사람이 접촉하여 말려들거나 다칠 위험이 있는 장소를 덮어씌우는 방호장치는?**

① 격리형 방호장치
② 위치 제한형 방호장치
③ 포집형 방호장치
④ 접근 거부형 방호장치

방호장치의 종류
① 격리형 방호장치 : 작업점 외에 직접 사람이 접촉하여 말려들거나 다칠 위험이 있는 장소를 덮어씌우는 방호장치 방법이다.
② 완전 차단형 방호조치 : 어떠한 방향에서도 위험장소까지 도달할 수 없도록 완전히 차단하는 것이다.
③ 덮개형 방호조치 : 작업점 외에 직접 사람이 접촉하여 말려들거나 다칠 위험이 있는 위험 장소를 덮어씌우는 방법으로 V벨트나 평 벨트 또는 기어가 회전하면서 접선 방향으로 물려 들어가는 장소에 많이 설치한다.
④ 위치 제한형 방호장치 : 위험을 초래할 가능성이 있는 기계에서 작업자나 직접 그 기계와 관련되어 있는 조작자의 신체부위가 위험한계 밖에 있도록 의도적으로 기계의 조작 장치를 기계에서 일정거리 이상 떨어지게 설치해 놓고, 조작하는 두 손 중에서 어느 하나가 떨어져도 기계의 동작을 멈춰지게 하는 장치이다.
⑤ 접근 반응형 방호장치 : 작업자의 신체부위가 위험한계 또는 그 인접한 거리로 들어오면 이를 감지하여 그 즉시 동작하던 기계를 정지시키거나 스위치가 꺼지도록 하는 방호법이다.

61 **방호장치를 기계설비에 설치할 때 철저히 조사해야 하는 항목이 맞게 연결된 것은?**

① 방호정도 : 어느 한계까지 믿을 수 있는지 여부
② 적용범위 : 위험 발생을 경고 또는 방지하는 기능으로 할지 여부
③ 유지관리 : 유지관리를 하는데 편의성과 적정성
④ 신뢰도 : 기계설비의 성능, 기능에 부합되는지 여부

62 **방호장치 및 방호조치에 대한 설명으로 틀린 것은?**

① 충전회로 인근에서 차량, 기계장치 등의 작업이 있는 경우 충전부로부터 3m 이상 이격시킨다.
② 지반 붕괴의 위험이 있는 경우 흙막이 지보공 및 방호망을 설치해야 한다.
③ 발파작업 시 피난장소는 좌우측을 견고하게 방호한다.
④ 직접 접촉이 가능한 벨트에는 덮개를 설치해야 한다.

63 **기계·기구 또는 설비에 설치한 방호장치를 해체하거나 사용을 정지할 수 있는 경우로 틀린 것은?**

① 방호장치의 수리 시
② 방호장치의 정기점검 시
③ 방호장치의 교체 시
④ 방호장치의 조정 시

64 **고압 충전 전선로 근방에서 작업을 할 경우 작업자가 감전되지 않도록 사용하는 안전장구로 가장 적합한 것은?**

① 절연용 방호구 ② 방수복
③ 보호용 가죽장갑 ④ 안전대

65 **전기기기에 의한 감전 사고를 막기 위하여 필요한 설비로 가장 중요한 것은?**

① 고압계 설비
② 접지 설비
③ 방폭등 설비
④ 대지 전위 상승장치 설비

66 **다음 중 일반적으로 장갑을 끼고 작업할 경우 안전상 가장 적합하지 않은 작업은?**

① 전기용접 작업
② 타이어교체 작업
③ 건설기계 운전 작업
④ 선반 등의 절삭가공 작업

 정답 60.① 61.③ 62.③ 63.② 64.① 65.② 66.④

67 **작업장에서 작업복을 착용하는 주된 이유는?**

① 작업속도를 높이기 위해서
② 작업자의 복장통일을 위해서
③ 작업장의 질서를 확립시키기 위해서
④ 재해로부터 작업자의 몸을 보호하기 위해서

68 **산업안전보건법령상 안전 · 보건표지의 분류 명칭이 아닌 것은?**

① 금지 표지　② 경고 표지
③ 통제 표지　④ 안내 표지

산업안전 보건표지의 종류에는 금지 표지, 경고 표지, 지시 표지, 안내 표지가 있다.

69 **안전표지의 종류 중 경고 표지가 아닌 것은?**

① 인화성 물질　② 방사성 물질
③ 방독 마스크 착용　④ 산화성 물질

방독 마스크 착용 표지는 지시 표지이다.

70 **안전 · 보건표지의 종류별 용도 · 사용 장소 · 형태 및 색채에서 바탕은 흰색, 기본모형은 빨간색, 관련부호 및 그림은 검정색으로 된 표지는?**

① 보조 표지　② 지시 표지
③ 주의 표지　④ 금지 표지

안전 · 보건 표지의 종류별 용도, 사용 장소, 형태 및 색채

① 금지 표지 : 바탕은 흰색, 기본모형은 빨간색, 관련 부호 및 그림은 검은색
② 경고 표지 : 바탕은 무색, 기본모형은 빨간색(검은색도 가능)
③ 인화성 경고 표지 : 바탕은 노란색, 기본모형, 관련 부호 및 그림은 검은색
④ 지시 표지 : 바탕은 파란색, 관련 그림은 흰색
⑤ 안내 표지 : 바탕은 흰색, 기본모형 및 관련 부호는 녹색, 바탕은 녹색, 관련 부호 및 그림은 흰색

71 **산업안전보건법령상 안전 · 보건표지에서 색채와 용도가 틀리게 짝지어진 것은?**

① 파란색 : 지시　② 녹색 : 안내
③ 노란색 : 위험　④ 빨간색 : 금지, 경고

안전 · 보건 표지의 색채와 용도
① 빨간색 : 금지, 경고　② 노란색 : 경고
③ 파란색 : 지시　④ 녹색 : 안내

72 **안전표지의 종류 중 안내표지에 속하지 않는 것은?**

① 녹십자 표지　② 응급구호 표지
③ 비상구　④ 출입금지

73 **적색 원형으로 만들어지는 안전 표지판은?**

① 경고 표시　② 안내 표시
③ 지시 표시　④ 금지 표시

74 **보안경 착용, 방독 마스크 착용, 방진 마스크 착용, 안전모자 착용, 귀마개 착용 등을 나타내는 표지의 종류는?**

① 금지 표지　② 지시 표지
③ 안내 표지　④ 경고 표지

75 **안전표지의 색채 중에서 대피장소 또는 비상구의 표지에 사용되는 것으로 맞는 것은?**

① 빨간색　② 주황색
③ 녹색　④ 청색

76 **안전보건표지 종류와 형태에서 그림의 안전 표지판이 나타내는 것은?**

① 병원표지　② 비상구 표지
③ 녹십자 표지　④ 안전지대 표지

정답 67.④ 68.③ 69.③ 70.④ 71.③ 72.④ 73.④ 74.② 75.③ 76.③

77 산업안전보건법령상 안전·보건표지의 종류 중 다음 그림에 해당하는 것은?

① 산화성 물질 경고
② 인화성 물질 경고
③ 폭발성 물질 경고
④ 급성 독성 물질 경고

78 다음 그림은 안전표지의 어떠한 내용을 나타내는가?

① 지시 표지 ② 금지 표지
③ 경고 표지 ④ 안내 표지

해설 그림은 보안경을 착용하라는 지시 표지이다.

79 안전·보건표지의 종류와 형태에서 그림과 같은 표지는?

① 인화성 물질 경고
② 금연
③ 화기 금지
④ 산화성 물질 경고

80 안전·보건표지의 종류와 형태에서 그림의 표지로 맞는 것은?

① 비상구 ② 안전제일 표지
③ 응급구호 표지 ④ 들것 표지

81 산업안전 보건표지에서 다음 그림이 나타내는 것은?

① 비상구 없음 표지
② 방사선 위험 표지
③ 탑승 금지 표지
④ 보행 금지 표지

82 산업안전·보건 표지에서 그림이 표시하는 것으로 맞는 것은?

① 독극물 경고 ② 폭발물 경고
③ 고압전기 경고 ④ 낙하물 경고

83 다음 그림과 같은 안전 표지판이 나타내는 것은?

① 비상구 ② 출입금지
③ 인화성 물질경고 ④ 보안경 착용

정답 77.② 78.① 79.③ 80.③ 81.④ 82.③ 83.②

84 **가스 및 인화성 액체에 의한 화재 예방조치 방법으로 틀린 것은?**

① 가연성 가스는 대기 중에 자주 방출시킬 것
② 인화성 액체의 취급은 폭발 한계의 범위를 초과한 농도로 할 것
③ 배관 또는 기기에서 가연성 증기의 누출여부를 철저히 점검할 것
④ 화재를 진화하기 위한 방화 장치는 위급상황 시 눈에 잘 띄는 곳에 설치할 것

85 **자연발화가 일어나기 쉬운 조건으로 틀린 것은?**

① 발열량이 클 때
② 주위 온도가 높을 때
③ 착화점이 낮을 때
④ 표면적이 작을 때

자연발화는 발열량이 클 때, 주위 온도가 높을 때, 착화점이 낮을 때 일어나기 쉽다.

86 **화재 시 연소의 주요 3요소로 틀린 것은?**

① 고압 ② 가연물
③ 점화원 ④ 산소

87 **화재발생 시 연소조건이 아닌 것은?**

① 점화원 ② 산소(공기)
③ 발화시기 ④ 가연성 물질

88 **화재의 분류가 옳게 된 것은?**

① A급 화재 : 일반 가연물 화재
② B급 화재 : 금속 화재
③ C급 화재 : 유류 화재
④ D급 화재 : 전기 화재

화재의 분류
① A급 화재 : 나무, 석탄 등 연소 후 재를 남기는 일반적인 화재
② B급 화재 : 휘발유, 벤젠 등 유류화재
③ C급 화재 : 전기화재
④ D급 화재 : 금속화재

89 **다음 중 자연 발화성 및 금속성 물질이 아닌 것은?**

① 탄소 ② 나트륨
③ 칼륨 ④ 알킬나트륨

자연 발화성 및 금속성 물질
① 나트륨(sodium, Natrium) : 전기적 양성이 매우 강한 1가의 금속 이온이다. 공기 중에서는 산화되어 신속히 광택을 상실하며, 습기 및 이산화탄소 때문에 탄산나트륨 피막으로 덮인다. 상온에서는 자연 발화는 하지 않지만 녹는점 이상으로 가열하면 황색 불꽃을 내며 타서 과산화나트륨이 된다.
② 칼륨(kalium) : 무르며 녹는점이 낮고, 화학반응성이 매우 큰 은백색 고체 금속이다. 공기 중에서 쉽게 산화되고, 물과는 많은 열과 수소기체를 내면서 격렬히 반응하고 폭발하기도 한다.
③ 알킬나트륨(alkyl sodium, Alkyl Natrium) : 무색의 비휘발성 고체인데 석유, 벤젠 등에 녹지 않으며 가열하면 용융되지 않고 분해된다. 공기 중에서는 곧 발화한다. 알킬기가 고급으로 되는데 따라 열에 대해 불안정하게 된다.

90 **보통화재라고 하며 목재, 종이 등 일반 가연물의 화재로 분류되는 것은?**

① A급 화재 ② B급 화재
③ C급 화재 ④ D급 화재

91 **화재 분류에서 유류화재에 해당되는 것은?**

① A급 화재 ② B급 화재
③ C급 화재 ④ D급 화재

92 **B급 화재에 대한 설명으로 옳은 것은?**

① 목재, 섬유류 등의 화재로서 일반적으로 냉각소화를 한다.
② 유류 등의 화재로서 일반적으로 질식효과(공기차단)로 소화한다.
③ 전기기기의 화재로서 일반적으로 전기절연성을 갖는 소화제로 소화한다.
④ 금속나트륨 등의 화재로서 일반적으로 건조사를 이용한 질식효과로 소화한다.

정답 84.① 85.④ 86.① 87.③ 88.① 89.① 90.① 91.② 92.②

93 소화설비 선택 시 고려하여야 할 사항이 아닌 것은?

① 작업의 성질 ② 작업자의 성격
③ 화재의 성질 ④ 작업장의 환경

94 소화설비에 대한 설명으로 맞지 않는 것은?

① 포말 소화설비는 저온 압축한 질소가스를 방사시켜 화재를 진화한다.
② 분말 소화설비는 미세한 분말 소화재를 화염에 방사시켜 진화시킨다.
③ 물 분무 소화설비는 연소물의 온도를 인화점 이하로 냉각시키는 효과가 있다.
④ 이산화탄소 소화설비는 질식작용에 의해 화염을 진화시킨다.

95 소화방식의 종류 중 주된 작용이 질식소화에 해당하는 것은?

① 강화액 ② 호스 방수
③ 에어-폼 ④ 스프링 클러

96 목재, 섬유 등 일반화재에도 사용되며, 가솔린과 같은 유류나 화학약품의 화재에도 적당하나, 전기화재는 부적당한 특징이 있는 소화기는?

① ABC 소화기
② 모래
③ 포말 소화기
④ 분말 소화기

전기 화재의 소화에 포말 소화기는 사용해서는 안 된다.

97 작업장에서 휘발유 화재가 일어났을 경우 가장 적합한 소화방법은?

① 물 호스의 사용
② 불의 확대를 막는 덮개의 사용
③ 소다 소화기의 사용
④ 탄산가스 소화기의 사용

98 유류화재 시 소화용으로 가장 거리가 먼 것은?

① 물 ② 소화기
③ 모래 ④ 흙

99 전기화재의 원인과 관련이 없는 것은?

① 단락(합선) ② 과절연
③ 전기불꽃 ④ 과전류

100 전기시설과 관련된 화재로 분류되는 것은?

① A급 화재 ② B급 화재
③ C급 화재 ④ D급 화재

101 다음 중 전기설비 화재 시 가장 적합하지 않은 소화기는?

① 포말 소화기
② 이산화탄소 소화기
③ 무상강화액 소화기
④ 할로겐화합물 소화기

102 화재발생 시 소화기를 사용하여 소화 작업을 하려고 할 때 올바른 방법은?

① 바람을 안고 우측에서 좌측을 향해 실시한다.
② 바람을 등지고 좌측에서 우측을 향해 실시한다.
③ 바람을 안고 아래쪽에서 위쪽을 향해 실시한다.
④ 바람을 등지고 위쪽에서 아래쪽을 향해 실시한다.

소화기를 사용하여 소화 작업을 할 경우에는 바람을 등지고 위쪽에서 아래쪽을 향해 실시한다.

103 구급처치 중에서 환자의 상태를 확인하는 사항과 가장 거리가 먼 것은?

① 의식 ② 상처
③ 출혈 ④ 격리

정답 93.② 94.① 95.③ 96.③ 97.④ 98.① 99.② 100.③ 101.① 102.④ 103.④

104 **화재발생으로 부득이 화염이 있는 곳을 통과할 때의 요령으로 틀린 것은?**

① 몸을 낮게 엎드려서 통과한다.
② 물수건으로 입을 막고 통과한다.
③ 머리카락, 얼굴, 발, 손 등을 불과 닿지 않게 한다.
④ 뜨거운 김은 입으로 마시면서 통과한다.

105 **사고로 인하여 위급한 환자가 발생하였다. 의사의 치료를 받기 전까지 응급처치를 실시할 때 응급처치 실시자의 준수사항으로 가장 거리가 먼 것은?**

① 사고현장 조사를 실시한다.
② 원칙적으로 의약품의 사용은 피한다.
③ 의식 확인이 불가능하여도 생사를 임의로 판정하지 않는다.
④ 정확한 방법으로 응급처치를 한 후 반드시 의사의 치료를 받도록 한다.

106 **화상을 입었을 때 응급조치로 가장 적합한 것은?**

① 옥도정기를 바른다.
② 메틸알코올에 담근다.
③ 아연화연고를 바르고 붕대를 감는다.
④ 찬물에 담갔다가 아연화연고를 바른다.

107 **전기용접의 아크 빛으로 인해 눈이 혈안이 되고 눈이 붓는 경우가 있다. 이럴 때 응급조치 사항으로 가장 적절한 것은?**

① 안약을 넣고 계속 작업한다.
② 눈을 잠시 감고 안정을 취한다.
③ 소금물로 눈을 세정한 후 작업한다.
④ 냉습포를 눈 위에 올려놓고 안정을 취한다.

108 **세척작업 중 알칼리 또는 산성 세척유가 눈에 들어갔을 경우 가장 먼저 조치하여야 하는 응급처치는?**

① 수돗물로 씻어낸다.
② 눈을 크게 뜨고 바람 부는 쪽을 향해 눈물을 흘린다.
③ 알칼리성 세척유가 눈에 들어가면 붕산수를 구입하여 중화시킨다.
④ 산성 세척유가 눈에 들어가면 병원으로 후송하여 알칼리성으로 중화시킨다.

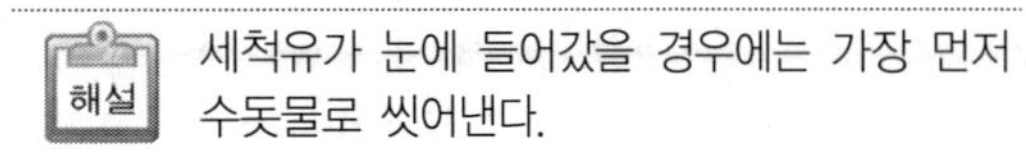

세척유가 눈에 들어갔을 경우에는 가장 먼저 수돗물로 씻어낸다.

109 **중량물을 들어 올리거나 내릴 때 손이나 발이 중량물과 지면 등에 끼어 발생하는 재해는?**

① 낙하 ② 충돌
③ 전도 ④ 협착

정답 104.④ 105.① 106.④ 107.④ 108.① 109.④

1 연삭기 사용시 유의사항

① 숫돌 커버를 벗겨 놓고 사용하지 않는다.
② 연삭 작업 중에는 반드시 보안경을 착용하여야 한다.
③ 날이 있는 공구를 다룰 때에는 다치지 않도록 주의한다.
④ 숫돌 바퀴에 공작물은 적당한 압력으로 접촉시켜 연삭한다.
⑤ 숫돌 바퀴의 측면을 이용하여 공작물을 연삭해서는 안된다.
⑥ 숫돌 바퀴와 받침대의 간격은 3mm 이하로 유지시켜야 한다.
⑦ 숫돌 바퀴의 설치가 완료되면 3분 이상 시험 운전을 하여야 한다.
⑧ 숫돌 바퀴를 설치할 경우에는 균열이 있는지 확인한 후 설치하여야 한다.
⑨ 연삭기의 스위치를 ON 시키기 전에 보안판과 숫돌 커버의 이상 유무를 점검한다.
⑩ 숫돌 바퀴의 정면에 서지 말고 정면에서 약간 벗어난 곳에 서서 연삭 작업을 하여야 한다.

2 수공구 사용시 안전 수칙

① 수공으로 만든 공구는 사용하지 않는다.
② 작업에 알맞는 공구를 선택하여 사용할 것.
③ 공구는 사용 전에 기름 등을 닦은 후 사용한다.
④ 공구를 보관할 때에는 지정된 장소에 보관할 것.
⑤ 공구를 취급할 때에는 올바른 방법으로 사용할 것.

3 렌치 사용시 주의사항

① 힘이 가해지는 방향을 확인하여 사용하여야 한다.
② 렌치를 잡아 당겨 볼트나 너트를 죄거나 풀어야 한다.
③ 사용 후에는 건조한 헝겊으로 닦아서 보관하여야 한다.
④ 볼트나 너트를 풀 때 렌치를 해머로 두들겨서는 안된다.
⑤ 렌치에 파이프 등의 연장대를 끼워 사용하여서는 안된다.
⑥ 산화 부식된 볼트나 너트는 오일이 스며들게 한 후 푼다.

⑦ 조정 렌치를 사용할 경우에는 조정 조에 힘이 가해지지 않도록 주의한다.
⑧ 볼트나 너트를 죄거나 풀 때에는 볼트나 너트의 머리에 꼭 맞는 것을 사용하여야 한다.

4 스패너 사용시 주의사항

① 스패너에 연장대를 끼워 사용하여서는 안된다.
② 작업 자세는 발을 약간 벌리고 두 다리에 힘을 준다.
③ 스패너의 입이 볼트나 너트의 치수에 맞는 것을 사용한다.
④ 스패너를 해머로 두드리거나 스패너를 해머 대신 사용해서는 안된다.
⑤ 볼트나 너트에 스패너를 깊이 물리고 조금씩 몸쪽으로 당겨 풀거나 조인다.
⑥ 높거나 좁은 장소에서는 몸의 일부를 충분히 기대고 스패너가 빠져도 몸의 균형을 잃지 않도록 한다.

5 해머 사용시 주의사항

① 해머를 휘두르기 전에 반드시 주위를 살핀다.
② 해머의 타격면이 찌그러진 것을 사용하지 않는다
③ 장갑을 끼거나 기름 묻은 손으로 작업하여서는 안된다.
④ 사용 중에 해머와 손잡이를 자주 점검하면서 작업한다.
⑤ 쐐기를 박아서 손잡이가 튼튼하게 박힌 것을 사용하여야 한다.
⑥ 처음부터 큰 해머를 크게 흔들지 말고 명중되면 점차 크게 흔든다.
⑦ 좁은 곳이나 발판이 불안한 곳에서는 해머 작업을 하여서는 안된다.
⑧ 불꽃이 발생되거나 파편이 발생될 수 있는 작업을 할 경우에는 보안경을 착용하고 작업한다.
⑨ 큰 해머로 작업할 때에는 물품에 해머를 대고 몸의 위치를 조절하며, 충분히 발을 버티고 작업 자세를 취한다.

6 가스용접 안전 수칙

① 봄베 주둥이 쇠나 몸통에 녹이 슬지 않도록 오일이나 그리스를 바르면 폭발한다.
② 토치는 반드시 작업대 위에 놓고 기름이나 그리스가 묻지 않도록 한다.
③ 가스를 완전히 멈추지 않거나 점화된 상태로 방치해 두지 말 것
④ 봄베는 던지거나 넘어뜨리지 말 것
⑤ 산소 용기의 보관 온도는 40℃이하로 하여야 한다.
⑥ 반드시 소화기를 준비할 것
⑦ 아세틸렌 밸브를 먼저 열고 점화한 후 산소 밸브를 연다.
⑧ 점화는 성냥불로 직접 하지 않는다.
⑨ 산소 용접을 할 때 역류역화가 일어나면 빨리 산소 밸브부터 잠가야 한다.

⑩ 운반을 할 때에는 운반용으로 된 전용 운반 차량을 사용한다.

7 기중기로 물건을 운반할 때 주의할 점

① 규정 무게 보다 초과하여 사용해서는 안 된다.
② 적재 물이 떨어지지 않도록 한다.
③ 로프 등의 안전 여부를 항상 점검한다.
④ 선회 작업을 할 때에는 사람이 다치지 않도록 한다.

8 작업장 안전수칙

① 작업 후 바닥의 오일 등을 깨끗이 청소한다.
② 모든 사용공구는 제자리에 정리정돈 한다.
③ 무거운 물건은 이동기구를 이용한다.
④ 폐기물은 정해진 위치에 모아 둔다.
⑤ 통로나 창문 등에 물건을 세워 놓지 않는다.

9 작업자 준수사항

① 작업자는 안전 작업법을 준수한다.
② 작업자는 감독자의 명령에 복종한다.
③ 자신의 안전은 물론 동료의 안전도 생각한다.
④ 작업에 임해서는 보다 좋은 방법을 찾는다.
⑤ 작업자는 작업 중에 불필요한 행동을 하지 않는다.
⑥ 작업장의 환경 조성을 위해서 적극적으로 노력한다.

출 제 예 상 문 제

01 **기계설비의 안전 확보를 위한 사항 중 사용상의 잘못이 아닌 것은?**

① 주위환경 ② 설치방법
③ 무부하 사용 ④ 조작방법

02 **기계 및 기계장치 취급 시 사고 발생 원인이 아닌 것은?**

① 불량 공구를 사용할 때
② 안전장치 및 보호 장치가 잘 되어 있지 않을 때
③ 정리정돈 및 조명장치가 잘 되어 있지 않을 때
④ 기계 및 기계장치가 넓은 장소에 설치되어 있을 때

03 **기계시설의 안전 유의사항에 맞지 않은 것은?**

① 회전부분(기어, 벨트, 체인) 등은 위험하므로 반드시 커버를 씌워둔다.
② 발전기, 용접기, 엔진 등 장비는 한 곳에 모아서 배치한다.
③ 작업장의 통로는 근로자가 안전하게 다닐 수 있도록 정리정돈을 한다.
④ 작업장의 바닥은 보행에 지장을 주지 않도록 청결하게 유지한다.

발전기, 용접기, 엔진 등 소음이 나는 장비는 분산시켜 배치한다.

04 **안전작업 사항으로 잘못된 것은?**

① 전기장치는 접지를 하고 이동식 전기기구는 방호장치를 설치한다.
② 엔진에서 배출되는 일산화탄소에 대비한 통풍장치를 한다.
③ 담뱃불은 발화력이 약하므로 제한장소 없이 흡연해도 무방하다.
④ 주요장비 등은 조작자를 지정하여 아무나 조작하지 않도록 한다.

05 **기계취급에 관한 안전수칙 중 잘못된 것은?**

① 기계운전 중에는 자리를 지킨다.
② 기계의 청소는 작동 중에 수시로 한다.
③ 기계운전 중 정전시는 즉시 주 스위치를 끈다.
④ 기계공장에서는 반드시 작업복과 안전화를 착용한다.

06 **작업장에서 전기가 예고 없이 정전되었을 경우 전기로 작동하던 기계·기구의 조치방법 으로 가장 적합하지 않은 것은?**

① 즉시 스위치를 끈다.
② 안전을 위해 작업장을 정리해 놓는다.
③ 퓨즈의 단락 유·무를 검사한다.
④ 전기가 들어오는 것을 알기 위해 스위치를 켜 둔다.

07 **작업 중 기계에 손이 끼어 들어가는 안전사고가 발생했을 경우 우선적으로 해야 할 것은?**

① 신고부터 한다.
② 응급처치를 한다.
③ 기계의 전원을 끈다.
④ 신경 쓰지 않고 계속 작업한다.

08 **작업장에서 지켜야 할 준수사항이 아닌 것은?**

① 불필요한 행동을 삼가 할 것
② 작업장에서는 급히 뛰지 말 것
③ 대기중인 차량에는 고임목을 고여 둘 것
④ 공구를 전달할 경우 시간절약을 위해 가볍게 던질 것

정답 01.③ 02.④ 03.② 04.③ 05.② 06.④ 07.③ 08.④

09 **연삭작업 시 주의사항으로 틀린 것은?**

① 숫돌 측면을 사용하지 않는다.
② 작업은 반드시 보안경을 쓰고 작업한다.
③ 연삭작업은 숫돌차의 정면에 서서 작업한다.
④ 연삭숫돌에 일감을 세게 눌러 작업하지 않는다.

연삭작업은 숫돌 바퀴의 정면에 서지 말고 정면에서 약간 벗어난 곳에 서서 연삭 작업을 하여야 한다.

10 **연삭기에서 연삭 칩의 비산을 막기 위한 안전방호 장치는?**

① 안전 덮개
② 광전식 안전 방호장치
③ 급정지 장치
④ 양수 조작식 방호장치

연삭기에는 연삭 칩의 비산을 막기 위하여 안전 덮개를 부착하여야 한다.

11 **연삭기의 안전한 사용방법으로 틀린 것은?**

① 숫돌 측면 사용제한
② 숫돌덮개 설치 후 작업
③ 보안경과 방진마스크 작용
④ 숫돌과 받침대 간격을 가능한 넓게 유지

연삭기의 워크 레스트(숫돌 받침대)와 숫돌과의 틈새는 3mm 이내로 조정한다.

12 **작업을 위한 공구관리의 요건으로 가장 거리가 먼 것은?**

① 공구별로 장소를 지정하여 보관할 것
② 공구는 항상 최소 보유량 이하로 유지할 것
③ 공구사용 점검 후 파손된 공구는 교환할 것
④ 사용한 공구는 항상 깨끗이 한 후 보관할 것

13 **드릴작업 시 유의사항으로 잘못된 것은?**

① 작업 중 칩 제거를 금지한다.
② 작업 중 면장갑 착용을 금한다.
③ 작업 중 보안경 착용을 금한다.
④ 균열이 있는 드릴은 사용을 금한다.

14 **동력공구 사용 시 주의사항으로 틀린 것은?**

① 보호구는 안 해도 무방하다.
② 에어 그라인더는 회전수에 유의한다.
③ 규정 공기압력을 유지한다.
④ 압축공기 중의 수분을 제거하여 준다.

15 **일반 공구의 안전한 사용법으로 적합하지 않은 것은?**

① 언제나 깨끗한 상태로 보관한다.
② 엔진의 헤드 볼트 작업에는 소켓렌치를 사용한다.
③ 렌치의 조정 조에 잡아당기는 힘이 가해져야 한다.
④ 파이프 렌치에는 연장대를 끼워서 사용하지 않는다.

렌치의 조정 조에 잡아당기는 힘이 가해지면 렌치가 파손되기 때문에 고정 조에 힘이 가해지도록 사용하여야 한다.

16 **일반 공구 사용에 있어 안전관리에 적합하지 않은 것은?**

① 작업특성에 맞는 공구를 선택하여 사용할 것
② 공구는 사용 전에 점검하여 불안전한 공구는 사용하지 말 것
③ 작업 진행 중 옆 사람에서 공구를 줄 때는 가볍게 던져 줄 것
④ 손이나 공구에 기름이 묻었을 때에는 완전히 닦은 후 사용할 것

정답 09.③ 10.① 11.④ 12.② 13.③ 14.① 15.③ 16.③

17 **정비작업에서 공구의 사용법에 대한 내용으로 틀린 것은?**

① 스패너의 자루가 짧다고 느낄 때는 반드시 둥근 파이프로 연결할 것
② 스패너를 사용할 때는 앞으로 당길 것
③ 스패너는 조금씩 돌리며 사용할 것
④ 파이프 렌치는 반드시 둥근 물체에만 사용할 것

18 **다음 중 수공구인 렌치를 사용할 때 지켜야 할 안전사항으로 옳은 것은?**

① 볼트를 풀 때는 지렛대 원리를 이용하여, 렌치를 밀어서 힘이 받도록 한다.
② 볼트를 조일 때는 렌치를 해머로 쳐서 조이면 강하게 조일 수 있다.
③ 렌치작업 시 큰 힘으로 조일 경우 연장대를 끼워서 작업한다.
④ 볼트를 풀 때는 렌치 손잡이를 당길 때 힘을 받도록 한다.

19 **공구를 정리 보관할 때 가장 옳은 것은?**

① 사용한 공구는 종류별로 묶어서 보관한다.
② 사용한 공구는 녹슬지 않게 기름칠을 잘해서 작업대 위에 진열해 놓는다.
③ 사용 시 기름이 묻은 공구는 물로 깨끗이 씻어서 보관한다.
④ 사용한 공구는 면 걸레로 깨끗이 닦아서 공구상자 또는 공구보관으로 지정된 곳에 보관한다.

20 **수공구를 사용할 때 유의사항으로 맞지 않는 것은?**

① 무리한 공구 취급을 금한다.
② 토크렌치는 볼트를 풀 때 사용한다.
③ 수공구는 사용법을 숙지하여 사용한다.
④ 공구를 사용하고 나면 일정한 장소에 관리 보관한다.

토크렌치는 볼트 및 너트를 조일 때 규정 토크로 조이기 위하여 사용한다.

21 **작업장에서 수공구 재해예방 대책으로 잘못된 사항은?**

① 결함이 없는 안전한 공구사용
② 공구의 올바른 사용과 취급
③ 공구는 항상 오일을 바른 후 보관
④ 작업에 알맞은 공구 사용

22 **작업에 필요한 수공구의 보관방법으로 적합하지 않은 것은?**

① 공구함을 준비하여 종류와 크기별로 보관한다.
② 사용한 공구는 파손된 부분 등의 점검 후 보관한다.
③ 사용한 수공구는 녹슬지 않도록 손잡이 부분에 오일을 발라 보관하도록 한다.
④ 날이 있거나 뾰족한 물건은 위험하므로 뚜껑을 씌워둔다.

23 **해머 사용 시의 주의사항이 아닌 것은?**

① 쐐기를 박아서 자루가 단단한 것을 사용한다.
② 기름 묻은 손으로 자루를 잡지 않는다.
③ 타격면이 닳아 경사진 것은 사용하지 않는다.
④ 처음에는 크게 휘두르고 차차 작게 휘두른다.

처음부터 큰 해머를 크게 흔들지 말고 명중되면 점차 크게 흔든다.

24 **해머사용 시 안전에 주의해야 될 사항으로 틀린 것은?**

① 해머사용 전 주위를 살펴본다.
② 담금질한 것은 무리하게 두들기지 않는다.
③ 해머를 사용하여 작업할 때에는 처음부터 강한 힘을 사용한다.
④ 대형해머를 사용할 때는 자기의 힘에 적합한 것으로 한다.

정답 17.① 18.④ 19.④ 20.② 21.③ 22.③ 23.④ 24.③

25 **해머사용 중 사용법이 틀린 것은?**

① 타격면이 마모되어 경사진 것은 사용하지 않는다.
② 담금질 한 것은 단단하므로 한 번에 정확히 강타한다.
③ 기름 묻은 손으로 자루를 잡지 않는다.
④ 물건에 해머를 대고 몸의 위치를 정한다.

26 **망치(hammer)작업 시 옳은 것은?**

① 망치자루의 가운데 부분을 잡아 놓치지 않도록 할 것
② 손은 다치지 않게 장갑을 착용할 것
③ 타격할 때 처음과 마지막에 힘을 많이 가하지 말 것
④ 열처리 된 재료는 반드시 해머작업을 할 것

27 **다음 중 장갑을 끼고 작업할 때 가장 위험한 작업은?**

① 건설기계운전 작업
② 타이어 교환 작업
③ 해머작업
④ 오일교환 작업

28 **렌치작업 시 안전사항으로 옳은 것은?**

① 오픈렌치를 사용 시 몸의 중심을 옆으로 한 후 작업한다.
② 오픈렌치의 크기는 너트의 치수보다 약간 큰 것을 선택하여 사용한다.
③ 볼트의 크기에 따라 큰 토크가 필요시에는 오픈렌치 2개를 연결하여 사용한다.
④ 오픈렌치로 볼트를 조이거나 풀 때 모두 작업자의 앞으로 당긴다.

29 **렌치 작업시 설명으로 옳지 못한 것은?**

① 스패너는 조금씩 돌리며 사용한다.
② 스패너를 사용할 때는 반드시 앞으로 당기며 사용한다.
③ 파이프 렌치는 반드시 둥근 물체에만 사용한다.
④ 스패너 자루에 항상 둥근 파이프로 연결하여 사용한다.

30 **6각 볼트·너트를 조이고 풀 때 가장 적합한 공구는?**

① 바이스 ② 플라이어
③ 드라이버 ④ 복스 렌치

31 **볼트나 너트를 조이고 풀 때 사항으로 틀린 것은?**

① 볼트와 너트는 규정토크로 조인다.
② 토크렌치는 볼트를 풀 때만 사용한다.
③ 한 번에 조이지 말고, 2~3회 나누어 조인다.
④ 규정된 공구를 사용하여 풀고, 조이도록 한다.

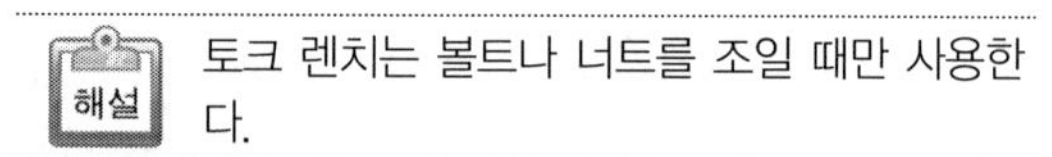
해설 토크 렌치는 볼트나 너트를 조일 때만 사용한다.

32 **조정렌치 사용 및 관리요령으로 적합지 않는 것은?**

① 볼트를 풀 때는 렌치에 연결대 등을 이용한다.
② 적당한 힘을 가하여 볼트, 너트를 죄고 풀어야 한다.
③ 잡아당길 때 힘을 가하면서 작업한다.
④ 볼트, 너트를 풀거나 조일 때는 볼트 머리나 너트에 꼭 끼워져야 한다.

33 **복스 렌치가 오픈엔드 렌치보다 비교적 많이 사용되는 이유로 옳은 것은?**

① 두 개를 한 번에 조일 수 있다.
② 마모율이 적고 가격이 저렴하다.
③ 다양한 볼트 너트의 크기를 사용할 수 있다.
④ 볼트와 너트 주위를 감싸 힘의 균형 때문에 미끄러지지 않는다.

정답 25.② 26.③ 27.③ 28.④ 29.④ 30.④ 31.② 32.① 33.④

34 **볼트 등을 조일 때 조이는 힘을 측정하기 위하여 쓰는 렌치는?**

① 복스 렌치 ② 오픈엔드 렌치
③ 소켓 렌치 ④ 토크 렌치

35 **스패너 작업방법으로 옳은 것은?**

① 스패너로 볼트를 죌 때는 앞으로 당기고 풀 때는 뒤로 민다.
② 스패너의 입이 너트의 치수보다 조금 큰 것을 사용한다.
③ 스패너 사용 시 몸의 중심을 항상 옆으로 한다.
④ 스패너로 죄고 풀 때는 항상 앞으로 당긴다.

36 **스패너 사용 시 주의사항으로 잘못된 것은?**

① 스패너의 입이 폭과 맞는 것을 사용한다.
② 필요 시 두 개를 이어서 사용할 수 있다.
③ 스패너를 너트에 정확하게 장착하여 사용한다.
④ 스패너의 입이 변형된 것은 폐기한다.

37 **스패너 및 렌치 사용 시 유의사항이 아닌 것은?**

① 스패너의 입이 너트 폭과 잘 맞는 것을 사용한다.
② 스패너를 너트에 단단히 끼워서 앞으로 당겨 사용한다.
③ 멍키렌치는 웜과 랙의 마모상태를 확인한다.
④ 멍키렌치는 윗 턱 방향으로 돌려서 사용한다.

38 **벨트 전동장치에 내재된 위험적 요소로 의미가 다른 것은?**

① 트랩(Trap)
② 충격(Impact)
③ 접촉(Contact)
④ 말림(Entanglement)

39 **볼트 머리나 너트의 크기가 명확하지 않을 때나 가볍게 조이고 풀 때 사용하며 크기는 전체 길이로 표시하는 렌치는?**

① 소켓 렌치 ② 조정 렌치
③ 복스 렌치 ④ 파이프 렌치

조정 렌치는 볼트머리나 너트의 크기가 명확하지 않을 때나 가볍게 조이고 풀 때 사용하며 크기는 전체 길이로 표시한다.

40 **일반적으로 사고로 인한 재해가 가장 많이 발생할 수 있는 것은?**

① 캠 ② 벨트
③ 기관 ④ 래크

41 **벨트에 대한 안전사항으로 틀린 것은?**

① 벨트의 이음쇠는 돌기가 없는 구조로 한다.
② 벨트를 걸거나 벗길 때에는 기계를 정지한 상태에서 실시한다.
③ 벨트가 풀리에 감겨 돌아가는 부분은 커버나 덮개를 설치한다.
④ 바닥면으로부터 2m 이내에 있는 벨트는 덮개를 제거한다.

42 **벨트 취급 시 안전에 대한 주의사항으로 틀린 것은?**

① 벨트에 기름이 묻지 않도록 한다.
② 벨트의 적당한 유격을 유지하도록 한다.
③ 벨트 교환 시 회전을 완전히 멈춘 상태에서 한다.
④ 벨트의 회전을 정지시킬 때 손으로 잡아 정지시킨다.

43 **벨트를 풀리에 걸 때는 어떤 상태에서 걸어야 하는가?**

① 회전을 중지시킨 후 건다.
② 저속으로 회전시키면서 건다.
③ 중속으로 회전시키면서 건다.
④ 고속으로 회전시키면서 건다.

정답 34.④ 35.④ 36.② 37.④ 38.② 39.② 40.② 41.④ 42.④ 43.①

44 **기계설비의 위험성 중 접선 물림점(tangential point)과 가장 관련이 적은 것은?**

① V벨트 ② 커플링
③ 체인 벨트 ④ 기어와 랙

45 **전장품을 안전하게 보호하는 퓨즈의 사용법으로 틀린 것은?**

① 퓨즈가 없으면 임시로 철사를 감아서 사용한다.
② 회로에 맞는 전류 용량의 퓨즈를 사용한다.
③ 오래되어 산화된 퓨즈는 미리 교환한다.
④ 과열되어 끊어진 퓨즈는 과열된 원인을 먼저 수리한다.

46 **가연성 가스 저장실에 안전사항으로 옳은 것은?**

① 기름걸레를 가스통 사이에 끼워 충격을 적게 한다.
② 휴대용 전등을 사용한다.
③ 담뱃불을 가지고 출입한다.
④ 조명은 백열등으로 하고 실내에 스위치를 설치한다.

47 **다음 중 가열, 마찰, 충격 또는 다른 화학물질과의 접촉 등으로 인하여 산소나 산화재 등의 공급이 없더라도 폭발 등 격렬한 반응을 일으킬 수 있는 물질이 아닌 것은?**

① 질산에스테르류
② 니트로 화합물
③ 무기화합물
④ 니트로소 화합물

가열, 마찰, 충격 또는 다른 화학물질과의 접촉 등으로 인하여 산소나 산화재 등의 공급이 없더라도 폭발 등 격렬한 반응을 일으킬 수 있는 물질에는 질산에스테르류, 유기과산화물, 니트로화합물, 니트로소화합물, 아조화합물, 디아조화합물, 히드라진 유도체, 히드록실아민, 히드록실아민 염류 등이 있다.

48 **전등 스위치가 옥내에 있으면 안 되는 경우는?**

① 건설기계 장비 차고
② 절삭유 저장소
③ 카바이드 저장소
④ 기계류 저장소

49 **폭발의 우려가 있는 가스 또는 분진이 발생하는 장소에서 지켜야 할 사항으로 틀린 것은?**

① 화기의 사용금지
② 인화성 물질 사용금지
③ 불연성 재료의 사용금지
④ 점화의 원인이 될 수 있는 기계 사용금지

50 **내부가 보이지 않는 병 속에 들어있는 약품을 냄새로 알아보고자 할 때 안전상 가장 적합한 방법은?**

① 종이로 적셔서 알아본다.
② 손바람을 이용하여 확인한다.
③ 내용물을 조금 쏟아서 확인한다.
④ 숟가락으로 약간 떠내어 냄새를 직접 맡아본다.

51 **작업장의 안전수칙 중 틀린 것은?**

① 공구는 오래 사용하기 위하여 기름을 묻혀서 사용한다.
② 작업복과 안전장구는 반드시 착용한다.
③ 각종기계를 불필요하게 공회전 시키지 않는다.
④ 기계의 청소나 손질은 운전을 정지시킨 후 실시한다.

52 **일반 작업환경에서 지켜야 할 안전사항으로 틀린 것은?**

① 안전모를 착용한다.
② 해머는 반드시 장갑을 끼고 작업한다.
③ 주유 시는 시동을 끈다.
④ 정비나 청소작업은 기계를 정지 후 실시한다.

정답 44.② 45.① 46.② 47.③ 48.③ 49.③ 50.② 51.① 52.②

53 **작업장에서 지켜야 할 안전수칙이 아닌 것은?**

① 작업 중 입은 부상은 즉시 응급조치를 하고 보고한다.
② 밀폐된 실내에서는 시동을 걸지 않는다.
③ 통로나 마룻바닥에 공구나 부품을 방치하지 않는다.
④ 기름걸레나 인화물질은 나무 상자에 보관한다.

기름걸레나 인화물질은 철제 상자에 보관한다.

54 **공장 내 안전수칙으로 옳은 것은?**

① 기름걸레나 인화물질은 철재 상자에 보관한다.
② 공구나 부속품을 닦을 때에는 휘발유를 사용한다.
③ 차가 잭에 의해 올려져 있을 때는 직원 외는 차내 출입을 삼가 한다.
④ 높은 곳에서 작업 시 훅을 놓치지 않게 잘 잡고, 체인블록을 이용한다.

55 **작업 중 기계장치에서 이상한 소리가 날 경우 작업자가 해야 할 조치로 가장 적합한 것은?**

① 진행 중인 작업은 계속하고 작업종료 후에 조치한다.
② 장비를 멈추고 열을 식힌 후 계속 작업한다.
③ 속도를 조금 줄여 작업한다.
④ 즉시, 작동을 멈추고 점검한다.

56 **차체에 드릴작업 시 주의사항으로 틀린 것은?**

① 작업시 내부의 파이프는 관통시킨다.
② 작업시 내부에 배선이 없는지 확인한다.
③ 작업 후에는 내부에서 드릴 날 끝으로 인해 손상된 부품이 없는지 확인한다.
④ 작업 후에는 반드시 녹의 발생을 방지하기 위해 드릴 구멍에 페인트칠을 해 둔다.

57 **다음 중 기계작업 시 적절한 안전거리를 가장 크게 유지해야 하는 것은?**

① 프레스 ② 선반
③ 절단기 ④ 전동 띠톱 기계

58 **차체에 용접시 주의사항이 아닌 것은?**

① 용접부위에 인화될 물질이 없나 확인한 후 용접한다.
② 유리 등에 불똥이 튀어 흔적이 생기지 않도록 보호막을 씌운다.
③ 전기용접 시 접지선을 스프링에 연결한다.
④ 전기용접 시 필히 차체의 배터리 접지선을 제거한다.

59 **아크 용접 작업상 안전수칙으로 바르지 못한 것은?**

① 차광 유리는 아크 전류의 크기에 적합한 번호를 선택한다.
② 아연 도금 강판 용접 시 발생하는 가스는 무해하지 않으므로 환기할 필요가 없다.
③ 타기 쉬운 물건인 기름, 나무 조각, 도료, 헝겊 등은 작업장 주위에 놓지 않는다.
④ 용접기의 리드단자와 케이블의 접속은 반드시 절연체로 보호한다.

60 **산소-아세틸렌 사용 시 안전수칙으로 잘못된 것은?**

① 산소는 산소병에 35℃ 150기압으로 충전한다.
② 아세틸렌의 사용압력은 15기압으로 제한한다.
③ 산소통의 메인밸브가 얼면 60℃ 이하의 물로 녹인다.
④ 산소의 누출은 비눗물로 확인한다.

아세틸렌의 사용압력은 1기압으로 제한한다.

정답 53.④ 54.① 55.④ 56.① 57.④ 58.③ 59.② 60.②

61 **산소용접 시 안전수칙으로 옳은 것은?**

① 용접작업 시 반드시 투명안경을 사용한다.
② 작업 후 산소 밸브를 먼저 닫고 아세틸렌 밸브를 닫는다.
③ 점화시에는 산소 밸브를 먼저 열고 아세틸렌 밸브를 연다.
④ 점화는 성냥불이나 담뱃불로 해도 무관하다.

62 **교류아크용접기의 감전방지용 방호장치에 해당하는 것은?**

① 2차 권선장치 ② 자동 전격 방지기
③ 전류 조절장치 ④ 전자 계전기

교류아크 용접기에 설치하는 방호장치는 자동 전격 방지기이다.

63 **가스용접 작업 시 안전수칙으로 바르지 못한 것은?**

① 산소용기는 화기로부터 지정된 거리를 둔다.
② 40℃ 이하의 온도에서 산소용기를 보관한다.
③ 산소용기 운반 시 충격을 주지 않도록 주의한다.
④ 토치에 점화할 때 성냥불이나 담뱃불로 직접 점화한다.

64 **가스용접 시 사용하는 봄베의 안전수칙으로 틀린 것은?**

① 봄베를 넘어뜨리지 않는다.
② 봄베를 던지지 않는다.
③ 산소 봄베는 40℃ 이하에서 보관한다.
④ 봄베 몸통에는 녹슬지 않도록 그리스를 바른다.

65 **가스용기가 발생기와 분리되어 있는 아세틸렌 용접장치의 안전기 설치위치는?**

① 발생기
② 가스 용기
③ 발생기와 가스용기 사이
④ 용접토치와 가스용기 사이

아세틸렌 용접장치의 안전기는 발생기와 가스용기 사이에 설치된다.

66 **가스용접 시 사용되는 산소용 호스는 어떤 색인가?**

① 적색 ② 황색
③ 녹색 ④ 청색

가스 용접에서 사용되는 산소용 호스는 녹색이며, 아세틸렌용 호스는 황색 또는 적색이다.

67 **용접기에서 사용되는 아세틸렌 도관은 어떤 색으로 구별하는가?**

① 흑색 ② 청색
③ 녹색 ④ 적색

68 **작업장 내의 안전한 통행을 위하여 지켜야 할 사항이 아닌 것은?**

① 주머니에 손을 넣고 보행하지 말 것
② 좌측 또는 우측통행 규칙을 엄수할 것
③ 운반차를 이용할 때에는 가장 빠른 속도로 주행할 것
④ 물건을 든 사람과 만났을 때는 즉시 길을 양보할 것

69 **정비작업 시 안전에 가장 위배되는 것은?**

① 깨끗하고 먼지가 없는 작업환경을 조성한다.
② 회전부분에 옷이나 손이 닿지 않도록 한다.
③ 연료를 채운 상태에서 연료통을 용접한다.
④ 가연성 물질을 취급 시 소화기를 준비한다.

연료탱크는 탱크 내의 연료를 완전히 제거하고 물을 채운 후 용접을 한다.

정답 61.② 62.② 63.④ 64.④ 65.③ 66.③ 67.④ 68.③ 69.③

70 다음 중 양중기에 사용할 수 있는 와이어로프는?

① 꼬인 것
② 이음매가 있는 것
③ 지름의 감소가 공칭지름의 5% 이내인 것
④ 한 꼬임(스트랜드)에서 끊어진 소선의 수가 10% 이상인 것

와이어로프의 교환기준
① 꼬인 것(킹크가 발생한 경우)
② 지름의 감소가 공칭지름의 7% 이상인 경우
③ 한 꼬임(스트랜드)에서 끊어진 소선의 수가 10% 이상인 것
④ 심한 부식 또는 변경이 발생한 경우

71 정비공장의 정리 정돈 시 안전수칙으로 틀린 것은?

① 소화기구 부근에 장비를 세워두지 말 것
② 바닥에 먼지가 나지 않도록 물을 뿌릴 것
③ 잭 사용 시 반드시 안전작동으로 2중 안전장치를 할 것
④ 사용이 끝난 공구는 즉시 정리하여 공구상자 등에 보관 할 것

72 유지보수 작업의 안전에 대한 설명 중 잘못된 것은?

① 기계는 분해하기 쉬워야 한다.
② 보전용 통로는 없어도 가능하다.
③ 기계의 부품은 교환이 용이해야 한다.
④ 작업 조건에 맞는 기계가 되어야 한다.

73 다음 중 감전재해의 대표적인 발생 형태로 틀린 것은?

① 전선이나 전기기기의 노출된 충전부의 양단간에 인체가 접촉되는 경우
② 전기기기의 충전부와 대지사이에 인체가 접촉되는 경우
③ 누전상태의 전기기기에 인체가 접촉되는 경우
④ 고압 전력선에 안전거리 이상 이격한 경우

74 작업장의 사다리식 통로를 설치하는 관련법상 틀린 것은?

① 견고한 구조로 할 것
② 발판의 간격은 일정하게 할 것
③ 사다리가 넘어지거나 미끄러지는 것을 방지하기 위한 조치를 할 것
④ 사다리식 통로의 길이가 10m 이상인 때에는 접이식으로 설치할 것

75 전기작업에서 안전작업상 적합하지 않은 것은?

① 저압 전력선에는 감전 우려가 없으므로 안심하고 작업할 것
② 퓨즈는 규정된 알맞은 것을 끼울 것
③ 전선이나 코드의 접속부는 절연물로서 완전히 피복하여 둘 것
④ 전기장치는 사용 후 스위치를 OFF할 것

76 다음은 건설기계를 조정하던 중 감전되었을 때 위험을 결정하는 요소이다. 틀린 것은?

① 전압의 차체 충격 경로
② 인체에 흐르는 전류의 크기
③ 인체에 전류가 흐른 시간
④ 전류의 인체 통과경로

감전의 위험정도 결정요인은 인체에 흐른 전류크기, 인체에 전류가 흐른 시간, 전류가 인체에 통과한 경로이다.

77 전기기기의 손상방지 대책에 대한 설명으로 옳은 것은?

① 퓨즈 단선시는 전선으로 연결 후 계속 사용한다.
② 퓨즈 단선시는 철선으로 연결하여 임시 사용한다.
③ 퓨즈 단선시는 정격 퓨즈로 교체 후 사용한다.
④ 코드의 연결은 가급적 길게 한다.

정답 70.③ 71.② 72.② 73.④ 74.④ 75.① 76.① 77.③

PART 7
건설기계관리법

01_건설기계관리법

1 chapter

건설기계관리법

1 건설기계관리법의 입법 목적

① 건설기계의 효율적인 관리
② 건설기계 안전도 확보
③ 건설공사의 기계화를 촉진함

2 건설기계의 정의

① 건설기계 사업 : 건설기계 대여업, 건설기계 정비업, 건설기계 매매업 및 건설기계 해체재활용업을 말한다.
② 건설기계 형식 : 건설기계의 구조·규격 및 성능 등에 관하여 일정하게 정한 것을 말한다.

【건설기계의 범위】

① 불도저 : 무한궤도 또는 타이어식인 것
② 굴착기 : 무한궤도 또는 타이어식으로 굴착장치를 가진 자체중량 1톤 이상인 것
③ 로더 : 무한궤도 또는 타이어식으로 적재장치를 가진 자체중량 2톤 이상인 것
④ 지게차 : 타이어식으로 들어 올림 장치와 조종석을 가진 것. 다만, 전동식으로 솔리드 타이어를 부착한 것 중 도로가 아닌 장소에서만 운행하는 것은 제외한다.
⑤ 스크레이퍼 : 흙·모래의 굴착 및 운반장치를 가진 자주식인 것
⑥ 덤프트럭 : 적재용량 12톤 이상인 것. 다만, 적재용량 12톤 이상 20톤 미만의 것으로 화물운송에 사용하기 위하여 자동차관리법에 의한 자동차로 등록된 것을 제외한다.
⑦ 기중기 : 무한궤도 또는 타이어식으로 강재의 지주 및 선회장치를 가진 것. 다만, 궤도(레일)식인 것을 제외한다.
⑧ 모터그레이더 : 정지장치를 가진 자주식인 것
⑨ 롤러 : 1. 조종석과 전압장치를 가진 자주식인 것, 2. 피견인 진동식인 것
⑩ 노상안정기 : 노상안정장치를 가진 자주식인 것
⑪ 콘크리트 뱃칭 플랜트 : 골재 저장통·계량장치 및 혼합장치를 가진 것으로서 원동기를 가진 이동식인 것

⑫ 콘크리트 피니셔 : 정리 및 사상장치를 가진 것으로 원동기를 가진 것
⑬ 콘크리트 살포기 : 정리장치를 가진 것으로 원동기를 가진 것
⑭ 콘크리트 믹서트럭 : 혼합장치를 가진 자주식인 것(재료의 투입·배출을 위한 보조장치가 부착된 것을 포함한다)
⑮ 콘크리트 펌프 : 콘크리트 배송능력이 매시간당 $5m^3$ 이상으로 원동기를 가진 이동식과 트럭 적재식인 것
⑯ 아스팔트 믹싱플랜트 : 골재공급장치·건조가열장치·혼합장치·아스팔트공급장치를 가진 것으로 원동기를 가진 이동식인 것
⑰ 아스팔트 피니셔 : 정리 및 사상장치를 가진 것으로 원동기를 가진 것
⑱ 아스팔트 살포기 : 아스팔트살포장치를 가진 자주식인 것
⑲ 골재 살포기 : 골재살포장치를 가진 자주식인 것
⑳ 쇄석기 : 20kW 이상의 원동기를 가진 이동식인 것
㉑ 공기압축기 : 공기 토출량이 매분당 $2.83m^3$(매 m^3당 7kg 기준) 이상의 이동식인 것
㉒ 천공기 : 천공장치를 가진 자주식인 것
㉓ 항타 및 항발기 : 원동기를 가진 것으로 헤머 또는 뽑는 장치의 중량이 0.5톤 이상인 것
㉔ 자갈채취기 : 자갈채취장치를 가진 것으로 원동기를 가진 것
㉕ 준설선 : 펌프식·바켓식·딧퍼식 또는 그래브식으로 비자항식인 것. 다만, 「선박법」에 따른 선박으로 등록된 것은 제외한다.
㉖ 특수 건설기계 : 제1호부터 제25호까지의 규정 및 제27호에 따른 건설기계와 유사한 구조 및 기능을 가진 기계류로서 국토교통부장관이 따로 정하는 것
㉗ 타워크레인 : 수직타워의 상부에 위치한 지브(jib)를 선회시켜 중량물을 상하, 전후 또는 좌우로 이동시킬 수 있는 것으로서 원동기 또는 전동기를 가진 것. 다만, 「산업집적활성화 및 공장설립에 관한 법률」 제16조에 따라 공장등록대장에 등록된 것은 제외한다.

3 건설기계의 등록

(1) 건설기계의 등록신청

① 건설기계 소유자의 주소지 또는 건설기계의 사용본거지를 관할하는 특별시장·광역시장·도지사 또는 특별자치도지사(이하 "시·도지사"라 한다)에게 등록신청을 하여야 한다.
② 건설기계 등록신청은 건설기계를 취득한 날(판매를 목적으로 수입된 건설기계의 경우에는 판매한 날을 말한다)부터 2월 이내에 하여야 한다.
③ 전시·사변 기타 이에 준하는 국가비상사태하에 있어서는 5일 이내에 신청하여야 한다.

④ 건설기계의 소유자는 건설기계 등록증을 잃어버리거나 건설기계 등록증이 헐어 못 쓰게 된 경우에는 국토교통부령으로 정하는 바에 따라 재발급을 신청하여야 한다.

(2) 건설기계의 출처를 증명하는 서류

① 국내에서 제작한 건설기계: 건설기계제작증
② 수입한 건설기계: 수입면장 등 수입사실을 증명하는 서류. 다만, 타워크레인의 경우에는 건설기계제작증을 추가로 제출하여야 한다.
③ 행정기관으로부터 매수한 건설기계: 매수증서

(3) 미등록 건설기계의 임시운행

1) 건설기계의 임시운행 사유

① 등록신청을 하기 위하여 건설기계를 등록지로 운행하는 경우
② 신규등록검사 및 확인검사를 받기 위하여 건설기계를 검사장소로 운행하는 경우
③ 수출을 하기 위하여 건설기계를 선적지로 운행하는 경우
④ 수출을 하기 위하여 등록말소 한 건설기계를 점검·정비의 목적으로 운행하는 경우
⑤ 신개발 건설기계를 시험·연구의 목적으로 운행하는 경우
⑥ 판매 또는 전시를 위하여 건설기계를 일시적으로 운행하는 경우

2) 건설기계의 임시운행 기간

① 임시운행 기간은 15일 이내로 한다.
② 신개발 건설기계를 시험·연구의 목적으로 운행하는 경우에는 3년 이내

(4) 건설기계 등록사항의 변경신고

건설기계의 소유자는 건설기계 등록사항에 변경(시·도간의 변경에 따른 주소지 또는 사용본거지가 변경된 경우를 제외한다)이 있는 때에는 그 변경이 있은 날부터 30일(상속의 경우에는 상속개시일부터 6개월)이내에 건설기계 등록사항 변경신고서를 등록을 한 시·도지사에게 제출하여야 한다.

(5) 건설기계 등록의 말소

1) 건설기계의 등록말소 사유

① 거짓이나 그 밖의 부정한 방법으로 등록을 한 경우
② 건설기계가 천재지변 또는 이에 준하는 사고 등으로 사용할 수 없게 되거나 멸실된 경우
③ 건설기계의 차대가 등록 시의 차대와 다른 경우
④ 건설기계 안전기준에 적합하지 아니하게 된 경우
⑤ 최고를 받고 지정된 기한까지 정기검사를 받지 아니한 경우
⑥ 건설기계를 수출하는 경우
⑦ 건설기계를 도난당한 경우

⑧ 건설기계를 폐기한 경우 및 건설기계 해체재활용업자에게 폐기를 요청한 경우
⑨ 구조적 제작 결함 등으로 건설기계를 제작자 또는 판매자에게 반품한 때
⑩ 건설기계를 교육·연구 목적으로 사용하는 경우
⑪ 건설기계해체재활용업을 등록한 자(이하 "건설기계해체재활용업자"라 한다)에게 폐기를 요청한 경우
⑫ 구조적 제작 결함 등으로 건설기계를 제작자 또는 판매자에게 반품한 경우

2) 건설기계 등록말소의 신청

① 건설기계가 천재지변 또는 이에 준하는 사고 등으로 사용할 수 없게 되거나 멸실된 경우 : 30일 이내
② 건설기계를 폐기한 경우와 건설기계를 교육·연구 목적으로 사용하는 경우 : 30일 이내
③ 구조적 제작 결함 등으로 건설기계를 제작자 또는 판매자에게 반품한 때 : 30일 이내
④ 건설기계를 도난당한 경우 : 2개월 이내

(6) 등록원부의 보존

시·도지사는 건설기계 등록원부를 건설기계의 등록을 말소한 날부터 10년간 보존하여야 한다.

(7) 등록번호표의 표시방법

1) 색칠 및 등록번호

① 임시번호판 : 흰색 페인트 판에 검은색 문자
② 자가용 : 녹색판에 흰색문자 1001～4999
③ 영업용 : 주황색판에 흰색문자 5001～8999
④ 관용 : 흰색판에 검은색 문자 9001～9999

2) 기종별 기호표시

01 : 불도저
02 : 굴착기
03 : 로더
04 : 지게차
05 : 스크레이퍼
06 : 덤프트럭
07 : 기중기
08 : 모터그레이더
09 : 롤러
10 : 노상안정기
11 : 콘크리트뱃칭플랜트
12 : 콘크리트피니셔
13 : 콘크리트살포기
14 : 콘크리트믹서트럭
15 : 콘크리트펌프
16 : 아스팔트믹싱플랜트
17 : 아스팔트피니셔
18 : 아스팔트살포기
19 : 골재살포기
20 : 쇄석기

21 : 공기압축기
22 : 천공기
23 : 항타 및 항발기
24 : 자갈채취기
25 : 준설선
26 : 특수 건설기계
27 : 타워크레인

(8) 대형 건설기계의 구분

① 길이가 16.7미터를 초과하는 건설기계
② 너비가 2.5미터를 초과하는 건설기계
③ 높이가 4.0미터를 초과하는 건설기계
④ 최소회전반경이 12미터를 초과하는 건설기계
⑤ 총중량이 40톤을 초과하는 건설기계
⑥ 총중량 상태에서 축하중이 10톤을 초과하는 건설기계

4 건설기계 검사

(1) 국토교통부장관이 실시하는 검사

① 신규 등록 검사 : 건설기계를 신규로 등록할 때 실시하는 검사
② 정기 검사 : 건설공사용 건설기계로서 3년의 범위에서 검사유효기간이 끝난 후에 계속하여 운행하려는 경우에 실시하는 검사와 대기환경보전법 및 소음·진동관리법에 따른 운행차의 정기검사
③ 구조변경 검사 : 건설기계의 주요 구조를 변경하거나 개조한 경우 실시하는 검사
④ 수시 검사 : 성능이 불량하거나 사고가 자주 발생하는 건설기계의 안전성 등을 점검하기 위하여 수시로 실시하는 검사와 건설기계 소유자의 신청을 받아 실시하는 검사

(2) 건설기계 검사 유효기간

기종	구분	검사유효기간
1. 굴착기	타이어식	1년
2. 로더	타이어식	2년
3. 지게차	1톤 이상	2년
4. 덤프트럭	-	1년
5. 기중기	타이어식, 트럭적재식	1년
6. 모터그레이더	-	2년
7. 콘크리트믹서트럭	-	1년
8. 콘크리트펌프	트럭적재식	1년
9. 아스팔트살포기	-	1년
10. 천공기	트럭적재식	2년
11. 타워크레인	-	6개월
12. 그 밖의 건설기계	-	3년

(3) 정기검사 신청 등

① 정기검사를 받으려는 자는 검사유효기간의 만료일 전후 각각 30일 이내의 기간에 정기검사 신청서를 시·도지사에게 제출하여야 한다.
② 검사신청을 받은 시·도지사 또는 검사대행자는 신청을 받은 날부터 5일 이내에 검사일시와 검사장소를 지정하여 신청인에게 통지하여야 한다.
③ 시·도지사 또는 검사대행자는 검사결과 당해 건설기계가 검사기준에 적합하다고 인정되는 때에는 건설기계 검사증에 유효기간을 기재하여 교부하여야 한다.
④ 유효기간의 산정은 정기검사 신청기간 내에 정기검사를 받은 경우에는 종전 검사유효기간 만료일의 다음 날부터, 그 외의 경우에는 검사를 받은 날의 다음 날부터 기산한다.
⑤ 시·도지사는 검사에 불합격된 건설기계에 대하여는 6개월 이내의 기간을 정하여 해당 건설기계의 소유자에게 검사를 완료한 날(검사를 대행하게 한 경우에는 검사결과를 보고받은 날)부터 10일 이내에 정비명령을 하여야 한다. 이 경우 검사대행을 하게 한 경우에는 검사대행자에게 그 사실을 통지하여야 한다.

(4) 구조변경 범위

1) 주요 구조의 변경 및 개조 범위

① 원동기 및 전동기의 형식변경
② 동력전달장치의 형식변경
③ 제동장치의 형식변경
④ 주행장치의 형식변경
⑤ 유압장치의 형식변경
⑥ 조종장치의 형식변경
⑦ 조향장치의 형식변경
⑧ 작업장치의 형식변경. 다만, 가공작업을 수반하지 아니하고 작업장치를 선택 부착하는 경우에는 작업장치의 형식변경으로 보지 아니한다.
⑨ 건설기계의 길이·너비·높이 등의 변경
⑩ 수상작업용 건설기계의 선체의 형식변경
⑪ 타워크레인 설치기초 및 전기장치의 형식변경

2) 구조의 변경 및 개조를 할 수 없는 범위

① 건설기계의 기종변경
② 육상작업용 건설기계 규격의 증가
③ 적재함의 용량 증가를 위한 구조변경

(5) 검사 장소

1) 검사 장소에서 검사를 받아야 하는 건설기계

① 덤프트럭

② 콘크리트 믹서트럭
③ 콘크리트 펌프(트럭 적재식)
④ 아스팔트 살포기
⑤ 트럭 지게차(특수 건설기계인 트럭지게차를 말한다)

2) 해당 건설기계가 위치한 장소에서 검사

① 도서지역에 있는 경우
② 자체중량이 40톤을 초과하거나 축중이 10톤을 초과하는 경우
③ 너비가 2.5미터를 초과하는 경우
④ 최고속도가 시간당 35킬로미터미만인 경우

5 건설기계 조종사 면허

(1) 건설기계 조종사 면허

① 건설기계를 조종하려는 사람은 시장·군수 또는 구청장에게 건설기계 조종사 면허를 받아야 한다.
② 국토교통부령으로 정하는 건설기계를 조종하려는 사람은 도로교통법에 따른 운전면허를 받아야 한다.
③ 건설기계 조종사 면허는 국토교통부령으로 정하는 바에 따라 건설기계의 종류별로 받아야 한다.
③ 건설기계 조종사 면허를 받으려는 사람은 국가기술자격법에 따른 해당 분야의 기술자격을 취득하고 적성검사에 합격하여야 한다.
④ 국토교통부령으로 정하는 소형 건설기계의 건설기계 조종사 면허의 경우에는 시·도지사가 지정한 교육기관에서 실시하는 소형 건설기계의 조종에 관한 교육과정의 이수로 국가기술자격법에 따른 기술자격의 취득을 대신할 수 있다.
⑤ 건설기계 조종사 면허증의 발급, 적성검사의 기준, 그 밖에 건설기계 조종사 면허에 필요한 사항은 국토교통부령으로 정한다.

(2) 제1종 대형면허로 조종하여야 하는 건설기계

① 덤프트럭
② 아스팔트 살포기
③ 노상 안정기
④ 콘크리트 믹서트럭
⑤ 콘크리트 펌프
⑥ 천공기(트럭적재식을 말한다)
⑦ 특수건설기계 중 국토교통부장관이 지정하는 건설기계

(3) 국토교통부령으로 정하는 소형 건설기계

① 5톤 미만의 불도저
② 5톤 미만의 로더
③ 5톤 미만의 천공기. 다만, 트럭적재식은 제외한다.
④ 3톤 미만의 지게차(자동차 운전면허를 소지)
⑤ 3톤 미만의 굴착기
⑥ 3톤 미만의 타워크레인
⑦ 공기압축기
⑧ 콘크리트 펌프. 다만, 이동식에 한정한다.
⑨ 쇄석기
⑩ 준설선

(4) 소형 건설기계 조종교육 내용

소형건설기계	교육 내용	시간
3톤 미만의 굴착기, 3톤 미만의 로더 및 3톤 미만의 지게차	① 건설기계기관, 전기 및 작업장치 ② 유압 일반 ③ 건설기계관리법규 및 도로통행방법 ④ 조종실습	2(이론) 2(이론) 2(이론) 6(실습)
3톤 이상 5톤 미만의 로더, 5톤 미만의 불도저 및 콘크리트 펌프(이동식으로 한정한다)	① 건설기계기관, 전기 및 작업장치 ② 유압 일반 ③ 건설기계관리법규 및 도로통행방법 ④ 조종실습	2(이론) 2(이론) 2(이론) 12(실습)
5톤 미만의 천공기 (트럭적재식은 제외한다)	① 건설기계기관, 전기 및 작업장치 ② 유압 일반 ③ 건설기계관리법규 및 도로통행방법 ④ 조종실습	2(이론) 2(이론) 2(이론) 12(실습)
공기압축기, 쇄석기 및 준설선	① 건설기계기관, 전기, 유압 및 작업장치 ② 건설기계관리법규 및 작업 안전 ③ 장비 취급 및 관리 요령 ④ 조종실습	2(이론) 4(이론) 2(이론) 12(실습)
3톤 미만의 타워크레인	① 타워크레인 구조 및 기능일반 ② 양중작업 일반 ③ 타워크레인 설치 · 해체 일반 ④ 조종실습	2(이론) 2(이론) 4(이론) 12(실습)

(5) 건설기계 조종사 면허의 종류 및 조종할 수 있는 건설기계

① 불도저 : 불도저
② 5톤 미만의 불도저 : 5톤 미만의 불도저
③ 굴삭기 : 굴착기
④ 3톤 미만의 굴삭기 : 3톤 미만의 굴착기

⑤ 로더 : 로더
⑥ 3톤 미만의 로더 : 3톤 미만의 로더
⑦ 5톤 미만의 로더 : 5톤 미만의 로더
⑧ 지게차 : 지게차
⑨ 3톤 미만의 지게차 : 3톤 미만의 지게차
⑩ 기중기 : 기중기
⑪ 롤러 : 롤러, 모터그레이더, 스크레이퍼, 아스팔트 피니셔, 콘크리트 피니셔, 콘크리트 살포기 및 골재 살포기
⑫ 이동식 콘크리트 펌프 : 이동식 콘크리트 펌프
⑬ 쇄석기 : 쇄석기, 아스팔트 믹싱 플랜트 및 콘크리트 뱃칭 플랜트
⑭ 공기 압축기 : 공기 압축기
⑮ 천공기 : 천공기(타이어식, 무한궤도식 및 굴진식을 포함한다. 다만, 트럭 적재식은 제외한다), 항타 및 항발기
⑯ 5톤 미만의 천공기 : 5톤 미만의 천공기(트럭 적재식은 제외한다)
⑰ 준설선 : 준설선 및 사리채취기
⑱ 타워크레인 : 타워크레인
⑲ 3톤 미만의 타워크레인 : 3톤 미만의 타워크레인

(6) 건설기계 적성검사 기준

① 두 눈을 동시에 뜨고 잰 시력(교정시력을 포함한다.)이 0.7이상일 것
② 두 눈의 시력이 각각 0.3이상일 것
③ 55데시벨(보청기를 사용하는 사람은 40데시벨)의 소리를 들을 수 있을 것.
④ 언어 분별력이 80퍼센트 이상일 것
⑤ 시각은 150도 이상일 것

(7) 건설기계 조종사의 면허 취소 · 정지 사유

1) 건설기계 조종면허 취소 사유

① 거짓이나 그 밖의 부정한 방법으로 건설기계 조종사 면허를 받은 경우
② 건설기계 조종사 면허의 효력정지 기간 중 건설기계를 조종한 경우
③ 건설기계 조종 상의 위험과 장해를 일으킬 수 있는 정신질환자 또는 뇌전증환자로서 국토교통부령으로 정하는 사람
④ 앞을 보지 못하는 사람, 듣지 못하는 사람, 그 밖에 국토교통부령으로 정하는 장애인
⑤ 건설기계 조종 상의 위험과 장해를 일으킬 수 있는 마약·대마·향정신성의약품 또는 알코올중독자로서 국토교통부령으로 정하는 사람
⑥ 건설기계의 조종 중 고의 또는 과실로 중대한 사고를 일으킨 경우
⑦ 고의로 인명피해(사망·중상·경상 등을 말한다)를 입힌 경우

⑧ 건설기계조종사면허증을 다른 사람에게 빌려 준 경우
⑨ 술에 취한 상태에서 건설기계를 조종하다가 사고로 사람을 죽게 하거나 다치게 한 경우
⑩ 술에 만취한 상태(혈중알콜농도 0.08% 이상)에서 건설기계를 조종한 경우
⑪ 2회 이상 술에 취한 상태에서 건설기계를 조종하여 면허효력정지를 받은 사실이 있는 사람이 다시 술에 취한 상태에서 건설기계를 조종한 경우
⑫ 약물(마약, 대마, 향정신성 의약품 및 환각물질을 말한다)을 투여한 상태에서 건설기계를 조종한 경우
⑬ 정기 적성검사를 받지 않거나 적성검사에 불합격한 경우

2) 건설기계 조종면허 효력정지

① 면허 효력정지 180일 : 건설기계의 조종 중 고의 또는 과실로 도시가스사업법에 따른 가스 공급 시설을 손괴하거나 가스 공급 시설의 기능에 장애를 입혀 가스의 공급을 방해한 경우
② 면허 효력정지 60일 : 술에 취한 상태(혈중알콜농도 0.03% 이상 0.08% 미만을 말한다)에서 건설기계를 조종한 경우
③ 면허 효력정지 45일 : 사망 1명마다
④ 면허 효력정지 15일 : 중상 1명마다
⑤ 면허 효력정지 5일 : 경상 1명마다
⑥ 면허 효력정지 1일(90일을 넘지 못함) : 재산피해 금액 50만원 마다

(8) 건설기계 조종사 면허증 반납 사유

① 면허가 취소된 때
② 면허의 효력이 정지된 때
③ 면허증의 재교부를 받은 후 잃어버린 면허증을 발견한 때
④ 반납 사유가 발생한 날부터 10일 이내에 주소지를 관할하는 시장·군수 또는 구청장에게 그 면허증을 반납하여야 한다.

(9) 건설기계 조종사의 신고

건설기계 조종사는 성명, 주민등록번호 및 국적의 변경이 있는 경우에는 그 사실이 발생한 날부터 30일 이내(군복무·국외거주·수형·질병 기타 부득이한 사유가 있는 경우에는 그 사유가 종료된 날부터 30일 이내를 말한다)에 기재사항 변경 신고서를 시장·군수 또는 구청장에게 제출하여야 한다.

6 건설기계 사업

(1) 건설기계 사업

① 건설기계 대여업, 건설기계 정비업, 건설기계 매매업 및 건설기계 해체재활용업을 말한다.

② 건설기계사업을 하려는 자(지방자치단체는 제외한다)는 대통령령으로 정하는 바에 따라 사업의 종류별로 시장·군수 또는 구청장(자치구의 구청장을 말한다. 이하 같다)에게 등록하여야 한다.

(2) 건설기계 대여업

1) 건설기계 대여업의 등록

① 건설기계 대여업 : 건설기계의 대여를 업(業)으로 하는 것을 말한다.

② 건설기계 대여업(건설기계 조종사와 함께 건설기계를 대여하는 경우와 건설기계의 운전경비를 부담하면서 건설기계를 대여하는 경우를 포함한다)의 등록을 하려는 자는 건설기계 대여업 등록신청서에 국토교통부령이 정하는 서류를 첨부하여 시장·군수 또는 구청장에게 제출하여야 한다.

③ 일반 건설기계 대여업 : 5대 이상의 건설기계로 운영하는 사업(2이상의 개인 또는 법인이 공동으로 운영하는 경우를 포함한다)

④ 개별 건설기계 대여업 : 1인의 개인 또는 법인이 4대 이하의 건설기계로 운영하는 사업

2) 대여업 등록 신청시 첨부서류

① 건설기계 소유 사실을 증명하는 서류

② 사무실의 소유권 또는 사용권이 있음을 증명하는 서류

③ 주기장 소재지를 관할하는 시장·군수·구청장이 발급한 주기장 시설보유 확인서

④ 2인 이상의 법인 또는 개인이 공동으로 건설기계 대여업을 영위하려는 경우에는 각 구성원은 그 영업에 관한 권리·의무에 관한 계약서 사본

7 건설기계관리법의 벌칙

(1) 2년 이하의 징역 또는 2천만 원 이하의 벌금

① 등록되지 아니한 건설기계를 사용하거나 운행한 자

② 등록이 말소된 건설기계를 사용하거나 운행한 자

③ 시·도지사의 지정을 받지 아니하고 등록번호표를 제작하거나 등록번호를 새긴 자

④ 제작 결함의 시정명령을 이행하지 아니한 자

⑤ 등록을 하지 아니하고 건설기계사업을 하거나 거짓으로 등록을 한 자

⑥ 등록이 취소되거나 사업의 전부 또는 일부가 정지된 건설기계 사업자로서 계속하여 건설기계사업을 한 자

⑦ 건설기계의 주요 구조나 원동기, 동력전달장치, 제동장치 등 주요 장치를 변경 또는 개조한 자
⑧ 무단 해체한 건설기계를 사용·운행하거나 타인에게 유상·무상으로 양도한 자

(2) 1년 이하의 징역 또는 1천만 원 이하의 벌금

① 매매용 건설기계를 운행하거나 사용한 자
② 폐기인수 사실을 증명하는 서류의 발급을 거부하거나 거짓으로 발급한 자
③ 폐기요청을 받은 건설기계를 폐기하지 아니하거나 등록번호표를 폐기하지 아니한 자
④ 건설기계 조종사 면허를 받지 아니하고 건설기계를 조종한 자
⑤ 건설기계 조종사 면허를 거짓이나 그 밖의 부정한 방법으로 받은 자
⑥ 소형 건설기계의 조종에 관한 교육과정의 이수에 관한 증빙서류를 거짓으로 발급한 자
⑦ 건설기계 조종사 면허가 취소되거나 건설기계 조종사 면허의 효력정지 처분을 받은 후에도 건설기계를 계속하여 조종한 자
⑧ 건설기계를 도로나 타인의 토지에 버려둔 자
⑨ 건설기계를 거짓이나 그 밖의 부정한 방법으로 등록을 한 자
⑩ 등록번호를 지워 없애거나 그 식별을 곤란하게 한 자
⑪ 구조변경검사 또는 수시검사를 받지 아니한 자
⑫ 정비명령을 이행하지 아니한 자
⑬ 형식승인, 형식변경승인 또는 확인검사를 받지 아니하고 건설기계의 제작등을 한 자
⑭ 사후관리에 관한 명령을 이행하지 아니한 자
⑮ 내구연한을 초과한 건설기계 또는 건설기계 장치 및 부품을 운행하거나 사용한 자
⑯ 내구연한을 초과한 건설기계 또는 건설기계 장치 및 부품의 운행 또는 사용을 알고도 말리지 아니하거나 운행 또는 사용을 지시한 고용주
⑰ 부품인증을 받지 아니한 건설기계 장치 및 부품을 사용한 자
⑱ 부품인증을 받지 아니한 건설기계 장치 및 부품을 건설기계에 사용하는 것을 알고도 말리지 아니하거나 사용을 지시한 고용주
⑲ 술에 취하거나 마약 등 약물을 투여한 상태에서 건설기계를 조종한 자와 그러한 자가 건설기계를 조종하는 것을 알고도 말리지 아니하거나 건설기계를 조종하도록 지시한 고용주

(3) 300만 원 이하의 과태료

① 건설기계 임대차 등에 관한 계약서를 작성하지 아니한 자
② 시설 또는 업무에 관한 보고를 하지 아니하거나 거짓으로 보고한 자
③ 소속 공무원의 검사·질문을 거부·방해·기피한 자
④ 정기적성검사 또는 수시적성검사를 받지 아니한 자

(4) 100만 원 이하의 과태료

① 수출의 이행 여부를 신고하지 아니하거나 폐기 또는 등록을 하지 아니한 자
② 등록번호표를 부착·봉인하지 아니하거나 등록번호를 새기지 아니한 자
③ 등록번호표를 부착 및 봉인하지 아니한 건설기계를 운행한 자
④ 등록번호표를 가리거나 훼손하여 알아보기 곤란하게 한 자 또는 그러한 건설기계를 운행한 자
⑤ 등록번호의 새김명령을 위반한 자
⑥ 건설기계 안전기준에 적합하지 아니한 건설기계를 도로에서 운행하거나 운행하게 한 자
⑦ 특별한 사정없이 건설기계 임대차 등에 관한 계약과 관련된 자료를 제출하지 아니한 자
⑧ 건설기계사업자의 의무를 위반한 자
⑨ 조사 또는 자료제출 요구를 거부·방해·기피한 자
⑩ 안전교육 등을 받지 아니하고 건설기계를 조종한 자

(5) 50만 원 이하의 과태료

① 임시번호표를 부착하지 아니하고 운행한 자
② 등록사항 변경신고를 하지 아니하거나 거짓으로 신고한 자
③ 등록의 말소를 신청하지 아니한 자
④ 등록번호표 제작자가 지정받은 사항의 변경신고를 하지 아니하거나 거짓으로 변경 신고한 자
⑤ 등록번호표를 반납하지 아니한 자
⑥ 정기검사를 받지 아니한 자
⑦ 건설기계를 정비한 자
⑧ 형식 신고를 하지 아니한 자
⑨ 건설기계 사업자 신고를 하지 아니하거나 거짓으로 신고한 자
⑩ 건설기계 사업의 양도·양수 신고를 하지 아니하거나 거짓으로 신고한 자
⑪ 주택가 주변에 건설기계를 세워 둔 자
⑫ 건설기계 사업의 양도·양수 등의 시정조치 신고를 하지 아니하거나 거짓으로 신고한 자

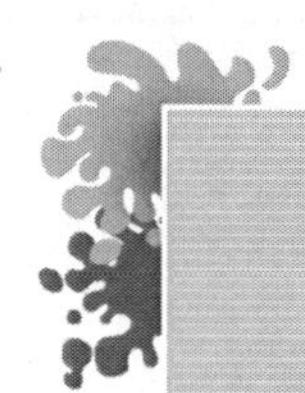

출 제 예 상 문 제

건설기계 등록

01 건설기계관리법의 입법 목적에 해당되지 않는 것은?

① 건설기계의 효율적인 관리를 하기 위함
② 건설기계 안전도 확보를 위함
③ 건설기계의 규제 및 통제를 하기 위함
④ 건설공사의 기계화를 촉진함

건설기계 관리법의 목적은 건설기계의 등록·검사·형식승인 및 건설기계 사업과 건설기계 조종사 면허 등에 관한 사항을 정하여 건설기계를 효율적으로 관리하고 건설기계의 안전도를 확보하여 건설공사의 기계화를 촉진함을 목적으로 한다.

02 건설기계관리법령상 건설기계사업의 종류가 아닌 것은?

① 건설기계 매매업
② 건설기계 대여업
③ 건설기계 폐기업
④ 건설기계 수리업

건설기계 사업의 종류에는 건설기계 매매업, 건설기계 대여업, 건설기계 폐기업, 건설기계 정비업이 있다.

03 건설기계관리법에서 정의한 건설기계 형식을 가장 잘 나타낸 것은?

① 엔진 구조 및 성능을 말한다.
② 형식 및 규격을 말한다.
③ 성능 및 용량을 말한다.
④ 구조·규격 및 성능 등에 관하여 일정하게 정한 것을 말한다.

건설기계 형식이란 구조·규격 및 성능 등에 관하여 일정하게 정한 것이다.

04 건설기계관리법령상 건설기계의 범위로 옳은 것은?

① 덤프트럭 : 적재용량 10톤 이상인 것
② 기중기 : 무한궤도식으로 레일식인 것
③ 불도저 : 무한궤도식 또는 타이어식인 것
④ 공기압축기 : 공기토출량이 매분 당 10 세제곱미터 이상의 이동식 인 것

건설기계의 범위
① 덤프트럭 : 적재용량 12톤 이상인 것. 다만, 적재용량 12톤 이상 20톤 미만의 것으로 화물운송에 사용하기 위하여 자동차관리법에 의한 자동차로 등록된 것을 제외한다.
② 기중기 : 무한궤도 또는 타이어식으로 강재의 지주 및 선회장치를 가진 것. 다만 궤도(레일)식은 제외한다.
③ 공기압축기 : 공기토출량이 매분 당 2.83세제곱미터(매세제곱센티미터당 7킬로그램 기준)이상의 이동식인 것

05 건설기계의 범위에 속하지 않는 것은?

① 공기 토출량이 매분 당 2.83세제곱미터 이상의 이동식인 공기압축기
② 노상안정장치를 가진 자주식인 노상안정기
③ 정지장치를 가진 자주식인 모터그레이더
④ 전동식 솔리드 타이어를 부착한 것 중 도로가 아닌 장소에서만 운행하는 지게차

지게차의 건설기계 범위는 타이어식으로 들어올림 장치를 가진 것. 다만, 전동식으로 솔리드 타이어를 부착한 것을 제외한다.

정답 01.③ 02.④ 03.④ 04.③ 05.④

06 **건설기계 범위에 해당되지 않는 것은?**

① 준설선
② 3톤 지게차
③ 항타 및 항발기
④ 자체중량 1톤 미만의 굴착기

굴착기 : 무한궤도 또는 타이어식으로 굴삭장치를 가진 자체중량 1톤 이상인 것

07 **건설기계 안전기준에 관한 규칙상 건설기계 높이의 정의로 옳은 것은?**

① 앞 차축의 중심에서 건설기계의 가장 윗부분까지의 최단거리
② 작업 장치를 부착한 자체중량 상태의 건설기계의 가장 위쪽 끝이 만드는 수평면으로부터 지면까지의 최단거리
③ 뒷바퀴의 윗부분에서 건설기계의 가장 윗부분까지의 수직 최단거리
④ 지면에서부터 적재할 수 있는 최고의 최단거리

건설기계 높이는 작업 장치를 부착한 자체중량 상태의 건설기계의 가장 위쪽 끝이 만드는 수평면으로부터 지면까지의 최단거리이다.

08 **건설기계관리법령상 건설기계의 소유자가 건설기계 등록신청을 하고자 할 때 신청할 수 없는 단체장은?**

① 산청군수
② 경기도지사
③ 부산광역시장
④ 제주특별자치도지사

건설기계의 소유자가 등록을 할 때에는 특별시장·광역시장·도지사 또는 특별자치도지사(시·군·구청장)에게 건설기계 등록신청을 하여야 한다.

09 **건설기계관리법령상, 건설기계 등록신청을 받을 수 있는 자는 누구인가?**

① 행정자치부 장관 ② 읍·면·동장
③ 시·도지사 ④ 시·군·구청장

10 **건설기계관리법령상 건설기계 소유자에게 건설기계 등록증을 교부할 수 없는 단체장은?**

① 전주시장 ② 강원도지사
③ 대전광역시장 ④ 세종특별자치시장

11 **국가비상사태하가 아닐 때 건설기계 등록신청은 건설기계관리법령상 건설기계를 취득한 날로부터 얼마의 기간 이내에 하여야 되는가?**

① 5일 ② 15일
③ 1월 ④ 2월

건설기계 등록신청은 건설기계를 취득한 날(판매를 목적으로 수입된 건설기계의 경우에는 판매한 날을 말한다)부터 2월 이내에 하여야 한다.

12 **건설기계 등록신청에 대한 설명으로 맞는 것은?(단, 전시·사변 등 국가비상사태 하의 경우 제외)**

① 시·군·구청장에게 취득한 날로부터 10일 이내 등록신청을 한다.
② 시·도지사에게 취득한 날로부터 15일 이내 등록신청을 한다.
③ 시·군·구청장에게 취득한 날로부터 1개월 이내 등록신청을 한다.
④ 시·도지사에게 취득한 날로부터 2개월 이내 등록신청을 한다.

13 **건설기계 등록신청 시 첨부하지 않아도 되는 서류는?**

① 호적등본
② 건설기계 소유자임을 증명하는 서류
③ 건설기계 제작증
④ 건설기계 제원표

건설기계 등록신청 시 첨부서류
① 건설기계의 출처를 증명하는 서류
② 건설기계의 소유자임을 증명하는 서류
③ 건설기계 제원표
④ 자동차손해배상 보험 또는 공제의 가입을 증명하는 서류

정답 06.④ 07.② 08.① 09.③ 10.① 11.④ 12.④ 13.①

14 **건설기계의 수급조절을 위하여 필요한 경우 건설기계 수급조절위원회의 심의를 거친 후 사업용 건설기계의 등록을 2년 이내의 범위에서 일정 기간 제한할 수 있다. 건설기계 수급계획을 마련할 때 반영하는 사항과 가장 거리가 먼 것은?**

① 건설 경기(景氣)의 동향과 전망
② 건설기계 대여 시장의 동향과 전망
③ 건설기계의 등록 및 가동률 추이
④ 건설기계 수출 시장의 추세

건설기계 수급계획을 마련할 때 반영하는 사항
① 건설 경기(景氣)의 동향과 전망
② 건설기계의 등록 및 가동률 추이
③ 건설기계 대여 시장의 동향 및 전망
④ 그 밖에 대통령령으로 정하는 사항으로서 건설기계 수급계획 수립에 필요한 사항

15 **건설기계 소유자가 건설기계의 등록 전 일시적으로 운행할 수 없는 경우는?**

① 등록신청을 하기 위하여 건설기계를 등록지로 운행하는 경우
② 신규등록검사 및 확인검사를 받기 위하여 검사장소로 운행하는 경우
③ 간단한 작업을 위하여 건설기계를 일시적으로 운행하는 경우
④ 신개발 건설기계를 시험 · 연구의 목적으로 운행하는 경우

건설기계의 임시운행 사유
① 등록신청을 하기 위하여 건설기계를 등록지로 운행하는 경우
② 신규등록검사 및 확인검사를 받기 위하여 건설기계를 검사장소로 운행하는 경우
③ 수출을 하기 위하여 건설기계를 선적지로 운행하는 경우
④ 수출을 하기 위하여 등록말소 한 건설기계를 점검 · 정비의 목적으로 운행하는 경우
⑤ 신개발 건설기계를 시험 · 연구의 목적으로 운행하는 경우
⑥ 판매 또는 전시를 위하여 건설기계를 일시적으로 운행하는 경우

16 **건설기계관리법령상 미등록 건설기계의 임시운행 사유에 해당되지 않는 것은?**

① 등록신청을 하기 위하여 건설기계를 등록지로 운행하는 경우
② 등록신청 전에 건설기계 공사를 하기 위하여 임시로 사용하는 경우
③ 수출을 하기 위하여 건설기계를 선적지로 운행하는 경우
④ 신개발 건설기계를 시험 · 연구의 목적으로 운행하는 경우

17 **신개발 건설기계의 시험 · 연구 목적 운행을 제외한 건설기계의 임시운행 기간은 며칠 이내인가?**

① 5일 ② 10일
③ 15일 ④ 20일

건설기계의 임시운행 기간
① 임시운행 기간은 15일 이내로 한다.
② 신개발 건설기계를 시험 · 연구의 목적으로 운행하는 경우 : 3년 이내

18 **건설기계 소유자는 등록한 주소지가 다른 시 · 도로 변경된 경우 어떤 신고를 해야 하는가?**

① 등록사항 변경신고를 하여야 한다.
② 등록이전 신고를 하여야 한다.
③ 건설기계 소재지 변동신고를 한다.
④ 등록지의 변경 시에는 아무 신고도 하지 않는다.

건설기계의 소유자는 등록한 주소지 또는 사용본거지가 변경된 경우(시 · 도간의 변경이 있는 경우에 한한다)에는 그 변경이 있은 날부터 30일(상속의 경우에는 상속개시일부터 3개월)이내에 건설기계 등록이전 신고서에 소유자의 주소 또는 건설기계의 사용본거지의 변경사실을 증명하는 서류와 건설기계 등록증 및 건설기계 검사증을 첨부하여 새로운 등록지를 관할하는 시 · 도지사에게 제출(전자문서에 의한 제출을 포함한다)하여야 한다.

정답 14.④ 15.③ 16.② 17.③ 18.②

19 **건설기계 등록사항의 변경 또는 등록이전 신고 대상이 아닌 것은?**

① 소유자 변경
② 소유자의 주소지 변경
③ 건설기계 소재지 변동
④ 건설기계의 사용본거지 변경

건설기계 소재지 변동은 등록사항의 변경 또는 등록이전 신고 대상에 포함되지 않는다.

20 **건설기계관리법령상 건설기계의 등록말소 사유에 해당하지 않는 것은?**

① 건설기계를 도난당한 경우
② 건설기계를 변경할 목적으로 해체한 경우
③ 건설기계를 교육·연구 목적으로 사용한 경우
④ 건설기계의 차대가 등록 시의 차대와 다를 경우

건설기계 등록의 말소 사유
① 거짓이나 그 밖의 부정한 방법으로 등록을 한 경우
② 건설기계가 천재지변 또는 이에 준하는 사고 등으로 사용할 수 없게 되거나 멸실된 경우
③ 건설기계의 차대(車臺)가 등록 시의 차대와 다른 경우
④ 건설기계가 건설기계 안전기준에 적합하지 아니하게 된 경우
⑤ 최고(催告)를 받고 지정된 기한까지 정기검사를 받지 아니한 경우
⑥ 건설기계를 수출하는 경우
⑦ 건설기계를 도난당한 경우
⑧ 건설기계를 폐기한 경우
⑨ 구조적 제작 결함 등으로 건설기계를 제작자 또는 판매자에게 반품한 때
⑩ 건설기계를 교육·연구 목적으로 사용하는 경우

21 **건설기계에서 등록의 갱정은 언제 하는가?**

① 등록을 행한 후에 그 등록에 관하여 착오 또는 누락이 있음을 발견한 때
② 등록을 행한 후에 소유권이 이전되었을 때
③ 등록을 행한 후에 등록지가 이전되었을 때
④ 등록을 행한 후에 소재지가 변동되었을 때

시·도지사는 등록을 행한 후에 그 등록에 관하여 착오 또는 누락이 있음을 발견한 때에는 부기로써 갱정 등록을 하고, 그 뜻을 지체 없이 등록명의인 및 그 건설기계의 검사대행자에게 통보하여야 한다.

22 **건설기계등록 말소 신청시의 첨부서류가 아닌 것은?**

① 건설기계 검사증
② 건설기계 등록증
③ 건설기계 제작증
④ 말소사유를 확인할 수 있는 서류

등록말소 신청서의 첨부서류는 건설기계 등록증, 건설기계 검사증, 건설기계의 멸실, 도난 등 말소사유를 확인할 수 있는 서류 등이다.

23 **건설기계 소유자는 건설기계를 도난당한 날로 부터 얼마 이내에 등록말소를 신청해야 하는가?**

① 30일 이내 ② 2개월 이내
③ 3개월 이내 ④ 6개월 이내

건설기계를 도난당한 경우에는 도난당한 날부터 2개월 이내에 등록말소를 신청하여야 한다.

24 **시·도지사는 건설기계 등록원부를 건설기계의 등록을 말소한 날부터 몇 년간 보존하여야 하는가?**

① 1년 ② 3년
③ 5년 ④ 10년

건설기계 등록원부는 건설기계의 등록을 말소한 날부터 10년간 보존하여야 한다.

정답 19.③ 20.② 21.① 22.③ 23.② 24.④

25 시·도지사로부터 등록번호표 제작통지 등에 관한 통지서를 받은 건설기계 소유자는 받은 날로부터 며칠 이내에 등록번호표 제작자에게 제작 신청을 하여야 하는가?

① 3일 ② 10일
③ 20일 ④ 30일

시·도지사로부터 등록번호표 제작통지를 받은 건설기계 소유자는 3일 이내에 등록번호표 제작자에게 제작 신청을 하여야 한다.

26 건설기계관리법령상 자가용 건설기계 등록번호표의 도색으로 옳은 것은?

① 청색판에 백색문자
② 적색판에 흰색문자
③ 백색판에 황색문자
④ 녹색판에 흰색문자

등록번호표의 색칠 기준
① 자가용 건설기계 : 녹색 판에 흰색문자
② 영업용 건설기계 : 주황색 판에 흰색 문자
③ 관용 건설기계 : 백색 판에 흑색문자

27 영업용 건설기계 등록번호표의 색칠로 맞는 것은?

① 흰색판에 검은색문자
② 녹색판에 흰색문자
③ 청색판에 흰색문자
④ 주황색판에 흰색문자

28 불도저의 기종별 기호 표시로 옳은 것은?

① 01 ② 02
③ 03 ④ 04

기종별 기호표시
- 01 : 불도저
- 02 : 굴착기
- 03 : 로더
- 04 : 지게차
- 05 : 스크레이퍼
- 06 : 덤프트럭
- 07 : 기중기
- 08 : 모터그레이더
- 09 : 롤러
- 10 : 노상안정기

29 건설기계 등록번호표의 도색이 흰색판인 경우는?

① 관용 ② 자가용
③ 영업용 ④ 군용

30 건설기계 소유자가 관련법에 의하여 등록번호표를 반납하고자 하는 때에는 누구에게 하여야 하는가?

① 국토교통부장관 ② 구청장
③ 시·도지사 ④ 동장

등록된 건설기계의 소유자는 등록번호표를 반납하여야 하는 사유가 발생한 경우에는 10일 이내에 등록번호표의 봉인을 떼어낸 후 그 등록번호표를 시·도지사에게 반납하여야 한다.

31 대형건설기계의 특별표지 중 경고표지판 부착 위치는?

① 작업 인부가 쉽게 볼 수 있는 곳
② 조종실 내부의 조종사가 보기 쉬운 곳
③ 교통경찰이 쉽게 볼 수 있는 곳
④ 특별 번호판 옆

대형건설기계에는 조종실 내부의 조종사가 보기 쉬운 곳에 경고표지판을 부착하여야 한다.

32 특별표지판을 부착하지 않아도 되는 건설기계는?

① 최소회전 반경이 13m인 건설기계
② 길이가 17m인 건설기계
③ 너비가 3m인 건설기계
④ 높이가 3m인 건설기계

특별표지판 부착 대상 건설기계
① 길이가 16.7m 이상인 경우
② 너비가 2.5m 이상인 경우
③ 최소회전 반경이 12m 이상인 경우
④ 높이가 4m 이상인 경우
⑤ 총중량이 40톤 이상인 경우
⑥ 축하중이 10톤 이상인 경우

정답 25.① 26.④ 27.④ 28.① 29.① 30.③ 31.② 32.④

33 **도로운행시의 건설기계의 축하중 및 총중량 제한은?**

① 윤하중 5톤 초과, 총중량 20톤 초과
② 축하중 10톤 초과, 총중량 20톤 초과
③ 축하중 10톤 초과, 총중량 40톤 초과
④ 윤하중 10톤 초과, 총중량 10톤 초과

도로운행시의 건설기계의 축하중 및 총중량 제한은 축하중 10톤 초과, 총중량 40톤 초과이다.

건설기계 검사

01 **건설기계에 대하여 국토교통부장관이 실시하는 검사가 아닌 것은?**

① 수시 검사 ② 연속 검사
③ 신규 등록 검사 ④ 구조변경 검사

국토교통부장관이 실시하는 검사
① 신규 등록 검사 : 건설기계를 신규로 등록할 때 실시하는 검사
② 정기 검사 : 검사유효기간이 끝난 후에 계속하여 운행하려는 경우에 실시하는 검사와 운행차의 정기검사
③ 구조변경 검사 : 건설기계의 주요 구조를 변경하거나 개조한 경우 실시하는 검사
④ 수시 검사 : 성능이 불량하거나 사고가 자주 발생하는 건설기계의 안전성 등을 점검하기 위하여 수시로 실시하는 검사와 건설기계 소유자의 신청을 받아 실시하는 검사

02 **건설기계관리법령상 건설기계에 대하여 실시하는 검사가 아닌 것은?**

① 신규 등록 검사 ② 예비 검사
③ 구조변경 검사 ④ 수시 검사

03 **건설기계의 수시 검사 대상이 아닌 것은?**

① 소유자가 수시검사를 신청한 건설기계
② 사고가 자주 발생하는 건설기계
③ 성능이 불량한 건설기계
④ 구조를 변경한 건설기계

수시 검사 대상의 건설기계는 성능이 불량하거나 사고가 자주 발생하는 건설기계의 안전성 등을 점검하기 위하여 수시로 실시하는 검사와 건설기계 소유자의 신청을 받아 실시하는 검사로 분류한다.

04 **건설기계로 등록한지 10년 된 덤프트럭의 검사 유효기간은?**

① 6월 ② 1년
③ 2년 ④ 3년

건설기계 검사 유효기간

기종	구분	검사유효기간
1. 굴착기	타이어식	1년
2. 로더	타이어식	2년
3. 지게차	1톤 이상	2년
4. 덤프트럭	–	1년
5. 기중기	타이어식, 트럭적재식	1년
6. 모터그레이더	–	2년
7. 콘크리트믹서트럭	–	1년
8. 콘크리트펌프	트럭적재식	1년
9. 아스팔트살포기	–	1년
10. 천공기	트럭적재식	2년
11. 타워크레인	–	6개월
12. 기타 건설기계	–	3년

05 **정기검사 유효기간이 1년인 건설기계는?**

① 타이어식 기중기
② 모터그레이더
③ 타이어식 로더
④ 1톤 이상의 지게차

검사 유효기간이 1년인 건설기계

기종	구분	검사유효기간
1. 굴착기	타이어식	1년
2. 덤프트럭	–	1년
3. 기중기	타이어식, 트럭적재식	1년
4. 콘크리트믹서트럭	–	1년
5. 콘크리트펌프	트럭적재식	1년
6. 아스팔트살포기	–	1년

정답 33.③ ▮ 01.② 02.② 03.④ 04.② 05.①

06 **타이어식 굴착기의 정기검사 유효기간으로 옳은 것은?**

① 1년 ② 2년
③ 3년 ④ 4년

07 **[보기]의 건설기계 중 정기검사 유효기간이 2년인 것을 모두 고르시오.**

보기 덤프트럭, 모터그레이더, 아스팔트살포기

① 덤프트럭, 아스팔트살포기
② 모터그레이더, 천공기
③ 덤프트럭, 모터그레이더, 아스팔트살포기
④ 모터그레이더, 아스팔트살포기, 타워크레인

검사 유효기간이 2년인 건설기계

기종	구분	검사유효기간
1. 로더	타이어식	2년
2. 지게차	1톤 이상	2년
3. 모터그레이더	–	2년
4. 천공기	트럭적재식	2년
5. 타워크레인	–	6개월

08 **정기 검사대상 건설기계의 정기검사 신청기간으로 옳은 것은?**

① 건설기계의 정기검사 유효기간 만료일 전후 45일 이내에 신청한다.
② 건설기계의 정기검사 유효기간 만료일 전 90일 이내에 신청한다.
③ 건설기계의 정기검사 유효기간 만료일 전후 각각 30일 이내에 신청한다.
④ 건설기계의 정기검사 유효기간 만료일 후 60일 이내에 신청한다.

정기검사를 받으려는 자는 검사 유효기간의 만료일 전후 각각 30일 이내의 기간에 정기검사 신청서를 시·도지사에게 제출하여야 한다.

09 **건설기계관리법령상 정기검사 유효기간이 다른 건설기계는?**

① 덤프트럭
② 콘크리트믹서 트럭
③ 타워 크레인
④ 굴착기(타이어식)

10 **건설기계관리법령상 건설기계의 정기검사 유효기간이 잘못된 것은?**

① 덤프트럭 : 1년
② 타워크레인 : 2년
③ 아스팔트살포기 : 1년
④ 지게차 1톤 이상 : 3년

11 **정기검사 신청을 받은 검사 대행자는 며칠 이내에 검사일시 및 장소를 신청인에게 통지하여야 하는가?**

① 20일 ② 15일
③ 5일 ④ 3일

검사신청을 받은 시·도지사 또는 검사대행자는 신청을 받은 날부터 5일 이내에 검사일시와 검사장소를 지정하여 신청인에게 통지하여야 한다.

12 **건설기계관리법령상 건설기계가 정기검사 신청기간 내에 정기검사를 받은 경우, 다음 정기검사 유효기간의 산정방법으로 옳은 것은?**

① 정기검사를 받은 날부터 기산한다.
② 정기검사를 받은 날의 다음날부터 기산한다.
③ 종전 검사 유효기간 만료일부터 기산한다.
④ 종전 검사 유효기간 만료일의 다음날부터 기산한다.

유효기간의 산정은 정기검사 신청기간 내에 정기검사를 받은 경우에는 종전 검사 유효기간 만료일의 다음 날부터, 그 외의 경우에는 검사를 받은 날의 다음 날부터 기산한다.

정답 06.① 07.② 08.③ 09.③ 10.④ 11.③ 12.④

13 건설기계의 정비명령은 누구에게 하여야 하는가?

① 해당기계 운전자
② 해당기계 검사업자
③ 해당기계 정비업자
④ 해당기계 소유자

정비명령은 검사에 불합격한 해당 건설기계 소유자에게 한다.

14 검사 연기신청을 하였으나 불허통지를 받은 자는 언제까지 검사를 신청하여야 하는가?

① 불허통지를 받은 날부터 5일 이내
② 불허통지를 받은 날부터 10일 이내
③ 검사 신청기간 만료일부터 5일 이내
④ 검사 신청기간 만료일부터 10일 이내

검사 연기신청을 받은 시·도지사 또는 검사대행자는 그 신청일부터 5일 이내에 검사 연기여부를 결정하여 신청인에게 통지하여야 한다. 이 경우 검사연기 불허통지를 받은 자는 검사 신청기간 만료일부터 10일 이내에 검사 신청을 하여야 한다.

15 건설기계관리법령상 건설기계의 구조변경 검사 신청은 주요 구조를 변경 또는 개조한 날부터 며칠이내에 하여야 하는가?

① 5일 이내 ② 15일 이내
③ 20일 이내 ④ 30일 이내

구조변경 검사를 받고자 하는 자는 주요 구조를 변경 또는 개조한 날부터 20일 이내에 건설기계 구조변경 검사 신청서를 시·도지사에게 제출하여야 한다. 다만, 검사대행을 하게 한 경우에는 검사대행자에게 제출하여야 한다.

16 건설기계의 구조변경 검사 신청서에 첨부할 서류가 아닌 것은?

① 변경 전·후의 건설기계 외관도
② 변경 전·후의 주요제원 대비표
③ 변경한 부분의 도면
④ 변경한 부분의 사진

구조변경 검사 신청시 첨부서류
① 변경 전·후의 주요 제원 대비표
② 변경 전·후의 건설기계의 외관도(외관의 변경이 있는 경우에 한한다)
③ 변경한 부분의 도면
④ 선박안전기술공단 또는 선급법인이 발행한 안전도 검사증명서(수상작업용 건설기계에 한한다)
⑤ 건설기계를 제작하거나 조립하는 자 또는 건설기계 정비업자의 등록을 한 자가 발행하는 구조변경 사실을 증명하는 서류

17 건설기계 정기검사를 연기하는 경우 그 연장 기간은 몇 이내로 월하여야 하는가?

① 1월 ② 2월
③ 3월 ④ 6월

검사를 연기하는 경우에는 그 연기기간을 6월 이내로 한다.

18 건설기계관리법령에서 건설기계의 주요구조 변경 및 개조의 범위에 해당하지 않는 것은?

① 기종 변경
② 원동기의 형식변경
③ 유압장치의 형식변경
④ 동력전달 장치의 형식변경

주요 구조의 변경 및 개조 범위
① 원동기의 형식변경 ② 동력전달장치의 형식변경 ③ 제동장치의 형식변경 ④ 주행장치의 형식변경 ⑤ 유압장치의 형식변경 ⑥ 조종장치의 형식변경 ⑦ 조향장치의 형식변경
⑧ 작업장치의 형식변경. 다만, 가공작업을 수반하지 아니하고 작업장치를 선택 부착하는 경우에는 작업장치의 형식변경으로 보지 아니한다. ⑨ 건설기계의 길이·너비·높이 등의 변경 ⑩ 수상작업용 건설기계의 선체의 형식변경

19 건설기계의 주요구조 변경범위에 포함되지 않는 사항은?

① 원동기의 형식변경
② 제동장치의 형식변경
③ 조종장치의 형식변경
④ 충전장치의 형식변경

정답 13.④ 14.④ 15.③ 16.④ 17.④ 18.① 19.④

20 **건설기계 검사소에서 검사를 받아야 하는 건설기계는?**

① 콘크리트 살포기
② 트럭적재식 콘크리트 펌프
③ 지게차
④ 스크레이퍼

검사소에서 검사를 받아야 하는 건설기계
① 덤프트럭
② 콘크리트 믹서트럭
③ 콘크리트 펌프(트럭 적재식)
④ 아스팔트 살포기
⑤ 트럭 지게차(특수 건설기계인 트럭지게차를 말한다)

21 **검사대행자 지정을 받고자 할 때 신청서에 첨부할 사항이 아닌 것은?**

① 검사업무 규정안
② 시설소유 증명서
③ 기술자 보유 증명서
④ 장비보유 증명서

22 **다음 중 등록지를 관할하는 검사대행자가 시행할 수 없는 것은?**

① 정기 검사 ② 신규 등록 검사
③ 수시 검사 ④ 정비 명령

건설기계 조종사 면허

01 **건설기계 운전 중량 산정 시 조종사 1명의 체중으로 맞는 것은?**

① 50kg ② 55kg
③ 60kg ④ 65kg

운전 중량이란 자체 중량에 건설기계의 조종에 필요한 최소의 조종사가 탑승한 상태의 중량을 말하며, 조종사 1명의 체중은 65kg 으로 본다.

02 **건설기계 조종사 면허에 관한 사항으로 틀린 것은?**

① 자동차 운전면허로 운전할 수 있는 건설기계도 있다.
② 면허를 받고자 하는 자는 국·공립병원, 시·도지사가 지정하는 의료기관의 적성검사에 합격하여야 한다.
③ 특수건설기계 조종은 국토교통부장관이 지정하는 면허를 소지하여야 한다.
④ 특수건설기계 조종은 특수조종면허를 받아야 한다.

03 **건설기계를 조종할 때 적용받는 법령에 대한 설명으로 가장 적합한 것은?**

① 건설기계관리법에 대한 적용만 받는다.
② 건설기계관리법 외에 도로상을 운행할 때에는 도로교통법 중 일부를 적용받는다.
③ 건설기계관리법 및 자동차관리법의 전체 적용을 받는다.
④ 도로교통법에 대한 적용만 받는다.

04 **건설기계 조종사 면허증 발급 신청 시 첨부하는 서류와 가장 거리가 먼 것은?**

① 신체검사서
② 국가기술자격 수첩
③ 주민등록표 등본
④ 소형 건설기계 조종교육 이수증

면허증 발급 신청할 때 첨부하는 서류
① 신체검사서
② 소형 건설기계 조종교육 이수증
③ 건설기계 조종사 면허증(건설기계 조종사 면허를 받은 자가 면허의 종류를 추가하고자 하는 때에 한한다)
④ 6개월 이내에 촬영한 탈모 상반신 사진 2매
⑤ 국가기술자격 수첩(소형 건설기계 조종사 면허증을 발급 신청하는 경우는 제외한다)
⑥ 자동차 운전면허 정보(3톤 미만의 지게차를 조종하려는 경우에 한정한다)

정답 20.② 21.④ 22.④ ▌ 01.④ 02.④ 03.② 04.③

05 **제1종 대형자동차 면허로 조종할 수 없는 건설기계는?**

① 콘크리트 펌프
② 노상 안정기
③ 아스팔트 살포기
④ 타이어식 기중기

제1종 대형면허로 조종하여야 하는 건설기계
① 덤프트럭
② 아스팔트 살포기
③ 노상 안정기
④ 콘크리트 믹서트럭
⑤ 콘크리트 펌프
⑥ 천공기(트럭적재식을 말한다)
⑦ 특수건설기계 중 국토교통부장관이 지정하는 건설기계

06 **자동차 1종 대형면허로 조종할 수 없는 건설기계는?**

① 아스팔트 살포기
② 무한궤도식 천공기
③ 콘크리트 펌프
④ 덤프트럭

07 **건설기계관리법상 소형건설기계에 포함되지 않는 것은?**

① 3톤 미만의 굴착기
② 5톤 미만의 불도저
③ 천공기
④ 공기압축기

국토교통부령으로 정하는 소형 건설기계
① 5톤 미만의 불도저
② 5톤 미만의 로더
③ 5톤 미만의 천공기. 다만, 트럭적재식은 제외한다.
④ 3톤 미만의 지게차(자동차 운전면허를 소지)
⑤ 3톤 미만의 굴착기
⑥ 3톤 미만의 타워크레인
⑦ 공기압축기
⑧ 콘크리트 펌프. 다만, 이동식에 한정한다.
⑨ 쇄석기
⑩ 준설선

08 **건설기계관리법령상 자동차 1종 대형면허로 조종할 수 없는 건설기계는?**

① 5톤 굴착기 ② 노상 안정기
③ 콘크리트 펌프 ④ 아스팔트 살포기

09 **시·도지사가 지정한 교육기관에서 당해 건설기계의 조종에 관한 교육과정을 이수한 경우 건설기계 조종사 면허를 받은 것으로 보는 소형 건설기계는?**

① 5톤 미만의 불도저
② 5톤 미만의 지게차
③ 5톤 미만의 굴착기
④ 5톤 미만의 롤러

10 **소형 건설기계 조종교육의 내용으로 틀린 것은?**

① 건설기계관리법규 및 자동차관리법
② 건설기계 기관, 전기 및 작업 장치
③ 유압 일반
④ 조종 실습

교육 내용
① 건설기계기관, 전기 및 작업장치
② 유압 일반
③ 건설기계관리법규 및 도로통행 방법
④ 조종실습

11 **3톤 미만 지게차의 소형건설기계 조종 교육시간은?**

① 이론 6시간, 실습 6시간
② 이론 4시간, 실습 8시간
③ 이론 12시간, 실습 12시간
④ 이론 10시간, 실습 14시간

3톤 이상 5톤 미만 로더, 불도저 및 콘크리트 펌프(이동식으로 한정한다)의 교육시간은 이론 6시간, 조종실습 12시간이며, 3톤 미만 굴착기, 지게차, 로더의 교육시간은 이론 6시간, 조종실습 6시간이다.

정답 05.④ 06.② 07.③ 08.① 09.① 10.① 11.①

12 **소형건설기계 교육기관에서 실시하는 공기압축기, 쇄석기 및 준설선에 대한 교육 이수 시간은 몇 시간인가?**

① 이론 8시간, 실습 12시간
② 이론 7시간, 실습 5시간
③ 이론 5시간, 실습 7시간
④ 이론 5시간, 실습 5시간

공기압축기, 쇄석기 및 준설선 조종교육 내용
① 건설기계기관, 전기, 유압 및 작업장치 2시간(이론)
② 건설기계관리법규 및 작업 안전 4시간(이론)
③ 장비 취급 및 관리 요령 2시간(이론)
④ 조종실습 12시간

13 **건설기계관리법령상 기중기를 조종할 수 있는 면허는?**

① 공기압축기 면허
② 모터그레이더 면허
③ 기중기 면허
④ 타워크레인 면허

14 **건설기계조종사의 적성검사 기준으로 가장 거리가 먼 것은?**

① 두 눈을 동시에 뜨고 잰 시력이 0.7 이상이고, 두 눈의 시력이 각각 0.3 이상일 것
② 시각은 150° 이상일 것
③ 언어 분별력이 80% 이상일 것
④ 교정시력의 경우는 2.0 이상일 것

건설기계 적성검사 기준
① 두 눈을 동시에 뜨고 잰 시력(교정시력을 포함한다.)이 0.7 이상이고 두 눈의 시력이 각각 0.3이상일 것
② 55데시벨(보청기를 사용하는 사람은 40데시벨)의 소리를 들을 수 있을 것.
③ 언어 분별력이 80퍼센트 이상일 것
④ 시각은 150도 이상일 것

15 **건설기계관리법령상 롤러 운전 건설기계 조종사 면허로 조종할 수 없는 건설기계는?**

① 골재 살포기
② 콘크리트 살포기
③ 콘크리트 피니셔
④ 아스팔트 믹싱플랜트

롤러 조종 면허로 조종할 수 있는 건설기계는 롤러, 모터그레이더, 스크레이퍼, 아스팔트 피니셔, 콘크리트 피니셔, 콘크리트 살포기 및 골재 살포기이다. 아스팔트 믹싱플랜트는 쇄석기 조종 면허로 조종할 수 있다.

16 **건설기계관리법상 경상이란?**

① 5일 미만의 진단이 있을 때
② 3주 이상의 진단이 있을 때
③ 3주 미만의 가료를 요하는 진단이 있을 때
④ 7일 이상의 진단이 있을 때

중상은 3주 이상의 치료를 요하는 진단이 있는 경우를 말하며, 경상은 3주 미만의 치료를 요하는 진단이 있는 경우를 말한다.

17 **건설기계관리법령상 건설기계조종사 면허취소 또는 효력정지를 시킬 수 있는 자는?**

① 대통령
② 경찰서장
③ 시・군・구청장
④ 국토교통부장관

시장・군수 또는 구청장은 건설기계 조종사가 면허취소・정지 사유에 해당하는 경우에는 건설기계 조종사 면허를 취소하거나 1년 이내의 기간을 정하여 건설기계 조종사 면허의 효력을 정지시킬 수 있다.

18 **건설기계운전 면허의 효력정지 사유가 발생한 경우, 건설기계관리법상 효력정지 기간으로 옳은 것은?**

① 1년 이내　② 6월 이내
③ 5년 이내　④ 3년 이내

정답 12.① 13.③ 14.④ 15.④ 16.③ 17.③ 18.①

19 **건설기계 조종사의 면허취소 사유가 아닌 것은?**

① 거짓 또는 부정한 방법으로 건설기계 면허를 받은 때
② 면허정지 처분을 받은 자가 그 정지 기간 중 건설기계를 조종한 때
③ 건설기계의 조종 중 고의로 중대한 사고를 일으킨 때
④ 정기검사를 받지 않은 건설기계를 조종한 때

건설기계 조종면허 취소 사유
① 건설기계 조종사 면허의 효력정지 기간 중 건설기계를 조종한 경우
② 거짓이나 그 밖의 부정한 방법으로 건설기계 조종사 면허를 받은 경우
③ 건설기계의 조종 중 고의 또는 과실로 중대한 사고를 일으킨 경우
④ 과실로 사망하게 한 때
⑤ 과실로 중상을 입힌 때
⑥ 과실로 경상을 입힌 때
⑦ 약물(마약, 대마 등의 환각물질)을 투여한 상태에서 건설기계를 조종한 때
⑧ 술에 만취한 상태(혈중 알코올농도 0.08% 이상)에서 건설기계를 조종한 때
⑨ 건설기계 조종사 면허증을 다른 사람에게 빌려 준 경우

20 **건설기계 조종사 면허를 취소하거나 정지시킬 수 있는 사유에 해당하지 않는 것은?**

① 면허증을 타인에게 대여한 때
② 조종 중 과실로 중대한 사고를 일으킨 때
③ 면허를 부정한 방법으로 취득하였음이 밝혀졌을 때
④ 여행을 목적으로 1개월 이상 해외로 출국하였을 때

21 **건설기계 조종사 면허의 취소 · 정지 처분 기준 중 면허취소에 해당되지 않는 것은?**

① 고의로 인명 피해를 입힌 때
② 과실로 7명 이상에게 중상을 입힌 때
③ 과실로 19명에게 경상을 입힌 때
④ 일천만원 이상 재산피해를 입힌 때

재산피해 금액 50만원 마다 효력정지 기간은 1일이므로 일천만원 이상의 재산피해를 입힌 경우는 효력정지 기간은 20일 이상이 예상된다.

22 **건설기계관리법령상 건설기계 조종사 면허의 취소 사유가 아닌 것은?**

① 건설기계의 조종 중 고의로 3명에게 경상을 입힌 경우
② 건설기계의 조종 중 고의로 중상의 인명피해를 입힌 경우
③ 등록이 말소된 건설기계를 조종한 경우
④ 부정한 방법으로 건설기계 조종사 면허를 받은 경우

등록이 말소된 건설기계를 조종한 경우는 2년 이하의 징역 또는 2천만원 이하의 벌금에 처한다.

23 **건설기계 조종사 면허의 취소 · 정지 사유가 아닌 것은?**

① 등록번호표 식별이 곤란한 건설기계를 조종한 때
② 건설기계 조종사 면허증을 타인에게 대여한 때
③ 고의 또는 과실로 건설기계에 중대한 사고를 발생케 한 때
④ 부정한 방법으로 조종사 면허를 받은 때

등록번호를 가리거나 훼손하여 알아보기 곤란하게 한 자 또는 그러한 건설기계를 운행한 자는 100만원 이하의 과태료를 부과한다.

24 **건설기계조종사 면허정치처분 기간 중 건설기계를 조종한 경우의 정저처분 내용은?**

① 취소
② 면허효력 정지 60일
③ 면허효력 정지 30일
④ 면허 효력정지 20일

정답 19.④ 20.④ 21.④ 22.③ 23.① 24.①

25 건설기계 조종 중 고의로 인명피해를 입힌 때 면허의 처분기준으로 옳은 것은?

① 면허 취소
② 면허 효력정지 15일
③ 면허 효력정지 30일
④ 면허 효력정지 45일

26 건설기계의 조종 중 과실로 7명 이상에게 중상을 입힌 때 면허처분 기준은?

① 면허 취소
② 면허 효력정지 30일
③ 면허 효력정지 60일
④ 면허 효력정지 90일

27 고의로 경상 2명의 인명피해를 입힌 건설기계를 조종한 자에 대한 면허의 취소 · 정지처분 내용으로 맞는 것은?

① 취소
② 면허 효력정지 60일
③ 면허 효력정지 30일
④ 면허 효력정지 20일

28 건설기계 운전자가 조종 중 고의로 중상 2명, 경상 5명의 사고를 일으킬 때 면허처분 기준은?

① 면허 취소
② 면허 효력정지 30일
③ 면허 효력정지 20일
④ 면허 효력정지 10일

29 술에 만취한 상태(혈중 알코올 농도 0.08 퍼센트 이상)에서 건설기계를 조종한 자에 대한 면허의 취소·정지처분 내용은?

① 면허 취소
② 면허 효력정지 60일
③ 면허 효력정지 50일
④ 면허 효력정지 70일

30 건설기계의 조종 중 과실로 사망 1명의 인명피해를 입힌 때 조종사 면허 처분기준은?

① 면허 취소
② 면허 효력정지 60일
③ 면허 효력정지 45일
④ 면허 효력정지 30일

인명 피해에 따른 면허정지 기간
① 사망 1명마다 : 면허 효력정지 45일
② 중상 1명마다 : 면허 효력정지 15일
③ 경상 1명마다 : 면허 효력정지 5일

31 과실로 경상 6명의 인명피해를 입힌 건설기계를 조종한 자의 처분기준은?

① 면허 효력정지 10일
② 면허 효력정지 20일
③ 면허 효력정지 30일
④ 면허 효력정지 60일

경상 1명마다 면허 효력정지가 5일이므로 6명×5일=30일

32 건설기계관리법규 상 과실로 경상 14명의 인명피해를 냈을 때 면허 효력정지 처분기준은?

① 30일 ② 40일
③ 60일 ④ 70일

경상 1명마다 면허 효력정지가 5일이므로 14명×5일=70일

33 음주상태(혈중 알코올농도 0.03% 이상 0.08% 미만)에서 건설기계를 조종한 자에 대한 면허 효력정지 처분기준은?

① 20일 ② 30일
③ 40일 ④ 60일

술에 취한 상태(혈중 알코올농도 0.03% 이상 0.08% 미만)에서 건설기계를 조종한 경우 면허 효력정지 60일이다.

정답 25.① 26.① 27.① 28.① 29.① 30.③ 31.③ 32.④ 33.④

34 **고의 또는 과실로 가스 공급 시설을 손괴하거나 기능에 장애를 입혀 가스의 공급을 방해한 때의 건설기계 조종사 면허 효력정지 기간은?**

① 240일 ② 180일
③ 90일 ④ 45일

건설기계를 조종 중에 고의 또는 과실로 가스 공급 시설을 손괴한 경우 면허 효력정지 기간은 180일이다.

35 **건설기계 조종사 면허증의 반납사유에 해당하지 않는 것은?**

① 면허가 취소된 때
② 면허의 효력이 정지된 때
③ 건설기계 조종을 하지 않을 때
④ 면허증의 재교부를 받은 후 잃어버린 면허증을 발견한 때

건설기계 조종사 면허증 반납 사유
① 면허가 취소된 때
② 면허의 효력이 정지된 때
③ 면허증의 재교부를 받은 후 잃어버린 면허증을 발견한 때
④ 반납 사유가 발생한 날부터 10일 이내에 주소지를 관할하는 시장·군수 또는 구청장에게 그 면허증을 반납하여야 한다.

36 **건설기계 조종사의 신고의무 내용이 아닌 것은?**

① 주민등록번호가 변경된 경우
② 성명이 변경된 경우
③ 국적이 변경된 경우
④ 동일 시·도 안에서 주소지가 변경된 경우

건설기계 조종사는 성명, 주민등록번호 및 국적의 변경이 있는 경우에는 그 사실이 발생한 날부터 30일 이내(군복무·국외거주·수형·질병 기타 부득이한 사유가 있는 경우에는 그 사유가 종료된 날부터 30일 이내를 말한다)에 기재사항 변경 신고서를 시장·군수 또는 구청장에게 제출하여야 한다.

37 **건설기계 조종사 면허가 취소되었을 경우 그 사유가 발생한 날로부터 며칠 이내에 면허증을 반납해야 하는가?**

① 7일 이내 ② 10일 이내
③ 14일 이내 ④ 30일 이내

38 **건설기계 조종사 면허를 받은 자는 면허증을 반납하여야 할 사유가 발생한 날로부터 며칠 이내에 반납하여야 하는가?**

① 5일 ② 10일
③ 15일 ④ 30일

39 **건설기계 조종사가 시장·군수 또는 구청장에게 변경신고를 하여야 하는 경우는?**

① 근무처의 변경
② 서울특별시 구역 안에서의 주소 변경
③ 부산광역시 구역 안에서의 주소 변경
④ 성명의 변경

40 **건설기계 조종사가 신상에 변동이 있을 때 그 사실이 발생한 날로부터 며칠 이내에 신고하여야 하는가?**

① 10일 ② 14일
③ 21일 ④ 30일

41 **건설기계 조종사는 성명·주소·주민등록번호 및 국적의 변경이 있는 경우에는 그 사실이 발생한 날로부터 며칠 이내에 기재사항 변경 신고서를 시·도지사에게 제출하여야 하는가?**

① 15일 ② 20일
③ 25일 ④ 30일

42 **건설기계 조종사의 국적변경이 있는 경우에는 그 사실이 발생한 날로부터 며칠 이내에 신고하여야 하는가?**

① 2주 이내 ② 10일 이내
③ 20일 이내 ④ 30일 이내

정답 34.② 35.③ 36.④ 37.② 38.② 39.④ 40.④ 41.④ 42.④

건설기계 사업

01 **건설기계 사업을 영위하고자 하는 자는 누구에게 등록하여야 하는가?**

① 시・도지사
② 전문 건설기계 정비업자
③ 국토해양부장관
④ 건설기계 폐기업자

건설기계 사업을 하려는 자(지방자치단체는 제외한다)는 대통령령으로 정하는 바에 따라 사업의 종류별로 시장・군수 또는 구청장(자치구의 구청장을 말한다)에게 등록하여야 한다.

02 **건설기계 대여업을 하고자 하는 자는 누구에게 등록을 하여야 하는가?**

① 고용노동부장관
② 안전행정부장관
③ 국토교통부장치
④ 시장・군수 또는 구청장

건설기계 대여업을 등록하려는 자는 건설기계 대여업 등록신청서(전자문서로 된 등록신청서를 포함한다)를 건설기계 대여업을 영위하는 사무소의 소재지를 관할하는 시장・군수 또는 구청장(자치구의 구청장을 말한다.)에게 제출하여야 한다.

03 **다음 중 건설기계 대여업에 대한 설명이 틀린 것은?**

① 일반 건설기계 대여업은 5대 이상의 건설기계로 운영하는 사업이다(2이상의 개인 또는 법인인 공동운영하는 경우 포함).
② 개별 건설기계 대여업은 1인의 개인 또는 법인이 4대 이하의 건설기계로 운영하는 사업이다.
③ 건설기계 대여업은 건설기계를 건설기계 조종사와 함께 대여하는 경우도 가능하다.
④ 건설기계 대여업의 등록을 하려는 자는 국토교통부령이 정하는 서류를 구비하여 관할 시・도지사에게 제출한다.

건설기계 대여업의 등록
① 건설기계 대여업(건설기계 조종사와 함께 건설기계를 대여하는 경우와 건설기계의 운전경비를 부담하면서 건설기계를 대여하는 경우를 포함한다)의 등록을 하려는 자는 건설기계 대여업 등록신청서에 국토교통부령이 정하는 서류를 첨부하여 시장・군수 또는 구청장에게 제출하여야 한다.
② 일반 건설기계 대여업 : 5대 이상의 건설기계로 운영하는 사업(2이상의 개인 또는 법인이 공동으로 운영하는 경우를 포함한다)
③ 개별 건설기계 대여업 : 1인의 개인 또는 법인이 4대 이하의 건설기계로 운영하는 사업

04 **건설기계 대여업 등록신청서에 첨부하여야 할 서류가 아닌 것은?**

① 건설기계 소유사실을 증명하는 서류
② 사무실의 소유권 또는 사용권이 있음을 증명하는 서류
③ 주민등록표 등본
④ 주기장 소재지를 관할하는 시장・군수・구청장이 발급한 주기장 시설 보유 확인서

05 **건설기계관리법령상 건설기계 정비업의 등록 구분으로 옳은 것은?**

① 종합 건설기계 정비업, 부분 건설기계 정비업, 전문 건설기계 정비업
② 종합 건설기계 정비업, 단종 건설기계 정비업, 전문 건설기계 정비업
③ 부분 건설기계 정비업, 전문 건설기계 정비업, 개별 건설기계 정비업
④ 종합 건설기계 정비업, 특수 건설기계 정비업, 전문 건설기계 정비업

건설기계 정비업의 등록 구분은 종합 건설기계 정비업, 부분 건설기계 정비업, 전문 건설기계 정비업으로 한다.

정답 01.① 02.④ 03.④ 04.③ 05.①

06 **건설기계관리법령상 다음 설명에 해당하는 건설기계사업은?**

> **보기**
> 건설기계를 분해 · 조립 또는 수리하고 그 부분품을 가공제작 · 교체하는 등 건설기계를 원활하게 사용하기 위한 모든 행위를 업으로 하는 것

① 건설기계 정비업
② 건설기계 제작업
③ 건설기계 매매업
④ 건설기계 폐기업

건설기계 정비업이란 건설기계를 분해 · 조립 또는 수리하고 그 부분품을 가공제작 · 교체하는 등 건설기계를 원활하게 사용하기 위한 모든 행위(경미한 정비행위 등 국토교통부령으로 정하는 것은 제외한다)를 업으로 하는 것을 말한다.

07 **건설기계 정비업의 사업 범위에서 부분 정비업에 해당하는 사항은?**

① 실린더 헤드의 탈착정비
② 크랭크샤프트의 분해정비
③ 연료펌프의 분해정비
④ 냉각 팬의 분해정비

부분 정비업은 실린더 헤드의 탈착정비, 실린더·피스톤의 분해·정비, 크랭크샤프트의 분해정비, 연료펌프의 분해정비를 제외한 원동기 부분의 정비는 가능하다.

08 **부분 건설기계 정비업의 사업 범위로 옳은 것은?**

① 프레임 조정, 롤러, 링크, 트랙 슈의 재생을 제외한 차체부분의 정비
② 원동기부의 완전 분해정비
③ 차체부의 완전 분해정비
④ 실린더 헤드의 탈착정비

부분 정비업은 프레임 조정, 롤러, 링크, 트랙 슈의 재생을 제외한 차체 부분의 정비는 가능하다.

09 **건설기계 정비업 등록을 하지 아니한 자가 할 수 있는 정비 범위가 아닌 것은?**

① 오일의 보충　② 창유리 교환
③ 제동장치 수리　④ 트랙의 장력조정

제동장치 수리는 종합 건설기계 정비업, 부분 건설기계 정비업을 등록한 자가 할 수 있는 정비 범위이다.

10 **건설기계 소유자가 건설기계의 정비를 요청하여 그 정비가 완료된 후 장기간 해당 건설기계를 찾아가지 아니하는 경우, 정비 사업자가 할 수 있는 조치사항은?**

① 건설기계를 말소시킬 수 있다.
② 건설기계의 보관 · 관리에 드는 비용을 받을 수 있다.
③ 건설기계의 폐기 인수증을 발부할 수 있다.
④ 과태료를 부과할 수 있다.

건설기계사업자는 건설기계의 정비를 요청한 자가 정비가 완료된 후 장기간 건설기계를 찾아가지 아니하는 경우에는 국토교통부령으로 정하는 바에 따라 건설기계의 정비를 요청한 자로부터 건설기계의 보관 · 관리에 드는 비용을 받을 수 있다.

11 **건설기계 매매업의 등록을 하고자 하는 자의 구비서류로 맞는 것은?**

① 건설기계 매매업 등록필증
② 건설기계 보험증서
③ 건설기계 등록증
④ 5천만원 이상의 하자보증금 예치증서 또는 보증보험증서

건설기계 매매업 등록시 첨부서류
① 사무실의 소유권 또는 사용권이 있음을 증명하는 서류
② 주기장 소재지를 관할하는 시장 · 군수 · 구청장이 발급한 주기장 시설보유 확인서
③ 5천만원 이상의 하자보증금 예치증서 또는 보증보험증서

정답 06.① 07.④ 08.① 09.③ 10.② 11.④

12 **건설기계 형식에 관한 승인을 얻거나 그 형식을 신고한 자는 당사자 간에 별도의 계약이 없는 경우에 건설기계를 판매한 날로부터 몇 개월 동안 무상으로 건설기계를 정비해주어야 하는가?**

① 3 ② 6
③ 12 ④ 24

건설기계 형식에 관한 승인을 얻거나 그 형식을 신고한 자(이하 "제작자등"이라 한다)는 건설기계를 판매한 날부터 12개월(당사자 간에 12개월을 초과하여 별도 계약하는 경우에는 그 해당기간)동안 무상으로 건설기계의 정비 및 정비에 필요한 부품을 공급하여야 한다.

13 **건설기계 폐기업 등록은 누구에게 하는가?**

① 국토교통부장관
② 시장 · 군수 또는 구청장
③ 안전행정부장관
④ 읍 · 면 · 동장

건설기계 폐기업의 등록을 하려는 자는 건설기계 폐기업 등록신청서에 국토교통부령이 정하는 서류(건설기계 폐기장의 소유권 또는 사용권이 있음을 증명할 수 있는 서류, 건설기계 폐기시설의 보유사실을 증명할 수 있는 서류)를 첨부하여 시장·군수 또는 구청장에게 제출하여야 한다.

14 **건설기계관리법령상 자동차손해배상보장법에 따른 자동차보험에 반드시 가입하여야 하는 건설기계가 아닌 것은?**

① 타이어식 지게차
② 타이어식 굴착기
③ 타이어식 기중기
④ 덤프트럭

자동차보험에 반드시 가입하여야 하는 건설기계
① 덤프트럭
② 타이어식 기중기
③ 콘크리트 믹서트럭
④ 트럭적재식 콘크리트펌프
⑤ 트럭적재식 아스팔트살포기
⑥ 타이어식 굴착기

15 **건설기계 폐기 인수증명서는 누가 교부하는가?**

① 시·도지사 ② 국토교통부장관
③ 시장·군수 ④ 건설기계 폐기업자

건설기계 폐기업자는 건설기계 소유자 또는 시·도지사로부터 폐기의 요청을 받은 경우에는 해당 건설기계와 등록번호표를 인수하고 그 사실을 증명하는 서류를 발급하여야 한다.

건설기계관리법의 벌칙

01 **건설기계관리법령상 건설기계 조종사 면허를 받지 아니하고 건설기계를 조종한 자에 대한 벌칙은?**

① 3년 이하의 징역 또는 3천만 원 이하의 벌금
② 2년 이하의 징역 또는 2천만 원 이하의 벌금
③ 1년 이하의 징역 또는 1천만 원 이하의 벌금
④ 1년 이하의 징역 또는 500만 원 이하의 벌금

1년 이하의 징역 또는 1천만 원 이하의 벌금
① 매매용 건설기계를 운행하거나 사용한 자
② 폐기인수 사실을 증명하는 서류의 발급을 거부하거나 거짓으로 발급한 자
③ 폐기요청을 받은 건설기계를 폐기하지 아니하거나 등록번호표를 폐기하지 아니한 자
④ 건설기계 조종사 면허를 받지 아니하고 건설기계를 조종한 자
⑤ 건설기계 조종사 면허를 거짓이나 그 밖의 부정한 방법으로 받은 자
⑥ 소형 건설기계의 조종에 관한 교육과정의 이수에 관한 증빙서류를 거짓으로 발급한 자
⑦ 건설기계 조종사 면허가 취소되거나 건설기계 조종사 면허의 효력정지 처분을 받은 후에도 건설기계를 계속하여 조종한 자
⑧ 건설기계를 도로나 타인의 토지에 버려둔 자

정답 12.③ 13.② 14.① 15.④ ▮ 01.③

02 **등록되지 아니하거나 등록 말소된 건설기계를 사용한 자에 대한 벌칙은?**

① 100만 원 이하 벌금
② 300만 원 이하 벌금
③ 1년 이하의 징역 또는 1000만 원 이하 벌금
④ 2년 이하의 징역 또는 2000만 원 이하 벌금

2년 이하의 징역 또는 2천만 원 이하의 벌금
① 등록되지 아니한 건설기계를 사용하거나 운행한 자
② 등록이 말소된 건설기계를 사용하거나 운행한 자
③ 시·도지사의 지정을 받지 아니하고 등록번호표를 제작하거나 등록번호를 새긴 자
④ 등록을 하지 아니하고 건설기계사업을 하거나 거짓으로 등록을 한 자
⑤ 등록이 취소되거나 사업의 전부 또는 일부가 정지된 건설기계 사업자로서 계속하여 건설기계 사업을 한 자

03 **2년 이하의 징역 또는 2천만 원 이하의 벌금에 해당하는 것은?**

① 매매용 건설기계를 운행하거나 사용한 자
② 등록번호표를 지워 없애거나 그 식별을 곤란하게 한 자
③ 건설기계 사업을 등록하지 않고 건설기계 사업을 하거나 거짓으로 등록을 한 자
④ 사후관리에 관한 명령을 이행하지 아니한 자

04 **건설기계 소유자 또는 점유자가 건설기계를 도로에 계속하여 버려두거나 정당한 사유 없이 타인의 토지에 버려둔 경우의 처벌은?**

① 1년 이하의 징역 또는 500만 원 이하의 벌금
② 1년 이하의 징역 또는 400만 원 이하의 벌금
③ 1년 이하의 징역 또는 1000만 원 이하의 벌금
④ 1년 이하의 징역 또는 200만 원 이하의 벌금

05 **건설기계 조종사 면허가 취소된 상태로 건설기계를 계속하여 조종한 자에 대한 벌칙은?**

① 1년 이하의 징역 또는 1000만 원 이하의 벌금
② 1년 이하의 징역 또는 300만 원 이하의 벌금
③ 200만 원 이하의 벌금
④ 100만 원 이하의 벌금

06 **건설기계 등록번호를 지워 없애거나 그 식별을 곤란하게 한 자에 대한 벌칙은?**

① 1000만 원 이하의 벌금
② 50만 원 이하의 벌금
③ 30만 원 이하의 벌금
④ 1년 이하의 징역

1년 이하의 징역 또는 1000만 원 이하의 벌금
① 등록번호를 지워 없애거나 그 식별을 곤란하게 한 자
② 구조변경검사 또는 수시검사를 받지 아니한 자
③ 정비명령을 이행하지 아니한 자
④ 형식승인, 형식변경승인 또는 확인검사를 받지 아니하고 건설기계의 제작 등을 한 자
⑤ 사후관리에 관한 명령을 이행하지 아니한 자

07 **건설기계관리법상 건설기계가 국토교통부장관이 실시하는 검사에 불합격하여 정비명령을 받았을 경우, 건설기계 소유자가 이 명령을 이행하지 않았을 때의 벌칙으로 맞는 것은?**

① 1000만 원 이하의 벌금
② 300만 원 이하의 벌금
③ 500만 원 이하의 벌금
④ 1000만 원 이하의 벌금

정답 02.④ 03.③ 04.③ 05.① 06.① 07.①

08 **구조변경검사를 받지 아니한 자에 대한 처벌은?**

① 1000만 원 이하의 벌금
② 150만 원 이하의 벌금
③ 200만 원 이하의 벌금
④ 250만 원 이하의 벌금

09 **건설기계관리법령상 국토교통부령으로 정하는 바에 따라 등록번호표를 부착 및 봉인하지 않은 건설기계를 운행하여서는 아니 된다. 이를 1차 위반했을 경우의 과태료는? (단, 임시번호표를 부착한 경우는 제외한다.)**

① 5만 원 ② 10만 원
③ 50만 원 ④ 100만 원

100만 원 이하의 과태료
① 수출의 이행 여부를 신고하지 아니하거나 폐기 또는 등록을 하지 아니한 자
② 등록번호표를 부착·봉인하지 아니하거나 등록번호를 새기지 아니한 자
③ 등록번호표를 부착 및 봉인하지 아니한 건설기계를 운행한 자
④ 등록번호표를 가리거나 훼손하여 알아보기 곤란하게 한 자 또는 그러한 건설기계를 운행한 자
⑤ 등록번호의 새김명령을 위반한 자
⑥ 건설기계 안전기준에 적합하지 아니한 건설기계를 도로에서 운행하거나 운행하게 한 자
⑦ 특별한 사정없이 건설기계 임대차 등에 관한 계약과 관련된 자료를 제출하지 아니한 자
⑧ 건설기계사업자의 의무를 위반한 자

10 **건설기계를 주택가 주변에 세워 두어 교통소통을 방해하거나 소음 등으로 주민의 생활환경을 침해한 자에 대한 벌칙은?**

① 200만 원 이하의 벌금
② 100만 원 이하의 벌금
③ 100만 원 이하의 과태료
④ 50만 원 이하의 과태료

50만 원 이하의 과태료
① 임시번호표를 부착하지 아니하고 운행한 자
② 등록사항 변경신고를 하지 아니하거나 거짓으로 신고한 자
③ 등록의 말소를 신청하지 아니한 자
④ 등록번호표 제작자가 지정받은 사항의 변경신고를 하지 아니하거나 거짓으로 변경신고한 자
⑤ 등록번호표를 반납하지 아니한 자
⑥ 정기검사를 받지 아니한 자
⑦ 건설기계를 정비한 자
⑧ 형식 신고를 하지 아니한 자
⑨ 건설기계 사업자 신고를 하지 아니하거나 거짓으로 신고한 자
⑩ 건설기계 사업의 양도·양수 신고를 하지 아니하거나 거짓으로 신고한 자
⑪ 주택가 주변에 건설기계를 세워 둔 자

정답 08.① 09.④ 10.④

PART 8

2016 기출문제

실전모의고사

롤러운전기능사 기출문제 (2016. 1. 24 시행)

1. 건설기계조종사의 국적변경이 있는 경우에는 그 사실이 발생한 날로부터 며칠 이내에 신고하여야 하는가?

① 2주 이내 ② 10일 이내
③ 20일 이내 ④ 30일 이내

해설 건설기계조종사는 성명, 주민등록번호 및 국적의 변경이 있는 경우에는 그 사실이 발생한 날부터 30일 이내(군복무·국외거주·수형·질병 기타 부득이한 사유가 있는 경우에는 그 사유가 종료된 날부터 30일 이내)에 기재사항변경신고서를 주소지를 관할하는 시·도지사에게 제출하여야 한다.

2. 제1종 대형자동차 면허로 조종할 수 없는 건설기계는?

① 콘크리트 펌프 ② 노상안정기
③ 아스팔트 살포기 ④ 타이어식 기중기

해설 제1종 대형 운전면허로 조종할 수 있는 건설기계는 덤프트럭, 아스팔트 살포기, 노상 안정기, 콘크리트 믹서트럭, 콘크리트 펌프, 트럭적재식 천공기 등이다.

3. 건설기계정비업 등록을 하지 아니한 자가 할 수 있는 정비범위가 아닌 것은?

① 오일의 보충 ② 창유리 교환
③ 제동장치 수리 ④ 트랙의 장력조정

4. 건설기계를 주택가 주변에 세워 두어 교통소통을 방해하거나 소음 등으로 주민의 생활환경을 침해한 자에 대한 벌칙은?

① 200만 원 이하의 벌금
② 100만 원 이하의 벌금
③ 100만 원 이하의 과태료
④ 50만 원 이하의 과태료

해설 건설기계를 주택가 주변에 세워 두어 교통소통을 방해하거나 소음 등으로 주민의 생활환경을 침해한 자에 대한 벌칙은 50만 원 이하의 과태료

5. 건설기계 운전중량 산정 시 조종사 1명의 체중으로 맞는 것은?

① 50kg ② 55kg
③ 60kg ④ 65kg

해설 운전중량을 산정 할 때 조종사 1명의 체중은 65kg으로 한다.

6. 건설기계의 수시검사대상이 아닌 것은?

① 소유자가 수시검사를 신청한 건설기계
② 사고가 자주 발생하는 건설기계
③ 성능이 불량한 건설기계
④ 구조를 변경한 건설기계

해설 수시검사 : 성능이 불량하거나 사고가 자주 발생하는 건설기계의 안전성 등을 점검하기 위하여 수시로 실시하는 검사와 건설기계 소유자의 신청을 받아 실시하는 검사

7. 음주상태(혈중 알코올농도 0.03% 이상 0.08% 미만)에서 건설기계를 조종한 자에 대한 면허효력정지 처분기준은?

① 20일 ② 30일
③ 40일 ④ 60일

해설 술에 취한 상태(혈중 알코올농도 0.03% 이상 0.08% 미만)에서 건설기계를 조종한 경우 면허효력정지 60일이다.

정답 1.④ 2.④ 3.③ 4.④ 5.④ 6.④ 7.④

8. 건설기계 등록신청에 대한 설명으로 맞는 것은?(단, 전시사변 등 국가비상사태 하의 경우 제외)

① 시·군·구청장에게 취득한 날로부터 10일 이내 등록신청을 한다.
② 시·도지사에게 취득한 날로부터 15일 이내 등록신청을 한다.
③ 시·군·구청장에게 취득한 날로부터 1개월 이내 등록신청을 한다.
④ 시·도지사에게 취득한 날로부터 2개월 이내 등록신청을 한다.

해설 건설기계 등록신청은 취득한 날로부터 2개월 이내 소유자의 주소지 또는 건설기계 사용본거지를 관할하는 시·도지사에게 한다.

9. 건설기계 소유자는 건설기계를 도난당한 날로부터 얼마 이내에 등록말소를 신청해야 하는가?

① 30일 이내 ② 2개월 이내
③ 3개월 이내 ④ 6개월 이내

해설 건설기계를 도난당한 경우에는 도난당한 날부터 2개월 이내에 등록말소를 신청하여야 한다.

10. 특별표지판을 부착하지 않아도 되는 건설기계는?

① 최소회전 반경이 13m인 건설기계
② 길이가 17m인 건설기계
③ 너비가 3m인 건설기계
④ 높이가 3m인 건설기계

해설 특별표지판 부착대상 건설기계

❶ 길이가 16.7m 이상인 경우
❷ 너비가 2.5m 이상인 경우
❸ 최소회전 반경이 12m 이상인 경우
❹ 높이가 4m 이상인 경우
❺ 총중량이 40톤 이상인 경우
❻ 축하중이 10톤 이상인 경우

11. 습식 공기청정기에 대한 설명이 아닌 것은?

① 청정효율은 공기량이 증가할수록 높아지며, 회전속도가 빠르면 효율이 좋아진다.
② 흡입공기는 오일로 적셔진 여과망을 통과시켜 여과시킨다.
③ 공기청정기 케이스 밑에는 일정한 양의 오일이 들어 있다.
④ 공기청정기는 일정시간 사용 후 무조건 신품으로 교환해야 한다.

해설 습식 공기청정기의 엘리먼트는 스틸 울이므로 세척하여 다시 사용한다.

12. 기관에서 연료펌프로부터 보내진 고압의 연료를 미세한 안개 모양으로 연소실에 분사하는 부품은?

① 분사노즐 ② 커먼레일
③ 분사펌프 ④ 공급펌프

해설 분사노즐은 분사펌프에서 보내준 고압의 연료를 연소실에 안개 모양으로 분사하는 부품이다.

13. 납산 축전지에서 격리판의 역할은?

① 전해액의 증발을 방지한다.
② 과산화납으로 변화되는 것을 방지한다.
③ 전해액의 화학작용을 방지한다.
④ 음극판과 양극판의 절연성을 높인다.

해설 격리판은 음극판과 양극판의 단락을 방지한다. 즉 절연성을 높인다.

14. 기관에서 사용되는 일체식 실린더의 특징이 아닌 것은?

① 냉각수 누출 우려가 적다.
② 라이너 형식보다 내마모성이 높다.
③ 부품수가 적고 중량이 가볍다.
④ 강성 및 강도가 크다.

해설 일체식 실린더는 강성 및 강도가 크고 냉각수 누출 우려가 적으며, 부품수가 적고 중량이 가볍다.

정답 8.④ 9.② 10.④ 11.④ 12.① 13.④ 14.②

15. 기동전동기에서 전기자 철심을 여러 층으로 겹쳐서 만드는 이유는?

① 자력선 감소　② 소형 경량화
③ 맴돌이 전류감소　④ 온도상승 촉진

해설 전기자 철심을 두께 0.35~1.0mm의 얇은 철판을 각각 절연하여 겹쳐 만든 이유는 자력선을 잘 통과시키고, 맴돌이 전류를 감소시키기 위함이다.

16. 디젤기관에 사용되는 연료의 구비조건으로 옳은 것은?

① 점도가 높고 약간의 수분이 섞여 있을 것
② 황의 함유량이 클 것
③ 착화점이 높을 것
④ 발열량이 클 것

해설 디젤기관 연료(경유)의 구비조건
❶ 자연발화점이 낮을 것(착화가 용이할 것)
❷ 카본의 발생이 적고, 황의 함유량이 적을 것
❸ 세탄가가 높고, 발열량이 클 것
❹ 적당한 점도를 지니며, 온도변화에 따른 점도변화가 적을 것
❺ 연소속도가 빠를 것

17. 기관의 윤활장치에서 엔진오일의 여과방식이 아닌 것은?

① 전류식　② 샨트식
③ 합류식　④ 분류식

해설 기관오일의 여과방식에는 분류식, 샨트식, 전류식이 있다.

18. 직류발전기 구성품이 아닌 것은?

① 로터코일과 실리콘 다이오드
② 전기자 코일과 정류자
③ 계철과 계자철심
④ 계자코일과 브러시

해설 직류발전기는 전기자 코일과 정류자, 계철과 계자철심, 계자코일과 브러시 등으로 구성된다.

19. 기관 과열의 원인이 아닌 것은?

① 히터 스위치 고장
② 수온조절기의 고장
③ 헐거워진 냉각팬 벨트
④ 물 통로 내의 물 때(scale)

해설 기관 과열원인
❶ 팬벨트의 장력이 적거나 파손되었다.
❷ 냉각 팬이 파손되었다.
❸ 라디에이터 호스가 파손되었다.
❹ 라디에이터 코어가 20% 이상 막혔다.
❺ 라디에이터 코어가 파손되었거나 오손되었다.
❻ 물 펌프의 작동이 불량하다.
❼ 수온조절기(정온기)가 닫힌 채 고장이 났다.
❽ 수온조절기가 열리는 온도가 너무 높다.
❾ 물재킷 내에 스케일(물때)이 많이 쌓여 있다.
❿ 냉각수 양이 부족하다.

20. 전조등 형식 중 내부에 불활성 가스가 들어 있으며, 광도의 변화가 적은 것은?

① 로우 빔식　② 하이 빔식
③ 실드 빔식　④ 세미 실드 빔식

해설 실드빔형 전조등의 특징
❶ 반사경에 필라멘트를 붙이고 여기에 렌즈를 녹여 붙인 후 내부에 불활성 가스를 넣어 그 자체가 1개의 전구가 되도록 한 것이다.
❷ 대기의 조건에 따라 반사경이 흐려지지 않는다.
❸ 사용에 따르는 광도의 변화가 적다.
❹ 필라멘트가 끊어지면 렌즈나 반사경에 이상이 없어도 전조등 전체를 교환하여야 한다.

21. 유압모터의 회전속도가 규정 속도보다 느릴 경우, 그 원인이 아닌 것은?

① 유압펌프의 오일 토출량 과다
② 각 작동부의 마모 또는 파손
③ 유압유의 유입량 부족
④ 오일의 내부누설

해설 유압펌프의 오일 토출량이 과다하면 유압모터의 회전속도가 빨라진다.

정답 15.③ 16.④ 17.③ 18.① 19.① 20.③ 21.①

22. 유압유(작동유)의 온도상승 원인에 해당하지 않는 것은?

① 작동유의 점도가 너무 높을 때
② 유압모터 내에서 내부마찰이 발생될 때
③ 유압회로 내의 작동압력이 너무 낮을 때
④ 유압회로 내에서 공동현상이 발생될 때

해설 유압장치의 열 발생원인
❶ 작동유의 점도가 너무 높을 때
❷ 유압장치 내에서 내부마찰이 발생될 때
❸ 유압회로 내의 작동압력이 너무 높을 때
❹ 유압회로 내에서 캐비테이션이 발생될 때
❺ 릴리프 밸브가 닫힌 상태로 고장일 때
❻ 오일 냉각기의 냉각핀이 오손되었을 때
❼ 작동유가 부족할 때

23. 유압장치의 장점이 아닌 것은?

① 속도제어가 용이하다.
② 힘의 연속적 제어가 용이하다.
③ 온도의 영향을 많이 받는다.
④ 윤활성, 내마멸성, 방청성이 좋다.

해설 유압장치의 장점
❶ 작은 동력원으로 큰 힘을 낼 수 있다.
❷ 과부하 방지가 용이하다.
❸ 운동방향을 쉽게 변경할 수 있다.
❹ 속도제어가 용이하다.
❺ 에너지 축적이 가능하다.
❻ 힘의 전달 및 증폭이 용이하다.
❼ 힘의 연속적 제어가 용이하다.
❽ 윤활성·내마멸성 및 방청성이 좋다.

24. 작동유에 수분이 혼입되었을 때 나타나는 현상이 아닌 것은?

① 윤활능력 저하
② 작동유의 열화 촉진
③ 유압기기의 마모 촉진
④ 오일탱크의 오버플로

해설 오일탱크에서 오버플로(over flow, 흘러넘침)가 발생하는 경우는 공기가 혼입된 경우이다.

25. 유압회로 내의 압력이 설정압력에 도달하면 펌프에서 토출된 오일을 전부 탱크로 회송시켜 펌프를 무부하로 운전시키는데 사용하는 밸브는?

① 체크밸브(check valve)
② 시퀀스 밸브(sequence valve)
③ 언로드 밸브(unloader valve)
④ 카운터밸런스 밸브(count balance valve)

해설 언로드(무부하)밸브는 유압회로 내의 압력이 설정압력에 도달하면 펌프에서 토출된 오일을 전부 탱크로 회송시켜 펌프를 무부하로 운전시키는데 사용한다.

26. 축압기(accumulator)의 사용목적이 아닌 것은?

① 압력보상
② 유체의 맥동감쇠
③ 유압회로 내의 압력제어
④ 보조 동력원으로 사용

해설 어큐뮬레이터(축압기)의 용도는 압력보상, 체적변화 보상, 유압 에너지 축적, 유압회로 보호, 맥동감쇠, 충격압력 흡수, 일정압력 유지, 보조 동력원으로 사용 등이다.

27. 유체의 압력에 영향을 주는 요소로 가장 관계가 적은 것은?

① 유체의 점도　② 관로의 직경
③ 유체의 흐름량　④ 작동유 탱크 용량

해설 압력에 영향을 주는 요소는 유체의 흐름량, 유체의 점도, 관로직경의 크기이다.

28. 유압펌프의 종류에 포함되지 않는 것은?

① 기어펌프　② 진공펌프
③ 베인 펌프　④ 플런저 펌프

해설 유압펌프의 종류에는 기어펌프, 베인 펌프, 피스톤(플런저)펌프, 나사펌프, 트로코이드 펌프 등이 있다.

정답 22.③ 23.③ 24.④ 25.③ 26.③ 27.④ 28.②

29. 건설기계 작업 중 유압회로 내의 유압이 상승되지 않을 때의 점검사항으로 적합하지 않은 것은?

① 오일탱크의 오일량 점검
② 오일이 누출되었는지 점검
③ 펌프로부터 유압이 발생되는지 점검
④ 자기탐상법에 의한 작업장치의 균열 점검

해설 갑자기 유압상승이 되지 않을 경우 점검 내용
❶ 유압펌프로부터 유압이 발생되는지 점검
❷ 오일탱크의 오일량 점검
❸ 릴리프 밸브의 고장인지 점검
❹ 오일이 누출되었는지 점검

30. 유압회로에서 오일을 한쪽 방향으로만 흐르도록 하는 밸브는?

① 릴리프 밸브(relief valve)
② 파일럿 밸브(pilot valve)
③ 체크밸브(check valve)
④ 오리피스 밸브(orifice valve)

해설 체크밸브(check valve)는 역류를 방지하고, 회로내의 잔류압력을 유지시키며, 오일의 흐름이 한쪽 방향으로만 가능하게 한다.

31. 안전작업 사항으로 잘못된 것은?

① 전기장치는 접지를 하고 이동식 전기기구는 방호장치를 설치한다.
② 엔진에서 배출되는 일산화탄소에 대비한 통풍장치를 한다.
③ 담뱃불은 발화력이 약하므로 제한장소 없이 흡연해도 무방하다.
④ 주요장비 등은 조작자를 지정하여 아무나 조작하지 않도록 한다.

32. 다음 중 현장에서 작업자가 작업 안전상 꼭 알아두어야 할 사항은?

① 장비의 가격
② 종업원의 작업환경
③ 종업원의 기술정도
④ 안전규칙 및 수칙

33. 전장품을 안전하게 보호하는 퓨즈의 사용법으로 틀린 것은?

① 퓨즈가 없으면 임시로 철사를 감아서 사용한다.
② 회로에 맞는 전류 용량의 퓨즈를 사용한다.
③ 오래되어 산화된 퓨즈는 미리 교환한다.
④ 과열되어 끊어진 퓨즈는 과열된 원인을 먼저 수리한다.

34. 망치(hammer)작업 시 옳은 것은?

① 망치자루의 가운데 부분을 잡아 놓치지 않도록 할 것
② 손은 다치지 않게 장갑을 착용할 것
③ 타격할 때 처음과 마지막에 힘을 많이 가하지 말 것
④ 열처리 된 재료는 반드시 해머작업을 할 것

35. 유류화재 시 소화용으로 가장 거리가 먼 것은?

① 물
② 소화기
③ 모래
④ 흙

36. 산업체에서 안전을 지킴으로서 얻을 수 있는 이점과 가장 거리가 먼 것은?

① 직장의 신뢰도를 높여준다.
② 직장 상하 동료 간 인간관계 개선효과도 기대된다.
③ 기업의 투자 경비가 늘어난다.
④ 사내 안전수칙이 준수되어 질서유지가 실현된다.

37. 먼지가 많은 장소에서 착용하여야 하는 마스크는?

① 방독마스크
② 산소마스크
③ 방진마스크
④ 일반마스크

해설 분진(먼지)이 발생하는 장소에서는 방진마스크를 착용하여야 한다.

정답 29.④ 30.③ 31.③ 32.④ 33.① 34.③ 35.① 36.③ 37.③

38. 작업장에서 공동 작업으로 물건을 들어 이동할 때 잘못된 것은?

① 힘을 균형을 유지하여 이동할 것
② 불안전한 물건은 드는 방법에 주의할 것
③ 보조를 맞추어 들도록 할 것
④ 운반도중 상대방에게 무리하게 힘을 가할 것

39. 아크용접에서 눈을 보호하기 위한 보안경 선택으로 맞는 것은?

① 도수 안경　② 방진안경
③ 차광용 안경　④ 실험실용 안경

40. 정비작업 시 안전에 가장 위배되는 것은?

① 깨끗하고 먼지가 없는 작업환경을 조정한다.
② 회전부분에 옷이나 손이 닿지 않도록 한다.
③ 연료를 채운 상태에서 연료통을 용접한다.
④ 가연성 물질을 취급 시 소화기를 준비한다.

해설 연료탱크는 탱크 내의 연료를 완전히 제거하고 물을 채운 후 용접을 한다.

41. 로드롤러의 변속기에서 심한 잡음이 나는 원인이 아닌 것은?

① 오일펌프의 압력이 높을 때
② 윤활유가 부족할 때
③ 기어가 마모 및 손상되었을 때
④ 기어 샤프트 지지 베어링이 마모 및 손상되었을 때

해설 변속기에서 심한 잡음이 나는 원인은 윤활유가 부족할 때, 기어가 마모 및 손상되었을 때, 기어 샤프트 지지 베어링이 마모 및 손상되었을 때 등이다.

42. 롤러에 부착된 부품에 13.00-24-18PR로 명기되어 있을 때 해당되는 것은?

① 유압펌프 출력
② 엔진 일련번호
③ 타이어 규격
④ 시동 모터 용량

43. 클러치의 구비조건으로 틀린 것은?

① 동력차단이 신속할 것
② 회전부분 평형이 좋을 것
③ 방열이 잘 될 것
④ 구조가 복잡할 것

해설 클러치의 구비조건
❶ 회전부분의 관성력이 작을 것
❷ 동력전달이 확실하고 신속할 것
❸ 방열이 잘되어 과열되지 않을 것
❹ 회전부분의 평형이 좋을 것
❺ 단속 작용이 확실하며 조작이 쉬울 것

44. 작업 전 점검사항으로 시동 전에 해야 할 내용과 관계없는 것은?

① 연료 및 오일의 누유 점검
② 타이어 손상 및 공기압 점검
③ 좌우 차륜의 허브너트 체결점검
④ 이상음 및 이상 진동점검

45. 유압조향식 롤러에서 조향불능 원인으로 틀린 것은?

① 유압펌프 결함
② 유압호스 파손
③ 조향 유압실린더 결함
④ 밸러스트 불량

46. 머캐덤 롤러의 클러치가 미끄러지는 원인에 대한 설명으로 틀린 것은?

① 클러치 스프링의 노후
② 라이닝에 기름이 묻었을 때
③ 클러치 릴리스 레버 선단의 마모
④ 클러치판의 마모

해설 클러치 릴리스 레버의 선단이 마모되면 페달의 자유 간극이 커져 동력차단이 불량해 진다.

47. 제동장치 중 주브레이크에 속하지 하는 것은?

① 유압식 브레이크　② 배력식 브레이크
③ 공기식 브레이크　④ 배기 브레이크

정답 38.④ 39.③ 40.③ 41.① 42.③ 43.④ 44.④ 45.④ 46.③ 47.④

48. 롤러의 성능과 능력을 나타내는 것이 아닌 것은?

① 선압, 윤하중　② 다짐폭, 접지압
③ 기진력, 윤거　④ 다짐폭, 기진력

해설 롤러의 성능과 능력은 선압, 윤하중, 다짐폭, 접지압, 기진력으로 나타낸다.

49. 롤러의 종감속 장치에서 동력전달 방식이 아닌 것은?

① 평기어식　② 베벨기어식
③ 체인구동식　④ 벨트구동식

해설 종감속장치의 동력전달 방식에는 평기어식, 베벨기어식, 체인구동식 등이 있다.

50. 로드롤러의 동력전달 순서로 맞는 것은?

① 엔진→클러치→차동장치→역전기→롤
② 엔진→클러치→역전기→변속기→롤→종감속장치
③ 엔진→클러치→변속기→역전기→종감속장치→롤
④ 엔진→클러치→변속기→차동장치→롤

해설 로드롤러의 동력전달 순서는 엔진→클러치→변속기→역전기→종감속장치→롤이다.

51. 롤러의 다짐 방식에 의한 분류가 아닌 것은?

① 전압형식　② 전류형식
③ 진동형식　④ 충격형식

해설 롤러는 다짐 방법에 따라 자체중량을 이용하는 전압형식, 진동을 이용하는 진동형식, 충격력을 이용하는 충격형식 등이 있다.

52. 타이어식 롤러에서 타이어가 상하로 요동하게 하는 가장 중요한 이유는?

① 승차감을 좋게 하기 위하여
② 경사지에서 안정된 주행을 위하여
③ 타이어를 손상시키지 않게 하기 위하여
④ 하중을 받아 다짐작업이 잘되도록 하기 위하여

해설 타이어 롤러의 타이어가 상·하로 요동하도록 하는 이유는 하중을 받아 다짐작업이 잘되도록 하기 위함이다.

53. 롤러의 일일점검 사항이 아닌 것은?

① 엔진오일 점검　② 축전지 전해액 점검
③ 연료양 점검　④ 냉각수 점검

54. 일반적인 머캐덤 롤러의 전륜(앞바퀴)에 대한 설명으로 틀린 것은?

① 조향은 유압식이다.
② 전륜축은 베어링으로 지지한다.
③ 킹핀이 설치되어 있다.
④ 브레이크 장치가 설치되어 있다.

55. 건설기계 작업시의 주의하여야 할 전압별 전기 이격거리를 나타낸 것 중 틀린 것은?

① 154000V, 5m　② 22000V, 3m
③ 6600V, 2m　④ 100V, 1m

56. 롤러 중량표시 중 8~12톤의 설명으로 맞는 것은?

① 자체중량 12톤, 밸러스트 중량 8톤
② 자체중량 8톤, 밸러스트 중량 12톤
③ 자체중량 8톤, 밸러스트 중량 4톤
④ 자체중량 4톤, 밸러스트 중량 12톤

해설 롤러의 규격이 8–12톤이란 자체중량이 8톤이고 4톤의 부가하중(밸러스트)을 더 할 수 있다는 의미이다.

57. 유압구동식 롤러의 정유압 전도장치에 해당하는 것은?

① 엔진–유압펌프–제어밸브
② 유압펌프–제어밸브–유압모터
③ 제어밸브–유압모터–차동장치
④ 유압모터–차종장치–종감속장치

정답 48.③ 49.④ 50.③ 51.② 52.④ 53.② 54.④ 55.④ 56.③ 57.②

58. 공사현장에서 작업의 안전수칙으로 틀린 것은?

① 급회전이나 급정지를 금한다.
② 장비 능력의 범위에서도 최대한 작업한다.
③ 장비의 예방정비를 철저히 한다.
④ 장비 본래의 용도 이외에 사용을 금한다.

59. 롤러의 하체 구성부품에서 마모가 증가되는 원인이 아닌 것은?

① 부품끼리 접촉이 증가할 때
② 부품끼리 상대운동이 증가할 때
③ 부품에 윤활막이 유지될 때
④ 부품에 부하가 가해졌을 때

해설 부품에 윤활막이 유지되지 않으면 구성부품의 마모가 증가한다.

60. 자재이음의 종류가 아닌 것은?

① 플렉시블 이음　② 트러니언 이음
③ 십자이음　④ 커플 이음

정답 58.② 59.③ 60.④

2016 02회 롤러운전기능사 기출문제 (2016. 4. 2 시행)

1. 건설기계의 조종 중 고의 또는 과실로 가스공급시설을 손괴할 경우 조종사면허의 처분기준은?

① 면허효력정지 10일
② 면허효력정지 15일
③ 면허효력정지 25일
④ 면허효력정지 180일

해설 건설기계를 조종 중에 고의 또는 과실로 가스공급시설을 손괴한 경우 면허효력정지 180일이다.

2. 건설기계 등록이 말소되는 사유에 해당하지 않은 것은?

① 건설기계를 폐기한 때
② 건설기계의 구조변경을 했을 때
③ 건설기계가 멸실되었을 때
④ 건설기계를 수출할 때

해설 건설기계 등록의 말소사유

❶ 거짓이나 그 밖의 부정한 방법으로 등록을 한 경우
❷ 건설기계가 천재지변 또는 이에 준하는 사고 등으로 사용할 수 없게 되거나 멸실된 경우
❸ 건설기계의 차대(車臺)가 등록 시의 차대와 다른 경우
❹ 건설기계가 건설기계안전기준에 적합하지 아니하게 된 경우
❺ 최고(催告)를 받고 지정된 기한까지 정기검사를 받지 아니한 경우
❻ 건설기계를 수출하는 경우
❼ 건설기계를 도난당한 경우
❽ 건설기계를 폐기한 경우
❾ 구조적 제작 결함 등으로 건설기계를 제작자 또는 판매자에게 반품한 때
❿ 건설기계를 교육·연구 목적으로 사용하는 경우

3. 건설기계 등록신청 시 첨부하지 않아도 되는 서류는?

① 호적등본
② 건설기계 소유자임을 증명하는 서류
③ 건설기계제작증
④ 건설기계제원표

해설 건설기계를 등록할 때 필요한 서류

❶ 건설기계제작증(국내에서 제작한 건설기계의 경우)
❷ 수입면장 기타 수입 사실을 증명하는 서류(수입한 건설기계의 경우)
❸ 매수증서(관청으로부터 매수한 건설기계의 경우)
❹ 건설기계의 소유자임을 증명하는 서류
❺ 건설기계제원표
❻ 자동차손해배상보장법에 따른 보험 또는 공제의 가입을 증명하는 서류

4. 건설기계의 제동장치에 대한 정기검사를 면제받기 위한 건설기계 제동장치정비 확인서를 발행 받을 수 있는 곳은?

① 건설기계대여회사
② 건설기계정비업자
③ 건설기계부품업자
④ 건설기계매매업자

5. 건설기계관리법상 건설기계의 소유자는 건설기계를 취득한 날부터 얼마 이내에 건설기계 등록신청을 해야 하는가?

① 2개월 이내 ② 3개월 이내
③ 6개월 이내 ④ 1년 이내

해설 건설기계 등록신청은 건설기계를 취득한 날로부터 2개월(60일)이내 하여야 한다.

정답 1.④ 2.② 3.① 4.② 5.①

6. 반드시 건설기계정비업체에서 정비하여야 하는 것은?

① 오일의 보충 ② 배터리의 교환
③ 창유리의 교환 ④ 엔진 탈·부착 정비

7. 폐기요청을 받은 건설기계를 폐기하지 아니하거나 등록번호표를 폐기하지 아니한 자에 대한 벌칙은?

① 2년 이하의 징역 또는 2천만 원 이하의 벌금
② 1년 이하의 징역 또는 1천만 원 이하의 벌금
③ 2백만 원 이하의 벌금
④ 1백만 원 이하의 벌금

해설 폐기요청을 받은 건설기계를 폐기하지 아니하거나 등록번호표를 폐기하지 아니한 자의 벌칙은 1년 이하의 징역 또는 1천만 원 이하의 벌금

8. 건설기계에서 구조변경 및 개조를 할 수 없는 항목은?

① 원동기의 형식변경
② 제동장치의 형식변경
③ 유압장치의 형식변경
④ 적재함의 용량증가를 위한 구조변경

해설 건설기계의 구조변경 범위 : 원동기의 형식변경, 동력전달장치의 형식변경, 제동장치의 형식변경, 주행 장치의 형식변경, 유압장치의 형식변경, 조종 장치의 형식변경, 조향장치의 형식변경, 작업장치의 형식변경, 건설기계의 길이·너비·높이 등의 변경, 수상작업용 건설기계의 선체의 형식변경

9. 건설기계의 검사를 연장 받을 수 있는 기간을 잘못 설명한 것은?

① 해외임대를 위하여 일시 반출된 경우 : 반출기간 이내
② 압류된 건설기계의 경우 : 압류기간 이내
③ 건설기계 대여업을 휴지한 경우 : 사업의 개시신고를 하는 때까지
④ 장기간 수리가 필요한 경우 : 소유자가 원하는 기간

10. 건설기계관리법령상 조종사면허를 받은 자가 면허의 효력이 정지된 때에는 그 사유가 발생한 날부터 며칠 이내에 주소지를 관할하는 시장군수 또는 구청장에게 그 면허증을 반납해야 하는가?

① 10일 이내 ② 30일 이내
③ 60일 이내 ④ 100일 이내

해설 건설기계조종사 면허가 취소되었을 경우 그 사유가 발생한 날로부터 10일 이내에 면허증을 반납해야 한다.

11. 기관의 크랭크축 베어링의 구비조건으로 틀린 것은?

① 마찰계수가 클 것
② 내피로성이 클 것
③ 매입성이 있을 것
④ 추종유동성이 있을 것

해설 크랭크축 베어링의 구비조건
❶ 하중 부담능력 및 매입성이 있을 것
❷ 내부식성 및 내피로성이 있을 것
❸ 마찰계수가 적고, 추종유동성이 있을 것
❹ 길들임성이 좋을 것

12. 축전지의 구비조건으로 가장 거리가 먼 것은?

① 축전지의 용량이 클 것
② 전기적 절연이 완전할 것
③ 가급적 크고, 다루기 쉬울 것
④ 전해액의 누출방지가 완전할 것

해설 축전지의 구비조건
❶ 소형·경량이고, 수명이 길어야 한다.
❷ 심한 진동에 견딜 수 있어야 하며, 다루기 쉬워야 한다.
❸ 용량이 크고, 가격이 싸야 한다.
❹ 전기적 절연이 완전하여야 한다.
❺ 전해액의 누출방지가 완전하여야 한다.

13. 일상점검 내용에 속하지 않는 것은?

① 기관 윤활유량
② 브레이크 오일량
③ 라디에이터 냉각수량
④ 연료분사량

정답 6.④ 7.② 8.④ 9.④ 10.① 11.① 12.③ 13.④

14. 전압(voltage)에 대한 설명으로 적당한 것은?

① 자유전자가 도선을 통하여 흐르는 것을 말한다.
② 전기적인 높이 즉 전기적인 압력을 말한다.
③ 물질에 전류가 흐를 수 있는 정도를 나타낸다.
④ 도체의 저항에 의해 발생되는 열을 나타낸다.

15. 기관의 오일펌프 유압이 낮아지는 원인이 아닌 것은?

① 윤활유 점도가 너무 높을 때
② 베어링의 오일간극이 클 때
③ 윤활유의 양이 부족할 때
④ 오일 스트레이너가 막힐 때

해설 기관의 오일압력이 낮은 원인
❶ 아래 크랭크 케이스(오일 팬)에 오일이 적다.
❷ 크랭크축 오일틈새가 크다.
❸ 오일펌프가 불량하다.
❹ 유압조절 밸브(릴리프 밸브)가 열린 상태로 고장났다.
❺ 기관 각부의 마모가 심하다.
❻ 기관오일에 경유가 혼입되었다.
❼ 커넥팅로드 대단부 베어링과 핀 저널의 간극이 크다.

16. 예열플러그를 빼서 보았더니 심하게 오염되어 있다. 그 원인으로 가장 적합한 것은?

① 불완전 연소 또는 노킹
② 기관의 과열
③ 플러그의 용량과다
④ 냉각수 부족

해설 예열플러그가 심하게 오염되는 경우는 불완전 연소 또는 노킹이 발생하였기 때문이다.

17. 기관에 사용되는 시동모터가 회전이 안 되거나 회전력이 약한 원인이 아닌 것은?

① 시동스위치의 접촉이 불량하다.
② 배터리 단자와 터미널의 접촉이 나쁘다.
③ 브러시가 정류자에 잘 밀착되어 있다.
④ 축전지 전압이 낮다.

해설 기동전동기(시동모터)가 회전이 안 되는 원인
❶ 시동스위치의 접촉이 불량하다.
❷ 축전지가 과다 방전되었다.
❸ 축전지 단자와 케이블의 접촉이 불량하거나 단선되었다.
❹ 기동전동기 브러시스프링 장력이 약해 정류자의 밀착이 불량하다.
❺ 기동전동기 전기자 코일 또는 계자코일이 단락되었다.

18. 디젤기관 냉각장치에서 냉각수의 비등점을 높여주기 위해 설치된 부품으로 알맞은 것은?

① 코어　　② 냉각핀
③ 보조탱크　　④ 압력식 캡

해설 냉각장치 내의 비등점(비점)을 높이고, 냉각범위를 넓히기 위하여 압력식 캡을 사용한다.

19. 교류발전기에서 교류를 직류로 바꾸어주는 것은?

① 계자　　② 슬립링
③ 브러시　　④ 다이오드

해설 교류발전기 다이오드의 역할은 교류를 정류하고, 역류를 방지한다.

20. 디젤기관의 노킹발생 원인과 가장 거리가 먼 것은?

① 착화기간 중 분사량이 많다.
② 노즐의 분무상태가 불량하다.
③ 세탄가가 높은 연료를 사용하였다.
④ 기관이 과도하게 냉각 되어있다.

해설 디젤기관 노킹발생의 원인
❶ 연료의 세탄가가와 분사압력이 낮다.
❷ 착화지연기간 중 연료분사량이 많다.
❸ 연소실의 온도가 낮고, 착화지연 시간이 길다.
❹ 압축비가 낮고, 기관이 과냉 되었다.
❺ 분사노즐의 분무상태가 불량하다.

정답 14.② 15.① 16.① 17.③ 18.④ 19.④ 20.③

21. 유압장치의 구성요소가 아닌 것은?

① 제어밸브　② 오일탱크
③ 유압펌프　④ 차동장치

22. 건설기계 유압회로에서 유압유 온도를 알맞게 유지하기 위해 오일을 냉각하는 부품은?

① 어큐뮬레이터　② 오일 쿨러
③ 방향제어밸브　④ 유압밸브

23. 유압유의 점도에 대한 설명으로 틀린 것은?

① 온도가 상승하면 점도는 낮아진다.
② 점성의 정도를 표시하는 값이다.
③ 점도가 낮아지면 유압이 떨어진다.
④ 점성계수를 밀도로 나눈 값이다.

해설 유압유의 점도
❶ 점성의 정도를 나타내는 척도이다.
❷ 온도가 상승하면 점도는 저하된다.
❸ 온도가 내려가면 점도는 높아진다.
❹ 점도가 낮아지면 유압이 낮아진다.
❺ 점도가 높으면 유압은 높아진다.

24. 유압 실린더에서 숨 돌리기 현상이 생겼을 때 일어나는 현상이 아닌 것은?

① 작동지연 현상이 생긴다.
② 피스톤 동작이 정지된다.
③ 오일의 공급이 과대해진다.
④ 작동이 불안정하게 된다.

해설 숨 돌리기 현상은 유압유의 공급이 부족할 때 발생한다.

25. 유압모터의 속도를 감속하는데 사용하는 밸브는?

① 체크밸브　② 디셀러레이션 밸브
③ 변환밸브　④ 압력스위치

해설 디셀러레이션 밸브는 캠(cam)으로 조작되는 유압밸브이며 액추에이터의 속도를 서서히 감속시킬 때 사용한다.

26. 그림의 유압 기호는 무엇을 표시하는가?

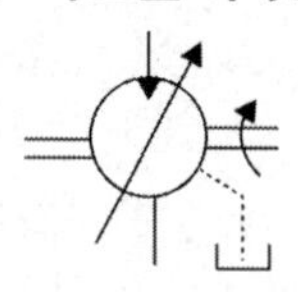

① 가변 유압모터　② 유압펌프
③ 가변 토출밸브　④ 가변 흡입밸브

27. 유압 실린더를 교환 후 우선적으로 시행하여야 할 사항은?

① 엔진을 저속 공회전 시킨 후 공기빼기작업을 실시한다.
② 엔진을 고속 공회전 시킨 후 공기빼기작업을 실시한다.
③ 유압장치를 최대한 부하상태로 유지한다.
④ 시험작업을 실시한다.

28. 유압장치의 단점에 대한 설명 중 틀린 것은?

① 관로를 연결하는 곳에서 작동유가 누출될 수 있다.
② 고압사용으로 인한 위험성이 존재한다.
③ 작동유 누유로 인해 환경오염을 유발할 수 있다.
④ 전기·전자의 조합으로 자동제어가 곤란하다.

해설 유압의 단점
❶ 고압사용으로 인한 위험성 및 이물질에 민감하다.
❷ 유온의 영향에 따라 정밀한 속도와 제어가 곤란하다.
❸ 폐유에 의한 주변 환경이 오염될 수 있다.
❹ 오일은 가연성이 있어 화재에 위험하다.
❺ 회로구성이 어렵고 누설되는 경우가 있다.
❻ 오일의 온도에 따라서 점도가 변하므로 기계의 속도가 변한다.
❼ 에너지의 손실이 크며, 관로를 연결하는 곳에서 유체가 누출될 우려가 있다.

29. 유압 작동부에서 오일이 새고 있을 때 일반적으로 먼저 점검하여야 하는 것은?

① 밸브(valve)　② 기어(gear)
③ 플런저(plunger)　④ 실(seal)

해설 유압 작동부분에서 오일이 누유 되면 가장 먼저 실(seal)을 점검하여야 한다.

정답 21.④ 22.② 23.④ 24.③ 25.② 26.① 27.① 28.④ 29.④

30. 유압장치 내의 압력을 일정하게 유지하고 최고압력을 제한하여 회로를 보호해주는 밸브는?

① 릴리프 밸브 ② 체크밸브
③ 제어밸브 ④ 로터리 밸브

해설 릴리프 밸브는 유압장치 내의 압력을 일정하게 유지하고, 최고압력을 제한하며 회로를 보호하며, 과부하 방지와 유압기기의 보호를 위하여 최고 압력을 규제한다.

31. 원목처럼 길이가 긴 화물을 외줄 달기 슬링 용구를 사용하여 크레인으로 물건을 안전하게 달아 올리는 방법으로 가장 거리가 먼 것은?

① 화물의 중량이 많이 걸리는 방향을 아래쪽으로 향하게 들어올린다.
② 제한용량 이상을 달지 않는다.
③ 수평으로 달아 올린다.
④ 신호에 따라 움직인다.

32. 운전자가 작업 전에 장비 점검과 관련된 내용 중 거리가 먼 것은?

① 타이어 및 궤도 차륜상태
② 브레이크 및 클러치의 작동상태
③ 낙석, 낙하물 등의 위험이 예상되는 작업 시 견고한 헤드 가이드 설치상태
④ 정격용량보다 높은 회전으로 수차례 모터를 구동시켜 내구성 상태 점검

33. 작업장에 대한 안전관리상 설명으로 틀린 것은?

① 항상 청결하게 유지한다.
② 작업대 사이 또는 기계사이의 통로는 안전을 위한 일정한 너비가 필요하다.
③ 공장바닥은 폐유를 뿌려, 먼지가 일어나지 않도록 한다.
④ 전원 콘센트 및 스위치 등에 물을 뿌리지 않는다.

34. 크레인으로 물건을 운반할 때 주의사항으로 틀린 것은?

① 규정 무게보다 약간 초과할 수 있다.
② 적재물이 떨어지지 않도록 한다.
③ 로프 등의 안전여부를 항상 점검한다.
④ 선회작업 시 사람이 다치지 않도록 한다.

35. 사고 원인으로서 작업자의 불안전한 행위는?

① 안전조치 불이행
② 작업장의 환경 불량
③ 물적 위험상태
④ 기계의 결함상태

36. 금속나트륨이나 금속칼륨 화재의 소화재로서 가장 적합한 것은?

① 물 ② 포소화기
③ 건조사 ④ 이산화탄소 소화기

해설 D급 화재는 금속나트륨, 금속칼륨 등의 화재로서 일반적으로 건조사를 이용한 질식효과로 소화한다.

37. 산업공장에서 재해의 발생을 줄이기 위한 방법으로 틀린 것은?

① 폐기물은 정해진 위치에 모아둔다.
② 공구는 소정의 장소에 보관한다.
③ 소화기 근처에 물건을 적재한다.
④ 통로나 창문 등에 물건을 세워 놓아서는 안 된다.

38. 산소가스 용기의 도색으로 맞는 것은?

① 녹색 ② 노란색
③ 흰색 ④ 갈색

해설 충전용기의 도색
❶ 산소용기 : 녹색, ❷ 수소용기 : 주황색,
❸ 아세틸렌용기 : 노란색, ❹ 암모니아 용기 : 백색,
❺ 탄산가스 용기 : 청색, ❻ 염소용기 : 갈색,
❼ 프로판 용기 : 회색, ❽ 아르곤 용기 : 회색

정답 30.① 31.③ 32.④ 33.③ 34.① 35.① 36.③ 37.③ 38.①

39. 공기(air)기구 사용 작업에서 적당치 않은 것은?

① 공기기구의 섭동 부위에 윤활유를 주유하면 안 된다.
② 규정에 맞는 토크를 유지하면서 작업한다.
③ 공기를 공급하는 고무호스가 꺾이지 않도록 한다.
④ 공기기구의 반동으로 생길 수 있는 사고를 미연에 방지한다.

40. 작업복에 대한 설명으로 적합하지 않은 것은?

① 작업복은 몸에 알맞고 동작이 편해야 한다.
② 착용자의 연령, 성별 등에 관계없이 일률적인 스타일을 선정해야 한다.
③ 작업복은 항상 깨끗한 상태로 입어야 한다.
④ 주머니가 너무 많지 않고, 소매가 단정한 것이 좋다.

41. 롤러의 사용설명서에 대한 사항 중 틀린 것은?

① 각 부품의 단가를 파악한다.
② 각 부 명칭과 기능을 파악한다.
③ 장비의 성능을 파악한다.
④ 장비의 유지관리에 대한 사항을 파악한다.

42. 수평방향의 하중이 수직으로 미칠 때 원심력을 가하고 기진력을 서로 조합하여 흙을 다짐하면 적은 무게로 큰 다짐효과를 올릴 수 있는 다짐기계는?

① 탬핑롤러　② 머캐덤 롤러
③ 진동롤러　④ 탠덤롤러

해설 진동롤러는 수평방향의 하중이 수직으로 미칠 때 원심력을 가하고 기진력을 서로 조합하여 흙을 다짐하면 적은 무게로 큰 다짐효과를 올릴 수 있다.

43. 롤러의 종류 중 전압식 다짐방법이 아닌 것은?

① 탠덤롤러　② 진동롤러
③ 타이어 롤러　④ 머캐덤 롤러

해설 진동롤러는 진동을 이용하는 진동형식이다.

44. 2륜식 철륜 롤러의 종감속 기어장치의 설명으로 맞는 것은?

① 기어오일로 윤활 한다.
② 감속비가 적어야 한다.
③ 추진축으로 구동한다.
④ 구동륜에 직접 설치되어 있다.

해설 2륜 철륜 롤러의 종감속 기어장치는 구동륜에 직접 설치되어 있다.

45. 타이어형 롤러의 바퀴가 상하로 움직이는 목적은?

① 같은 압력으로 지면을 누르기 위함이다.
② 속도가 느려서 능률을 높이기 위함이다.
③ 기초 다짐에 효과적으로 사용하기 위함이다.
④ 자갈 및 모래 등의 골재 다짐에 용이하기 때문이다.

해설 타이어형 롤러의 바퀴가 상하로 움직이도록 하는 이유는 같은 압력으로 지면을 누르기 위함이다.

46. 타이어 롤러에 대한 설명 중 틀린 것은?

① 다짐속도가 비교적 빠르다.
② 골재를 파괴시키지 않고 골고루 다질 수 있다.
③ 아스팔트 혼합재 다짐용으로 적합하다.
④ 타이어 공기압으로 다짐능력을 조정할 수 없다.

해설 타이어 롤러는 타이어 공기압으로 다짐능력을 조정할 수 있으며, 다짐속도가 비교적 빠르고 골재를 파괴시키지 않고 골고루 다질 수 있어 아스팔트 혼합재 다짐용으로 적합하다.

47. 표면지층이 연약한 토질에 사용 가능한 롤러로 가장 적합한 것은?

① 탠덤롤러　② 탬퍼 풋 롤러
③ 콤비 롤러　④ 머캐덤 롤러

해설 탬퍼 풋(tamper foot) 롤러는 강판제의 롤러 바깥둘레에 여러 개의 돌기(tamping foot)가 용접으로 고정되어 있어 표면지층이 연약한 토질의 다짐작업에 효과적이다.

정답 39.① 40.② 41.① 42.③ 43.② 44.④ 45.① 46.④ 47.②

48. 롤러 장비의 누유 및 누수의 점검사항으로 틀린 것은?

① 롤러의 다음 작업을 위하여 운행 후 장비의 상태를 점검한다.
② 장비를 점검하기 위하여 지면에 떨어진 누유여부를 확인하고 조치한다.
③ 기관의 원활한 작동을 위하여 냉각장치에서 발생된 냉각수 누수를 확인하고 조치한다.
④ 작동 중 냉각수 누수가 확인되면 즉시 라디에이터 캡을 열어 확인한다.

49. 탠덤롤러를 설명한 것 중 옳은 것은?

① 전륜은 타이어, 후륜은 드럼형태의 쇠바퀴로 구성되어 있다.
② 전륜은 드럼형태의 쇠바퀴, 후륜은 타이어로 구성되어 있다.
③ 전·후륜 모두 타이어로 되어 있다.
④ 전·후륜 모두 드럼형태의 쇠바퀴 2개로 구성되어 있다.

해설 탠덤롤러는 앞바퀴와 뒷바퀴가 모두 드럼형태의 쇠바퀴 2개로 되어 있고, 앞바퀴 조향, 뒷바퀴 구동방식이며, 용도는 아스팔트 마지막 다짐 작업에 가장 효과적이며, 그러나 자갈이나 쇄석 골재 등은 다져서는 안 된다.

50. 브레이크 분류 중 주브레이크가 아닌 것은?

① 유압식 브레이크 ② 배기 브레이크
③ 배력식 브레이크 ④ 공기식 브레이크

51. 액슬축의 종류가 아닌 것은?

① 반부동식 ② 3/4부동식
③ 1/2 부동식 ④ 전부동식

해설 액슬 축(차축) 지지방식

❶ 전부동식 : 차량을 하중을 하우징이 모두 받고, 액슬 축은 동력만을 전달하는 형식
❷ 반부동식 : 액슬 축이 1/2, 하우징이 1/2정도의 하중을 지지하는 형식
❸ 3/4부동식 : 액슬 축이 동력을 전달함과 동시에 차량 하중의 1/4을 지지하는 형식

52. 머캐덤 롤러의 동력전달 순서는?

① 기관→클러치→변속기→역전기→차동장치→종감속장치→뒤차륜
② 기관→클러치→역전기→변속기→차동장치→뒤차축→뒤차륜
③ 기관→클러치→역전기→변속기→차동장치→종감속장치→뒤차륜
④ 기관→클러치→변속기→역전기→차동장치→뒤차축→뒤차륜

해설 머캐덤 롤러의 동력전달 순서는 엔진→클러치→변속기→역전기→차동장치→종감속장치→뒤차륜이다.

53. 변속기의 구비조건으로 틀린 것은?

① 전달효율이 적을 것
② 변속조작이 용이할 것
③ 소형, 경량일 것
④ 단계가 없이 연속적인 변속조작이 가능 할 것

해설 변속기의 구비조건

❶ 소형이고, 고장이 없어야 한다.
❷ 조작이 쉽고 신속, 정확하여야 한다.
❸ 연속적 변속에는 단계가 없어야 한다.
❹ 전달효율이 좋아야 한다.

54. 토크컨버터의 기본 구성품 아닌 것은?

① 펌프 ② 터빈
③ 스테이터 ④ 터보

해설 토크컨버터는 펌프(임펠러), 터빈(러너), 스테이터 등이 상호운동 하여 회전력을 변환시킨다.

55. 롤러 살수장치에서 노즐분사 방식으로 맞는 것은?

① 기계식 또는 전기식
② 기계식 또는 수압식
③ 수압식 또는 기계식
④ 전자식 또는 전기식

해설 살수장치의 노즐분사 방식에는 기계식과 전기식이 있다.

정답 48.④ 49.④ 50.② 51.③ 52.① 53.① 54.④ 55.①

56. 아스팔트 다짐(롤링)작업 시 바퀴에 물을 뿌리는 이유는?

① 바퀴를 냉각시키기 위해
② 아스팔트를 냉각시키기 위해
③ 브레이크 성능을 좋게 하기 위해
④ 바퀴에 아스팔트 부착방지를 위해

해설 아스팔트 다짐(롤링)작업을 할 때 바퀴에 물을 뿌리는 이유는 바퀴에 아스팔트 부착방지를 위함이다.

57. 다짐 효과의 향상과 아스팔트가 타이어 또는 롤에 부착되지 않게 하기 위한 장치는?

① 부가하중장치 ② 진동 장치
③ 살수장치 ④ 조향장치

해설 살수장치는 다짐 효과의 향상과 아스팔트가 타이어 또는 롤에 부착되지 않게 하기 위한 것이다.

58. 가열포장 아스팔트 초기 다짐 롤러로 가장 적당한 것은?

① 머캐덤 롤러 ② 타이어 롤러
③ 탬핑롤러 ④ 진동 롤러

해설 머캐덤 롤러는 앞바퀴 1개, 뒷바퀴가 2개인 것이며, 2개의 뒷바퀴로 구동을 하고 앞바퀴 1개로는 조향을 한다. 용도는 초기 다짐에 주로 사용되며, 자갈·모래 및 흙 등을 다지는데 매우 효과적이며 아스팔트 초기 다짐에 사용한다.

59. 타이어 롤러의 바퀴지지 방식 중 각 바퀴마다 독립된 유압 실린더 또는 공기 스프링 등을 사용하여 개별 상하운동을 하는 방식은?

① 상호 요동식 ② 고정식
③ 일체 지지식 ④ 수직 가동식

해설 타이어 롤러의 바퀴지지 방식
❶ 고정식 : 각 차축이 프레임에 고정되어 있다.
❷ 상호 요동식 : 프레임에 차축의 중심선이 지지되고 각 바퀴가 상하운동을 한다.
❸ 수직 가동식(독립 지지식) : 각 바퀴마다 독립된 유압 실린더 또는 공기 스프링 등을 사용하여 개별 상하운동을 한다.

60. 진동 롤러에 대한 설명 중 옳은 것은?

① 기진력을 포함한 동력전달 장치가 있다.
② 기진력을 포함하므로 반드시 3축이 필요하다.
③ 다짐능력을 높이기 위한 장치로는 환향클러치를 사용하여야 한다.
④ 진동륜은 고정식으로 유동이 없어야 한다.

해설 진동롤러는 기진 계통과 주행계통의 동력전달 계통을 갖추고 있다.

정답 56.④ 57.③ 58.① 59.④ 60.①

2016 03회 롤러운전기능사 기출문제 (2016. 7. 10 시행)

1. 건설기계 등록사항 변경이 있을 때, 소유자는 건설기계등록사항 변경신고서를 누구에게 제출하여야 하는가?

① 관할검사소장 ② 고용노동부장관
③ 행정자치부장관 ④ 시·도지사

해설 건설기계의 소유자는 건설기계등록사항에 변경(주소지 또는 사용본거지가 변경된 경우를 제외한다)이 있는 때에는 그 변경이 있은 날부터 30일(상속의 경우에는 상속개시일부터 3개월)이내에 건설기계등록사항변경신고서에 변경내용을 증명하는 서류와 건설기계등록증 및 건설기계검사증을 첨부하여 등록을 한 시·도지사에게 제출하여야 한다.

2. 건설기계관리법령상 특별 표지판을 부착하여야 할 건설기계의 범위에 해당하지 않는 것은?

① 높이가 4미터를 초과하는 건설기계
② 길이가 10미터를 초과하는 건설기계
③ 총중량이 40톤을 초과하는 건설기계
④ 최소회전반경이 12미터를 초과하는 건설기계

해설 특별표지판 부착대상 건설기계
❶ 길이가 16.7m 이상인 경우
❷ 너비가 2.5m 이상인 경우
❸ 최소회전 반경이 12m 이상인 경우
❹ 높이가 4m 이상인 경우
❺ 총중량이 40톤 이상인 경우
❻ 축하중이 10톤 이상인 경우

3. 건설기계의 정기검사 유효기간이 1년이 되는 것은 신규등록일로 부터 몇 년 이상 경과되었을 때인가?

① 5년 ② 10년
③ 15년 ④ 20년

해설 건설기계의 정기검사 유효기간이 1년이 되는 것은 신규등록일로 부터 20년 이상 경과되었을 때이다.

4. 건설기계조종사 면허가 취소되었을 경우 그 사유가 발생한 날 부터 며칠 이내에 면허증을 반납하여야 하는가?

① 7일 이내 ② 10일 이내
③ 14일 이내 ④ 30일 이내

해설 건설기계조종사면허가 취소되었을 경우 그 사유가 발생한 날로부터 10일 이내에 면허증을 반납해야 한다.

5. 소유자의 신청이나 시도지사의 직권으로 건설기계의 등록을 말소할 수 있는 경우가 아닌 것은?

① 건설기계를 수출하는 경우
② 건설기계를 도난당한 경우
③ 건설기계 정기검사에 불합격된 경우
④ 건설기계의 차대가 등록 시의 차대와 다른 경우

해설 건설기계 등록의 말소사유
❶ 거짓이나 그 밖의 부정한 방법으로 등록을 한 경우
❷ 건설기계가 천재지변 또는 이에 준하는 사고 등으로 사용할 수 없게 되거나 멸실된 경우
❸ 건설기계의 차대(車臺)가 등록 시의 차대와 다른 경우
❹ 건설기계가 건설기계안전기준에 적합하지 아니하게 된 경우
❺ 최고(催告)를 받고 지정된 기한까지 정기검사를 받지 아니한 경우
❻ 건설기계를 수출하는 경우
❼ 건설기계를 도난당한 경우
❽ 건설기계를 폐기한 경우
❾ 구조적 제작 결함 등으로 건설기계를 제작자 또는 판매자에게 반품한 때
❿ 건설기계를 교육·연구 목적으로 사용하는 경우

정답 1.④ 2.② 3.④ 4.② 5.③

6. 건설기계조종사의 면허취소사유에 해당되는 것은?

① 고의로 인명피해를 입힌 때
② 과실로 1명 이상을 사망하게 한때
③ 과실로 3명 이상에게 중상을 입힌 때
④ 과실로 10명 이상에게 경상을 입힌 때

해설 면허취소 사유
❶ 면허정지 처분을 받은 자가 그 정지 기간 중에 건설기계를 조종한 때
❷ 거짓 또는 부정한 방법으로 건설기계의 면허를 받은 때
❸ 건설기계의 조종 중 고의로 인명피해(사망・중상・경상)를 입힌 때
❹ 술에 취한 상태에서 건설기계를 조종하다가 사람을 죽게 하거나 다치게 한 경우
❺ 정기적성검사를 받지 않거나 불합격한 경우
❻ 약물(마약, 대마 등의 환각물질)을 투여한 상태에서 건설기계를 조종한 때
❼ 술에 만취한 상태(혈중 알코올농도 0.08% 이상)에서 건설기계를 조종한 때
❽ 건설기계조종사면허증을 다른 사람에게 빌려 준 경우

7. 건설기계의 정기검사 신청기간 내에 정기검사를 받은 경우, 다음 정기검사 유효기간의 산정 방법으로 옳은 것은?

① 정기검사를 받은 날부터 기산한다.
② 정기검사를 받은 날의 다음날부터 기산한다.
③ 종전 검사유효기간 만료일부터 기산한다.
④ 종전 검사유효기간 만료일의 다음날부터 기산한다.

해설 건설기계의 정기검사 신청기간 내에 정기검사를 받은 경우 다음 정기검사 유효기간의 산정은 종전 검사유효기간 만료일의 다음날부터 기산한다.

8. 건설기계조종사면허를 받지 아니하고 건설기계를 조종한 자에 대한 벌칙 기준은?

① 2년 이하의 징역 또는 1천만 원 이하의 벌금
② 1년 이하의 징역 또는 1천만 원 이하의 벌금
③ 200만 원 이하의 벌금
④ 100만 원 이하의 벌금

해설 건설기계조종사면허를 받지 아니하고 건설기계를 조종한 자는 1년 이하의 징역 또는 1,000만 원 이하의 벌금

9. 건설기계관리법령상 구조변경검사를 받지 아니한 자에 대한 처벌은?

① 1000만 원 이하의 벌금
② 150만 원 이하의 벌금
③ 200만 원 이하의 벌금
④ 250만 원 이하의 벌금

해설 1년 이하의 징역 또는 1000만 원 이하의 벌금
❶ 등록번호를 지워 없애거나 그 식별을 곤란하게 한 자
❷ 구조변경검사 또는 수시검사를 받지 아니한 자
❸ 정비명령을 이행하지 아니한 자
❹ 형식승인, 형식변경승인 또는 확인검사를 받지 아니하고 건설기계의 제작 등을 한 자
❺ 사후관리에 관한 명령을 이행하지 아니한 자

10. 건설기계관리법령상 건설기계의 구조를 변경할 수 있는 범위에 해당되는 것은?

① 원동기의 형식변경
② 건설기계의 기종변경
③ 육상작업용 건설기계의 규격을 증가시키기 위한 구조변경
④ 육상작업용 건설기계의 적재함 용량을 증가시키기 위한 구조변경

해설 건설기계의 구조변경 범위
❶ 원동기의 형식변경
❷ 동력전달장치의 형식변경
❸ 제동장치의 형식변경
❹ 주행 장치의 형식변경
❺ 유압장치의 형식변경
❻ 조종 장치의 형식변경
❼ 조향장치의 형식변경
❽ 작업장치의 형식변경
❾ 건설기계의 길이·너비·높이 등의 변경
❿ 수상작업용 건설기계의 선체의 형식변경

정답 6.① 7.④ 8.② 9.① 10.①

11. 실린더와 피스톤 사이에 유막을 형성하여 압축 및 연소가스가 누설되지 않도록 기밀을 유지하는 작용으로 옳은 것은?

① 밀봉작용 ② 감마작용
③ 냉각작용 ④ 방청 작용

해설 밀봉작용은 기밀유지 작용이라고도 하며, 실린더와 피스톤 사이에 유막을 형성하여 압축 및 연소가스가 누설되지 않도록 기밀을 유지한다.

12. 교류발전기의 부품이 아닌 것은?

① 다이오드 ② 슬립링
③ 스테이터 코일 ④ 전류 조정기

해설 교류발전기는 전류를 발생하는 스테이터(stator), 전류가 흐르면 전자석이 되는(자계를 발생하는) 로터(rotor), 스테이터 코일에서 발생한 교류를 직류로 정류하는 다이오드, 여자전류를 로터코일에 공급하는 슬립링과 브러시, 엔드 프레임 등으로 되어있다

13. 기관에 사용되는 여과장치가 아닌 것은?

① 공기청정기 ② 오일필터
③ 오일 스트레이너 ④ 인젝션 타이머

14. 기관의 동력을 전달하는 계통의 순서를 바르게 나타낸 것은?

① 피스톤→커넥팅로드→클러치→크랭크축
② 피스톤→클러치→크랭크축→커넥팅로드
③ 피스톤→크랭크축→커넥팅로드→클러치
④ 피스톤→커넥팅로드→크랭크축→클러치

해설 실린더 내에서 폭발이 일어나면 피스톤→커넥팅로드→크랭크축→플라이휠(클러치)순서로 전달된다.

15. 4행정 사이클 기관의 행정순서로 맞는 것은?

① 압축→동력→흡입→배기
② 흡입→동력→압축→배기
③ 압축→흡입→동력→배기
④ 흡입→압축→동력→배기

16. 건설기계에 주로 사용되는 기동전동기로 맞는 것은?

① 직류분권 전동기 ② 직류직권 전동기
③ 직류복권 전동기 ④ 교류 전동기

해설 기관 시동으로 사용하는 전동기는 직류직권 전동기이다.

17. 퓨즈에 대한 설명 중 틀린 것은?

① 퓨즈는 정격용량을 사용한다.
② 퓨즈용량은 A로 표시한다.
③ 퓨즈는 가는 구리선으로 대용된다.
④ 퓨즈는 표면이 산화되면 끊어지기 쉽다.

18. 가압식 라디에이터의 장점으로 틀린 것은?

① 방열기를 적게 할 수 있다.
② 냉각수의 비등점을 높일 수 있다.
③ 냉각수의 순환속도가 빠르다.
④ 냉각장치의 효율을 높일 수 있다.

해설 가압방식(압력 순환방식) 라디에이터의 장점

❶ 라디에이터(방열기)를 작게 할 수 있다.
❷ 냉각수의 비등점을 높여 비등에 의한 손실을 줄일 수 있다.
❸ 냉각수 손실이 적어 보충횟수를 줄일 수 있다.
❹ 기관의 열효율이 향상된다.

19. 건설기계운전 작업 후 탱크에 연료를 가득 채워주는 이유와 가장 관련이 적은 것은?

① 다음의 작업을 준비하기 위해서
② 연료의 기포방지를 위해서
③ 연료탱크에 수분이 생기는 것을 방지하기 위해서
④ 연료의 압력을 높이기 위해서

해설 작업 후 탱크에 연료를 가득 채워주는 이유는 다음의 작업을 준비하기 위해서, 연료의 기포방지를 위해서, 연료탱크 내의 공기 중의 수분이 응축되어 물이 생기는 것을 방지하기 위함이다.

정답 11.① 12.④ 13.④ 14.④ 15.④ 16.② 17.③ 18.③ 19.④

20. 축전지 내부의 충방전작용으로 가장 알맞은 것은?

① 화학작용　　② 탄성작용
③ 물리작용　　④ 기계작용

해설 축전지 내부의 충방전작용은 화학작용을 이용한다.

21. 유압유 온도가 과열되었을 때 유압 계통에 미치는 영향으로 틀린 것은?

① 온도변화에 의해 유압기기가 열 변형되기 쉽다.
② 오일의 점도저하에 의해 누유 되기 쉽다.
③ 유압펌프의 효율이 높아진다.
④ 오일의 열화를 촉진한다.

해설 유압유가 과열되면
❶ 작동유의 열화를 촉진한다.
❷ 작동유의 점도의 저하에 의해 누출되기 쉽다.
❸ 유압장치의 효율이 저하한다.
❹ 온도변화에 의해 유압기기가 열 변형되기 쉽다.
❺ 작동유의 산화작용을 촉진한다.
❻ 유압장치의 작동불량 현상이 발생한다.
❼ 기계적인 마모가 발생할 수 있다.

22. 유압실린더 등의 중력에 의한 자유낙하를 방지하기 위해 배압을 유지하는 압력제어 밸브는?

① 감압밸브　　② 시퀀스 밸브
③ 언로드 밸브　　④ 카운터 밸런스 밸브

해설 카운트 밸런스 밸브는 유압 실린더 등이 중력 및 자체 중량에 의한 자유낙하를 방지하기 위해 배압을 유지한다.

23. 유압장치에서 오일여과기에 걸러지는 오염물질의 발생 원인으로 가장 거리가 먼 것은?

① 유압장치의 조립과정에서 먼지 및 이물질 혼입
② 작동중인 기관의 내부 마찰에 의하여 생긴 금속가루 혼입
③ 유압장치를 수리하기 위하여 해체하였을 때 외부로부터 이물질 혼입
④ 유압유를 장기간 사용함에 있어 고온·고압 하에서 산화생성물이 생김

24. 유압장치에서 일일 점검사항이 아닌 것은?

① 필터의 오염여부 점검
② 탱크의 오일량 점검
③ 호스의 손상여부 점검
④ 이음부분의 누유 점검

25. 유압유 관내에 공기가 혼입되었을 때 일어날 수 있는 현상이 아닌 것은?

① 공동현상　　② 기화현상
③ 열화현상　　④ 숨 돌리기 현상

해설 관로에 공기가 침입하면 실린더 숨 돌리기 현상, 열화 촉진, 공동현상 등이 발생한다.

26. 축압기(어큐뮬레이터)의 기능과 관계가 없는 것은?

① 충격압력 흡수
② 유압 에너지 축적
③ 릴리프 밸브 제어
④ 유압펌프 맥동흡수

해설 어큐뮬레이터(축압기)의 용도는 압력보상, 체적변화 보상, 유압 에너지 축적, 유압회로 보호, 맥동감쇠, 충격압력 흡수, 일정압력 유지, 보조 동력원으로 사용 등이다.

27. 유압유의 압력을 제어하는 밸브가 아닌 것은?

① 릴리프 밸브　　② 체크밸브
③ 리듀싱 밸브　　④ 시퀀스 밸브

해설 압력제어 밸브의 종류에는 릴리프 밸브, 리듀싱(감압)밸브, 시퀀스(순차) 밸브, 언로드(무부하) 밸브, 카운터밸런스 밸브 등이 있다.

28. 유체 에너지를 이용하여 외부에 기계적인 일을 하는 유압기기는?

① 유압모터　　② 근접 스위치
③ 유압탱크　　④ 기동전동기

정답 20.① 21.③ 22.④ 23.② 24.① 25.② 26.③ 27.② 28.①

29. 유압장치 내부에 국부적으로 높은 압력이 발생하여 소음과 진동이 발생하는 현상은?

① 노이즈　② 벤트포트
③ 캐비테이션　④ 오리피스

해설 공동현상(캐비테이션)은 유압이 진공에 가까워짐으로서 기포가 발생하며, 기포가 파괴되어 국부적인 고압이나 소음과 진동이 발생하고, 양정과 효율이 저하되는 현상이다.

30. 유압장치에 주로 사용하는 펌프형식이 아닌 것은?

① 베인 펌프　② 플런저 펌프
③ 분사펌프　④ 기어펌프

해설 유압펌프의 종류에는 기어펌프, 베인 펌프, 피스톤(플런저)펌프, 나사펌프, 트로코이드 펌프 등이 있다.

31. 다음 중 재해발생 원인이 아닌 것은?

① 잘못된 작업방법
② 관리감독 소홀
③ 방호장치의 기능제거
④ 작업 장치 회전반경 내 출입금지

32. 안전하게 공구를 취급하는 방법으로 적합하지 않은 것은?

① 공구를 사용한 후 제자리에 정리하여 둔다.
② 끝 부분이 예리한 공구 등을 주머니에 넣고 작업을 하여서는 안 된다.
③ 공구를 사용 전에 손잡이에 묻은 기름 등은 닦아내어야 한다.
④ 숙달이 되면 옆 작업자에게 공구를 던져서 전달하여 작업능률을 올린다.

33. 공구 및 장비 사용에 대한 설명으로 틀린 것은?

① 공구는 사용 후 공구상자에 넣어 보관한다.
② 볼트와 너트는 가능한 소켓렌치로 작업한다.
③ 토크렌치는 볼트와 너트를 푸는데 사용한다.
④ 마이크로미터를 보관할 때는 직사광선에 노출시키지 않는다.

34. 안전모에 대한 설명으로 바르지 못한 것은?

① 알맞은 규격으로 성능시험에 합격품이어야 한다.
② 구멍을 뚫어서 통풍이 잘되게 하여 착용한다.
③ 각종 위험으로부터 보호할 수 있는 종류의 안전모를 선택해야 한다.
④ 가볍고 성능이 우수하며 머리에 꼭 맞고 충격흡수성이 좋아야 한다.

35. 작업장에서 작업복을 착용하는 이유로 가장 옳은 것은?

① 작업장의 질서를 확립시키기 위해서
② 작업자의 직책과 직급을 알리기 위해서
③ 재해로부터 작업자의 몸을 보호하기 위해서
④ 작업자의 복장통일을 위해서

36. 중량물 운반작업 시 착용하여야 할 안전화로 가장 적절한 것은?

① 중 작업용　② 보통 작업용
③ 경 작업용　④ 절연용

해설 중량물 운반 작업을 할 때에는 중 작업용 안전화를 착용하여야 한다.

37. 작업 시 보안경 착용에 대한 설명으로 틀린 것은?

① 가스용접을 할 때는 보안경을 착용해야 한다.
② 절단하거나 깎는 작업을 할 때는 보안경을 착용해서는 안 된다.
③ 아크용접을 할 때는 보안경을 착용해야 한다.
④ 특수용접을 할 때는 보안경을 착용해야 한다.

38. 구동벨트를 점검할 때 기관의 상태는?

① 공회전 상태　② 급가속 상태
③ 정지 상태　④ 급감속 상태

정답 29.③ 30.③ 31.④ 32.④ 33.③ 34.② 35.③ 36.① 37.② 38.③

39. 사고를 일으킬 수 있는 직접적인 재해의 원인은?

① 기술적 원인
② 교육적 원인
③ 작업관리의 원인
④ 불안전한 행동의 원인

40. 안전수칙을 지킴으로 발생될 수 있는 효과로 가장 거리가 먼 것은?

① 기업의 신뢰도를 높여준다.
② 기업의 이직률이 감소된다.
③ 기업의 투자경비가 늘어난다.
④ 상하 동료 간의 인간관계가 개선된다.

41. 진동롤러에 대한 설명으로 틀린 것은?

① 롤러에 진동을 주어 다짐효과가 증가한다.
② 아스팔트 포장면의 기초 및 마무리 다짐에만 사용한다.
③ 롤러의 자중부족을 차륜 내의 기진기의 원심력으로 보충한다.
④ 동력전달계통은 기진계통과 주행계통을 갖추고 있다.

해설 진동롤러는 제방 및 도로 경사지 모서리 다짐에 사용되며, 또 흙·자갈 등의 다짐에 효과적이다.

42. 타이어 롤러의 주차 시 안전사항으로 틀린 것은?

① 가능한 평탄한 지면을 택한다.
② 부득이하게 경사지에 주차할 때는 경사지에 대하여 직각 주차한다.
③ 경사지에 주차하더라도 주차 제동장치만 체결하면 안전하다.
④ 주차할 때 깃발이나 점멸등과 같은 경고용 신호 장치를 설치한다.

해설 경사지에 주차할 때에는 주차 제동장치를 체결하고 바퀴에 고임목을 고여야 한다.

43. 로드 롤러의 동력 전달 순서가 바른 것은?

① 기관→클러치→차동장치→변속기→뒤 차축→뒤 차륜
② 기관→변속기→종감속장치→클러치→뒤 차축→뒤 차륜
③ 기관→클러치→차동장치→변속기→종감속장치→뒤 차축→뒤 차륜
④ 기관→클러치→변속기→감속기어→차동장치→최종감속기어→뒤 차륜

해설 로드롤러의 동력전달 순서는 기관→클러치→변속기→감속기어(역전기)→차동장치→최종감속기어→ 뒤 차륜이다.

44. 3륜의 철륜으로 구성되어 아스팔트 포장면의 초기다짐 장비로 사용되는 롤러는?

① 타이어 롤러　② 탬핑 롤러
③ 머캐덤 롤러　④ 진동롤러

해설 머캐덤 롤러는 앞바퀴 1개, 뒷바퀴가 2개인 것이며, 2개의 뒷바퀴로 구동을 하고 앞바퀴 1개로는 조향을 한다. 용도는 초기 다짐에 주로 사용되며, 자갈·모래 및 흙 등을 다지는데 매우 효과적이며 아스팔트 마지막 다짐에는 사용하지 못한다.

45. 타이어 롤러의 특징에 관한 설명으로 틀린 것은?

① 타이어는 내압변화가 적고 접지압 분포가 균일한 전용타이어를 사용한다.
② 다짐속도가 비교적 빠르다.
③ 보조기층 다짐높이는 약 50cm를 표준으로 하는 것이 바람직하다.
④ 타이어형 롤러의 차륜지지 방식은 고정식, 상호요동식, 독립지지식이 있다.

해설 펴는 흙의 두께는 다져진 상태의 두께이며, 일반적으로 노체, 축제에서 30cm, 노상은 20cm, 하층 노반은 10~15cm를 표준으로 한다.

정답 39.④ 40.③ 41.② 42.③ 43.④ 44.③ 45.③

46. 롤러의 엔진오일이 갖춰야 할 기능이 아닌 것은?

① 마모 방지성이 있어야 한다.
② 엔진의 배기가스 농도조정과 출력 증대 성분이 있어야 한다.
③ 마찰감소, 녹과 부식의 방지성이 있어야 한다.
④ 냉각성, 밀봉성, 기포발생 방지성이 있어야 한다.

해설 엔진오일은 마모 방지성, 마찰감소, 녹과 부식의 방지성, 냉각성, 밀봉성, 기포발생 방지성이 있어야 한다.

47. 롤러의 규격이 8-12톤이라고 표시될 때 이 규격의 의미는?

① 전륜 하중이 2톤이고 후륜 하중이 4톤이다.
② 전륜 하중이 2톤이고 전체 하중이 6톤이다.
③ 자중이 8톤이고 4톤의 부가하중(밸러스트)을 가중시킬 수 있다.
④ 전륜 하중이 12톤이고 후륜 하중이 8톤이다.

해설 롤러의 규격이 8-12톤이란 자체중량이 8톤이고 4톤의 부가하중(밸러스트)을 더 할 수 있다는 의미이다.

48. 롤러의 예방정비에 대한 설명 중 틀린 것은?

① 예기치 않은 고장이나 사고를 사전에 방지하기 위하여 행하는 정비이다.
② 예방정비를 실시할 때는 일정한 계획표를 작성 후 실시하는 것이 바람직하다.
③ 예방정비의 효과는 장비의 수명연장, 성능유지, 수리비 절감 등이 있다.
④ 예방정비는 정비사만 할 수 있다.

49. 머캐덤 롤러의 차동제한장치가 작용할 때는 언제인가?

① 변속을 할 때 ② 이동거리가 멀 때
③ 차륜이 슬립할 때 ④ 제동할 때

해설 차동제한장치는 머캐덤 롤러로 작업할 때 모래땅이나 연약한 지반에서 차륜의 슬립을 방지하여 작업 또는 직진성능을 주기 위하여 설치한다.

50. 브레이크 드럼의 구비조건 중 틀린 것은?

① 회전 불평형이 유지되어야 한다.
② 충분한 강성을 가지고 있어야 한다.
③ 방열이 잘되어야 한다.
④ 가벼워야 한다.

해설 브레이크 드럼이 갖추어야 할 조건
❶ 내마멸성이 커야 한다.
❷ 정적·동적 평형이 잡혀 있어야 한다.
❸ 가볍고 강도와 강성이 커야 한다.
❹ 방열(냉각)이 잘되어야 한다.

51. 롤러의 구분으로 틀린 것은?

① 쇄석 롤러 ② 머캐덤 롤러
③ 탠덤 롤러 ④ 탬핑 롤러

52. 아스팔트 다짐에 타이어 롤러를 사용하는 이유로 타당하지 않는 것은?

① 다짐 속도가 빠르기 때문이다.
② 균일한 밀도를 얻을 수 있기 때문이다.
③ 타이어 공기압을 이용하여 다짐력을 조정할 수 있기 때문이다.
④ 아스팔트가 타이어 롤러에 접착되기 때문이다.

해설 아스팔트 다짐에 타이어 롤러를 사용하는 이유는 다짐 속도가 빠르고, 균일한 밀도를 얻을 수 있으며, 타이어 공기압을 이용 접지압 조정이 용이하기 때문이다.

53. 롤러의 유압 실린더 적용으로 가장 적절한 것은?

① 방향 전환에 사용한다.
② 살수장치에 사용한다.
③ 메인클러치 차단에 사용한다.
④ 역전장치에 사용한다.

해설 롤러의 유압실린더는 방향을 전환하는데 사용된다.

54. 롤러의 시동 전 점검사항이 아닌 것은?

① 냉각수량 ② 연료량
③ 기관의 출력상태 ④ 작동유 누유 상태

정답 46.② 47.③ 48.④ 49.③ 50.① 51.① 52.④ 53.① 54.③

55. 자주식 진동롤러가 경사지를 내려올 때 안전한 방법은?

① 구동 타이어를 앞쪽으로 하고 내려온다.
② 드럼 롤러를 앞쪽으로 하고 내려온다.
③ 어느 쪽이나 상관없다.
④ 지그재그 방향으로 내려온다.

해설 진동롤러가 경사지를 내려올 때에는 구동 타이어를 앞쪽으로 하고 내려온다.

56. 롤러 작업 후 점검 및 관리사항이 아닌 것은?

① 깨끗하게 유지 관리할 것
② 부족한 연료량을 보충할 것
③ 작업 후 항상 모든 타이어를 로테이션 할 것
④ 볼트, 너트 등의 풀림 상태를 점검할 것

57. 도로의 성토, 하천제방, 어스 댐(earth dam) 등을 넓은 면적을 두꺼운 층으로 균일한 다짐을 요하는 경우 사용되는 롤러는?

① 탠덤 롤러 ② 머캐덤 롤러
③ 타이어 롤러 ④ 탬핑 롤러

해설 탬핑롤러는 강판제의 드럼 바깥둘레에 여러 개의 돌기(tamping toot)가 용접으로 고정되어 있어 흙을 다지는데 매우 효과적이므로 도로의 성토, 하천제방, 어스 댐(earth dam) 등을 넓은 면적을 두꺼운 층으로 균일한 다짐을 요하는 경우 사용된다.

58. 자주식 롤러에 해당되지 않는 것은?

① 피견인식 진동롤러 ② 머캐덤 롤러
③ 탠덤롤러 ④ 타이어식 롤러

59. 유압식 진동롤러의 동력전달 순서로 맞는 것은?

① 기관→유압펌프→유압제어장치→유압모터→차동기어장치→최종감속장치→바퀴
② 기관→유압펌프→유압제어장치→유압모터→최종감속장치→차동기어장치→바퀴
③ 기관→유압펌프→유압모터→유압제어장치→차동기어장치→최종감속장치→바퀴
④ 기관→유압펌프→유압모터→유압제어장치→최종감속장치→차동기어장치→바퀴

해설 유압식 진동롤러의 동력전달 순서는 기관→유압펌프→유압제어장치→유압모터→차동기어장치→최종감속장치→바퀴

60. 유성기어 장치의 주요부품으로 맞는 것은?

① 클러치기어, 유성기어, 링 기어, 유성캐리어
② 선 기어, 유성기어, 링 기어, 유성캐리어
③ 선 기어, 베벨기어, 링 기어, 유성캐리어
④ 클러치기어, 베벨기어, 링 기어, 유성캐리어

해설 유성기어 장치의 주요부품은 선 기어, 유성기어, 링 기어, 유성기어 캐리어이다.

정답 55.① 56.③ 57.④ 58.① 59.① 60.②

제 1 회 모의고사

자격종목 롤러운전기능사	시험시간 1시간	문제수 60	문제형별

• 정답 : 376쪽

01 디젤기관의 연소실은 열효율이 높은 구조이어야 하는데 잘못 설명된 것은?

① 압축비를 높인다.
② 연소실의 구조를 간단히 한다.
③ 열효율을 높이면 연료소비율도 증가한다.
④ 연소실 벽의 온도를 높인다.

해설 열효율을 높이면 연료소비율이 감소한다.

02 냉각장치에 대하여 설명한 것 중 틀린 것은?

① 냉각수 온도가 너무 낮으면 엔진의 운전 상태가 나빠진다.
② 각 장치 내부의 세척에는 가성소다를 섞은 물을 사용한다.
③ 엔진과열의 원인은 서머스탯의 고장으로 냉각수 순환이 빠른 경우이다.
④ 각 장치 내부에 물때가 끼면 엔진과열의 원인이 된다.

해설 엔진과열의 원인은 서머스탯의 고장으로 냉각수 순환이 느린 경우이다.

03 열기관이란 어떤 에너지를 어떤 에너지로 바꾸어 유효한 일을 할 수 있도록 한 기계인가?

① 열에너지를 기계적 에너지로
② 전기적 에너지를 기계적 에너지로
③ 위치 에너지를 기계적 에너지로
④ 기계적 에너지를 열에너지로

04 커먼레일 디젤기관의 연료압력센서(RPS)에 대한 설명 중 맞지 않는 것은?

① RPS의 신호를 받아 연료분사량을 조정하는 신호로 사용한다.
② RPS의 신호를 받아 연료 분사시기를 조정하는 신호로 사용한다.
③ 반도체 피에조 소자방식이다.
④ 이 센서가 고장이면 시동이 꺼진다.

해설 연료압력 센서(RPS)는 반도체 피에조 소자를 사용하며, 이 센서의 신호를 받아 컴퓨터는 연료분사량 및 분사시기 조정신호로 사용한다. 고장이 발생하면 림프 홈 모드(페일 세이프)로 진입하여 연료압력을 400bar로 고정시킨다.

05 디젤기관 연료라인에 공기빼기를 하여야 하는 경우가 아닌 것은?

① 예열이 안 되어 예열 플러그를 교환한 경우
② 연료호스나 파이프 등을 교환한 경우
③ 연료탱크 내의 연료가 결핍되어 보충한 경우
④ 연료필터의 교환, 분사펌프를 탈 · 부착한 경우

해설 연료라인의 공기빼기 작업은 연료탱크 내의 연료가 결핍되어 보충한 경우, 연료호스나 파이프 등을 교환한 경우, 연료필터의 교환, 분사펌프를 탈·부착한 경우 등에 한다.

06 냉각장치에서 냉각수의 비등점을 높이기 위한 장치는?

① 진공식 갭　　② 방열기
③ 압력식 캡　　④ 정온기

해설 냉각장치 내의 비등점(비점)을 높이고, 냉각범위를 넓히기 위하여 압력식 캡을 사용한다. 압력은 게이지 압력(대기압을 0으로 한 압력)으로 0.2~0.9kgf/㎠ 정도이며 이때 냉각수 비등점은 112℃ 정도이다.

07 **12V의 납축전지 셀에 대한 설명으로 맞는 것은?**

① 6개의 셀이 직렬로 접속되어 있다.
② 6개의 셀이 병렬로 접속되어 있다.
③ 6개의 셀이 직렬과 병렬로 혼용하여 접속되어 있다.
④ 3개의 셀이 직렬과 병렬로 혼용하여 접속되어 있다.

해설 12V 축전지는 2.1V의 셀(cell) 6개를 직렬로 접속된다.

08 **다음의 등화장치 설명 중 내용이 잘못된 것은?**

① 후진등은 변속기 시프트레버를 후진위치로 넣으면 점등된다.
② 방향지시등은 방향지시등의 신호가 운전석에서 확인되지 않아도 된다.
③ 번호등은 단독으로 점멸되는 회로가 있어서는 안 된다.
④ 제동등은 브레이크 페달을 밟았을 때 점등된다.

해설 방향지시등의 신호를 운전석에서 확인할 수 있는 파일럿램프가 설치되어 있다.

09 **기동전동기의 피니언을 기관의 링 기어에 물리게 하는 방법이 아닌 것은?**

① 피니언 섭동식　② 벤딕스식
③ 전기자 섭동식　④ 오버런링 클러치식

해설 기동전동기의 피니언을 엔진의 플라이휠 링 기어에 물리는 방식에는 벤딕스 방식, 피니언 섭동방식, 전기자 섭동방식 등이 있다.

10 **축전지가 낮은 충전율로 충전되는 이유가 아닌 것은?**

① 축전지의 노후
② 레귤레이터의 고장
③ 전해액 비중의 과다
④ 발전기의 고장

해설 **축전지가 충전되지 않는 원인**
❶ 레귤레이터(전압조정기)가 고장일 때
❷ 축전지 극판이 손상되었거나 노후 된 때
❸ 축전지 접지케이블의 접속이 이완되었을 때
❹ 축전지 본선(B+) 연결부분의 접속이 이완되었을 때
❺ 발전기가 고장 났을 때
❻ 전장부품에서 전기사용량이 많을 때

11 **국가비상사태하가 아닐 때 건설기계등록신청은 건설기계관리법령상 건설기계를 취득한 날로부터 얼마의 기간 이내에 하여야 되는가?**

① 5일　② 15일
③ 1월　④ 2월

12 **건설기계 조종 중 고의로 인명피해를 입힌 때 면허의 처분기준으로 옳은 것은?**

① 면허취소
② 면허효력 정지 15일
③ 면허효력 정지 30일
④ 면허효력 정지 45일

해설 **면허취소 사유**
❶ 면허정지 처분을 받은 자가 그 정지 기간 중에 건설기계를 조종한 때
❷ 거짓 또는 부정한 방법으로 건설기계의 면허를 받은 때
❸ 건설기계의 조종 중 고의로 인명피해(사망・중상・경상)를 입힌 때
❹ 술에 취한 상태에서 건설기계를 조종하다가 사람을 죽게 하거나 다치게 한 경우
❺ 정기적성검사를 받지 않거나 불합격한 경우
❻ 약물(마약, 대마 등의 환각물질)을 투여한 상태에서 건설기계를 조종한 때
❼ 술에 만취한 상태(혈중 알코올농도 0.08% 이상)에서 건설기계를 조종한 때
❽ 건설기계조종사면허증을 다른 사람에게 빌려 준 경우

13 **건설기계운전 면허의 효력정지 사유가 발생한 경우, 건설기계관리법상 효력정지 기간으로 옳은 것은?**

① 1년 이내　② 6월 이내
③ 5년 이내　④ 3년 이내

해설 건설기계운전 면허의 효력정지 사유가 발생한 경우, 건설기계관리법상 효력정지 기간은 1년 이내이다.

14 건설기계 소유자가 건설기계의 등록 전 일시적으로 운행할 수 없는 경우는?

① 등록신청을 하기 위하여 건설기계를 등록지로 운행하는 경우
② 신규등록검사 및 확인검사를 받기 위하여 검사장소로 운행하는 경우
③ 간단한 작업을 위하여 건설기계를 일시적으로 운행하는 경우
④ 신개발 건설기계를 시험·연구의 목적으로 운행하는 경우

해설 **임시운행 사유**
❶ 등록신청을 하기 위하여 건설기계를 등록지로 운행하는 경우
❷ 신규등록검사 및 확인검사를 받기 위하여 건설기계를 검사장소로 운행하는 경우
❸ 수출을 하기 위하여 건설기계를 선적지로 운행하는 경우
❹ 신개발 건설기계를 시험·연구의 목적으로 운행하는 경우
❺ 판매 또는 전시를 위하여 건설기계를 일시적으로 운행하는 경우

15 건설기계관리법령상 건설기계의 정의를 가장 올바르게 한 것은?

① 건설공사에 사용할 수 있는 기계로서 대통령령이 정하는 것을 말한다.
② 건설현장에서 운행하는 장비로서 대통령령이 정하는 것을 말한다.
③ 건설공사에 사용할 수 있는 기계로서 국토교통부령이 정하는 것을 말한다.
④ 건설현장에서 운행하는 장비로서 국토교통부령이 정하는 것을 말한다.

해설 건설기계라 함은 건설공사에 사용할 수 있는 기계로서 대통령령으로 정한 것이다.

16 건설기계 등록신청 시 첨부하지 않아도 되는 서류는?

① 호적등본
② 건설기계 소유자임을 증명하는 서류
③ 건설기계 제작증
④ 건설기계 제원표

17 건설기계관리법에 따라 최고주행속도 15km/h 미만의 타이어식 건설기계가 필히 갖추어야 할 조명장치가 아닌 것은?

① 전조등
② 후부반사기
③ 비상점멸 표시등
④ 제동등

해설 최고속도 15km/h 미만 타이어식 건설기계에 갖추어야 하는 조명장치는 전조등, 후부반사기, 제동등이다.

18 대형건설기계의 특별표지 중 경고표지판 부착 위치는?

① 작업인부가 쉽게 볼 수 있는 곳
② 조종실 내부의 조종사가 보기 쉬운 곳
③ 교통경찰이 쉽게 볼 수 있는 곳
④ 특별 번호판 옆

해설 경고표지판은 조종실 내부의 조종사가 보기 쉬운 곳에 부착한다.

19 과태료처분에 대하여 불복이 있는 자는 그 처분의 고지를 받은 날로부터 며칠 이내에 이의를 제기하여야 하는가?

① 5일 ② 10일
③ 20일 ④ 30일

해설 과태료처분에 대하여 불복이 있는 자는 그 처분의 고지를 받은 날로부터 30일 이내에 이의를 제기하여야 한다.

20 건설기계의 조종 중 과실로 사망 1명의 인명피해를 입힌 때 조종사면허 처분기준은?

① 면허취소
② 면허효력정지 60일
③ 면허효력정지 45일
④ 면허효력정지 30일

해설 **인명 피해에 따른 면허정지 기간**
❶ 사망 1명마다 : 면허효력정지 45일
❷ 중상 1명마다 : 면허효력정지 15일
❸ 경상 1명마다 : 면허효력정지 5일

21 **유압장치에서 기어모터에 대한 설명 중 잘못된 것은?**

① 내부 누설이 적어 효율이 높다.
② 구조가 간단하고 가격이 저렴하다.
③ 일반적으로 스퍼기어를 사용하나 헬리컬 기어도 사용한다.
④ 유압유에 이물질이 혼입되어도 고장발생이 적다.

해설 • **기어모터의 장점**
❶ 구조가 간단하고 가격이 싸다.
❷ 가혹한 운전조건에서 비교적 잘 견딘다.
❸ 먼지나 이물질에 의한 고장 발생률이 낮다.
❹ 먼지나 이물질이 많은 곳에서도 사용이 가능하다.
• **기어모터의 단점**
❶ 유량잔류가 많다. ❷ 토크변동이 크다.
❸ 수명이 짧다. ❹ 효율이 낮다.
❺ 소음과 진동이 크다.

22 **유압회로의 최고압력을 제어하는 밸브로서 회로의 압력을 일정하게 유지시키는 밸브는?**

① 감압밸브(reducing valve)
② 카운터밸런스 밸브(counter balancing valve)
③ 릴리프 밸브(relief valve)
④ 언로드 밸브(unload valve)

해설 릴리프 밸브는 유압장치 내의 압력을 일정하게 유지하고, 최고압력을 제한하며 회로를 보호하며, 과부하 방지와 유압기기의 보호를 위하여 최고 압력을 규제한다.

23 **난연성 작동유의 종류에 해당하지 않는 것은?**

① 석유계 작동유
② 유중수형 작동유
③ 물-글리콜형 작동유
④ 인산 에스텔형 작동유

해설 **난연성 작동유의 종류**
❶ 난연성 작동유에는 비함수계(내화성을 갖는 합성물)와 함수계가 있다.
❷ 비함수계의 작동유는 인산에스테르와 폴리올 에스테르가 있다.
❸ 함수계 작동유에는 수중유적형(O/W), 유중수적형(W/O), 물-글리콜계 등이 있다.

24 **일반적으로 캠(cam)으로 조작되는 유압밸브로써 액추에이터의 속도를 서서히 감속시키는 밸브는?**

① 디셀러레이션 밸브
② 카운터밸런스 밸브
③ 방향제어밸브
④ 프레필 밸브

해설 디셀러레이션 밸브는 캠(cam)으로 조작되는 유압밸브이며 액추에이터의 속도를 서서히 감속시킬 때 사용한다.

25 **일반적인 오일탱크의 구성품이 아닌 것은?**

① 스트레이너 ② 유압태핏
③ 드레인 플러그 ④ 배플 플레이트

해설 오일탱크는 유압펌프로 흡입되는 유압유를 여과하는 스트레이너, 탱크 내의 오일량을 표시하는 유면계, 유압유의 출렁거림을 방지하고 기포발생 방지 및 제거하는 배플 플레이트(격판) 유압유를 배출시킬 때 사용하는 드레인 플러그 등으로 구성된다.

26 **유압펌프의 기능을 설명한 것으로 가장 적합한 것은?**

① 유압회로 내의 압력을 측정하는 기구이다.
② 어큐뮬레이터와 동일한 기능을 한다.
③ 유압에너지를 동력으로 변환한다.
④ 원동기의 기계적 에너지를 유압에너지로 변환한다.

해설 유압펌프는 원동기의 기계적 에너지를 유압에너지로 변환한다.

27 **유압 작동유를 교환하고자 할 때 선택조건으로 가장 적합한 것은?**

① 유명 정유회사 제품
② 가장 가격이 비싼 유압 작동유
③ 제작사에서 해당 장비에 추천하는 유압 작동유
④ 시중에서 쉽게 구입할 수 있는 유압 작동유

28 보기에서 유압회로에 사용되는 제어밸브가 모두 나열된 것은?

보기
ㄱ. 압력제어밸브
ㄴ. 속도제어밸브
ㄷ. 유량제어밸브
ㄹ. 방향제어밸브

① ㄱ, ㄴ, ㄷ　　② ㄱ, ㄴ, ㄹ
③ ㄴ, ㄷ, ㄹ　　④ ㄱ, ㄷ, ㄹ

해설 제어밸브의 기능
❶ 압력제어 밸브 : 일의 크기 결정
❷ 유량제어 밸브 : 일의 속도 결정
❸ 방향제어 밸브 : 일의 방향결정

29 유압유의 유체에너지(압력, 속도)를 기계적인 일로 변환시키는 유압장치는?

① 유압펌프　　② 유압액추에이터
③ 어큐뮬레이터　　④ 유압밸브

해설 유압 액추에이터는 압력(유압)에너지를 기계적 에너지(일)로 바꾸는 장치이다.

30 유압장치에서 오일에 거품이 생기는 원인으로 가장 거리가 먼 것은?

① 오일탱크와 펌프사이에서 공기가 유입될 때
② 오일이 부족하여 공기가 일부 흡입되었을 때
③ 펌프 축 주위의 흡입측 실(seal)이 손상되었을 때
④ 유압유의 점도지수가 클 때

31 사고의 원인 중 불안전한 행동이 아닌 것은?

① 허가 없이 기계장치 운전
② 사용 중인 공구에 결함 발생
③ 작업 중 안전장치 기능 제거
④ 부적당한 속도로 기계장치 운전

32 안전표지의 색채 중에서 대피장소 또는 비상구의 표지에 사용되는 것으로 맞는 것은?

① 빨간색　　② 주황색
③ 녹색　　④ 청색

해설 대피장소 또는 비상구의 표지에 사용되는 색은 녹색이다.

33 작업장에서 지켜야 할 준수사항이 아닌 것은?

① 불필요한 행동을 삼가 할 것
② 작업장에서는 급히 뛰지 말 것
③ 대기 중인 차량에는 고임목을 고여 둘 것
④ 공구를 전달할 경우 시간절약을 위해 가볍게 던질 것

34 작업에 필요한 수공구의 보관방법으로 적합하지 않은 것은?

① 공구함을 준비하여 종류와 크기별로 보관한다.
② 사용한 공구는 파손된 부분 등의 점검 후 보관한다.
③ 사용한 수공구는 녹슬지 않도록 손잡이 부분에 오일을 발라 보관하도록 한다.
④ 날이 있거나 뾰족한 물건은 위험하므로 뚜껑을 씌워둔다.

35 벨트 전동장치에 내재된 위험적 요소로 의미가 다른 것은?

① 트랩(Trap)
② 충격(Impact)
③ 접촉(Contact)
④ 말림(Entanglement)

36 화재발생 시 연소조건이 아닌 것은?

① 점화원　　② 산소(공기)
③ 발화시기　　④ 가연성 물질

37 인간공학적 안전설정으로 페일세이프에 관한 설명 중 가장 적절한 것은?

① 안전도 검사방법을 말한다.
② 안전통제의 실패로 인하여 원상복귀가 가장 쉬운 사고의 결과를 말한다.
③ 안전사고 예방을 할 수 없는 물리적 불안전 조건과 불안전 인간의 행동을 말한다.
④ 인간 또는 기계에 과오나 동작상의 실패가 있어도 안전사고를 발생시키지 않도록 하는 통제책을 말한다.

해설 페일세이프란 인간 또는 기계에 과오나 동작상의 실패가 있어도 안전사고를 발생시키지 않도록 하는 통제방책이다.

38 일반적으로 연삭기에 부착해야 하는 안전방호장치는?

① 안전덮개
② 급발진장치
③ 양수조작식 방호장치
④ 광전식 안전방호장치

39 중량물 운반에 대한 설명으로 틀린 것은?

① 흔들리는 중량물은 사람이 붙잡아서 이동한다.
② 무거운 물건을 운반할 경우 주위사람에게 인지하게 한다.
③ 규정용량을 초과하여 운반하지 않는다.
④ 무거운 물건을 상승시킨 채 오랫동안 방치하지 않는다.

40 전기용접의 아크 빛으로 인해 눈이 혈안이 되고 눈이 붓는 경우가 있다
이럴 때 응급조치 사항으로 가장 적절한 것은?

① 안약을 넣고 계속 작업한다.
② 눈을 잠시 감고 안정을 취한다.
③ 소금물로 눈을 세정한 후 작업한다.
④ 냉습포를 눈 위에 올려놓고 안정을 취한다.

41 제동장치의 페이드 현상 방지책으로 틀린 것은?

① 드럼의 냉각성능을 크게 한다.
② 드럼은 열팽창률이 적은 재질을 사용한다.
③ 온도상승에 따른 마찰계수 변화가 큰 라이닝을 사용한다.
④ 드럼의 열팽창률이 적은 형상으로 한다.

해설 페이드 현상은 브레이크를 연속하여 자주 사용하면 브레이크 드럼이 과열되어, 마찰계수가 떨어지고 브레이크가 잘 듣지 않는 것으로 방지책은 ①,②,④항 이외에 온도상승에 따른 마찰계수 변화가 작은 라이닝을 사용한다.

42 사용압력에 따른 타이어의 분류에 속하지 않는 것은?

① 고압타이어　② 초고압타이어
③ 저압타이어　④ 초저압타이어

해설 사용압력에 따른 타이어의 분류에는 고압타이어, 저압타이어, 초저압타이어가 있다.

43 롤러의 성능과 능력을 나타내는 것이 아닌 것은?

① 선압, 윤하중
② 다짐폭, 접지압
③ 기진력, 윤거
④ 다짐폭, 기진력

해설 롤러의 성능과 능력은 선압, 윤하중, 다짐폭, 접지압, 기진력으로 나타낸다.

44 타이어 롤러의 규격 표시에서 8-12t 이라는 수치의 뜻으로 맞는 것은?

① 자중이 8톤이고, 밸러스트를 15톤까지 적재할 수 있다.
② 자중이 8톤, 밸러스트를 적재하여 중량을 12톤까지 증가시킬 수 있다.
③ 밸러스트를 8-12톤까지 적재할 수 있다.
④ 자중이 12톤이며 밸러스트를 8톤까지 적재할 수 있다.

45 머캐덤 롤러의 동력전달 순서는?

① 엔진 → 클러치 → 변속기 → 역전기 → 차동장치 → 뒤차축 → 뒤차륜
② 엔진 → 클러치 → 역전기 → 변속기 → 차동장치 → 종감속장치 → 뒤차축
③ 엔진 → 클러치 → 역전기 → 변속기 → 차동장치 → 뒤차축 → 뒤차륜
④ 엔진 → 클러치 → 변속기 → 역전기 → 차동장치 → 종감속장치 → 뒤차륜

해설 머캐덤 롤러의 동력전달 순서는 엔진 → 클러치 → 변속기 → 역전기 → 차동장치 → 종감속장치 → 뒤차륜이다.

46 머캐덤 롤러 운전 중 변속기 기어의 물림이 잘 빠지는 현상이 발생되었다. 점검할 필요가 없는 곳은?

① 차동록장치 ② 변속기어
③ 시프트 포크 ④ 시프트 축

47 로드롤러의 변속기에서 심한 잡음이 나는 원인이 아닌 것은?

① 오일펌프의 압력이 높을 때
② 윤활유가 부족할 때
③ 기어가 마모 및 손상되었을 때
④ 기어 샤프트 지지 베어링이 마모 및 손상되었을 때

해설 변속기에서 심한 잡음이 나는 원인은 윤활유가 부족할 때, 기어가 마모(백래시 과대) 및 손상되었을 때, 기어 샤프트 지지 베어링이 마모 및 손상되었을 때 등이다.

48 롤러의 종감속 장치에서 동력전달 방식이 아닌 것은?

① 평기어식 ② 베벨기어식
③ 체인구동식 ④ 벨트구동식

해설 종감속장치의 동력전달 방식에는 평기어식, 베벨기어식, 체인구동식 등이 있다.

49 삼륜롤러에 설치된 차동장치의 목적은?

① 커브 주행을 원활히 하기 위해
② 직진성 향상을 위해
③ 미끄럼 방지를 위해
④ 좌·우륜의 회전수를 같게 하기 위해

해설 삼륜롤러에 설치한 차동장치는 커브 주행을 원활히 하기 위함이다.

50 로드롤러에 부착되어있는 차동고정(differential lock)장치는 어떠한 때에 사용하는가?

① 다짐 속도를 높이고자 할 때
② 요철(凹凸)이 심한 노면을 다질 때
③ 모래나 진흙에 빠졌을 때
④ 경사면을 다질 때

해설 차동고정 장치(차동제한 장치)는 머캐덤 롤러로 작업할 때 모래땅이나 연약 지반에서 작업 또는 직진성능을 주기 위하여 설치한다.

51 일반적인 머캐덤 롤러의 전륜(앞바퀴)에 대한 설명으로 틀린 것은?

① 조향은 유압식이다.
② 전륜축은 베어링으로 지지한다.
③ 킹핀이 설치되어 있다.
④ 브레이크 장치가 설치되어 있다.

52 유압조향식 롤러에서 조향불능 원인으로 틀린 것은?

① 유압펌프 결함
② 유압호스 파손
③ 조향 유압실린더 결함
④ 밸러스트 불량

53 타이어 롤러에서 전축과 후축의 타이어수가 다른 이유는?

① 다짐 속도를 높이기 위하여
② 차체의 균형유지를 위하여
③ 노면을 일정하게 다지기 위하여
④ 차축의 진동을 방지하기 위하여

해설 타이어 롤러의 전축과 후축의 타이어수가 다른 이유는 노면을 일정하게 다지기 위함이다.

54 타이어 롤러의 구동체인의 조정은?

① 디프렌셜 기어 하우징의 조정 심으로 한다.
② 구동체인을 늘이거나 줄여서 한다.
③ 뒷바퀴 축이 구동하므로 조정하지 않는다.
④ 타이어의 공기압력을 조정하면 된다.

해설 타이어 롤러의 구동체인의 조정은 디프렌셜(차동)기어 하우징의 조정 심으로 한다.

55 유압구동식 롤러의 정유압 전도 장치에 해당하는 것은?

① 엔진-유압펌프-제어밸브
② 유압펌프-제어밸브-유압모터
③ 제어밸브-유압모터-차동장치
④ 유압모터-차종장치-종감속장치

56 롤러의 다짐 압력을 높이기 위해 사용하는 것은?

① 가열장치(예열장치)
② 전·후진기(역전장치)
③ 전압력(선압)
④ 부하하중(밸러스트)

해설 부하하중(밸러스트)은 롤러의 다짐 압력을 높이기 위해 롤 속에 폐유, 오일, 중유 등을 넣는 것이다.

57 롤러의 운전조작 중 맞지 않는 것은?

① 주차할 때 반드시 주차브레이크를 작동시킨다.
② 다짐작업은 대각선 방향으로 한다.
③ 클러치 조작은 반 클러치를 사용하지 않도록 한다.
④ 전·후진시의 변속은 정지시킨 다음에 한다.

해설 다짐작업은 직선방향으로 한다.

58 작업 전 점검사항으로 시동 전에 해야 할 내용과 관계없는 것은?

① 연료 및 오일의 누유 점검
② 타이어 손상 및 공기압 점검
③ 좌·우 차륜의 허브너트 체결점검
④ 이상소음 및 이상 진동점검

59 공사현장에서 작업의 안전수칙으로 틀린 것은?

① 급회전이나 급정지를 금한다.
② 장비 능력의 범위에서도 최대한 작업한다.
③ 장비의 예방정비를 철저히 한다.
④ 장비 본래의 용도 이외에 사용을 금한다.

60 진동롤러에 대한 설명으로 맞는 것은?

① 진동롤러의 기진 장치는 엔진의 폭발을 직접 이용하고 있다.
② 진동롤러는 기진 계통과 주행계통의 동력전달 계통을 갖추고 있다.
③ 진동롤러의 진동수가 높을수록 다짐 효과는 작다.
④ 진동롤러는 모두 자주식이다.

해설 진동롤러는 기진 계통과 주행계통의 동력전달 계통을 갖추고 있다.

제 2 회 모의고사

자격종목 롤러운전기능사	시험시간 1시간	문제수 60	문제형별

• 정답 : 376쪽

01 냉각장치에서 라디에이터의 구비조건으로 틀린 것은?

① 공기의 흐름 저항이 클 것
② 단위면적당 방열량이 클 것
③ 가볍고 강도가 클 것
④ 냉각수의 흐름 저항이 적을 것

해설 라디에이터의 구비조건
❶ 단위면적 당 방열량이 클 것
❷ 가볍고 작으며, 강도가 클 것
❸ 냉각수 흐름저항이 적을 것
❹ 공기 흐름저항이 적을 것

02 4행정 사이클 기관의 윤활방식 중 피스톤과 피스톤 핀까지 윤활유를 압송하여 윤활 하는 방식은?

① 전 압력식　　② 전 압송식
③ 전 비산식　　④ 압송 비산식

해설 전 압송식은 피스톤과 피스톤 핀까지 윤활유를 압송하여 윤활 하는 방식이다.

03 디젤기관 연료장치 내에 있는 공기를 배출하기 위하여 사용하는 펌프는?

① 연료펌프　　② 공기펌프
③ 인젝션 펌프　　④ 프라이밍 펌프

해설 프라이밍 펌프는 연료공급펌프에 설치되어 있으며, 분사펌프로 연료를 보내거나 연료계통의 공기를 배출할 때 사용한다.

04 디젤기관에서 직접분사식 장점이 아닌 것은?

① 연료소비량이 적다.
② 냉각손실이 적다.
③ 연료계통의 연료누출 염려가 적다.
④ 구조가 간단하여 열효율이 높다.

해설 직접분사식의 장점
❶ 실린더 헤드(연소실)의 구조가 간단하다.
❷ 열효율이 높고, 연료소비율이 작다.
❸ 연소실 체적에 대한 표면적 비율이 작아 냉각손실이 작다.
❹ 기관 시동이 쉽다.

05 실린더 헤드개스킷에 대한 구비조건으로 틀린 것은?

① 기밀유지가 좋을 것
② 내열성과 내압성이 있을 것
③ 복원성이 적을 것
④ 강도가 적당할 것

해설 헤드 개스킷의 구비조건
❶ 기밀유지 성능이 클 것
❷ 냉각수 및 기관오일이 새지 않을 것
❸ 내열성과 내압성이 클 것
❹ 복원성이 있고, 강도가 적당할 것

06 다음 디젤기관에서 과급기를 사용하는 이유로 맞지 않는 것은?

① 체적효율 증대　　② 냉각효율 증대
③ 출력증대　　④ 회전력 증대

해설 과급기(터보차저)는 흡기관과 배기관 사이에 설치되며, 배기가스로 구동된다. 기능은 배기량이 일정한 상태에서 연소실에 강압적으로 많은 공기를 공급하여 흡입효율을 높이고 기관의 출력과 토크를 증대시키기 위한 장치이다.

07 **납산 축전지의 전해액을 만들 때 황산과 증류수의 혼합방법에 대한 설명으로 틀린 것은?**

① 조금씩 혼합하며, 잘 저어서 냉각시킨다.
② 증류수에 황산을 부어 혼합한다.
③ 전기가 잘 통하는 금속제 용기를 사용하여 혼합한다.
④ 추운지방인 경우 온도가 표준온도일 때 비중이 1.280 되게 측정하면서 작업을 끝낸다.

해설 **전해액을 만드는 순서**
❶ 질그릇 등의 절연체인 용기를 준비한다.
❷ 증류수에 황산을 부어 혼합한다.
❸ 조금씩 혼합하며 잘 저어서 냉각시킨다.
❹ 전해액의 온도가 20℃일 때 1.280 되게 비중을 측정하면서 작업을 끝낸다.

08 **직류발전기와 비교했을 때 교류발전기의 특징으로 틀린 것은?**

① 전압조정기만 필요하다.
② 크기가 크고 무겁다.
③ 브러시 수명이 길다.
④ 저속 발전성능이 좋다.

해설 **교류발전기의 장점**
❶ 속도변화에 따른 적용 범위가 넓고 소형·경량이다.
❷ 저속에서도 충전 가능한 출력전압이 발생한다.
❸ 실리콘 다이오드로 정류하므로 전기적 용량이 크다.
❹ 브러시 수명이 길고, 전압조정기만 있으면 된다.
❺ 정류자를 두지 않아 풀리비를 크게 할 수 있다.
❻ 출력이 크고, 고속회전에 잘 견딘다.
❼ 실리콘 다이오드를 사용하기 때문에 정류특성이 좋다.

09 **좌우측 전조등 회로의 연결방법으로 옳은 것은?**

① 직렬연결 ② 단식 배선
③ 병열연결 ④ 직·병열연결

해설 전조등 회로는 병렬로 연결되어 있다.

10 **전기가 이동하지 않고 물질에 정지하고 있는 전기는?**

① 동전기 ② 정전기
③ 직류전기 ④ 교류 전기

해설 정전기란 전기가 이동하지 않고 물질에 정지하고 있는 전기이다.

11 **건설기계관리법령상 건설기계조종사 면허를 받지 아니하고 건설기계를 조종한 자에 대한 벌칙은?**

① 3년 이하의 징역 또는 3천만 원 이하의 벌금
② 2년 이하의 징역 또는 2천만 원 이하의 벌금
③ 1년 이하의 징역 또는 1천만 원 이하의 벌금
④ 1년 이하의 징역 또는 500만 원 이하의 벌금

해설 건설기계조종사면허를 받지 아니하고 건설기계를 조종한 자 : 1년 이하의 징역 또는 1천만 원 이하의 벌금

12 **건설기계소유자가 정비 업소에 건설기계정비를 의뢰한 후 정비업자로부터 정비완료통보를 받고 며칠이내에 찾아가지 않을 때 보관·관리비용을 지불하는가?**

① 5일 ② 10일
③ 15일 ④ 20일

해설 건설기계소유자가 정비 업소에 건설기계정비를 의뢰한 후 정비업자로부터 정비완료통보를 받고 5일 이내에 찾아가지 않을 때 보관·관리비용을 지불하여야 한다.

13 **건설기계관리법령상 정기검사 유효기간이 다른 건설기계는?**

① 덤프트럭
② 콘크리트믹서 트럭
③ 타워 크레인
④ 굴착기(타이어식)

해설 타워 크레인 : 6개월

14 **건설기계관리법령상 건설기계 형식신고를 하지 아니할 수 있는 사람은?**

① 건설기계를 사용목적으로 제작하려는 자
② 건설기계를 사용목적으로 조립하려는 자
③ 건설기계를 사용목적으로 수입하려는 자
④ 건설기계를 연구개발 목적으로 제작하려는 자

15 **건설기계관리법령상 자가용건설기계 등록번호표의 도색으로 옳은 것은?**

① 청색판에 백색문자
② 적색판에 흰색문자
③ 백색판에 황색문자
④ 녹색판에 흰색문자

해설 **등록번호표의 색칠기준**
❶ 자가용 건설기계 : 녹색 판에 흰색 문자
❷ 영업용 건설기계 : 주황색 판에 흰색 문자
❸ 관용 건설기계 : 백색 판에 검은색 문자
❹ 임시운행 번호표 : 흰색 페인트 판에 검은색 문자

16 **건설기계관리법령상 다음 설명에 해당하는 건설기계사업은?**

> 건설기계를 분해·조립 또는 수리하고 그 부분품을 가공제작·교체하는 등 건설기계를 원활하게 사용하기 위한 모든 행위를 업으로 하는 것

① 건설기계정비업 ② 건설기계제작업
③ 건설기계매매업 ④ 건설기계해체재활용업

17 **건설기계관리법령상 건설기계를 도로에 계속하여 방치하거나 정당한 사유 없이 타인의 토지에 방치한 자에 대한 벌칙은?**

① 2년 이하의 징역 또는 1천만 원 이하의 벌금
② 1년 이하의 징역 또는 1천만 원 이하의 벌금
③ 200만 원 이하의 벌금
④ 100만 원 이하의 벌금

해설 건설기계를 도로에 계속하여 방치하거나 정당한 사유 없이 타인의 토지에 방치한 자 : 1년 이하의 징역 또는 1천만 원 이하의 벌금

18 **건설기계관리법령상 자동차 1종 대형면허로 조종할 수 없는 건설기계는?**

① 5톤 굴착기 ② 노상안정기
③ 콘크리트펌프 ④ 아스팔트살포기

해설 제1종 대형 운전면허로 조종할 수 있는 건설기계는 덤프트럭, 아스팔트 살포기, 노상 안정기, 콘크리트 믹서트럭, 콘크리트 펌프, 트럭적재식 천공기 등이다.

19 **건설기계관리법령상 미등록 건설기계의 임시운행 사유에 해당되지 않는 것은?**

① 등록신청을 하기 위하여 건설기계를 등록지로 운행하는 경우
② 등록신청 전에 건설기계 공사를 하기 위하여 임시로 사용하는 경우
③ 수출을 하기 위하여 건설기계를 선적지로 운행하는 경우
④ 신개발 건설기계를 시험·연구의 목적으로 운행하는 경우

해설 **임시운행 사유**
❶ 등록신청을 하기 위하여 건설기계를 등록지로 운행하는 경우
❷ 신규등록검사 및 확인검사를 받기 위하여 건설기계를 검사장소로 운행하는 경우
❸ 수출을 하기 위하여 건설기계를 선적지로 운행하는 경우
❹ 신개발 건설기계를 시험·연구의 목적으로 운행하는 경우
❺ 판매 또는 전시를 위하여 건설기계를 일시적으로 운행하는 경우

20 **건설기계관리법령상 건설기계에 대하여 실시하는 검사가 아닌 것은?**

① 신규 등록검사 ② 예비검사
③ 구조변경검사 ④ 수시검사

해설 건설기계의 검사에는 신규 등록검사, 정기검사, 구조변경검사, 수시검사가 있다.

21 **유압 작동유의 점도가 너무 높을 때 발생되는 현상은?**

① 동력손실 증가 ② 내부누설 증가
③ 펌프효율 증가 ④ 내부마찰 감소

해설 **유압유의 점도가 너무 높으면**
❶ 유압이 높아지므로 유압유 누출은 감소한다.
❷ 유동저항이 커져 압력손실이 증가한다.
❸ 동력손실이 증가하여 기계효율이 감소한다.
❹ 내부마찰이 증가하고, 압력이 상승한다.
❺ 관내의 마찰손실과 동력손실이 커진다.
❻ 열 발생의 원인이 될 수 있다.

22 **유압장치의 오일탱크에서 펌프 흡입구의 설치에 대한 설명으로 틀린 것은?**

① 펌프 흡입구는 반드시 탱크 가장 밑면에 설치한다.
② 펌프 흡입구에는 스트레이너(오일여과기)를 설치한다.
③ 펌프 흡입구와 탱크로의 귀환구(복귀구) 사이에는 격리판(baffle plate)를 설치한다.
④ 펌프 흡입구는 탱크로의 귀환구(복귀구)로부터 될 수 있는 한 멀리 떨어진 위치에 설치한다.

해설 펌프 흡입구는 탱크 밑면과 어느 정도 공간을 두고 설치한다.

23 **유압 실린더의 종류에 해당하지 않는 것은?**

① 단동 실린더 ② 복동 실린더
③ 다단 실린더 ④ 회전 실린더

해설 유압실린더의 종류에는 단동실린더, 복동 실린더(싱글로드형과 더블로드형), 다단 실린더, 램형 실린더 등이 있다.

24 **유압모터의 특징 중 거리가 가장 먼 것은?**

① 소형으로 강력한 힘을 낼 수 있다.
② 과부하에 대해 안전하다.
③ 정·역회전 변화가 불가능하다.
④ 무단변속이 용이하다.

해설 유압모터는 소형으로 강력한 힘을 낼 수 있고, 과부하에 대해 안전하며, 정·역회전 변화가 가능하다. 또 무단변속이 용이하다.

25 **회로 내 유체의 흐름방향을 제어하는데 사용되는 밸브는?**

① 교축밸브 ② 셔틀밸브
③ 감압밸브 ④ 순차밸브

해설 방향제어 밸브의 종류에는 스풀밸브, 체크밸브, 디셀러레이션 밸브, 셔틀밸브 등이 있다.

26 **유압장치에 사용되고 있는 제어밸브가 아닌 것은?**

① 방향제어밸브 ② 유량제어밸브
③ 스프링제어밸브 ④ 압력제어밸브

해설 **제어밸브의 기능**
❶ 압력제어 밸브 : 일의 크기 결정
❷ 유량제어 밸브 : 일의 속도 결정
❸ 방향제어 밸브 : 일의 방향결정

27 **릴리프 밸브에서 볼이 밸브의 시트를 때려 소음을 발생시키는 현상은?**

① 채터링(chattering) 현상
② 베이퍼 록(vapor lock) 현상
③ 페이드(fade) 현상
④ 노킹(knocking) 현상

해설 채터링이란 릴리프 밸브에서 볼이 밸브의 시트를 때려 소음을 내는 진동현상이다.

28 **기어식 펌프의 특징이 아닌 것은?**

① 구조가 간단하다.
② 유압 작동유의 오염에 비교적 강한 편이다.
③ 플런저 펌프에 비해 효율이 떨어진다.
④ 가변용량형 펌프로 적당하다.

해설 기어펌프는 회전속도에 따라 흐름용량이 변화하는 정용량형이다. 특징은 구조가 간단하고, 작동유의 오염에 비교적 강한 편이며, 플런저 펌프에 비해 효율이 떨어진다.

29 그림의 유압 기호에서 "A" 부분이 나타내는 것은?

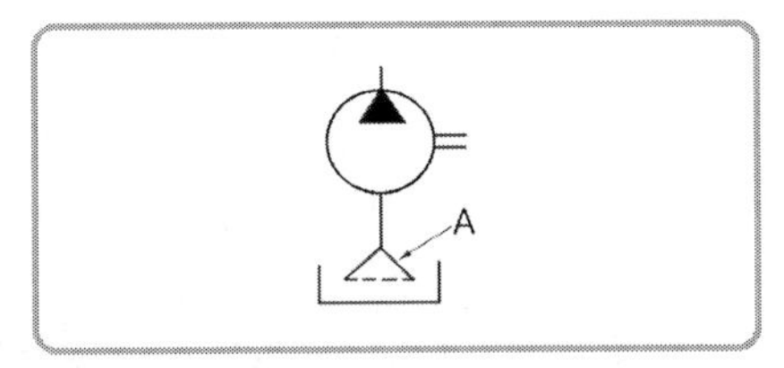

① 오일냉각기
② 스트레이너
③ 가변용량 유압펌프
④ 가변용량 유압모터

30 오일의 압력이 낮아지는 원인과 가장 거리가 먼 것은?

① 유압펌프의 성능이 불량할 때
② 오일의 점도가 높아졌을 때
③ 오일의 점도가 낮아졌을 때
④ 계통 내에서 누설이 있을 때

31 벨트 취급 시 안전에 대한 주의사항으로 틀린 것은?

① 벨트에 기름이 묻지 않도록 한다.
② 벨트의 적당한 유격을 유지하도록 한다.
③ 벨트교환 시 회전을 완전히 멈춘 상태에서 한다.
④ 벨트의 회전을 정지시킬 때 손으로 잡아 정지시킨다.

32 ILO(국제노동기구)의 구분에 의한 근로불능 상해의 종류 중 응급조치 상해는 며칠간 치료를 받은 다음부터 정상작업에 임할 수 있는 정도의 상해를 의미하는가?

① 1일 미만 ② 3~5일
③ 10일 미만 ④ 2주 미만

해설 응급조치 상해란 1일 미만의 치료를 받고 다음부터 정상작업에 임할 수 있는 정도의 상해이다.

33 다음 중 보호구를 선택할 때의 유의사항으로 틀린 것은?

① 작업행동에 방해되지 않을 것
② 사용목적에 구애받지 않을 것
③ 보호구 성능기준에 적합하고 보호성능이 보장될 것
④ 착용이 용이하고 크기 등 사용자에게 편리할 것

34 가스용기가 발생기와 분리되어 있는 아세틸렌 용접장치의 안전기 설치위치는?

① 발생기
② 가스용기
③ 발생기와 가스용기 사이
④ 용접토치와 가스용기 사이

해설 아세틸렌 용접장치의 안전기는 발생기와 가스용기 사이에 설치된다.

35 다음 중 산업재해 조사의 목적에 대한 설명으로 가장 적절한 것은?

① 적절한 예방대책을 수립하기 위하여
② 작업능률 향상과 근로기강 확립을 위하여
③ 재해발생에 대한 통계를 작성하기 위하여
④ 재해를 유발한 자의 책임을 추궁하기 위하여

36 산업안전보건법령상 안전보건표지의 종류 중 다음 그림에 해당하는 것은?

① 산화성물질경고
② 인화성물질경고
③ 폭발성물질경고
④ 급성독성물질경고

37 다음 중 가열, 마찰, 충격 또는 다른 화학물질과의 접촉 등으로 인하여 산소나 산화재 등의 공급이 없더라도 폭발 등 격렬한 반응을 일으킬 수 있는 물질이 아닌 것은?

① 질산에스테르류
② 니트로 화합물
③ 무기화합물
④ 니트로소 화합물

해설 가열, 마찰, 충격 또는 다른 화학물질과의 접촉 등으로 인하여 산소나 산화재 등의 공급이 없더라도 폭발 등 격렬한 반응을 일으킬 수 있는 물질에는 질산에스테르류, 유기과산화물, 니트로화합물, 니트로소화합물, 아조화합물, 디아조화합물, 히드라진 유도체, 히드록실아민, 히드록실아민 염류 등이 있다.

38 기계설비의 위험성 중 접선물림점(tangential point)과 가장 관련이 적은 것은?

① V벨트　② 커플링
③ 체인벨트　④ 기어와 랙

39 작업장에서 전기가 예고 없이 정전되었을 경우 전기로 작동하던 기계기구의 조치방법 으로 가장 적합하지 않은 것은?

① 즉시 스위치를 끈다.
② 안전을 위해 작업장을 정리해 놓는다.
③ 퓨즈의 단락 유무를 검사한다.
④ 전기가 들어오는 것을 알기 위해 스위치를 켜 둔다.

40 연삭기의 안전한 사용방법으로 틀린 것은?

① 숫돌 측면 사용제한
② 숫돌덮개 설치 후 작업
③ 보안경과 방진마스크 작용
④ 숫돌과 받침대 간격을 가능한 넓게 유지

해설 연삭기의 워크레스트(숫돌 받침대)와 숫돌과의 틈새는 2~3mm 이내로 조정한다.

41 추진축의 각도변화를 가능하게 하는 이음은?

① 자재이음　② 슬립이음
③ 플랜지 이음　④ 등속이음

해설 자재이음(유니버설 조인트)은 변속기와 종 감속기어 사이(추진축)의 구동각도 변화를 가능하게 한다.

42 타이어 롤러에서 전압은 무엇으로 조정하는가?

① 타이어의 자중
② 다짐속도와 밸러스트(Ballast)
③ 밸러스트와 타이어 공기압
④ 다짐속도와 타이어 공기압

해설 타이어 롤러에서 전압은 밸러스트와 타이어 공기압으로 조정한다.

43 앞바퀴 정렬 요소 중 캠버의 필요성에 대한 설명으로 틀린 것은?

① 앞차축의 휨을 적게 한다.
② 조향 휠의 조작을 가볍게 한다.
③ 조향 시 바퀴의 복원력이 발생한다.
④ 토(Toe)와 관련성이 있다.

해설 캠버의 필요성
❶ 앞차축의 휨을 적게 한다.
❷ 조향 휠(핸들)의 조작을 가볍게 한다.
❸ 토(Toe)와 관련성이 있다.

44 롤러의 다짐 작업방법으로 틀린 것은?

① 소정의 접지압력을 받을 수 있도록 부하하중을 증감한다.
② 다짐 작업 시 정지시간은 길게 한다.
③ 다짐 작업 시 급격한 조향은 하지 않는다.
④ 1/2씩 중첩 다짐을 한다.

해설 다짐 작업을 할 때 같은 위치에 정지하지 않도록 하고 정지시간은 짧게 한다.

45 롤러의 운전 중 점검사항이 아닌 것은?

① 냉각수 온도　② 유압오일 온도
③ 엔진 회전수　④ 배터리 전해액

46 롤러의 하체 구성부품에서 마모가 증가되는 원인이 아닌 것은?

① 부품끼리 접촉이 증가할 때
② 부품끼리 상대운동이 증가할 때
③ 부품에 윤활막이 유지될 때
④ 부품에 부하가 가해졌을 때

해설 부품에 윤활막이 유지되지 않으면 구성부품의 마모가 증가한다.

47 롤러의 운전조작 중 맞지 않는 것은?

① 주차할 때 반드시 주차브레이크를 작동시킨다.
② 다짐작업은 대각선 방향으로 한다.
③ 클러치 조작은 반 클러치를 사용하지 않도록 한다.
④ 전·후진시의 변속은 정지시킨 다음에 한다.

해설 다짐작업은 직선방향으로 한다.

48 롤러의 유압실린더 작용은?

① 메인클러치 차단 및 연결
② 역전장치에 사용
③ 살수장치에 사용
④ 방향을 전환한다.

해설 롤러의 유압실린더는 방향을 전환하는데 사용된다.

49 유압 구동식 롤러의 특징으로 틀린 것은?

① 동력의 단절과 연결, 가속이 원활하다.
② 전진 후진의 교체, 변속 등을 한 개의 레버로 변환이 가능하다.
③ 부하에 관계없이 속도조절이 된다.
④ 작동유 관리가 불필요하다.

50 2륜 철륜롤러에서 안내륜과 연결되어 있는 요크의 주유는?

① 유압오일을 주유한다.
② 그리스를 주유한다.
③ 주유할 필요가 없다.
④ 기어오일을 주유한다.

해설 2륜 철륜롤러의 안내륜과 연결되어 있는 요크에는 그리스를 주유 한다.

51 진동롤러에 있어서 기진력의 크기를 결정하는 요소가 아닌 것은?

① 편심추의 강도 ② 편심추의 회전수
③ 편심추의 무게 ④ 편심추의 편심량

해설 진동롤러의 기진력의 크기를 결정하는 요소에는 편심추의 회전수, 편심추의 무게, 편심추의 편심량 등이 있다.

52 타이어 롤러에서 전축과 후축의 타이어수가 다른 이유는?

① 다짐 속도를 높이기 위하여
② 차체의 균형유지를 위하여
③ 노면을 일정하게 다지기 위하여
④ 차축의 진동을 방지하기 위하여

해설 타이어 롤러의 전축과 후축의 타이어수가 다른 이유는 노면을 일정하게 다지기 위함이다.

53 주로 피견인식으로 사용되며 드럼에 피트가 설치되어 모래나 돌조각보다 퍼석퍼석한 지반의 기초 다짐에 주로 사용되는 롤러는?

① 진동롤러 ② 탬핑롤러
③ 머캐덤 롤러 ④ 자주식 롤러

해설 탬핑롤러는 2축 또는 3축에 철재 바퀴를 앞뒤 직렬로 배열한 것으로 아스팔트 포장면의 기초 및 마무리 다짐 작업과 퍼석퍼석한 지반의 기초 다짐에 주로 사용된다.

54 머캐덤(macadam)롤러 작업 시 모래땅이나 연약 지반에서 작업 또는 직진성을 주기 위하여 설치된 장치는?

① 트랜스미션(transmission)록 장치
② 파이널드라이브 유성기어 장치
③ 전·후진 변속 저·고속 장치
④ 차동고정 장치

해설 차동고정 장치(차동제한장치)는 작업할 때 모래땅이나 연약 지반에서 작업 또는 직진성능을 주기 위하여 설치한다.

55 롤러의 변속기어가 작동 불량일 때 점검할 필요가 없는 것은?

① 변속기 케이스의 오일 점검
② 변속레버의 유격점검
③ 차동제한장치의 점검
④ 기어 지지부의 베어링 상태점검

56 롤러의 규격이 8-12톤이라고 표시될 때 이 규격의 의미는?

① 전륜 하중이 8톤이고 후륜 하중이 12톤이다.
② 전륜 하중이 8톤이고 전체 하중이 12톤이다.
③ 자중이 8톤이고 4톤의 부가하중(밸러스트)을 가중시킬 수 있다.
④ 전륜 하중이 12톤이고 후륜 하중이 8톤이다.

해설 롤러의 규격이 8-12톤이란 자체중량이 8톤이고 4톤의 부가하중(밸러스트)을 더 할 수 있다는 의미이다.

57 머캐덤 롤러 변속기의 부품이 아닌 것은?

① 시프트포크
② 시프트 축
③ 변속기어
④ 차동기어 록 장치

58 유압식 주행 장치 진동롤러의 동력전달 순서가 맞는 것은?

① 기관-유압모터-유압펌프-제어장치-차동장치-종감속장치-차륜
② 기관-유압펌프-제어장치-유압모터-차동장치-종감속장치-차륜
③ 기관-유압모터-제어장치-유압펌프-종감속장치-차동장치-차륜
④ 기관-유압펌프-유압모터-제어장치-종감속장치-차동장치-차륜

해설 유압식 주행 장치 진동롤러의 동력전달 순서는 기관 – 유압펌프 – 제어장치 – 유압모터 – 차동장치 – 종감속장치 – 차륜

59 롤러의 성능과 능력을 나타내는 것이 아닌 것은?

① 선압, 윤하중
② 다짐폭, 접지압
③ 기진력, 윤거
④ 다짐폭, 기진력

해설 롤러의 성능과 능력은 선압, 윤하중, 다짐폭, 접지압, 기진력으로 나타낸다.

60 자주식 롤러에 해당되지 않는 것은?

① 타이어식 롤러
② 피견인식 진동롤러
③ 머캐덤 롤러
④ 탠덤롤러

제 3 회 모의고사

자격종목 롤러운전기능사	시험시간 1시간	문제수 60	문제형별

• 정답 : 376쪽

01 2행정 사이클 기관에만 해당되는 과정(행정)은?

① 흡입 ② 압축
③ 동력 ④ 소기

해설 소기행정이란 잔류 배기가스를 내보내고 새로운 공기를 실린더 내에 공급하는 것이며, 2행정 사이클 기관에만 해당되는 과정(행정)이다.

02 윤활유의 구비조건으로 틀린 것은?

① 청정성이 있을 것
② 적당한 점도를 가질 것
③ 인화점 및 발화점이 높을 것
④ 응고점이 높고 유막이 적당할 것

해설 윤활유의 구비조건
❶ 점도지수가 커 온도와 점도와의 관계가 적당할 것
❷ 인화점 및 자연발화점이 높을 것
❸ 강인한 오일 막(유막)을 형성할 것
❹ 응고점이 낮을 것
❺ 비중과 점도가 적당할 것
❻ 기포발생 및 카본생성에 대한 저항력이 클 것

03 엔진 내부의 연소를 통해 일어나는 열에너지가 기계적 에너지로 바뀌면서 뜨거워진 엔진을 물로 냉각하는 방식으로 옳은 것은?

① 수냉식 ② 공랭식
③ 유냉식 ④ 가스 순환식

04 연료탱크의 연료를 분사펌프 저압부까지 공급하는 것은?

① 연료공급 펌프 ② 연료분사 펌프
③ 인젝션 펌프 ④ 로터리 펌프

해설 연료 공급펌프는 연료탱크 내의 연료를 연료여과기를 거쳐 분사펌프의 저압부분으로 공급한다.

05 기관의 실린더 블록(cylinder block)과 헤드(head)사이에 끼워져 기밀을 유지시키는 것은?

① 오일 링(oil ring)
② 헤드 개스킷(head gasket)
③ 피스톤 링(piston ring)
④ 물재킷(water jacket)

해설 헤드 개스킷은 실린더 헤드와 블록사이에 삽입하여 압축과 폭발가스의 기밀을 유지하고 냉각수와 엔진오일이 누출되는 것을 방지한다.

06 디젤기관이 가솔린 기관보다 압축비가 높은 이유는?

① 연료의 무화를 정확하게 하기 위하여
② 기관 과열과 진동을 적게 하기 위하여
③ 공기의 압축열로 착화시키기 위하여
④ 연료의 분사를 높게 하기 위하여

해설 디젤기관의 압축비가 높은 이유는 공기의 압축열로 자기 착화시키기 위함이다.

07 AC발전기의 출력은 무엇을 변화시켜 조정하는가?

① 축전지 전압
② 발전기의 회전속도
③ 로터 전류
④ 스테이터 전류

해설 AC 발전기의 출력은 로터 전류를 변화시켜 조정한다.

08 건설기계의 전기회로의 보호 장치로 맞는 것은?

① 안전밸브 ② 퓨저블 링크
③ 캠버 ④ 턴 시그널 램프

해설 퓨저블 링크(fusible link)는 전기회로를 보호하는 도체 크기의 작은 전선으로 회로에 삽입되어 있으며, 회로 단락되었을 때 용단되어 전원 및 회로를 보호하는 것으로서, 몇 장의 가는 전선을 특수한 피복물(하이바론 등)로 감싸고 있다.

09 납산축전지의 양극 단자를 구분하는 설명으로 옳은 것은?

① 음극보다 작다.
② 표시하는 색상이 회색이다.
③ Neg라 표시되어 있다.
④ 음극보다 약간 굵다.

해설 양극단자(+)는 음극단자(−)보다 약간 굵다.

10 축전지의 자기 방전량 설명으로 적합하지 않은 것은?

① 전해액의 온도가 높을수록 자기 방전량은 작아진다.
② 전해액의 비중이 높을수록 자기 방전량은 크다.
③ 날짜가 경과할수록 자기 방전량은 많아진다.
④ 충전 후 시간의 경과에 따라 자기 방전량의 비율은 점차 낮아진다.

해설 자기 방전량은 전해액의 온도가 높을수록 커진다.

11 건설기계관리법의 입법 목적에 해당되지 않는 것은?

① 건설기계의 효율적인 관리를 하기 위함
② 건설기계 안전도 확보를 위함
③ 건설기계의 규제 및 통제를 하기 위함
④ 건설공사의 기계화를 촉진함

해설 건설기계 관리법의 목적은 건설기계의 등록·검사·형식승인 및 건설기계사업과 건설기계조종사면허 등에 관한 사항을 정하여 건설기계를 효율적으로 관리하고 건설기계의 안전도를 확보하여 건설공사의 기계화를 촉진함을 목적으로 한다.

12 건설기계 조종사 면허에 관한 사항으로 틀린 것은?

① 자동차운전면허로 운전할 수 있는 건설기계도 있다.
② 면허를 받고자 하는 자는 국공립병원, 시·도지사가 지정하는 의료기관의 적성검사에 합격하여야 한다.
③ 특수건설기계 조종은 국토교통부장관이 지정하는 면허를 소지하여야 한다.
④ 특수건설기계 조종은 특수조종면허를 받아야 한다.

13 자동차 1종 대형면허로 조종할 수 없는 건설기계는?

① 아스팔트 살포기
② 무한궤도식 천공기
③ 콘크리트 펌프
④ 덤프트럭

해설 제1종 대형 운전면허로 조종할 수 있는 건설기계는 덤프트럭, 아스팔트 살포기, 노상 안정기, 콘크리트 믹서트럭, 콘크리트 펌프, 트럭적재식 천공기 등이다.

14 등록되지 아니하거나 등록 말소된 건설기계를 사용한 자에 대한 벌칙은?

① 100만 원 이하 벌금
② 300만 원 이하 벌금
③ 1년 이하 징역 또는 1000만 원 이하 벌금
④ 2년 이하 징역 또는 2000만 원 이하 벌금

해설 **2년 이하의 징역 또는 2천만 원 이하의 벌금에 해당하는 경우**

❶ 등록되지 아니한 건설기계를 사용하거나 운행한 자
❷ 등록이 말소된 건설기계를 사용하거나 운행한 자
❸ 시·도지사의 지정을 받지 아니하고 등록번호표를 제작하거나 등록번호를 새긴 자
❹ 등록을 하지 아니하고 건설기계사업을 하거나 거짓으로 등록을 한 자
❺ 등록이 취소되거나 사업의 전부 또는 일부가 정지된 건설기계사업자로서 계속하여 건설기계 사업을 한 자

15 롤러의 기종별 기호 표시로 옳은 것은?

① 09　　② 02
③ 03　　④ 04

해설 02 : 굴착기, 03 : 로더, 04 : 지게차

16 고의 또는 과실로 가스공급시설을 손괴하거나 기능에 장애를 입혀 가스의 공급을 방해한 때의 건설기계조종사 면허효력정지기간은?

① 240일　　② 180일
③ 90일　　④ 45일

해설 건설기계를 조종 중에 고의 또는 과실로 가스공급시설을 손괴한 경우 면허효력정지 180일이다.

17 시도지사가 건설기계등록을 말소할 때에 건설기계 등록원부 보존 년수는?

① 건설기계의 등록을 말소한 날부터 1년간
② 건설기계의 등록을 말소한 날부터 3년간
③ 건설기계의 등록을 말소한 날부터 5년간
④ 건설기계의 등록을 말소한 날부터 10년간

해설 건설기계 등록원부는 건설기계의 등록을 말소한 날부터 10년간 보존하여야 한다.

18 건설기계 매매업의 등록을 하고자 하는 자의 구비서류로 맞는 것은?

① 건설기계 매매업 등록필증
② 건설기계보험증서
③ 건설기계등록증
④ 5천만 원 이상의 하자보증금예치증서 또는 보증보험증서

해설 **매매업의 등록을 하고자 하는 자의 구비서류**

❶ 사무실의 소유권 또는 사용권이 있음을 증명하는 서류
❷ 주기장소재지를 관할하는 시장·군수·구청장이 발급한 주기장시설보유 확인서
❸ 5천만 원 이상의 하자보증금예치증서 또는 보증보험증서

19 건설기계 조종사가 시장군수 또는 구청장에게 변경신고를 하여야 하는 경우는?

① 근무처의 변경
② 서울특별시 구역 안에서의 주소의 변경
③ 부산광역시 구역 안에서의 주소의 변경
④ 성명의 변경

20 신개발 건설기계의 시험연구목적 운행을 제외한 건설기계의 임시운행 기간은 며칠 이내인가?

① 5일　　② 10일
③ 15일　　④ 20일

해설 신개발 건설기계의 시험·연구목적 운행을 제외한 건설기계의 임시운행 기간은 15일 이내 이다.

21 일반적인 유압시스템에서 유압유 제어 기능이 아닌 것은?

① 온도제어　　② 유량제어
③ 방향제어　　④ 압력제어

해설 **제어밸브의 기능**

❶ 압력제어 밸브 : 일의 크기 결정
❷ 유량제어 밸브 : 일의 속도 결정
❸ 방향제어 밸브 : 일의 방향결정

22 다음 보기 중 유압 오일탱크의 기능으로 모두 맞는 것은?

보기

ㄱ. 계통 내의 필요한 유량확보
ㄴ. 격판에 의한 기포분리 및 제거
ㄷ. 계통 내의 필요한 압력설정
ㄹ. 스트레이너 설치로 회로 내 불순물 혼입 방지

① ㄱ, ㄴ, ㄷ　　② ㄱ, ㄴ, ㄹ
③ ㄴ, ㄷ, ㄹ　　④ ㄱ, ㄷ, ㄹ

해설 **오일탱크의 기능**

❶ 계통 내의 필요한 유량을 확보(오일의 저장)한다.
❷ 격판(배플)에 의한 기포발생 방지 및 제거한다.
❸ 격판을 설치하여 오일의 출렁거림을 방지한다.
❹ 스트레이너 설치로 회로 내 불순물 혼입을 방지한다.
❺ 탱크 외벽의 방열에 의한 적정온도를 유지한다.
❻ 유압유 수명을 연장하는 역할을 한다.
❼ 유압유 중의 이물질을 분리한다.

23 가스형 축압기(어큐뮬레이터)에 가장 널리 이용되는 가스는?

① 질소 ② 수소
③ 아르곤 ④ 산소

해설 가스형 축압기에는 질소가스를 주입한다.

24 유압오일에서 온도에 따른 점도변화 정도를 표시하는 것은?

① 점도분포 ② 관성력
③ 점도지수 ④ 윤활성

해설 점도지수는 유압유가 온도에 따른 점도변화 정도를 표시하는 것이다.

25 유압모터의 종류에 해당하지 않는 것은?

① 기어 모터 ② 베인 모터
③ 플런저 모터 ④ 직권형 모터

해설 유압모터의 종류에는 기어 모터, 베인 모터, 플런저 모터 등이 있다.

26 일반적으로 건설기계의 유압펌프는 무엇에 의해 구동되는가?

① 엔진의 플라이휠에 의해 구동된다.
② 엔진의 캠축에 의해 구동된다.
③ 전동기에 의해 구동된다.
④ 에어 컴프레셔에 의해 구동된다.

해설 건설기계의 유압펌프는 엔진의 플라이휠에 의해 구동된다.

27 유압회로에서 어떤 부분회로의 압력을 주회로의 압력보다 저압으로 해서 사용하고자 할 때 사용하는 밸브는?

① 릴리프 밸브 ② 리듀싱 밸브
③ 체크밸브 ④ 카운터밸런스 밸브

해설 감압(리듀싱)밸브는 회로일부의 압력을 릴리프 밸브의 설정압력(메인 유압) 이하로 하고 싶을 때 사용하며 입구(1차 쪽)의 주 회로에서 출구(2차 쪽)의 감압회로로 유압유가 흐른다. 상시 개방상태로 되어 있다가 출구(2차 쪽)의 압력이 감압밸브의 설정압력보다 높아지면 밸브가 작용하여 유로를 닫는다.

28 유압 작동유의 구비조건이 아닌 것은?

① 휘발성이 좋을 것
② 윤활성이 좋을 것
③ 비압축성일 것
④ 유동성이 좋을 것

29 단동 실린더의 기호 표시로 맞는 것은?

① 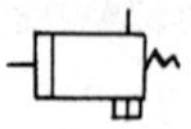
② 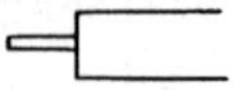
③ 
④

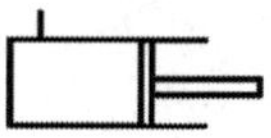

30 유압회로에 사용되는 제어밸브의 역할과 종류의 연결사항으로 틀린 것은?

① 일의 크기 제어 : 압력제어밸브
② 일의 속도 제어 : 유량조절밸브
③ 일의 방향 제어 : 방향전환밸브
④ 일의 시간 제어 : 속도제어밸브

해설 제어밸브의 기능
❶ 압력제어 밸브 : 일의 크기 결정
❷ 유량제어 밸브 : 일의 속도 결정
❸ 방향제어 밸브 : 일의 방향결정

31 해머 사용 시의 주의사항이 아닌 것은?

① 쐐기를 박아서 자루가 단단한 것을 사용한다.
② 기름 묻은 손으로 자루를 잡지 않는다.
③ 타격면이 닳아 경사진 것은 사용하지 않는다.
④ 처음에는 크게 휘두르고 차차 작게 휘두른다.

32 건설기계에 비치할 가장 적합한 종류의 소화기는?

① A급 화재소화기 ② 포말B소화기
③ ABC소화기 ④ 포말소화기

33 **볼트머리나 너트의 크기가 명확하지 않을 때나 가볍게 조이고 풀 때 사용하며 크기는 전체 길이로 표시하는 렌치는?**

① 소켓 렌치 ② 조정 렌치
③ 복스 렌치 ④ 파이프 렌치

해설 조정 렌치는 볼트머리나 너트의 크기가 명확하지 않을 때나 가볍게 조이고 풀 때 사용하며 크기는 전체 길이로 표시한다.

34 **정비작업 시 안전에 가장 위배되는 것은?**

① 깨끗하고 먼지가 없는 작업환경을 조정한다.
② 회전 부분에 옷이나 손이 닿지 않도록 한다.
③ 연료를 채운 상태에서 연료통을 용접한다.
④ 가연성 물질을 취급 시 소화기를 준비한다.

35 **다음 중 기계작업 시 적절한 안전거리를 가장 크게 유지해야 하는 것은?**

① 프레스 ② 선반
③ 절단기 ④ 전동 띠톱 기계

36 **구급처치 중에서 환자의 상태를 확인하는 사항과 가장 거리가 먼 것은?**

① 의식 ② 상처
③ 출혈 ④ 격리

37 **공장에서 엔진 등 중량물을 이동하려고 한다. 가장 좋은 방법은?**

① 여러 사람이 들고 조용히 움직인다.
② 체인블록이나 호이스트를 사용한다.
③ 로프로 묶어 인력으로 당긴다.
④ 지렛대를 이용하여 움직인다.

38 **화재의 분류가 옳게 된 것은?**

① A급 화재 : 일반 가연물 화재
② B급 화재 : 금속 화재
③ C급 화재 : 유류 화재
④ D급 화재 : 전기 화재

해설 **화재의 분류**
❶ A급 화재 : 나무, 석탄 등 연소 후 재를 남기는 일반적인 화재
❷ B급 화재 : 휘발유, 벤젠 등 유류화재
❸ C급 화재 : 전기화재
❹ D급 화재 : 금속화재

39 **안전·보건표지 종류와 형태에서 그림의 안전표지판이 나타내는 것은?**

① 병원표지 ② 비상구 표지
③ 녹십자 표지 ④ 안전지대 표지

40 **중량물을 들어 올리거나 내릴 때 손이나 발이 중량물과 지면 등에 끼어 발생하는 재해는?**

① 낙하 ② 충돌
③ 전도 ④ 협착

41 **유압식 조향장치의 핸들 조작이 무거운 원인으로 틀린 것은?**

① 유압이 낮다.
② 오일이 부족하다.
③ 유압 계통에 공기가 혼입되었다.
④ 펌프의 회전이 빠르다.

해설 **동력조향 핸들의 조작이 무거운 원인**
❶ 유압 계통 내에 공기가 유입되었다.
❷ 타이어의 공기압력이 너무 낮다.
❸ 오일이 부족하거나 유압이 낮다.
❹ 오일펌프의 회전속도가 느리다.
❺ 오일펌프의 벨트가 파손되었다.
❻ 오일호스가 파손되었다.

42 타이어 롤러의 규격 표시에서 8-12t 이라는 수치의 뜻으로 맞는 것은?

① 자중이 8톤이고, 밸러스트를 15톤까지 적재할 수 있다.
② 자중이 8톤, 밸러스트를 적재하여 중량을 12톤까지 증가시킬 수 있다.
③ 밸러스트를 8-12톤까지 적재할 수 있다.
④ 자중이 12톤이며 밸러스트를 8톤까지 적재할 수 있다.

해설 롤러의 규격이 8-12톤이란 자체중량이 8톤이며 밸러스트를 적재하여 중량을 12톤까지 증가시킬 수 있다.

43 롤러의 다짐 압력을 높이기 위해 사용하는 것은?

① 가열장치(예열장치)
② 전 후진기(역전장치)
③ 전압력(선압)
④ 부하하중(밸러스트)

해설 부하하중(밸러스트)은 롤러의 다짐 압력을 높이기 위해 롤 속에 폐유, 오일, 중유 등을 넣는 것이다.

44 일반적으로 가장 빠른 속도로 작업하고 비교적 연약지반 다짐에 효과적인 롤러는?

① 타이어 롤러　② 탠덤 롤러
③ 머캐덤 롤러　④ 진동 롤러

해설 타이어 롤러는 가장 빠른 속도로 작업하고 비교적 연약지반 다짐에 효과적이다.

45 탠덤 롤러의 롤 속에 주입하는 것으로 가장 거리가 먼 것은?

① 폐유　② 오일
③ 중유　④ 아스콘

46 타이어식 건설기계에서 액슬 축에 심한 소음이 나고 있을 때 점검사항과 가장 관계없는 것은?

① 잡음이 있는 타이어 쪽을 잭으로 들어 올려 점검
② 종 감속장치 오일의 양과 질 점검
③ 휠 허브 베어링 점검
④ 타이어 공기압력 점검

47 토크컨버터 구성품 중 스테이터의 기능으로 맞는 것은?

① 오일의 흐름 방향을 바꾸어 회전력을 증대시킨다.
② 토크컨버터의 동력을 전달 또는 차단시킨다.
③ 오일의 회전속도를 감속하여 견인력을 증대시킨다.
④ 클러치판의 마찰력을 감소시킨다.

해설 스테이터는 펌프와 터빈 사이의 오일 흐름방향을 바꾸어 회전력을 증대시킨다.

48 롤러에 대한 설명으로 맞는 것은?

① 롤러는 저속이므로 엔진의 조속기에는 전속도 조속기를 사용할 필요가 없다.
② 진동 롤러는 엔진의 폭발력을 직접 이용하고 있으므로 구조가 간단하다.
③ 타이어 롤러는 그 구조상 다른 롤러에 비해서 부가하중을 많이 실을 수 있다.
④ 3속 롤러라는 것은 3륜 롤러라는 뜻이다.

49 롤러의 다짐 방식에 의한 분류가 아닌 것은?

① 전압형식　② 전류형식
③ 진동형식　④ 충격형식

해설 롤러는 다짐 방법에 따라 자체중량을 이용하는 전압형식, 진동을 이용하는 진동형식, 충격력을 이용하는 충격형식 등이 있다.

50 3륜의 철륜으로 구성되어 아스팔트 포장면의 초기 다짐장비로 사용되는 롤러는?

① 자주식 롤러　② 탬핑롤러
③ 머캐덤 롤러　④ 진동롤러

해설 머캐덤 롤러는 앞바퀴 1개, 뒷바퀴가 2개인 것이며, 2개의 뒷바퀴로 구동을 하고 앞바퀴 1개로는 조향을 한다. 용도는 초기 다짐에 주로 사용되며, 자갈·모래 및 흙 등을 다지는데 매우 효과적이며 아스팔트 마지막 다짐에는 사용하지 못한다.

51 **머캐덤 롤러의 동력전달 순서는?**

① 엔진 → 클러치 → 차동장치 → 변속기 → 뒤차축 → 뒤차륜
② 엔진 → 클러치 → 종감속장치 → 변속기 → 뒤차축 → 뒤차륜
③ 엔진 → 클러치 → 차동장치 → 변속기 → 종감속장치 → 뒤차축 → 뒤차륜
④ 엔진 → 클러치 → 변속기 → 차동장치 → 종감속장치 → 뒤차륜

52 **로드롤러 작업 중에 변속기에서 소음이 나는 것과 관계없는 것은?**

① 냉각수 부족
② 기어 잇면 손상
③ 기어의 백래시 과대
④ 윤활유 부족

해설 변속기에서 심한 잡음이 나는 원인은 윤활유가 부족할 때, 기어가 마모(백래시 과대) 및 손상되었을 때, 기어 샤프트 지지 베어링이 마모 및 손상되었을 때 등이다.

53 **2륜 철륜 롤러의 종감속 기어장치의 설명으로 맞는 것은?**

① 기어오일로 윤활 한다.
② 감속비가 적어야 한다.
③ 추진축으로 구동한다.
④ 구동륜에 직접 설치되어 있다.

54 **머캐덤 3륜 롤러에 차동장치를 설치하는 이유는?**

① 다짐륜을 일정하게 회전시키기 위하여 설치
② 험한 지역에서 공회전을 막기 위하여 설치
③ 조향 시 내측륜과 외측륜 회전비를 다르게 하기 위해 설치
④ 구릉지 작업을 위하여 설치

해설 머캐덤 3륜 롤러에 차동장치를 설치하는 이유는 조향할 때 내측륜과 외측륜 회전비율을 다르게 하기 위함이다.

55 **머캐덤 롤러의 차동제한장치는 어느 경우에 사용하는가?**

① 언덕길을 등판할 경우
② 급커브를 돌 때
③ 이동하고자 하는 현장이 장거리일 때
④ 성토초기 전압 시에 슬립하는 경우

해설 차동 록크 장치(차동고정 장치, 차동제한장치)는 머캐덤 롤러로 작업할 때 모래땅이나 연약 지반에서 작업 또는 직진성능을 주기 위하여 설치한다.

56 **로드롤러 작업 시 종 감속장치 및 차동장치에서 소음이 발생하는 원인이 아닌 것은?**

① 차동기어 장치의 사이드 기어가 마멸
② 차동기어 장치의 구동 피니언이 마멸
③ 차동기어 장치의 링 기어가 마멸
④ 차동기어 장치의 3단 기어가 마멸

해설 종 감속장치 및 차동장치에서 소음이 발생하는 원인은 차동기어 장치의 사이드 기어 마멸, 차동기어 장치의 구동 피니언 마멸, 차동기어 장치의 링 기어 마멸, 오일부족 등이다.

57 **탠덤 머캐덤 롤러의 살수탱크는 어떤 역할을 하는가?**

① 엔진에 공급하는 연료를 저장한다.
② 각부장치에 주유하는 오일을 저장한다.
③ 롤러에 물을 적셔주어 작업 시 점착성을 향상시킨다.
④ 롤러에 물을 적셔주어 작업 시 점착성 물질이 롤에 묻는 것을 방지한다.

해설 살수탱크는 롤러에 물을 적셔주어 작업 시 점착성 물질이 롤에 묻는 것을 방지한다.

58 최근 아스팔트 다짐에 타이어 롤러를 사용하는 경우가 늘고 있다. 그 이유로 타당하지 않는 것은?

① 다짐 속도가 빠르다.
② 균일한 밀도를 얻을 수 있다.
③ 타이어 공기압을 이용 접지압 조정이 용이하다.
④ 아스팔트가 타이어 롤러에 접착되지 않기 때문이다.

해설 아스팔트 다짐에 타이어 롤러를 사용하는 이유는 다짐 속도가 빠르고, 균일한 밀도를 얻을 수 있으며, 타이어 공기압을 이용 접지압 조정이 용이하기 때문이다.

59 타이어 롤러의 타이어 지지기구로 수직가동식, 상호요동식, 바퀴사행식, 고정식 등의 기구가 사용되는데 이 기구들의 주된 작용은 무엇인가?

① 동력의 전달을 원활히 한다.
② 제동능력을 향상시킨다.
③ 노면상태와 관계없이 균일한 하중으로 다짐작업을 할 수 있다.
④ 가속능력과 조향능력 및 등판능력을 향상시킨다.

해설 타이어 지지기구의 작용은 노면상태와 관계없이 균일한 하중으로 다짐작업을 할 수 있도록 한다.

60 진동롤러에 대한 설명으로 맞는 것은?

① 진동롤러의 기진 장치는 엔진의 폭발을 직접 이용하고 있다.
② 진동롤러는 기진 계통과 주행계통의 동력전달 계통을 갖추고 있다.
③ 진동롤러의 진동수가 높을수록 다짐 효과는 작다.
④ 진동롤러는 모두 자주식이다.

해설 진동롤러는 기진 계통과 주행계통의 동력전달 계통을 갖추고 있다.

제 4 회 모의고사

자격종목 롤러운전기능사	시험시간 1시간	문제수 60	문제형별

• 정답 : 376쪽

01 건설기계의 조종 중 고의 또는 과실로 가스공급 사설을 손괴할 경우 조종사면허의 처분기준은?

① 면허효력정지 10일
② 면허효력정지 15일
③ 면허효력정지 25일
④ 면허효력정지 180일

해설 건설기계를 조종 중에 고의 또는 과실로 가스공급시설을 손괴한 경우 면허효력정지 180일이다.

02 건설기계 등록이 말소되는 사유에 해당하지 않은 것은?

① 건설기계를 폐기한 때
② 건설기계의 구조변경을 했을 때
③ 건설기계가 멸실되었을 때
④ 건설기계를 수출할 때

해설 **건설기계 등록의 말소사유**

❶ 거짓이나 그 밖의 부정한 방법으로 등록을 한 경우
❷ 건설기계가 천재지변 또는 이에 준하는 사고 등으로 사용할 수 없게 되거나 멸실된 경우
❸ 건설기계의 차대(車臺)가 등록 시의 차대와 다른 경우
❹ 건설기계가 건설기계안전기준에 적합하지 아니하게 된 경우
❺ 최고(催告)를 받고 지정된 기한까지 정기검사를 받지 아니한 경우
❻ 건설기계를 수출하는 경우
❼ 건설기계를 도난당한 경우
❽ 건설기계를 폐기한 경우
❾ 구조적 제작 결함 등으로 건설기계를 제작자 또는 판매자에게 반품한 때
❿ 건설기계를 교육·연구 목적으로 사용하는 경우

03 건설기계 등록신청 시 첨부하지 않아도 되는 서류는?

① 호적등본
② 건설기계 소유자임을 증명하는 서류
③ 건설기계제작증
④ 건설기계제원표

해설 **건설기계를 등록할 때 필요한 서류**

❶ 건설기계제작증(국내에서 제작한 건설기계의 경우)
❷ 수입면장 기타 수입 사실을 증명하는 서류(수입한 건설기계의 경우)
❸ 매수증서(관청으로부터 매수한 건설기계의 경우)
❹ 건설기계의 소유자임을 증명하는 서류
❺ 건설기계제원표
❻ 자동차손해배상보장법에 따른 보험 또는 공제의 가입을 증명하는 서류

04 건설기계의 제동장치에 대한 정기검사를 면제받기 위한 건설기계제동장치정비 확인서를 발행받을 수 있는 곳은?

① 건설기계대여회사
② 건설기계정비업자
③ 건설기계부품업자
④ 건설기계매매업자

05 건설기계관리법상 건설기계의 소유자는 건설기계를 취득한 날부터 얼마 이내에 건설기계 등록신청을 해야 하는가?

① 2개월 이내 ② 3개월 이내
③ 6개월 이내 ④ 1년 이내

해설 건설기계 등록신청은 건설기계를 취득한 날로부터 2개월(60일)이내 하여야 한다.

06 반드시 건설기계정비업체에서 정비하여야 하는 것은?

① 오일의 보충　② 배터리의 교환
③ 창유리의 교환　④ 엔진 탈·부착 정비

07 폐기요청을 받은 건설기계를 폐기하지 아니하거나 등록번호표를 폐기하지 아니한 자에 대한 벌칙은?

① 2년 이하의 징역 또는 2천만 원 이하의 벌금
② 1년 이하의 징역 또는 1천만 원 이하의 벌금
③ 2백만 원 이하의 벌금
④ 1백만 원 이하의 벌금

해설 폐기요청을 받은 건설기계를 폐기하지 아니하거나 등록번호표를 폐기하지 아니한 자의 벌칙은 1년 이하의 징역 또는 1천만 원 이하의 벌금

08 건설기계에서 구조변경 및 개조를 할 수 없는 항목은?

① 원동기의 형식변경
② 제동장치의 형식변경
③ 유압장치의 형식변경
④ 적재함의 용량증가를 위한 구조변경

해설 **건설기계의 구조변경 범위** : 원동기의 형식변경, 동력전달장치의 형식변경, 제동장치의 형식변경, 주행장치의 형식변경, 유압장치의 형식변경, 조종 장치의 형식변경, 조향장치의 형식변경, 작업장치의 형식변경, 건설기계의 길이·너비·높이 등의 변경, 수상작업용 건설기계의 선체의 형식변경

09 건설기계의 검사를 연장 받을 수 있는 기간을 잘못 설명한 것은?

① 해외임대를 위하여 일시 반출된 경우 : 반출기간 이내
② 압류된 건설기계의 경우 : 압류기간 이내
③ 건설기계 대여업을 휴지한 경우 : 사업의 개시신고를 하는 때까지
④ 장기간 수리가 필요한 경우 : 소유자가 원하는 기간

10 건설기계관리법령상 조종사면허를 받은 자가 면허의 효력이 정지된 때에는 그 사유가 발생한 날부터 며칠 이내에 주소지를 관할하는 시장군수 또는 구청장에게 그 면허증을 반납해야 하는가?

① 10일 이내　② 30일 이내
③ 60일 이내　④ 100일 이내

해설 건설기계조종사 면허가 취소되었을 경우 그 사유가 발생한 날로부터 10일 이내에 면허증을 반납해야 한다.

11 기관의 크랭크축 베어링의 구비조건으로 틀린 것은?

① 마찰계수가 클 것
② 내피로성이 클 것
③ 매입성이 있을 것
④ 추종유동성이 있을 것

해설 **크랭크축 베어링의 구비조건**
❶ 하중 부담능력 및 매입성이 있을 것
❷ 내부식성 및 내피로성이 있을 것
❸ 마찰계수가 적고, 추종유동성이 있을 것
❹ 길들임성이 좋을 것

12 축전지의 구비조건으로 가장 거리가 먼 것은?

① 축전지의 용량이 클 것
② 전기적 절연이 완전할 것
③ 가급적 크고, 다루기 쉬울 것
④ 전해액의 누출방지가 완전할 것

해설 **축전지의 구비조건**
❶ 소형·경량이고, 수명이 길어야 한다.
❷ 심한 진동에 견딜 수 있어야 하며, 다루기 쉬워야 한다.
❸ 용량이 크고, 가격이 싸야 한다.
❹ 전기적 절연이 완전하여야 한다.
❺ 전해액의 누출방지가 완전하여야 한다.

13 일상점검 내용에 속하지 않는 것은?

① 기관 윤활유량
② 브레이크 오일량
③ 라디에이터 냉각수량
④ 연료분사량

14 전압(voltage)에 대한 설명으로 적당한 것은?

① 자유전자가 도선을 통하여 흐르는 것을 말한다.
② 전기적인 높이 즉 전기적인 압력을 말한다.
③ 물질에 전류가 흐를 수 있는 정도를 나타낸다.
④ 도체의 저항에 의해 발생되는 열을 나타낸다.

15 기관의 오일펌프 유압이 낮아지는 원인이 아닌 것은?

① 윤활유 점도가 너무 높을 때
② 베어링의 오일간극이 클 때
③ 윤활유의 양이 부족할 때
④ 오일 스트레이너가 막힐 때

해설 **기관의 오일압력이 낮은 원인**
❶ 아래 크랭크 케이스(오일 팬)에 오일이 적다.
❷ 크랭크축 오일틈새가 크다.
❸ 오일펌프가 불량하다.
❹ 유압조절 밸브(릴리프 밸브)가 열린 상태로 고장 났다.
❺ 기관 각부의 마모가 심하다.
❻ 기관오일에 경유가 혼입되었다.
❼ 커넥팅로드 대단부 베어링과 핀 저널의 간극이 크다.

16 예열플러그를 빼서 보았더니 심하게 오염되어 있다. 그 원인으로 가장 적합한 것은?

① 불완전 연소 또는 노킹
② 기관의 과열
③ 플러그의 용량과다
④ 냉각수 부족

해설 예열플러그가 심하게 오염되는 경우는 불완전 연소 또는 노킹이 발생하였기 때문이다.

17 기관에 사용되는 시동모터가 회전이 안 되거나 회전력이 약한 원인이 아닌 것은?

① 시동스위치의 접촉이 불량하다.
② 배터리 단자와 터미널의 접촉이 나쁘다.
③ 브러시가 정류자에 잘 밀착되어 있다.
④ 축전지 전압이 낮다.

해설 **기동전동기(시동모터)가 회전이 안 되는 원인**
❶ 시동스위치의 접촉이 불량하다.
❷ 축전지가 과다 방전되었다.
❸ 축전지 단자와 케이블의 접촉이 불량하거나 단선되었다.
❹ 기동전동기 브러시스프링 장력이 약해 정류자의 밀착이 불량하다.
❺ 기동전동기 전기자 코일 또는 계자코일이 단락되었다.

18 디젤기관 냉각장치에서 냉각수의 비등점을 높여 주기 위해 설치된 부품으로 알맞은 것은?

① 코어 ② 냉각핀
③ 보조탱크 ④ 압력식 캡

해설 냉각장치 내의 비등점(비점)을 높이고, 냉각범위를 넓히기 위하여 압력식 캡을 사용한다.

19 교류발전기에서 교류를 직류로 바꾸어주는 것은?

① 계자 ② 슬립링
③ 브러시 ④ 다이오드

해설 교류발전기 다이오드의 역할은 교류를 정류하고, 역류를 방지한다.

20 디젤기관의 노킹발생 원인과 가장 거리가 먼 것은?

① 착화기간 중 분사량이 많다.
② 노즐의 분무상태가 불량하다.
③ 세탄가가 높은 연료를 사용하였다.
④ 기관이 과도하게 냉각 되어있다.

해설 **디젤기관 노킹발생의 원인**
❶ 연료의 세탄가가와 분사압력이 낮다.
❷ 착화지연기간 중 연료분사량이 많다.
❸ 연소실의 온도가 낮고, 착화지연 시간이 길다.
❹ 압축비가 낮고, 기관이 과냉 되었다.
❺ 분사노즐의 분무상태가 불량하다.

21 유압장치의 구성요소가 아닌 것은?

① 제어밸브 ② 오일탱크
③ 유압펌프 ④ 차동장치

22 건설기계 유압회로에서 유압유 온도를 알맞게 유지하기 위해 오일을 냉각하는 부품은?

① 어큐뮬레이터 ② 오일 쿨러
③ 방향제어밸브 ④ 유압밸브

23 유압유의 점도에 대한 설명으로 틀린 것은?

① 온도가 상승하면 점도는 낮아진다.
② 점성의 정도를 표시하는 값이다.
③ 점도가 낮아지면 유압이 떨어진다.
④ 점성계수를 밀도로 나눈 값이다.

해설 유압유의 점도
❶ 점성의 정도를 나타내는 척도이다.
❷ 온도가 상승하면 점도는 저하된다.
❸ 온도가 내려가면 점도는 높아진다.
❹ 점도가 낮아지면 유압이 낮아진다.
❺ 점도가 높으면 유압은 높아진다.

24 유압 실린더에서 숨 돌리기 현상이 생겼을 때 일어나는 현상이 아닌 것은?

① 작동지연 현상이 생긴다.
② 피스톤 동작이 정지된다.
③ 오일의 공급이 과대해진다.
④ 작동이 불안정하게 된다.

해설 숨 돌리기 현상은 유압유의 공급이 부족할 때 발생한다.

25 유압모터의 속도를 감속하는데 사용하는 밸브는?

① 체크밸브
② 디셀러레이션 밸브
③ 변환밸브
④ 압력스위치

해설 디셀러레이션 밸브는 캠(cam)으로 조작되는 유압밸브이며 액추에이터의 속도를 서서히 감속시킬 때 사용한다.

26 그림의 유압 기호는 무엇을 표시하는가?

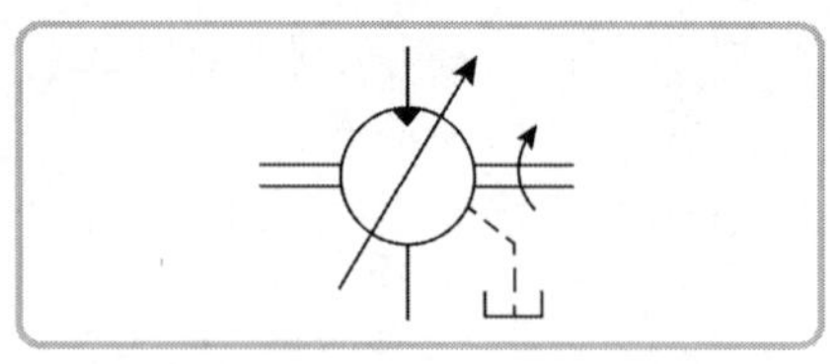

① 가변 유압모터 ② 유압펌프
③ 가변 토출밸브 ④ 가변 흡입밸브

27 유압 실린더를 교환 후 우선적으로 시행하여야 할 사항은?

① 엔진을 저속 공회전 시킨 후 공기빼기작업을 실시한다.
② 엔진을 고속 공회전 시킨 후 공기빼기작업을 실시한다.
③ 유압장치를 최대한 부하상태로 유지한다.
④ 시험작업을 실시한다.

28 유압장치의 단점에 대한 설명 중 틀린 것은?

① 관로를 연결하는 곳에서 작동유가 누출될 수 있다.
② 고압사용으로 인한 위험성이 존재한다.
③ 작동유 누유로 인해 환경오염을 유발할 수 있다.
④ 전기·전자의 조합으로 자동제어가 곤란하다.

해설 유압의 단점
❶ 고압사용으로 인한 위험성 및 이물질에 민감하다.
❷ 유온의 영향에 따라 정밀한 속도와 제어가 곤란하다.
❸ 폐유에 의한 주변 환경이 오염될 수 있다.
❹ 오일은 가연성이 있어 화재에 위험하다.
❺ 회로구성이 어렵고 누설되는 경우가 있다.
❻ 오일의 온도에 따라서 점도가 변하므로 기계의 속도가 변한다.
❼ 에너지의 손실이 크며, 관로를 연결하는 곳에서 유체가 누출될 우려가 있다.

29 **유압 작동부에서 오일이 새고 있을 때 일반적으로 먼저 점검하여야 하는 것은?**

① 밸브(valve) ② 기어(gear)
③ 플런저(plunger) ④ 실(seal)

해설 유압 작동부분에서 오일이 누유 되면 가장 먼저 실(seal)을 점검하여야 한다.

30 **유압장치 내의 압력을 일정하게 유지하고 최고압력을 제한하여 회로를 보호해주는 밸브는?**

① 릴리프 밸브 ② 체크밸브
③ 제어밸브 ④ 로터리 밸브

해설 릴리프 밸브는 유압장치 내의 압력을 일정하게 유지하고, 최고압력을 제한하며 회로를 보호하며, 과부하 방지와 유압기기의 보호를 위하여 최고 압력을 규제한다.

31 **원목처럼 길이가 긴 화물을 외줄 달기 슬링 용구를 사용하여 크레인으로 물건을 안전하게 달아 올리는 방법으로 가장 거리가 먼 것은?**

① 화물의 중량이 많이 걸리는 방향을 아래쪽으로 향하게 들어올린다.
② 제한용량 이상을 달지 않는다.
③ 수평으로 달아 올린다.
④ 신호에 따라 움직인다.

32 **운전자가 작업 전에 장비 점검과 관련된 내용 중 거리가 먼 것은?**

① 타이어 및 궤도 차륜상태
② 브레이크 및 클러치의 작동상태
③ 낙석, 낙하물 등의 위험이 예상되는 작업 시 견고한 헤드 가이드 설치상태
④ 정격용량보다 높은 회전으로 수차례 모터를 구동시켜 내구성 상태 점검

33 **크레인으로 물건을 운반할 때 주의사항으로 틀린 것은?**

① 규정 무게보다 약간 초과할 수 있다.
② 적재물이 떨어지지 않도록 한다.
③ 로프 등의 안전여부를 항상 점검한다.
④ 선회작업 시 사람이 다치지 않도록 한다.

34 **사고 원인으로서 작업자의 불안전한 행위는?**

① 안전조치 불이행
② 작업장의 환경 불량
③ 물적 위험상태
④ 기계의 결함상태

35 **작업장에 대한 안전관리상 설명으로 틀린 것은?**

① 항상 청결하게 유지한다.
② 작업대 사이 또는 기계사이의 통로는 안전을 위한 일정한 너비가 필요하다.
③ 공장바닥은 폐유를 뿌려, 먼지가 일어나지 않도록 한다.
④ 전원 콘센트 및 스위치 등에 물을 뿌리지 않는다.

36 **금속나트륨이나 금속칼륨 화재의 소화재로서 가장 적합한 것은?**

① 물
② 포소화기
③ 건조사
④ 이산화탄소 소화기

해설 D급 화재는 금속나트륨, 금속칼륨 등의 화재로서 일반적으로 건조사를 이용한 질식효과로 소화한다.

37 **산업공장에서 재해의 발생을 줄이기 위한 방법으로 틀린 것은?**

① 폐기물은 정해진 위치에 모아둔다.
② 공구는 소정의 장소에 보관한다.
③ 소화기 근처에 물건을 적재한다.
④ 통로나 창문 등에 물건을 세워 놓아서는 안 된다.

38 산소가스 용기의 도색으로 맞는 것은?

① 녹색 ② 노란색
③ 흰색 ④ 갈색

해설 충전용기의 도색
❶ 산소용기 : 녹색, ❷ 수소용기 : 주황색,
❸ 아세틸렌용기 : 노란색,
❹ 암모니아 용기 : 백색,
❺ 탄산가스 용기 : 청색, ❻ 염소용기 : 갈색,
❼ 프로판 용기 : 회색, ❽ 아르곤 용기 : 회색

39 공기(air)기구 사용 작업에서 적당치 않은 것은?

① 공기기구의 섭동 부위에 윤활유를 주유하면 안 된다.
② 규정에 맞는 토크를 유지하면서 작업한다.
③ 공기를 공급하는 고무호스가 꺾이지 않도록 한다.
④ 공기기구의 반동으로 생길 수 있는 사고를 미연에 방지한다.

40 작업복에 대한 설명으로 적합하지 않은 것은?

① 작업복은 몸에 알맞고 동작이 편해야 한다.
② 착용자의 연령, 성별 등에 관계없이 일률적인 스타일을 선정해야 한다.
③ 작업복은 항상 깨끗한 상태로 입어야 한다.
④ 주머니가 너무 많지 않고, 소매가 단정한 것이 좋다.

41 롤러의 사용설명서에 대한 사항 중 틀린 것은?

① 각 부품의 단가를 파악한다.
② 각 부 명칭과 기능을 파악한다.
③ 장비의 성능을 파악한다.
④ 장비의 유지관리에 대한 사항을 파악한다.

42 수평방향의 하중이 수직으로 미칠 때 원심력을 가하고 기진력을 서로 조합하여 흙을 다짐하면 적은 무게로 큰 다짐효과를 올릴 수 있는 다짐기계는?

① 탬핑롤러 ② 머캐덤 롤러
③ 진동롤러 ④ 탠덤롤러

해설 진동롤러는 수평방향의 하중이 수직으로 미칠 때 원심력을 가하고 기진력을 서로 조합하여 흙을 다짐하면 적은 무게로 큰 다짐효과를 올릴 수 있다.

43 롤러의 종류 중 전압식 다짐방법이 아닌 것은?

① 탠덤롤러 ② 진동롤러
③ 타이어 롤러 ④ 머캐덤 롤러

해설 진동롤러는 진동을 이용하는 진동형식이다.

44 2륜식 철륜 롤러의 종감속 기어장치의 설명으로 맞는 것은?

① 기어오일로 윤활 한다.
② 감속비가 적어야 한다.
③ 추진축으로 구동한다.
④ 구동륜에 직접 설치되어 있다.

해설 2륜 철륜 롤러의 종감속 기어장치는 구동륜에 직접 설치되어 있다.

45 타이어형 롤러의 바퀴가 상하로 움직이는 목적은?

① 같은 압력으로 지면을 누르기 위함이다.
② 속도가 느려서 능률을 높이기 위함이다.
③ 기초 다짐에 효과적으로 사용하기 위함이다.
④ 자갈 및 모래 등의 골재 다짐에 용이하기 때문이다.

해설 타이어형 롤러의 바퀴가 상하로 움직이도록 하는 이유는 같은 압력으로 지면을 누르기 위함이다.

46 타이어 롤러에 대한 설명 중 틀린 것은?

① 다짐속도가 비교적 빠르다.
② 골재를 파괴시키지 않고 골고루 다질 수 있다.
③ 아스팔트 혼합재 다짐용으로 적합하다.
④ 타이어 공기압으로 다짐능력을 조정할 수 없다.

해설 타이어 롤러는 타이어 공기압으로 다짐능력을 조정할 수 있으며, 다짐속도가 비교적 빠르고 골재를 파괴시키지 않고 골고루 다질 수 있어 아스팔트 혼합재 다짐용으로 적합하다.

47 롤러 장비의 누유 및 누수의 점검사항으로 틀린 것은?

① 롤러의 다음 작업을 위하여 운행 후 장비의 상태를 점검한다.
② 장비를 점검하기 위하여 지면에 떨어진 누유여부를 확인하고 조치한다.
③ 기관의 원활한 작동을 위하여 냉각장치에서 발생된 냉각수 누수를 확인하고 조치한다.
④ 작동 중 냉각수 누수가 확인되면 즉시 라디에이터 캡을 열어 확인한다.

48 표면지층이 연약한 토질에 사용 가능한 롤러로 가장 적합한 것은?

① 탠덤롤러 ② 탬퍼 풋 롤러
③ 콤비 롤러 ④ 머캐덤 롤러

해설 탬퍼 풋(tamper foot) 롤러는 강판제의 롤러 바깥둘레에 여러 개의 돌기(tamping foot)가 용접으로 고정되어 있어 표면지층이 연약한 토질의 다짐작업에 효과적이다.

49 탠덤롤러를 설명한 것 중 옳은 것은?

① 전륜은 타이어, 후륜은 드럼형태의 쇠바퀴로 구성되어 있다.
② 전륜은 드럼형태의 쇠바퀴, 후륜은 타이어로 구성되어 있다.
③ 전·후륜 모두 타이어로 되어 있다.
④ 전·후륜 모두 드럼형태의 쇠바퀴 2개로 구성되어 있다.

해설 탠덤롤러는 앞바퀴와 뒷바퀴가 모두 드럼형태의 쇠바퀴 2개로 되어 있고, 앞바퀴 조향, 뒷바퀴 구동방식이며, 용도는 아스팔트 마지막 다짐 작업에 가장 효과적이며, 그러나 자갈이나 쇄석 골재 등은 다져서는 안 된다.

50 브레이크 분류 중 주브레이크가 아닌 것은?

① 유압식 브레이크 ② 배기 브레이크
③ 배력식 브레이크 ④ 공기식 브레이크

51 액슬축의 종류가 아닌 것은?

① 반부동식 ② 3/4부동식
③ 1/2 부동식 ④ 전부동식

해설 **액슬 축(차축) 지지방식**
❶ 전부동식 : 차량을 하중을 하우징이 모두 받고, 액슬 축은 동력만을 전달하는 형식
❷ 반부동식 : 액슬 축이 1/2, 하우징이 1/2정도의 하중을 지지하는 형식
❸ 3/4부동식 : 액슬 축이 동력을 전달함과 동시에 차량 하중의 1/4을 지지하는 형식

52 머캐덤 롤러의 동력전달 순서는?

① 기관 → 클러치 → 변속기 → 역전기 → 차동장치 → 종감속장치 → 뒤차륜
② 기관 → 클러치 → 역전기 → 변속기 → 차동장치 → 뒤차축 → 뒤차륜
③ 기관 → 클러치 → 역전기 → 변속기 → 차동장치 → 종감속장치 → 뒤차륜
④ 기관 → 클러치 → 변속기 → 역전기 → 차동장치 → 뒤차축 → 뒤차륜

해설 머캐덤 롤러의 동력전달 순서는 엔진 → 클러치 → 변속기 → 역전기 → 차동장치 → 종감속장치 → 뒤차륜

53 변속기의 구비조건으로 틀린 것은?

① 전달효율이 적을 것
② 변속조작이 용이할 것
③ 소형, 경량일 것
④ 단계가 없이 연속적인 변속조작이 가능할 것

해설 **변속기의 구비조건**
❶ 소형이고, 고장이 없어야 한다.
❷ 조작이 쉽고 신속, 정확하여야 한다.
❸ 연속적 변속에는 단계가 없어야 한다.
❹ 전달효율이 좋아야 한다.

54 토크컨버터의 기본 구성품 아닌 것은?

① 펌프 ② 터빈
③ 스테이터 ④ 터보

해설 토크컨버터는 펌프(임펠러), 터빈(러너), 스테이터 등이 상호운동 하여 회전력을 변환시킨다.

55 **롤러 살수장치에서 노즐분사 방식으로 맞는 것은?**

① 기계식 또는 전기식
② 기계식 또는 수압식
③ 수압식 또는 기계식
④ 전자식 또는 전기식

해설 살수장치의 노즐분사 방식에는 기계식과 전기식이 있다.

56 **아스팔트 다짐(롤링)작업 시 바퀴에 물을 뿌리는 이유는?**

① 바퀴를 냉각시키기 위해
② 아스팔트를 냉각시키기 위해
③ 브레이크 성능을 좋게 하기 위해
④ 바퀴에 아스팔트 부착방지를 위해

해설 아스팔트 다짐(롤링)작업을 할 때 바퀴에 물을 뿌리는 이유는 바퀴에 아스팔트 부착방지를 위함이다.

57 **다짐 효과의 향상과 아스팔트가 타이어 또는 롤에 부착되지 않게 하기 위한 장치는?**

① 부가하중장치 ② 진동 장치
③ 살수장치 ④ 조향장치

해설 살수장치는 다짐 효과의 향상과 아스팔트가 타이어 또는 롤에 부착되지 않게 하기 위한 것이다.

58 **가열포장 아스팔트 초기 다짐 롤러로 가장 적당한 것은?**

① 머캐덤 롤러 ② 타이어 롤러
③ 탬핑롤러 ④ 진동 롤러

해설 머캐덤 롤러는 앞바퀴 1개, 뒷바퀴가 2개인 것이며, 2개의 뒷바퀴로 구동을 하고 앞바퀴 1개로는 조향을 한다. 용도는 초기 다짐에 주로 사용되며, 자갈·모래 및 흙 등을 다지는데 매우 효과적이며 아스팔트 초기 다짐에 사용한다.

59 **타이어 롤러의 바퀴지지 방식 중 각 바퀴마다 독립된 유압 실린더 또는 공기 스프링 등을 사용하여 개별 상하운동을 하는 방식은?**

① 상호 요동식 ② 고정식
③ 일체 지지식 ④ 수직 가동식

해설 타이어 롤러의 바퀴지지 방식
❶ 고정식 : 각 차축이 프레임에 고정되어 있다.
❷ 상호 요동식 : 프레임에 차축의 중심선이 지지되고 각 바퀴가 상하운동을 한다.
❸ 수직 가동식(독립 지지식) : 각 바퀴마다 독립된 유압 실린더 또는 공기 스프링 등을 사용하여 개별 상하운동을 한다.

60 **진동 롤러에 대한 설명 중 옳은 것은?**

① 기진력을 포함한 동력전달 장치가 있다.
② 기진력을 포함하므로 반드시 3축이 필요하다.
③ 다짐능력을 높이기 위한 장치로는 환향 클러치를 사용하여야 한다.
④ 진동륜은 고정식으로 유동이 없어야 한다.

해설 진동롤러는 기진 계통과 주행계통의 동력전달 계통을 갖추고 있다.

제 5 회 모의고사

자격종목 롤러운전기능사	시험시간 1시간	문제수 60	문제형별

• 정답 : 376쪽

01 **건설기계조종사의 국적변경이 있는 경우에는 그 사실이 발생한 날로부터 며칠 이내에 신고하여야 하는가?**

① 2주 이내　② 10일 이내
③ 20일 이내　④ 30일 이내

해설 건설기계조종사는 성명, 주민등록번호 및 국적의 변경이 있는 경우에는 그 사실이 발생한 날부터 30일 이내(군복무·국외거주·수형·질병 기타 부득이한 사유가 있는 경우에는 그 사유가 종료된 날부터 30일 이내)에 기재사항변경신고서를 주소지를 관할하는 시·도지사에게 제출하여야 한다.

02 **제1종 대형자동차 면허로 조종할 수 없는 건설기계는?**

① 콘크리트 펌프
② 노상안정기
③ 아스팔트 살포기
④ 타이어식 기중기

해설 제1종 대형 운전면허로 조종할 수 있는 건설기계는 덤프트럭, 아스팔트 살포기, 노상 안정기, 콘크리트 믹서트럭, 콘크리트 펌프, 트럭적재식 천공기 등이다.

03 **건설기계정비업 등록을 하지 아니한 자가 할 수 있는 정비범위가 아닌 것은?**

① 오일의 보충　② 창유리 교환
③ 제동장치 수리　④ 트랙의 장력조정

04 **건설기계를 주택가 주변에 세워 두어 교통소통을 방해하거나 소음 등으로 주민의 생활환경을 침해한 자에 대한 벌칙은?**

① 200만 원 이하의 벌금
② 100만 원 이하의 벌금
③ 100만 원 이하의 과태료
④ 50만 원 이하의 과태료

05 **건설기계 운전중량 산정 시 조종사 1명의 체중으로 맞는 것은?**

① 50kg　② 55kg
③ 60kg　④ 65kg

06 **건설기계의 수시검사대상이 아닌 것은?**

① 소유자가 수시검사를 신청한 건설기계
② 사고가 자주 발생하는 건설기계
③ 성능이 불량한 건설기계
④ 구조를 변경한 건설기계

해설 수시검사 : 성능이 불량하거나 사고가 자주 발생하는 건설기계의 안전성 등을 점검하기 위하여 수시로 실시하는 검사와 건설기계 소유자의 신청을 받아 실시하는 검사

07 **음주상태(혈중 알코올농도 0.03% 이상 0.08% 미만)에서 건설기계를 조종한 자에 대한 면허효력정지 처분기준은?**

① 20일　② 30일
③ 40일　④ 60일

해설 술에 취한 상태(혈중 알코올농도 0.03% 이상 0.08% 미만)에서 건설기계를 조종한 경우 면허효력정지 60일이다.

08 건설기계 등록신청에 대한 설명으로 맞는 것은?(단, 전시사변 등 국가비상사태 하의 경우 제외)

① 시·군·구청장에게 취득한 날로부터 10일 이내 등록신청을 한다.
② 시·도지사에게 취득한 날로부터 15일 이내 등록신청을 한다.
③ 시·군·구청장에게 취득한 날로부터 1개월 이내 등록신청을 한다.
④ 시·도지사에게 취득한 날로부터 2개월 이내 등록신청을 한다.

해설 건설기계 등록신청은 취득한 날로부터 2개월 이내 소유자의 주소지 또는 건설기계 사용본거지를 관할하는 시·도지사에게 한다.

09 건설기계 소유자는 건설기계를 도난당한 날로부터 얼마 이내에 등록말소를 신청해야 하는가?

① 30일 이내 ② 2개월 이내
③ 3개월 이내 ④ 6개월 이내

해설 건설기계를 도난당한 경우에는 도난당한 날부터 2개월 이내에 등록말소를 신청하여야 한다.

10 특별표지판을 부착하지 않아도 되는 건설기계는?

① 최소회전 반경이 13m인 건설기계
② 길이가 17m인 건설기계
③ 너비가 3m인 건설기계
④ 높이가 3m인 건설기계

해설 **특별표지판 부착대상 건설기계**
❶ 길이가 16.7m 이상인 경우
❷ 너비가 2.5m 이상인 경우
❸ 최소회전 반경이 12m 이상인 경우
❹ 높이가 4m 이상인 경우
❺ 총중량이 40톤 이상인 경우
❻ 축하중이 10톤 이상인 경우

11 습식 공기청정기에 대한 설명이 아닌 것은?

① 청정효율은 공기량이 증가할수록 높아지며, 회전속도가 빠르면 효율이 좋아진다.
② 흡입공기는 오일로 적셔진 여과망을 통과시켜 여과시킨다.
③ 공기청정기 케이스 밑에는 일정한 양의 오일이 들어 있다.
④ 공기청정기는 일정시간 사용 후 무조건 신품으로 교환해야 한다.

해설 습식 공기청정기의 엘리먼트는 스틸 울이므로 세척하여 다시 사용한다.

12 기관에서 연료펌프로부터 보내진 고압의 연료를 미세한 안개 모양으로 연소실에 분사하는 부품은?

① 분사노즐 ② 커먼레일
③ 분사펌프 ④ 공급펌프

해설 분사노즐은 분사펌프에 보내준 고압의 연료를 연소실에 안개 모양으로 분사하는 부품이다.

13 납산 축전지에서 격리판의 역할은?

① 전해액의 증발을 방지한다.
② 과산화납으로 변화되는 것을 방지한다.
③ 전해액의 화학작용을 방지한다.
④ 음극판과 양극판의 절연성을 높인다.

해설 격리판은 음극판과 양극판의 단락을 방지한다. 즉 절연성을 높인다.

14 기관에서 사용되는 일체식 실린더의 특징이 아닌 것은?

① 냉각수 누출 우려가 적다.
② 라이너 형식보다 내마모성이 높다.
③ 부품수가 적고 중량이 가볍다.
④ 강성 및 강도가 크다.

해설 일체식 실린더는 강성 및 강도가 크고 냉각수 누출 우려가 적으며, 부품수가 적고 중량이 가볍다.

15 기동전동기에서 전기자 철심을 여러 층으로 겹쳐서 만드는 이유는?

① 자력선 감소 ② 소형 경량화
③ 맴돌이 전류감소 ④ 온도상승 촉진

해설 전기자 철심을 두께 0.35~1.0mm의 얇은 철판을 각각 절연하여 겹쳐 만든 이유는 자력선을 잘 통과시키고, 맴돌이 전류를 감소시키기 위함이다.

16 디젤기관에 사용되는 연료의 구비조건으로 옳은 것은?

① 점도가 높고 약간의 수분이 섞여 있을 것
② 황의 함유량이 클 것
③ 착화점이 높을 것
④ 발열량이 클 것

해설 **디젤기관 연료(경유)의 구비조건**
❶ 자연발화점이 낮을 것(착화가 용이할 것)
❷ 카본의 발생이 적고, 황의 함유량이 적을 것
❸ 세탄가가 높고, 발열량이 클 것
❹ 적당한 점도를 지니며, 온도변화에 따른 점도변화가 적을 것
❺ 연소속도가 빠를 것

17 기관의 윤활장치에서 엔진오일의 여과방식이 아닌 것은?

① 전류식　② 샨트식
③ 합류식　④ 분류식

해설 기관오일의 여과방식에는 분류식, 샨트식, 전류식이 있다.

18 직류발전기 구성품이 아닌 것은?

① 로터코일과 실리콘 다이오드
② 전기자 코일과 정류자
③ 계철과 계자철심
④ 계자코일과 브러시

해설 직류발전기는 전기자 코일과 정류자, 계철과 계자철심, 계자코일과 브러시 등으로 구성된다.

19 기관 과열의 원인이 아닌 것은?

① 히터 스위치 고장
② 수온조절기의 고장
③ 헐거워진 냉각팬 벨트
④ 물 통로 내의 물 때(scale)

해설 **기관 과열원인**
❶ 팬벨트의 장력이 적거나 파손되었다.
❷ 냉각 팬이 파손되었다.
❸ 라디에이터 호스가 파손되었다.
❹ 라디에이터 코어가 20% 이상 막혔다.
❺ 라디에이터 코어가 파손되었거나 오손되었다.
❻ 물 펌프의 작동이 불량하다.
❼ 수온조절기(정온기)가 닫힌 채 고장이 났다.
❽ 수온조절기가 열리는 온도가 너무 높다.
❾ 물재킷 내에 스케일(물때)이 많이 쌓여 있다.
❿ 냉각수 양이 부족하다.

20 전조등 형식 중 내부에 불활성 가스가 들어 있으며, 광도의 변화가 적은 것은?

① 로우 빔식　② 하이 빔식
③ 실드 빔식　④ 세미 실드 빔식

해설 **실드빔형 전조등의 특징**
❶ 반사경에 필라멘트를 붙이고 여기에 렌즈를 녹여 붙인 후 내부에 불활성 가스를 넣어 그 자체가 1개의 전구가 되도록 한 것이다.
❷ 대기의 조건에 따라 반사경이 흐려지지 않는다.
❸ 사용에 따르는 광도의 변화가 적다.
❹ 필라멘트가 끊어지면 렌즈나 반사경에 이상이 없어도 전조등 전체를 교환하여야 한다.

21 유압모터의 회전속도가 규정 속도보다 느릴 경우, 그 원인이 아닌 것은?

① 유압펌프의 오일 토출량 과다
② 각 작동부의 마모 또는 파손
③ 유압유의 유입량 부족
④ 오일의 내부누설

해설 유압펌프의 오일 토출량이 과다하면 유압모터의 회전속도가 빨라진다.

22 유압유(작동유)의 온도상승 원인에 해당하지 않는 것은?

① 작동유의 점도가 너무 높을 때
② 유압모터 내에서 내부마찰이 발생될 때
③ 유압회로 내의 작동압력이 너무 낮을 때
④ 유압회로 내에서 공동현상이 발생될 때

해설 **유압장치의 열 발생원인**
❶ 작동유의 점도가 너무 높을 때
❷ 유압장치 내에서 내부마찰이 발생될 때
❸ 유압회로 내의 작동압력이 너무 높을 때
❹ 유압회로 내에서 캐비테이션이 발생될 때
❺ 릴리프 밸브가 닫힌 상태로 고장일 때
❻ 오일 냉각기의 냉각핀이 오손되었을 때
❼ 작동유가 부족할 때

23 유압장치의 장점이 아닌 것은?

① 속도제어가 용이하다.
② 힘의 연속적 제어가 용이하다.
③ 온도의 영향을 많이 받는다.
④ 윤활성, 내마멸성, 방청성이 좋다.

해설 **유압장치의 장점**
❶ 작은 동력원으로 큰 힘을 낼 수 있다.
❷ 과부하 방지가 용이하다.
❸ 운동방향을 쉽게 변경할 수 있다.
❹ 속도제어가 용이하다.
❺ 에너지 축적이 가능하다.
❻ 힘의 전달 및 증폭이 용이하다.
❼ 힘의 연속적 제어가 용이하다.
❽ 윤활성·내마멸성 및 방청성이 좋다.

24 작동유에 수분이 혼입되었을 때 나타나는 현상이 아닌 것은?

① 윤활능력 저하
② 작동유의 열화 촉진
③ 유압기기의 마모 촉진
④ 오일탱크의 오버플로

해설 오일탱크에서 오버플로(over flow, 흘러넘침)가 발생하는 경우는 공기가 혼입된 경우이다.

25 유압회로 내의 압력이 설정압력에 도달하면 펌프에서 토출된 오일을 전부 탱크로 회송시켜 펌프를 무부하로 운전시키는데 사용하는 밸브는?

① 체크밸브(check valve)
② 시퀀스 밸브(sequence valve)
③ 언로드 밸브(unloader valve)
④ 카운터밸런스 밸브(count balance valve)

해설 언로드(무부하)밸브는 유압회로 내의 압력이 설정압력에 도달하면 펌프에서 토출된 오일을 전부 탱크로 회송시켜 펌프를 무부하로 운전시키는데 사용한다.

26 축압기(accumulator)의 사용목적이 아닌 것은?

① 압력보상
② 유체의 맥동감쇠
③ 유압회로 내의 압력제어
④ 보조 동력원으로 사용

해설 어큐뮬레이터(축압기)의 용도는 압력보상, 체적변화 보상, 유압 에너지 축적, 유압회로 보호, 맥동감쇠, 충격압력 흡수, 일정압력 유지, 보조 동력원으로 사용 등이다.

27 유체의 압력에 영향을 주는 요소로 가장 관계가 적은 것은?

① 유체의 점도　② 관로의 직경
③ 유체의 흐름량　④ 작동유 탱크 용량

해설 압력에 영향을 주는 요소는 유체의 흐름량, 유체의 점도, 관로직경의 크기이다.

28 유압펌프의 종류에 포함되지 않는 것은?

① 기어펌프　② 진공펌프
③ 베인 펌프　④ 플런저 펌프

해설 유압펌프의 종류에는 기어펌프, 베인 펌프, 피스톤(플런저)펌프, 나사펌프, 트로코이드 펌프 등이 있다.

29 건설기계 작업 중 유압회로 내의 유압이 상승되지 않을 때의 점검사항으로 적합하지 않은 것은?

① 오일탱크의 오일량 점검
② 오일이 누출되었는지 점검
③ 펌프로부터 유압이 발생되는지 점검
④ 자기탐상법에 의한 작업장치의 균열 점검

해설 **갑자기 유압상승이 되지 않을 경우 점검 내용**
❶ 유압펌프로부터 유압이 발생되는지 점검
❷ 오일탱크의 오일량 점검
❸ 릴리프 밸브의 고장인지 점검
❹ 오일이 누출되었는지 점검

30 유압회로에서 오일을 한쪽 방향으로만 흐르도록 하는 밸브는?

① 릴리프 밸브(relief valve)
② 파일럿 밸브(pilot valve)
③ 체크밸브(check valve)
④ 오리피스 밸브(orifice valve)

해설 체크밸브(check valve)는 역류를 방지하고, 회로내의 잔류압력을 유지시키며, 오일의 흐름이 한쪽 방향으로만 가능하게 한다.

31 안전작업 사항으로 잘못된 것은?

① 전기장치는 접지를 하고 이동식 전기기구는 방호장치를 설치한다.
② 엔진에서 배출되는 일산화탄소에 대비한 통풍장치를 한다.
③ 담뱃불은 발화력이 약하므로 제한장소 없이 흡연해도 무방하다.
④ 주요장비 등은 조작자를 지정하여 아무나 조작하지 않도록 한다.

32 다음 중 현장에서 작업자가 작업 안전상 꼭 알아두어야 할 사항은?

① 장비의 가격
② 종업원의 작업환경
③ 종업원의 기술정도
④ 안전규칙 및 수칙

33 전장품을 안전하게 보호하는 퓨즈의 사용법으로 틀린 것은?

① 퓨즈가 없으면 임시로 철사를 감아서 사용한다.
② 회로에 맞는 전류 용량의 퓨즈를 사용한다.
③ 오래되어 산화된 퓨즈는 미리 교환한다.
④ 과열되어 끊어진 퓨즈는 과열된 원인을 먼저 수리한다.

34 망치(hammer)작업 시 옳은 것은?

① 망치자루의 가운데 부분을 잡아 놓치지 않도록 할 것
② 손은 다치지 않게 장갑을 착용할 것
③ 타격할 때 처음과 마지막에 힘을 많이 가하지 말 것
④ 열처리 된 재료는 반드시 해머작업을 할 것

35 유류화재 시 소화용으로 가장 거리가 먼 것은?

① 물　　② 소화기
③ 모래　　④ 흙

36 산업체에서 안전을 지킴으로서 얻을 수 있는 이점과 가장 거리가 먼 것은?

① 직장의 신뢰도를 높여준다.
② 직장 상하 동료 간 인간관계 개선효과도 기대된다.
③ 기업의 투자 경비가 늘어난다.
④ 사내 안전수칙이 준수되어 질서유지가 실현된다.

37 먼지가 많은 장소에서 착용하여야 하는 마스크는?

① 방독마스크　　② 산소마스크
③ 방진마스크　　④ 일반마스크

해설 분진(먼지)이 발생하는 장소에서는 방진마스크를 착용하여야 한다.

38 작업장에서 공동 작업으로 물건을 들어 이동할 때 잘못된 것은?

① 힘을 균형을 유지하여 이동할 것
② 불안전한 물건은 드는 방법에 주의할 것
③ 보조를 맞추어 들도록 할 것
④ 운반도중 상대방에게 무리하게 힘을 가할 것

39 아크용접에서 눈을 보호하기 위한 보안경 선택으로 맞는 것은?

① 도수 안경　　② 방진안경
③ 차광용 안경　　④ 실험실용 안경

40 정비작업 시 안전에 가장 위배되는 것은?

① 깨끗하고 먼지가 없는 작업환경을 조정한다.
② 회전부분에 옷이나 손이 닿지 않도록 한다.
③ 연료를 채운 상태에서 연료통을 용접한다.
④ 가연성 물질을 취급 시 소화기를 준비한다.

해설 연료탱크는 탱크 내의 연료를 완전히 제거하고 물을 채운 후 용접을 한다.

41 로드롤러의 변속기에서 심한 잡음이 나는 원인이 아닌 것은?

① 오일펌프의 압력이 높을 때
② 윤활유가 부족할 때
③ 기어가 마모 및 손상되었을 때
④ 기어 샤프트 지지 베어링이 마모 및 손상되었을 때

해설 변속기에서 심한 잡음이 나는 원인은 윤활유가 부족할 때, 기어가 마모 및 손상되었을 때, 기어 샤프트 지지 베어링이 마모 및 손상되었을 때 등이다.

42 롤러에 부착된 부품을 확인하였더니 13.00-24-18PR로 명기되어 있을 때 해당되는 것은?

① 유압펌프 출력 ② 엔진 일련번호
③ 타이어 규격 ④ 시동 모터 용량

43 클러치의 구비조건으로 틀린 것은?

① 동력차단이 신속할 것
② 회전부분 평형이 좋을 것
③ 방열이 잘 될 것
④ 구조가 복잡할 것

해설 클러치의 구비조건
❶ 회전부분의 관성력이 작을 것
❷ 동력전달이 확실하고 신속할 것
❸ 방열이 잘되어 과열되지 않을 것
❹ 회전부분의 평형이 좋을 것
❺ 단속 작용이 확실하며 조작이 쉬울 것

44 작업 전 점검사항으로 시동 전에 해야 할 내용과 관계없는 것은?

① 연료 및 오일의 누유 점검
② 타이어 손상 및 공기압 점검
③ 좌·우 차륜의 허브너트 체결점검
④ 이상음 및 이상 진동점검

45 유압조향식 롤러에서 조향불능 원인으로 틀린 것은?

① 유압펌프 결함
② 유압호스 파손
③ 조향 유압실린더 결함
④ 밸러스트 불량

46 머캐덤 롤러의 클러치가 미끄러지는 원인에 대한 설명으로 틀린 것은?

① 클러치 스프링의 노후
② 라이닝에 기름이 묻었을 때
③ 클러치 릴리스 레버 선단의 마모
④ 클러치판의 마모

해설 클러치 릴리스 레버의 선단이 마모되면 페달의 자유간극이 커져 동력차단이 불량해진다.

47 롤러의 성능과 능력을 나타내는 것이 아닌 것은?

① 선압, 윤하중 ② 다짐폭, 접지압
③ 기진력, 윤거 ④ 다짐폭, 기진력

해설 롤러의 성능과 능력은 선압, 윤하중, 다짐폭, 접지압, 기진력으로 나타낸다.

48 제동장치 중 주브레이크에 속하지 하는 것은?

① 유압식 브레이크
② 배력식 브레이크
③ 공기식 브레이크
④ 배기 브레이크

49 롤러의 종감속 장치에서 동력전달 방식이 아닌 것은?

① 평기어식 ② 베벨기어식
③ 체인구동식 ④ 벨트구동식

해설 종감속장치의 동력전달 방식에는 평기어식, 베벨기어식, 체인구동식 등이 있다.

50 로드롤러의 동력전달 순서로 맞는 것은?

① 엔진 → 클러치 → 차동장치 → 역전기 → 롤
② 엔진 → 클러치 → 역전기 → 변속기 → 롤 → 종감속장치
③ 엔진 → 클러치 → 변속기 → 역전기 → 종감속장치 → 롤
④ 엔진 → 클러치 → 변속기 → 차동장치 → 롤

해설 로드롤러의 동력전달 순서는 엔진→클러치→변속기→역전기→종감속장치→롤이다.

51 롤러의 다짐 방식에 의한 분류가 아닌 것은?

① 전압형식　② 전류형식
③ 진동형식　④ 충격형식

해설 롤러는 다짐 방법에 따라 자체중량을 이용하는 전압형식, 진동을 이용하는 진동형식, 충격력을 이용하는 충격형식 등이 있다.

52 타이어식 롤러에서 타이어가 상하로 요동하게 하는 가장 중요한 이유는?

① 승차감을 좋게 하기 위하여
② 경사지에서 안정된 주행을 위하여
③ 타이어를 손상시키지 않게 하기 위하여
④ 하중을 받아 다짐작업이 잘되도록 하기 위하여

해설 타이어 롤러의 타이어가 상·하로 요동하도록 하는 이유는 하중을 받아 다짐작업이 잘되도록 하기 위함이다.

53 롤러의 일일점검 사항이 아닌 것은?

① 엔진오일 점검
② 축전지 전해액 점검
③ 연료양 점검
④ 냉각수 점검

54 일반적인 머캐덤 롤러의 전륜(앞바퀴)에 대한 설명으로 틀린 것은?

① 조향은 유압식이다.
② 전륜축은 베어링으로 지지한다.
③ 킹핀이 설치되어 있다.
④ 브레이크 장치가 설치되어 있다.

55 건설기계 작업시의 주의하여야 할 전압별 전기 이격거리를 나타낸 것 중 틀린 것은?

① 154000V, 5m　② 22000V, 3m
③ 6600V, 2m　④ 100V, 1m

56 롤러 중량표시 중 8~12톤의 설명으로 맞는 것은?

① 자체중량 12톤, 밸러스트 중량 8톤
② 자체중량 8톤, 밸러스트 중량 12톤
③ 자체중량 8톤, 밸러스트 중량 4톤
④ 자체중량 4톤, 밸러스트 중량 12톤

해설 롤러의 규격이 8–12톤이란 자체중량이 8톤이고 4톤의 부가하중(밸러스트)을 더 할 수 있다는 의미이다.

57 유압구동식 롤러의 정유압 전도장치에 해당하는 것은?

① 엔진–유압펌프–제어밸브
② 유압펌프–제어밸브–유압모터
③ 제어밸브–유압모터–차동장치
④ 유압모터–차종장치–종감속장치

58 공사현장에서 작업의 안전수칙으로 틀린 것은?

① 급회전이나 급정지를 금한다.
② 장비 능력의 범위에서도 최대한 작업한다.
③ 장비의 예방정비를 철저히 한다.
④ 장비 본래의 용도 이외에 사용을 금한다.

59 롤러의 하체 구성부품에서 마모가 증가되는 원인이 아닌 것은?

① 부품끼리 접촉이 증가할 때
② 부품끼리 상대운동이 증가할 때
③ 부품에 윤활막이 유지될 때
④ 부품에 부하가 가해졌을 때

해설 부품에 윤활막이 유지되지 않으면 구성부품의 마모가 증가한다.

60 자재이음의 종류가 아닌 것은?

① 플렉시블 이음 ② 트러니언 이음
③ 십자이음 ④ 커플 이음

롤러 모의고사 정답

【1회】
01.③ 02.③ 03.① 04.④ 05.① 06.③ 07.① 08.② 09.④ 10.③
11.④ 12.① 13.① 14.③ 15.① 16.① 17.③ 18.② 19.④ 20.③
21.① 22.③ 23.① 24.① 25.② 26.④ 27.③ 28.④ 29.② 30.④
31.② 32.③ 33.④ 34.③ 35.② 36.③ 37.④ 38.① 39.① 40.④
41.③ 42.② 43.③ 44.② 45.④ 46.① 47.① 48.④ 49.① 50.③
51.④ 52.④ 53.③ 54.① 55.② 56.④ 57.② 58.④ 59.② 60.②

【2회】
01.① 02.② 03.④ 04.③ 05.③ 06.② 07.③ 08.② 09.③ 10.②
11.③ 12.① 13.③ 14.④ 15.④ 16.① 17.② 18.① 19.② 20.②
21.① 22.① 23.④ 24.③ 25.② 26.③ 27.① 28.④ 29.② 30.②
31.④ 32.① 33.② 34.③ 35.① 36.① 37.③ 38.② 39.④ 40.④
41.① 42.③ 43.③ 44.② 45.④ 46.③ 47.② 48.④ 49.④ 50.②
51.① 52.③ 53.② 54.④ 55.③ 56.③ 57.④ 58.② 59.③ 60.②

【3회】
01.④ 02.④ 03.① 04.① 05.② 06.③ 07.③ 08.② 09.④ 10.①
11.③ 12.④ 13.② 14.④ 15.① 16.② 17.④ 18.④ 19.④ 20.③
21.① 22.② 23.① 24.③ 25.④ 26.① 27.② 28.① 29.④ 30.④
31.④ 32.③ 33.② 34.③ 35.④ 36.④ 37.② 38.① 39.③ 40.④
41.④ 42.② 43.④ 44.① 45.④ 46.④ 47.① 48.③ 49.② 50.③
51.④ 52.① 53.④ 54.③ 55.④ 56.④ 57.④ 58.④ 59.③ 60.②

【4회】
01.④ 02.② 03.① 04.② 05.① 06.④ 07.② 08.④ 09.④ 10.①
11.① 12.③ 13.④ 14.② 15.① 16.① 17.③ 18.④ 19.④ 20.③
21.④ 22.② 23.④ 24.③ 25.② 26.① 27.① 28.④ 29.④ 30.①
31.③ 32.④ 33.① 34.① 35.③ 36.③ 37.③ 38.① 39.① 40.②
41.① 42.③ 43.② 44.④ 45.① 46.④ 47.④ 48.② 49.④ 50.②
51.③ 52.① 53.① 54.④ 55.① 56.④ 57.③ 58.① 59.④ 60.①

【5회】
01.④ 02.④ 03.③ 04.④ 05.④ 06.④ 07.④ 08.④ 09.② 10.④
11.④ 12.① 13.④ 14.② 15.③ 16.④ 17.③ 18.① 19.① 20.③
21.① 22.③ 23.③ 24.④ 25.③ 26.③ 27.④ 28.② 29.④ 30.③
31.③ 32.④ 33.① 34.③ 35.① 36.③ 37.③ 38.④ 39.③ 40.③
41.① 42.③ 43.④ 44.④ 45.④ 46.③ 47.③ 48.④ 49.④ 50.③
51.② 52.④ 53.② 54.④ 55.④ 56.③ 57.② 58.② 59.③ 60.④

국가기술자격검정 필기시험 복원문제

2017년 복원 문제(1)

자격종목 및 등급(선택분야)	종목코드	시험시간	문제지형별	수검번호	성 명
롤러 운전기능사	7871	1시간			

01. 실린더와 피스톤 사이에 유막을 형성하여 압축 및 연소가스가 누설되지 않도록 기밀을 유지하는 작용으로 옳은 것은?

① 밀봉 작용 ② 감마 작용
③ 냉각 작용 ④ 방청 작용

해설 밀봉 작용은 기밀 유지 작용이라고도 하며, 실린더와 피스톤 사이에 유막을 형성하여 압축 및 연소가스가 누설되지 않도록 기밀을 유지한다.

02. 4행정 사이클 기관의 행정순서로 맞는 것은?

① 압축→동력→흡입→배기
② 흡입→동력→압축→배기
③ 압축→흡입→동력→배기
④ 흡입→압축→동력→배기

03. 기관의 오일펌프 유압이 낮아지는 원인이 아닌 것은?

① 윤활유 점도가 너무 높을 때
② 베어링의 오일간극이 클 때
③ 윤활유의 양이 부족할 때
④ 오일 스트레이너가 막힐 때

해설 **기관의 오일 압력이 낮은 원인**
① 아래 크랭크 케이스(오일 팬)에 오일이 적다.
② 크랭크축 오일 틈새가 크다.
③ 오일펌프가 불량하다.
④ 유압 조절 밸브(릴리프 밸브)가 열린 상태로 고장났다.
⑤ 기관 각부의 마모가 심하다.
⑥ 기관 오일에 경유가 혼입되었다.
⑦ 커넥팅로드 대단부 베어링과 핀 저널의 간극이 크다.

04. 습식 공기 청정기에 대한 설명이 아닌 것은?

① 청정효율은 공기량이 증가할수록 높아지며, 회전속도가 빠르면 효율이 좋아진다.
② 흡입 공기는 오일로 적셔진 여과망을 통과시켜 여과시킨다.
③ 공기 청정기 케이스 밑에는 일정한 양의 오일이 들어 있다.
④ 공기 청정기는 일정시간 사용 후 무조건 신품으로 교환해야 한다.

해설 습식 공기 청정기의 엘리먼트는 스틸 울이므로 세척하여 다시 사용한다.

05. 기관 과열의 원인이 아닌 것은?

① 히터 스위치 고장
② 수온 조절기의 고장
③ 헐거워진 냉각팬 벨트
④ 물 통로 내의 물 때(scale)

해설 **기관 과열 원인**
① 팬벨트의 장력이 적거나 파손되었다.
② 냉각 팬이 파손되었다.
③ 라디에이터 호스가 파손되었다.
④ 라디에이터 코어가 20% 이상 막혔다.
⑤ 라디에이터 코어가 파손되었거나 오손되었다.
⑥ 물 펌프의 작동이 불량하다.
⑦ 수온 조절기(정온기)가 닫힌 채 고장이 났다.
⑧ 수온 조절기가 열리는 온도가 너무 높다.
⑨ 물재킷 내에 스케일(물때)이 많이 쌓여 있다.
⑩ 냉각수 양이 부족하다.

06. **디젤기관 연료장치 내에 있는 공기를 배출하기 위하여 사용하는 펌프는?**

① 연료 펌프 ② 공기 펌프
③ 인젝션 펌프 ④ 프라이밍 펌프

해설 프라이밍 펌프는 연료 공급 펌프에 설치되어 있으며, 분사 펌프로 연료를 보내거나 연료계통의 공기를 배출할 때 사용한다.

07. **전기가 이동하지 않고 물질에 정지하고 있는 전기는?**

① 동전기 ② 정전기
③ 직류 전기 ④ 교류 전기

해설 정전기란 전기가 이동하지 않고 물질에 정지하고 있는 전기이다.

08. **납산 축전지에서 격리판의 역할은?**

① 전해액의 증발을 방지한다.
② 과산화납으로 변화되는 것을 방지한다.
③ 전해액의 화학작용을 방지한다.
④ 음극판과 양극판의 절연성을 높인다.

해설 격리판은 음극판과 양극판의 단락을 방지한다. 즉 절연성을 높인다.

09. **기관에 사용되는 시동 모터가 회전이 안 되거나 회전력이 약한 원인이 아닌 것은?**

① 시동 스위치의 접촉이 불량하다.
② 배터리 단자와 터미널의 접촉이 나쁘다.
③ 브러시가 정류자에 잘 밀착되어 있다.
④ 축전지 전압이 낮다.

해설 **기동 전동기(시동모터)가 회전이 안 되는 원인**
① 시동 스위치의 접촉이 불량하다.
② 축전지가 과다 방전되었다.
③ 축전지 단자와 케이블의 접촉이 불량하거나 단선되었다.
④ 기동 전동기 브러시 스프링 장력이 약해 정류자의 밀착이 불량하다.
⑤ 기동 전동기 전기자 코일 또는 계자 코일이 단락되었다.

10. **교류 발전기의 부품이 아닌 것은?**

① 다이오드 ② 슬립링
③ 스테이터 코일 ④ 전류 조정기

해설 교류 발전기는 스테이터(stator), 로터(rotor), 다이오드, 슬립링과 브러시, 엔드 프레임 등으로 구성되어 있다.

11. **유압유 온도가 과열되었을 때 유압 계통에 미치는 영향으로 틀린 것은?**

① 온도 변화에 의해 유압기기가 열 변형되기 쉽다.
② 오일의 점도저하에 의해 누유 되기 쉽다.
③ 유압 펌프의 효율이 높아진다.
④ 오일의 열화를 촉진한다.

해설 **유압유가 과열되면**
① 작동유의 열화를 촉진한다.
② 작동유의 점도의 저하에 의해 누출되기 쉽다.
③ 유압장치의 효율이 저하한다.
④ 온도변화에 의해 유압기기가 열 변형되기 쉽다.
⑤ 작동유의 산화작용을 촉진한다.
⑥ 유압장치의 작동 불량 현상이 발생한다.
⑦ 기계적인 마모가 발생할 수 있다.

12. **유압 실린더 등의 중력에 의한 자유낙하를 방지하기 위해 배압을 유지하는 압력 제어 밸브는?**

① 감압 밸브 ② 시퀀스 밸브
③ 언로드 밸브 ④ 카운터 밸런스 밸브

해설 카운트 밸런스 밸브는 유압 실린더 등이 중력 및 자체 중량에 의한 자유낙하를 방지하기 위해 배압을 유지한다.

13. **유압장치 내부에 국부적으로 높은 압력이 발생하여 소음과 진동이 발생하는 현상은?**

① 노이즈 ② 벤트포트
③ 캐비테이션 ④ 오리피스

해설 공동현상(캐비테이션)은 유압이 진공에 가까워짐으로서 기포가 발생하며, 기포가 파괴되어 국부적인 고압이나 소음과 진동이 발생하고 양정과 효율이 저하되는 현상이다.

14. 건설기계 유압회로에서 유압유 온도를 알맞게 유지하기 위해 오일을 냉각하는 부품은?

① 어큐뮬레이터 ② 오일 쿨러
③ 방향 제어 밸브 ④ 유압 밸브

15. 유압 실린더를 교환 후 우선적으로 시행하여야 할 사항은?

① 엔진을 저속 공회전 시킨 후 공기빼기 작업을 실시한다.
② 엔진을 고속 공회전 시킨 후 공기빼기 작업을 실시한다.
③ 유압장치를 최대한 부하상태로 유지한다.
④ 시험작업을 실시한다.

16. 유압 모터의 회전속도가 규정 속도보다 느릴 경우 그 원인이 아닌 것은?

① 유압 펌프의 오일 토출량 과다
② 각 작동부의 마모 또는 파손
③ 유압유의 유입량 부족
④ 오일의 내부누설

해설 유압 펌프의 오일 토출량이 과다하면 유압모터의 회전속도가 빨라진다.

17. 유압회로 내의 압력이 설정 압력에 도달하면 펌프에서 토출된 오일을 전부 탱크로 회송시켜 펌프를 무부하로 운전시키는데 사용하는 밸브는?

① 체크 밸브(check valve)
② 시퀀스 밸브(sequence valve)
③ 언로드 밸브(unloader valve)
④ 카운터 밸런스 밸브(count balance valve)

해설 언로드(무부하) 밸브는 유압회로 내의 압력이 설정 압력에 도달하면 펌프에서 토출된 오일을 전부 탱크로 회송시켜 펌프를 무부하로 운전시키는데 사용한다.

18. 유압 펌프의 종류에 포함되지 않는 것은?

① 기어 펌프 ② 진공 펌프
③ 베인 펌프 ④ 플런저 펌프

해설 유압 펌프의 종류에는 기어펌프, 베인 펌프, 피스톤(플런저) 펌프, 나사 펌프, 트로코이드 펌프 등이 있다.

19. 유압 실린더의 종류에 해당하지 않는 것은?

① 단동 실린더 ② 복동 실린더
③ 다단 실린더 ④ 회전 실린더

해설 유압 실린더의 종류에는 단동 실린더, 복동 실린더(싱글로드형과 더블로드형), 다단 실린더, 램형 실린더 등이 있다.

20. 회로 내 유체의 흐름방향을 제어하는데 사용되는 밸브는?

① 교축 밸브 ② 셔틀 밸브
③ 감압 밸브 ④ 순차 밸브

해설 방향 제어 밸브의 종류에는 스풀 밸브, 체크 밸브, 디셀러레이션 밸브, 셔틀 밸브 등이 있다.

21. 진동 롤러에 대한 설명으로 틀린 것은?

① 롤러에 진동을 주어 다짐효과가 증가한다.
② 아스팔트 포장면의 기초 및 마무리 다짐에만 사용한다.
③ 롤러의 자중부족을 차륜 내의 기진기의 원심력으로 보충한다.
④ 동력 전달계통은 기진계통과 주행계통을 갖추고 있다.

해설 진동롤러는 제방 및 도로 경사지 모서리 다짐에 사용되며, 또 흙·자갈 등의 다짐에 효과적이다.

22. 롤러의 엔진 오일이 갖춰야 할 기능이 아닌 것은?

① 마모 방지성이 있어야 한다.
② 엔진의 배기가스 농도 조정과 출력 증대 성분이 있어야 한다.
③ 마찰감소, 녹과 부식의 방지성이 있어야 한다.

④ 냉각성, 밀봉성, 기포발생 방지성이 있어야 한다.

해설 엔진 오일은 마모 방지성, 마찰 감소, 녹과 부식의 방지성, 냉각성, 밀봉성, 기포 발생 방지성이 있어야 한다.

23. 머캐덤 롤러의 차동 제한 장치가 작용할 때는 언제인가?

① 변속을 할 때
② 이동거리가 멀 때
③ 차륜이 슬립할 때
④ 제동할 때

해설 차동 제한 장치는 머캐덤 롤러로 작업할 때 모래땅이나 연약한 지반에서 차륜의 슬립을 방지하여 작업 또는 직진 성능을 주기 위하여 설치한다.

24. 롤러의 유압 실린더 적용으로 가장 적절한 것은?

① 방향 전환에 사용한다.
② 살수장치에 사용한다.
③ 메인 클러치 차단에 사용한다.
④ 역전장치에 사용한다.

해설 롤러의 유압 실린더는 방향을 전환하는데 사용된다.

25. 도로의 성토, 하천 제방, 어스 댐(earth dam) 등을 넓은 면적을 두꺼운 층으로 균일한 다짐을 요하는 경우 사용되는 롤러는?

① 탠덤 롤러　② 머캐덤 롤러
③ 타이어 롤러　④ 탬핑 롤러

해설 탬핑 롤러는 강판제의 드럼 바깥둘레에 여러 개의 돌기(tamping toot)가 용접으로 고정되어 있어 흙을 다지는데 매우 효과적이므로 도로의 성토, 하천 제방, 어스 댐(earth dam) 등을 넓은 면적을 두꺼운 층으로 균일한 다짐을 요하는 경우 사용된다.

26. 롤러의 사용 설명서에 대한 사항 중 틀린 것은?

① 각 부품의 단가를 파악한다.
② 각 부 명칭과 기능을 파악한다.
③ 장비의 성능을 파악한다.
④ 장비의 유지관리에 대한 사항을 파악한다.

27. 타이어형 롤러의 바퀴가 상하로 움직이는 목적은?

① 같은 압력으로 지면을 누르기 위함이다.
② 속도가 느려서 능률을 높이기 위함이다.
③ 기초 다짐에 효과적으로 사용하기 위함이다.
④ 자갈 및 모래 등의 골재 다짐에 용이하기 때문이다.

해설 타이어형 롤러의 바퀴가 상하로 움직이도록 하는 이유는 같은 압력으로 지면을 누르기 위함이다.

28. 탠덤 롤러를 설명한 것 중 옳은 것은?

① 전륜은 타이어, 후륜은 드럼형태의 쇠바퀴로 구성되어 있다.
② 전륜은 드럼형태의 쇠바퀴, 후륜은 타이어로 구성되어 있다.
③ 전·후륜 모두 타이어로 되어 있다.
④ 전·후륜 모두 드럼형태의 쇠바퀴 2개로 구성되어 있다.

해설 탠덤 롤러는 앞바퀴와 뒷바퀴가 모두 드럼형태의 쇠바퀴 2개로 되어 있고, 앞바퀴 조향, 뒷바퀴 구동방식이며, 용도는 아스팔트 마지막 다짐 작업에 가장 효과적이다. 그러나 자갈이나 쇄석 골재 등은 다져서는 안 된다.

29. 변속기의 구비조건으로 틀린 것은?

① 전달효율이 적을 것
② 변속 조작이 용이할 것
③ 소형, 경량일 것
④ 단계가 없이 연속적인 변속조작이 가능할 것

해설 변속기의 구비조건
① 소형이고, 고장이 없어야 한다.
② 조작이 쉽고 신속, 정확하여야 한다.
③ 연속적 변속에는 단계가 없어야 한다.
④ 전달효율이 좋아야 한다.

30. **다짐 효과의 향상과 아스팔트가 타이어 또는 롤에 부착되지 않게 하기 위한 장치는?**

① 부가 하중 장치 ② 진동 장치
③ 살수 장치 ④ 조향 장치

해설 살수장치는 다짐 효과의 향상과 아스팔트가 타이어 또는 롤에 부착되지 않게 하기 위한 것이다.

31. **로드 롤러의 변속기에서 심한 잡음이 나는 원인이 아닌 것은?**

① 오일 펌프의 압력이 높을 때
② 윤활유가 부족할 때
③ 기어가 마모 및 손상되었을 때
④ 기어 샤프트 지지 베어링이 마모 및 손상되었을 때

해설 변속기에서 심한 잡음이 나는 원인은 윤활유가 부족할 때, 기어가 마모 및 손상되었을 때, 기어 샤프트 지지 베어링이 마모 및 손상되었을 때 등이다.

32. **유압 조향식 롤러에서 조향 불능 원인으로 틀린 것은?**

① 유압 펌프 결함
② 유압호스 파손
③ 조향 유압 실린더 결함
④ 밸러스트 불량

해설 밸러스트는 롤러의 부가 하중 장치이다.

33. **롤러의 종감속 장치에서 동력전달 방식이 아닌 것은?**

① 평 기어식 ② 베벨 기어식
③ 체인 구동식 ④ 벨트 구동식

해설 종감속장치의 동력 전달 방식에는 평 기어식, 베벨 기어식, 체인 구동식 등이 있다.

34. **롤러의 일일점검 사항이 아닌 것은?**

① 엔진 오일 점검 ② 축전지 전해액 점검
③ 연료양 점검 ④ 냉각수 점검

35. **공사 현장에서 작업의 안전수칙으로 틀린 것은?**

① 급회전이나 급정지를 금한다.
② 장비 능력의 범위에서도 최대한 작업한다.
③ 장비의 예방정비를 철저히 한다.
④ 장비 본래의 용도 이외에 사용을 금한다.

36. **타이어 롤러에서 전압은 무엇으로 조정하는가?**

① 타이어의 자중
② 다짐속도와 밸러스트(Ballast)
③ 밸러스트와 타이어 공기압
④ 다짐속도와 타이어 공기압

해설 타이어 롤러에서 전압은 밸러스트와 타이어 공기압으로 조정한다.

37. **롤러의 다짐 압력을 높이기 위해 사용하는 것은?**

① 가열 장치(예열 장치)
② 전・후진기(역전 장치)
③ 전압력(선압)
④ 부하 하중(밸러스트)

해설 부가 하중(밸러스트)은 롤러 자체 중량으로는 다짐 압력이 부족할 때 금속, 물, 모래, 오일 등을 롤(바퀴)에 주입하여 다짐 압력을 높이는 부품이다.

38. **유압 구동식 롤러의 특징으로 틀린 것은?**

① 동력의 단절과 연결, 가속이 원활하다.
② 전진 후진의 교체, 변속 등을 한 개의 레버로 변환이 가능하다.
③ 부하에 관계없이 속도조절이 된다.
④ 작동유 관리가 불필요하다.

39. **타이어 롤러의 규격 표시에서 8-12t 이라는 수치의 뜻으로 맞는 것은?**

① 자중이 8톤이고, 밸러스트를 15톤까지 적재할 수 있다.

② 자중이 8톤, 밸러스트를 적재하여 중량을 12톤까지 증가시킬 수 있다.
③ 밸러스트를 8-12톤까지 적재할 수 있다.
④ 자중이 12톤이며 밸러스트를 8톤까지 적재할 수 있다.

해설 롤러의 규격이 8-12톤이란 자체 중량이 8톤이며 밸러스트를 적재하여 중량을 12톤까지 증가시킬 수 있다.

40. **롤러의 성능과 능력을 나타내는 것이 아닌 것은?**

① 선압, 윤하중　② 다짐 폭, 접지압
③ 기진력, 윤거　④ 다짐 폭, 기진력

해설 롤러의 성능과 능력은 선압, 윤하중, 다짐폭, 접지압, 기진력으로 나타낸다.

41. **벨트 취급 시 안전에 대한 주의사항으로 틀린 것은?**

① 벨트에 기름이 묻지 않도록 한다.
② 벨트의 적당한 유격을 유지하도록 한다.
③ 벨트 교환 시 회전을 완전히 멈춘 상태에서 한다.
④ 벨트의 회전을 정지시킬 때 손으로 잡아 정지시킨다.

42. **다음 중 산업 재해 조사의 목적에 대한 설명으로 가장 적절한 것은?**

① 적절한 예방대책을 수립하기 위하여
② 작업능률 향상과 근로 기강 확립을 위하여
③ 재해 발생에 대한 통계를 작성하기 위하여
④ 재해를 유발한 자의 책임을 추궁하기 위하여

43. **작업장에서 전기가 예고 없이 정전되었을 경우 전기로 작동하던 기계·기구의 조치방법 으로 가장 적합하지 않은 것은?**

① 즉시 스위치를 끈다.
② 안전을 위해 작업장을 정리해 놓는다.
③ 퓨즈의 단락 유무를 검사한다.
④ 전기가 들어오는 것을 알기 위해 스위치를 켜 둔다.

44. **전장품을 안전하게 보호하는 퓨즈의 사용법으로 틀린 것은?**

① 퓨즈가 없으면 임시로 철사를 감아서 사용한다.
② 회로에 맞는 전류 용량의 퓨즈를 사용한다.
③ 오래되어 산화된 퓨즈는 미리 교환한다.
④ 과열되어 끊어진 퓨즈는 과열된 원인을 먼저 수리한다.

45. **먼지가 많은 장소에서 착용하여야 하는 마스크는?**

① 방독 마스크　② 산소 마스크
③ 방진 마스크　④ 일반 마스크

해설 분진(먼지)이 발생하는 장소에서는 방진 마스크를 착용하여야 한다.

46. **원목처럼 길이가 긴 화물을 외줄 달기 슬링 용구를 사용하여 크레인으로 물건을 안전하게 달아 올리는 방법으로 가장 거리가 먼 것은?**

① 화물의 중량이 많이 걸리는 방향을 아래쪽으로 향하게 들어올린다.
② 제한용량 이상을 달지 않는다.
③ 수평으로 달아 올린다.
④ 신호에 따라 움직인다.

47. **작업장에 대한 안전관리상 설명으로 틀린 것은?**

① 항상 청결하게 유지한다.
② 작업대 사이 또는 기계사이의 통로는 안전을 위한 일정한 너비가 필요하다.
③ 공장 바닥은 폐유를 뿌려, 먼지가 일어나지 않도록 한다.
④ 전원 콘센트 및 스위치 등에 물을 뿌리지 않는다.

48. 공기(air)기구 사용 작업에서 적당치 않은 것은?

① 공기기구의 섭동 부위에 윤활유를 주유하면 안 된다.
② 규정에 맞는 토크를 유지하면서 작업한다.
③ 공기를 공급하는 고무호스가 꺾이지 않도록 한다.
④ 공기기구의 반동으로 생길 수 있는 사고를 미연에 방지한다.

49. 공구 및 장비 사용에 대한 설명으로 틀린 것은?

① 공구는 사용 후 공구상자에 넣어 보관한다.
② 볼트와 너트는 가능한 소켓렌치로 작업한다.
③ 토크 렌치는 볼트와 너트를 푸는데 사용한다.
④ 마이크로미터를 보관할 때는 직사광선에 노출시키지 않는다.

50. 작업 시 보안경 착용에 대한 설명으로 틀린 것은?

① 가스용접을 할 때는 보안경을 착용해야 한다.
② 절단하거나 깎는 작업을 할 때는 보안경을 착용해서는 안 된다.
③ 아크용접을 할 때는 보안경을 착용해야 한다.
④ 특수용접을 할 때는 보안경을 착용해야 한다.

51. 건설기계관리법령상 건설기계 조종사 면허를 받지 아니하고 건설기계를 조종한 자에 대한 벌칙은?

① 3년 이하의 징역 또는 3천만 원 이하의 벌금
② 2년 이하의 징역 또는 2천만 원 이하의 벌금
③ 1년 이하의 징역 또는 1천만 원 이하의 벌금
④ 1년 이하의 징역 또는 500만 원 이하의 벌금

해설 건설기계 조종사 면허를 받지 아니하고 건설기계를 조종한 자 : 1년 이하의 징역 또는 1천만 원 이하의 벌금

52. 건설기계관리법령상 자가용건설기계 등록번호표의 도색으로 옳은 것은?

① 청색 판에 백색 문자
② 적색 판에 흰색 문자
③ 백색 판에 황색 문자
④ 녹색 판에 흰색 문자

해설 **등록번호표의 도색 기준**

① 자가용 건설기계 : 녹색 판에 흰색 문자
② 영업용 건설기계 : 주황색 판에 흰색 문자
③ 관용 건설기계 : 백색 판에 검은색 문자
④ 임시운행 번호표 : 흰색 페인트 판에 검은색 문자

53. 건설기계관리법령상 미등록 건설기계의 임시운행 사유에 해당되지 않는 것은?

① 등록신청을 하기 위하여 건설기계를 등록지로 운행하는 경우
② 등록신청 전에 건설기계 공사를 하기 위하여 임시로 사용하는 경우
③ 수출을 하기 위하여 건설기계를 선적지로 운행하는 경우
④ 신개발 건설기계를 시험·연구의 목적으로 운행하는 경우

해설 **임시운행 사유**

① 등록신청을 하기 위하여 건설기계를 등록지로 운행하는 경우
② 신규등록검사 및 확인검사를 받기 위하여 건설기계를 검사장소로 운행하는 경우
③ 수출을 하기 위하여 건설기계를 선적지로 운행하는 경우
④ 신개발 건설기계를 시험·연구의 목적으로 운행하는 경우

⑤ 판매 또는 전시를 위하여 건설기계를 일시적으로 운행하는 경우

54. 제1종 대형자동차 면허로 조종할 수 없는 건설기계는?

① 콘크리트 펌프 ② 노상 안정기
③ 아스팔트 살포기 ④ 타이어식 기중기

해설 제1종 대형 운전면허로 조종할 수 있는 건설기계는 덤프트럭, 아스팔트 살포기, 노상 안정기, 콘크리트 믹서트럭, 콘크리트 펌프, 트럭적재식 천공기 등이다.

55. 음주상태(혈중 알코올 농도 0.05% 이상 0.1% 미만)에서 건설기계를 조종한 자에 대한 면허효력정지 처분기준은?

① 20일 ② 30일
③ 40일 ④ 60일

해설 술에 취한 상태(혈중 알코올 농도 0.05% 이상 0.1% 미만)에서 건설기계를 조종한 경우 면허효력정지 60일이다.

56. 건설기계의 조종 중 고의 또는 과실로 가스 공급시설을 손괴할 경우 조종사 면허의 처분기준은?

① 면허효력정지 10일
② 면허효력정지 15일
③ 면허효력정지 25일
④ 면허효력정지 180일

해설 건설기계를 조종 중에 고의 또는 과실로 가스 공급시설을 손괴한 경우 면허효력정지 180일이다.

57. 건설기계관리법상 건설기계의 소유자는 건설기계를 취득한 날부터 얼마 이내에 건설기계 등록신청을 해야 하는가?

① 2개월 이내 ② 3개월 이내
③ 6개월 이내 ④ 1년 이내

해설 건설기계 등록신청은 건설기계를 취득한 날로부터 2개월(60일)이내 하여야 한다.

58. 건설기계의 검사를 연장 받을 수 있는 기간을 잘못 설명한 것은?

① 해외 임대를 위하여 일시 반출된 경우 : 반출기간 이내
② 압류된 건설기계의 경우 : 압류기간 이내
③ 건설기계 대여업을 휴지한 경우 : 사업의 개시신고를 하는 때까지
④ 장기간 수리가 필요한 경우 : 소유자가 원하는 기간

59. 건설기계관리법령상 특별표지판을 부착하여야 할 건설기계의 범위에 해당하지 않는 것은?

① 높이가 4미터를 초과하는 건설기계
② 길이가 10미터를 초과하는 건설기계
③ 총중량이 40톤을 초과하는 건설기계
④ 최소회전반경이 12미터를 초과하는 건설기계

해설 **특별표지판 부착대상 건설기계**

① 길이가 16.7m 이상인 경우
② 너비가 2.5m 이상인 경우
③ 최소회전 반경이 12m 이상인 경우
④ 높이가 4m 이상인 경우
⑤ 총중량이 40톤 이상인 경우
⑥ 축하중이 10톤 이상인 경우

60. 건설기계 조종사의 면허 취소 사유에 해당되는 것은?

① 고의로 인명피해를 입힌 때
② 과실로 1명 이상을 사망하게 한때
③ 과실로 3명 이상에게 중상을 입힌 때
④ 과실로 10명 이상에게 경상을 입힌 때

해설 면허 취소 사유

① 면허정지 처분을 받은 자가 그 정지 기간 중에 건설기계를 조종한 때
② 거짓 또는 부정한 방법으로 건설기계의 면허를 받은 때
③ 건설기계의 조종 중 고의로 인명 피해를 입힌 때
④ 과실로 3명 이상을 사망하게 한 때
⑤ 과실로 7명 이상에게 중상을 입힌 때
⑥ 과실로 19명에게 경상을 입힌 때
⑦ 약물(마약, 대마 등의 환각물질)을 투여한 상태에서 건설기계를 조종한 때
⑧ 술에 만취한 상태(혈중 알코올농도 0.1% 이상)에서 건설기계를 조종한 때
⑨ 건설기계 조종사 면허증을 다른 사람에게 빌려 준 경우

국가기술자격검정 필기시험 복원문제

2017년 복원 문제(2)

자격종목 및 등급(선택분야)	종목코드	시험시간	문제지형별	수검번호	성 명
롤러 운전기능사	7871	1시간			

01. 기관에 사용되는 여과장치가 아닌 것은?

① 공기 청정기 ② 오일필터
③ 오일 스트레이너 ④ 인젝션 타이머

02. 기관의 크랭크축 베어링의 구비조건으로 틀린 것은?

① 마찰계수가 클 것
② 내피로성이 클 것
③ 매입성이 있을 것
④ 추종유동성이 있을 것

해설 크랭크축 베어링의 구비조건
① 하중 부담능력 및 매입성이 있을 것
② 내부식성 및 내피로성이 있을 것
③ 마찰계수가 적고, 추종유동성이 있을 것
④ 길들임성이 좋을 것

03. 디젤기관 냉각장치에서 냉각수의 비등점을 높여주기 위해 설치된 부품으로 알맞은 것은?

① 코어 ② 냉각핀
③ 보조 탱크 ④ 압력식 캡

해설 냉각장치 내의 비등점(비점)을 높이고 냉각범위를 넓히기 위하여 압력식 캡을 사용한다.

04. 기관에서 연료 펌프로부터 보내진 고압의 연료를 미세한 안개 모양으로 연소실에 분사하는 부품은?

① 분사 노즐 ② 커먼레일
③ 분사 펌프 ④ 공급 펌프

해설 분사 노즐은 분사 펌프에서 보내준 고압의 연료를 연소실에 안개 모양으로 분사하는 부품이다.

05. 기관의 윤활장치에서 엔진오일의 여과방식이 아닌 것은?

① 전류식 ② 샨트식
③ 합류식 ④ 분류식

해설 기관오일의 여과방식에는 분류식, 샨트식, 전류식이 있다.

06. 실린더 헤드 개스킷에 대한 구비조건으로 틀린 것은?

① 기밀유지가 좋을 것
② 내열성과 내압성이 있을 것
③ 복원성이 적을 것
④ 강도가 적당할 것

해설 헤드 개스킷의 구비조건
① 기밀 유지 성능이 클 것
② 냉각수 및 기관 오일이 새지 않을 것
③ 내열성과 내압성이 클 것
④ 복원성이 있고, 강도가 적당할 것

07. 축전기 커버에 묻은 전해액을 세척하려고 할 때 사용하는 중화제로 가장 좋은 것은?

① 증류수 ② 비눗물
③ 암모니아수 ④ 베이킹 소다수

08. 기동 전동기에서 전기자 철심을 여러 층으로 겹쳐서 만드는 이유는?

① 자력선 감소 ② 소형 경량화
③ 맴돌이 전류감소 ④ 온도 상승 촉진

해설 전기자 철심을 두께 0.35~1.0mm의 얇은 철판을 각각 절연하여 겹쳐 만든 이유는 자력선을 잘 통과시키고 맴돌이 전류를 감소시키기 위함이다.

09. **교류 발전기에서 교류를 직류로 바꾸어주는 것은?**

① 계자 ② 슬립링
③ 브러시 ④ 다이오드

해설 교류 발전기 다이오드의 역할은 교류를 정류하고, 역류를 방지한다.

10. **퓨즈에 대한 설명 중 틀린 것은?**

① 퓨즈는 정격용량을 사용한다.
② 퓨즈 용량은 A로 표시한다.
③ 퓨즈는 가는 구리선으로 대용된다.
④ 퓨즈는 표면이 산화되면 끊어지기 쉽다.

11. **유압장치에서 오일 여과기에 걸러지는 오염물질의 발생 원인으로 가장 거리가 먼 것은?**

① 유압장치의 조립과정에서 먼지 및 이물질 혼입
② 작동중인 기관의 내부 마찰에 의하여 생긴 금속가루 혼입
③ 유압장치를 수리하기 위하여 해체하였을 때 외부로부터 이물질 혼입
④ 유압유를 장기간 사용함에 있어 고온·고압 하에서 산화생성물이 생김

12. **축압기(어큐뮬레이터)의 기능과 관계가 없는 것은?**

① 충격 압력 흡수
② 유압 에너지 축적
③ 릴리프 밸브 제어
④ 유압 펌프 맥동흡수

해설 어큐뮬레이터(축압기)의 용도는 압력 보상, 체적 변화 보상, 유압 에너지 축적, 유압회로 보호, 맥동 감쇠, 충격 압력 흡수, 일정 압력 유지, 보조 동력원으로 사용 등이다.

13. **유압장치에 주로 사용하는 펌프형식이 아닌 것은?**

① 베인 펌프 ② 플런저 펌프
③ 분사 펌프 ④ 기어 펌프

해설 유압 펌프의 종류에는 기어 펌프, 베인 펌프, 피스톤(플런저) 펌프, 나사 펌프, 트로코이드 펌프 등이 있다.

14. **유압 실린더에서 숨 돌리기 현상이 생겼을 때 일어나는 현상이 아닌 것은?**

① 작동지연 현상이 생긴다.
② 피스톤 동작이 정지된다.
③ 오일의 공급이 과대해진다.
④ 작동이 불안정하게 된다.

해설 숨 돌리기 현상은 유압유의 공급이 부족할 때 발생한다.

15. **유압장치 내의 압력을 일정하게 유지하고 최고 압력을 제한하여 회로를 보호해주는 밸브는?**

① 릴리프 밸브 ② 체크 밸브
③ 제어 밸브 ④ 로터리 밸브

해설 릴리프 밸브는 유압장치 내의 압력을 일정하게 유지하고 최고 압력을 제한하고 회로를 보호하며, 과부하 방지와 유압기기의 보호를 위하여 최고 압력을 규제한다.

16. **유압유(작동유)의 온도상승 원인에 해당하지 않는 것은?**

① 작동유의 점도가 너무 높을 때
② 유압 모터 내에서 내부마찰이 발생될 때
③ 유압회로 내의 작동 압력이 너무 낮을 때
④ 유압회로 내에서 공동현상이 발생될 때

해설 **유압장치의 열 발생원인**

① 작동유의 점도가 너무 높을 때
② 유압장치 내에서 내부마찰이 발생될 때
③ 유압회로 내의 작동 압력이 너무 높을 때
④ 유압회로 내에서 캐비테이션이 발생될 때
⑤ 릴리프 밸브가 닫힌 상태로 고장일 때
⑥ 오일 냉각기의 냉각핀이 오손되었을 때
⑦ 작동유가 부족할 때

17. **유체의 압력에 영향을 주는 요소로 가장 관계가 적은 것은?**

① 유체의 점도　② 관로의 직경
③ 유체의 흐름량　④ 작동유 탱크 용량

해설 압력에 영향을 주는 요소는 유체의 흐름량, 유체의 점도, 관로 직경의 크기이다.

18. **건설기계 작업 중 유압회로 내의 유압이 상승되지 않을 때의 점검사항으로 적합하지 않은 것은?**

① 오일 탱크의 오일량 점검
② 오일이 누출되었는지 점검
③ 펌프로부터 유압이 발생되는지 점검
④ 자기탐상법에 의한 작업장치의 균열 점검

해설 **갑자기 유압 상승이 되지 않을 경우 점검 내용**
① 유압 펌프로부터 유압이 발생되는지 점검
② 오일 탱크의 오일량 점검
③ 릴리프 밸브의 고장인지 점검
④ 오일이 누출되었는지 점검

19. **유압장치에 사용되고 있는 제어 밸브가 아닌 것은?**

① 방향 제어 밸브
② 유량 제어 밸브
③ 스프링 제어 밸브
④ 압력 제어 밸브

해설 **제어 밸브의 기능**
① 압력 제어 밸브 : 일의 크기 결정
② 유량 제어 밸브 : 일의 속도 결정
③ 방향 제어 밸브 : 일의 방향 결정

20. **유압 모터의 특징 중 거리가 가장 먼 것은?**

① 소형으로 강력한 힘을 낼 수 있다.
② 과부하에 대해 안전하다.
③ 정·역회전 변화가 불가능하다.
④ 무단변속이 용이하다.

해설 유압 모터는 소형으로 강력한 힘을 낼 수 있고, 과부하에 대해 안전하며, 정·역회전 변화가 가능하다. 또 무단변속이 용이하다.

21. **타이어 롤러의 주차 시 안전사항으로 틀린 것은?**

① 가능한 평탄한 지면을 택한다.
② 부득이하게 경사지에 주차할 때는 경사지에 대하여 직각 주차한다.
③ 경사지에 주차하더라도 주차 제동장치만 체결하면 안전하다.
④ 주차할 때 깃발이나 점멸등과 같은 경고용 신호 장치를 설치한다.

해설 경사지에 주차할 때에는 주차 제동장치를 체결하고 바퀴에 고임목을 고여야 한다.

22. **타이어 롤러의 특징에 관한 설명으로 틀린 것은?**

① 타이어는 내압 변화가 적고 접지압 분포가 균일한 전용 타이어를 사용한다.
② 다짐 속도가 비교적 빠르다.
③ 보조 기층 다짐 높이는 약 50cm를 표준으로 하는 것이 바람직하다.
④ 타이어형 롤러의 차륜지지 방식은 고정식, 상호 요동식, 독립 지지식이 있다.

해설 펴는 흙의 두께는 다져진 상태의 두께이며, 일반적으로 노체, 축제에서 30cm, 노상은 20cm, 하층 노반은 10~15cm를 표준으로 한다.

23. **브레이크 드럼의 구비조건 중 틀린 것은?**

① 회전 불평형이 유지되어야 한다.
② 충분한 강성을 가지고 있어야 한다.
③ 방열이 잘되어야 한다.
④ 가벼워야 한다.

해설 **브레이크 드럼이 갖추어야 할 조건**
① 내마멸성이 커야 한다.
② 정적·동적 평형이 잡혀 있어야 한다.
③ 가볍고 강도와 강성이 커야 한다.
④ 방열(냉각)이 잘되어야 한다.

24. **자주식 진동 롤러가 경사지를 내려올 때 안전한 방법은?**

① 구동 타이어를 앞쪽으로 하고 내려온다.

② 드럼 롤러를 앞쪽으로 하고 내려온다.
③ 어느 쪽이나 상관없다.
④ 지그재그 방향으로 내려온다.

해설 진동 롤러가 경사지를 내려올 때에는 구동 타이어를 앞쪽으로 하고 내려온다.

25. 자주식 롤러에 해당되지 않는 것은?

① 피견인식 진동롤러 ② 머캐덤 롤러
③ 탠덤 롤러 ④ 타이어식 롤러

해설 **롤러의 종류**
① 동력(자주식) 롤러 : 머캐덤 롤러, 탠덤 롤러, 진동 롤러, 타이어 롤러
② 견인 롤러 : 탬핑 롤러, 그리드 롤러, 타이어 롤러, 진동 롤러

26. 수평방향의 하중이 수직으로 미칠 때 원심력을 가하고 기진력을 서로 조합하여 흙을 다짐하면 적은 무게로 큰 다짐효과를 올릴 수 있는 다짐기계는?

① 탬핑 롤러 ② 머캐덤 롤러
③ 진동 롤러 ④ 탠덤 롤러

해설 진동 롤러는 수평방향의 하중이 수직으로 미칠 때 원심력을 가하고 기진력을 서로 조합하여 흙을 다짐하면 적은 무게로 큰 다짐효과를 올릴 수 있다.

27. 타이어 롤러에 대한 설명 중 틀린 것은?

① 다짐속도가 비교적 빠르다.
② 골재를 파괴시키지 않고 골고루 다질 수 있다.
③ 아스팔트 혼합재 다짐용으로 적합하다.
④ 타이어 공기압으로 다짐능력을 조정할 수 없다.

해설 타이어 롤러는 타이어 공기압으로 다짐능력을 조정할 수 있으며, 다짐속도가 비교적 빠르고 골재를 파괴시키지 않으며, 골고루 다질 수 있어 아스팔트 혼합재 다짐용으로 적합하다.

28. 브레이크 분류 중 주브레이크가 아닌 것은?

① 유압식 브레이크 ② 배기 브레이크
③ 배력식 브레이크 ④ 공기식 브레이크

해설 배기 브레이크는 엔진의 배기가스가 배출될 때 배압을 이용하는 제3 브레이크이다.

29. 토크 컨버터의 기본 구성품 아닌 것은?

① 펌프 ② 터빈
③ 스테이터 ④ 터보

해설 토크 컨버터는 펌프(임펠러), 터빈(러너), 스테이터 등이 상호 운동하여 회전력을 변환시킨다.

30. 가열 포장 아스팔트 초기 다짐 롤러로 가장 적당한 것은?

① 머캐덤 롤러 ② 타이어 롤러
③ 탬핑 롤러 ④ 진동 롤러

해설 머캐덤 롤러는 앞바퀴 1개, 뒷바퀴가 2개인 것이며, 2개의 뒷바퀴로 구동을 하고 앞바퀴 1개로는 조향을 한다. 용도는 초기 다짐에 주로 사용되며, 자갈·모래 및 흙 등을 다지는데 매우 효과적이며 아스팔트 초기 다짐에 사용한다.

31. 롤러에 부착된 부품을 확인하였더니 13.00-24-18PR로 명기되어 있을 때 해당되는 것은?

① 유압펌프 출력 ② 엔진 일련번호
③ 타이어 규격 ④ 시동 모터 용량

해설 13.00-24-18PR은 타이어의 구격으로 13.00은 단면폭(mm), 24는 안지름(inch), 18은 플라이 수를 표기한 것이다.

32. 머캐덤 롤러의 클러치가 미끄러지는 원인에 대한 설명으로 틀린 것은?

① 클러치 스프링의 노후
② 라이닝에 기름이 묻었을 때
③ 클러치 릴리스 레버 선단의 마모
④ 클러치 판의 마모

해설 클러치 릴리스 레버의 선단이 마모되면 페달의 자유간극이 커져 동력 차단이 불량해 진다.

33. 로드 롤러의 동력 전달 순서로 맞는 것은?

① 엔진→클러치→차동장치→역전기→롤
② 엔진→클러치→역전기→변속기→롤→종감속장치
③ 엔진→클러치→변속기→역전기→종감속장치→롤
④ 엔진→클러치→변속기→차동장치→롤

해설 로드 롤러의 동력 전달 순서는 엔진→클러치→변속기→역전기→종감속장치→롤이다.

34. 일반적인 머캐덤 롤러의 전륜(앞바퀴)에 대한 설명으로 틀린 것은?

① 조향은 유압식이다.
② 전륜축은 베어링으로 지지한다.
③ 킹핀이 설치되어 있다.
④ 브레이크 장치가 설치되어 있다.

해설 롤러는 모두 뒷바퀴에만 브레이크 장치를 설치한다.

35. 롤러의 하체 구성부품에서 마모가 증가되는 원인이 아닌 것은?

① 부품끼리 접촉이 증가할 때
② 부품끼리 상대운동이 증가할 때
③ 부품에 윤활막이 유지될 때
④ 부품에 부하가 가해졌을 때

해설 부품에 윤활막이 유지되지 않으면 구성부품의 마모가 증가한다.

36. 타이어 롤러에서 전축과 후축의 타이어수가 다른 이유는?

① 다짐 속도를 높이기 위하여
② 차체의 균형유지를 위하여
③ 노면을 일정하게 다지기 위하여
④ 차축의 진동을 방지하기 위하여

해설 타이어 롤러의 전축과 후축의 타이어수가 다른 이유는 노면을 일정하게 다지기 위함이다.

37. 일반적으로 가장 빠른 속도로 작업하고 비교적 연약지반 다짐에 효과적인 롤러는?

① 타이어 롤러
② 탠덤 롤러
③ 머캐덤 롤러
④ 진동 롤러

해설 타이어 롤러는 가장 빠른 속도로 작업하고 비교적 연약지반 다짐에 효과적이다.

38. 롤러의 차동 장치에 대한 설명 중 틀린 것은?

① 조향할 때 골재가 밀리는 것을 방지한다.
② 좌우 바퀴의 회전 비율을 다르게 한다.
③ 조향을 원활하게 한다.
④ 작업 시 자동 제한 차동장치는 반드시 체결하고 한다.

해설 자동 제한 차동장치는 부정지나 연약지에서 바퀴가 미끄러질 때 사용한다.

39. 타이어 롤러에서 전압은 무엇으로 조정하는가?

① 타이어의 자중
② 다짐속도와 밸러스트(Ballast)
③ 밸러스트와 타이어 공기압
④ 다짐속도와 타이어 공기압

해설 타이어 롤러에서 전압은 밸러스트와 타이어 공기압으로 조정한다.

40. 롤러의 다짐 방식에 의한 분류가 아닌 것은?

① 전압형식 ② 전류형식
③ 진동형식 ④ 충격형식

해설 롤러는 다짐 방법에 따라 자체 중량을 이용하는 전압형식, 진동을 이용하는 진동형식, 충격력을 이용하는 충격형식 등이 있다.

41. **ILO(국제노동기구)의 구분에 의한 근로 불능 상해의 종류 중 응급조치 상해는 며칠간 치료를 받은 다음부터 정상 작업에 임할 수 있는 정도의 상해를 의미하는가?**

① 1일 미만 ② 3~5일
③ 10일 미만 ④ 2주 미만

해설 응급조치 상해란 1일 미만의 치료를 받고 다음부터 정상 작업에 임할 수 있는 정도의 상해이다.

42. **산업안전보건법령상 안전·보건표지의 종류 중 다음 그림에 해당하는 것은?**

① 산화성 물질경고
② 인화성 물질경고
③ 폭발성 물질경고
④ 급성 독성물질경고

43. **연삭기의 안전한 사용방법으로 틀린 것은?**

① 숫돌 측면 사용제한
② 숫돌 덮개 설치 후 작업
③ 보안경과 방진 마스크 작용
④ 숫돌과 받침대 간격을 가능한 넓게 유지

해설 연삭기의 워크레스트(숫돌 받침대)와 숫돌과의 틈새는 2~3mm 이내로 조정한다.

44. **망치(hammer) 작업 시 옳은 것은?**

① 망치 자루의 가운데 부분을 잡아 놓치지 않도록 할 것
② 손은 다치지 않게 장갑을 착용할 것
③ 타격할 때 처음과 마지막에 힘을 많이 가하지 말 것
④ 열처리 된 재료는 반드시 해머작업을 할 것

45. **작업장에서 공동 작업으로 물건을 들어 이동할 때 잘못된 것은?**

① 힘을 균형을 유지하여 이동할 것
② 불안전한 물건은 드는 방법에 주의할 것
③ 보조를 맞추어 들도록 할 것
④ 운반도중 상대방에게 무리하게 힘을 가할 것

46. **운전자가 작업 전에 장비 점검과 관련된 내용 중 거리가 먼 것은?**

① 타이어 및 궤도 차륜상태
② 브레이크 및 클러치의 작동상태
③ 낙석, 낙하물 등의 위험이 예상되는 작업 시 견고한 헤드 가이드 설치상태
④ 정격 용량보다 높은 회전으로 수차례 모터를 구동시켜 내구성 상태 점검

47. **금속나트륨이나 금속칼륨 화재의 소화재로서 가장 적합한 것은?**

① 물 ② 포소화기
③ 건조사 ④ 이산화탄소 소화기

해설 D급 화재는 금속나트륨, 금속칼륨 등의 화재로서 일반적으로 건조사를 이용한 질식효과로 소화한다.

48. **작업복에 대한 설명으로 적합하지 않은 것은?**

① 작업복은 몸에 알맞고 동작이 편해야 한다.
② 착용자의 연령, 성별 등에 관계없이 일률적인 스타일을 선정해야 한다.
③ 작업복은 항상 깨끗한 상태로 입어야 한다.
④ 주머니가 너무 많지 않고, 소매가 단정한 것이 좋다.

49. **안전모에 대한 설명으로 바르지 못한 것은?**

① 알맞은 규격으로 성능시험에 합격품이어야 한다.
② 구멍을 뚫어서 통풍이 잘되게 하여 착용한다.
③ 각종 위험으로부터 보호할 수 있는 종류의 안전모를 선택해야 한다.
④ 가볍고 성능이 우수하며 머리에 꼭 맞고 충격흡수성이 좋아야 한다.

50. **구동 벨트를 점검할 때 기관의 상태는?**

① 공회전 상태 ② 급가속 상태
③ 정지 상태 ④ 급감속 상태

51. **건설기계관리법령상 기중기를 조종할 수 있는 면허는?**

① 공기압축기 면허 ② 모터그레이더 면허
③ 기중기 면허 ④ 타워크레인 면허

해설 공기압축기는 공기압축기 면허, 모터그레이더는 롤러 면허, 타워크레인은 타워크레인 면허가 있어야 조종할 수 있다.

52. **건설기계관리법령상 다음 설명에 해당하는 건설기계사업은?**

> 건설기계를 분해·조립 또는 수리하고 그 부분품을 가공 제작·교체하는 등 건설기계를 원활하게 사용하기 위한 모든 행위를 업으로 하는 것

① 건설기계 정비업 ② 건설기계 제작업
③ 건설기계 매매업 ④ 건설기계 폐기업

53. **건설기계관리법령상 건설기계에 대하여 실시하는 검사가 아닌 것은?**

① 신규 등록검사 ② 예비 검사
③ 구조변경 검사 ④ 수시 검사

해설 건설기계의 검사에는 신규 등록검사, 정기 검사, 구조변경 검사, 수시 검사가 있다.

54. **건설기계를 주택가 주변에 세워 두어 교통소통을 방해하거나 소음 등으로 주민의 생활환경을 침해한 자에 대한 벌칙은?**

① 200만 원 이하의 벌금
② 100만 원 이하의 벌금
③ 100만 원 이하의 과태료
④ 50만 원 이하의 과태료

해설 건설기계를 주택가 주변에 세워 두어 교통소통을 방해하거나 소음 등으로 주민의 생활환경을 침해한 자에 대한 벌칙은 50만 원 이하의 과태료

55. **건설기계 등록신청에 대한 설명으로 맞는 것은?(단, 전시·사변 등 국가비상사태 하의 경우 제외)**

① 시·군·구청장에게 취득한 날로부터 10일 이내 등록신청을 한다.
② 시·도지사에게 취득한 날로부터 15일 이내 등록신청을 한다.
③ 시·군·구청장에게 취득한 날로부터 1개월 이내 등록신청을 한다.
④ 시·도지사에게 취득한 날로부터 2개월 이내 등록신청을 한다.

해설 건설기계 등록신청은 취득한 날로부터 2개월 이내 소유자의 주소지 또는 건설기계 사용본거지를 관할하는 시·도지사에게 한다.

56. **건설기계 등록이 말소되는 사유에 해당하지 않은 것은?**

① 건설기계를 폐기한 때
② 건설기계의 구조변경을 했을 때
③ 건설기계가 멸실되었을 때
④ 건설기계를 수출할 때

해설 **건설기계 등록의 말소사유**

① 거짓이나 그 밖의 부정한 방법으로 등록을 한 경우
② 건설기계가 천재지변 또는 이에 준하는 사고 등으로 사용할 수 없게 되거나 멸실된 경우
③ 건설기계의 차대(車臺)가 등록 시의 차대와 다른 경우
④ 건설기계가 건설기계 안전기준에 적합하지 아니하게 된 경우
⑤ 최고(催告)를 받고 지정된 기한까지 정기검사를 받지 아니한 경우
⑥ 건설기계를 수출하는 경우
⑦ 건설기계를 도난당한 경우
⑧ 건설기계를 폐기한 경우
⑨ 구조적 제작 결함 등으로 건설기계를 제작자 또는 판매자에게 반품한 때
⑩ 건설기계를 교육·연구 목적으로 사용하는 경우

57. **반드시 건설기계 정비업체에서 정비하여야 하는 것은?**

① 오일의 보충 ② 배터리의 교환
③ 창유리의 교환 ④ 엔진 탈·부착 정비

58. 건설기계관리법령상 조종사 면허를 받은 자가 면허의 효력이 정지된 때에는 그 사유가 발생한 날부터 며칠 이내에 주소지를 관할하는 시장·군수 또는 구청장에게 그 면허증을 반납해야 하는가?

① 10일 이내 ② 30일 이내
③ 60일 이내 ④ 100일 이내

해설 건설기계 조종사 면허가 취소, 효력정지가 되었을 경우 그 사유가 발생한 날로부터 10일 이내에 면허증을 반납해야 한다.

59. 건설기계의 정기검사 신청기간 내에 정기검사를 받은 경우, 다음 정기검사 유효기간의 산정방법으로 옳은 것은?

① 정기검사를 받은 날부터 기산한다.
② 정기검사를 받은 날의 다음날부터 기산한다.
③ 종전 검사유효기간 만료일부터 기산한다.
④ 종전 검사유효기간 만료일의 다음날부터 기산한다.

해설 건설기계의 정기검사 신청기간 내에 정기검사를 받은 경우 다음 정기검사 유효기간의 산정은 종전 검사유효기간 만료일의 다음날부터 기산한다.

60. 건설기계 조종사 면허를 받지 아니하고 건설기계를 조종한 자에 대한 벌칙 기준은?

① 2년 이하의 징역 또는 1천만 원 이하의 벌금
② 1년 이하의 징역 또는 1천만 원 이하의 벌금
③ 200만 원 이하의 벌금
④ 100만 원 이하의 벌금

해설 건설기계 조종사 면허를 받지 아니하고 건설기계를 조종한 자는 1년 이하의 징역 또는 1,000만 원 이하의 벌금

국가기술자격검정 필기시험 복원문제

2017년 복원 문제(3)

자격종목 및 등급(선택분야)	종목코드	시험시간	문제지형별	수검번호	성 명
롤러 운전기능사	7871	1시간			

01. 기관의 동력을 전달하는 계통의 순서를 바르게 나타낸 것은?

① 피스톤→커넥팅로드→클러치→크랭크축
② 피스톤→클러치→크랭크축→커넥팅로드
③ 피스톤→크랭크축→커넥팅로드→클러치
④ 피스톤→커넥팅로드→크랭크축→클러치

해설 실린더 내에서 폭발이 일어나면 피스톤→커넥팅로드→크랭크축→플라이휠(클러치)순서로 전달된다.

02. 건설기계 운전 작업 후 탱크에 연료를 가득 채워주는 이유와 가장 관련이 적은 것은?

① 다음의 작업을 준비하기 위해서
② 연료의 기포 방지를 위해서
③ 연료 탱크에 수분이 생기는 것을 방지하기 위해서
④ 연료의 압력을 높이기 위해서

해설 작업 후 탱크에 연료를 가득 채워주는 이유는 다음의 작업을 준비하기 위해서, 연료의 기포 방지를 위해서, 연료탱크 내의 공기 중의 수분이 응축되어 물이 생기는 것을 방지하기 위함이다.

03. 디젤기관의 노킹발생 원인과 가장 거리가 먼 것은?

① 착화기간 중 분사량이 많다.
② 노즐의 분무 상태가 불량하다.
③ 세탄가가 높은 연료를 사용하였다.
④ 기관이 과도하게 냉각 되어있다.

해설 **디젤기관 노킹 발생의 원인**
① 연료의 세탄가가와 분사압력이 낮다.
② 착화지연기간 중 연료 분사량이 많다.
③ 연소실의 온도가 낮고, 착화지연 시간이 길다.
④ 압축비가 낮고, 기관이 과냉 되었다.
⑤ 분사 노즐의 분무 상태가 불량하다.

04. 기관에서 사용되는 일체식 실린더의 특징이 아닌 것은?

① 냉각수 누출 우려가 적다.
② 라이너 형식보다 내마모성이 높다.
③ 부품수가 적고 중량이 가볍다.
④ 강성 및 강도가 크다.

해설 일체식 실린더는 강성 및 강도가 크고 냉각수 누출 우려가 적으며, 부품수가 적고 중량이 가볍다.

05. 냉각장치에서 라디에이터의 구비조건으로 틀린 것은?

① 공기의 흐름 저항이 클 것
② 단위 면적당 방열량이 클 것
③ 가볍고 강도가 클 것
④ 냉각수의 흐름 저항이 적을 것

해설 **라디에이터의 구비조건**
① 단위 면적당 방열량이 클 것
② 가볍고 작으며, 강도가 클 것
③ 냉각수 흐름 저항이 적을 것
④ 공기 흐름저항이 적을 것

06. 엔진 오일의 구비조건으로 틀린 것은?

① 응고점이 높을 것
② 비중과 점도가 적당할 것
③ 인화점과 발화점이 높을 것
④ 기포발생과 카본생성에 대한 저항력이 클 것

해설 **윤활유의 구비조건**

① 점도지수가 커 온도와 점도와의 관계가 적당할 것
② 인화점 및 자연발화점이 높을 것
③ 강인한 오일 막(유막)을 형성할 것
④ 응고점이 낮을 것
⑤ 비중과 점도가 적당할 것
⑥ 기포발생 및 카본생성에 대한 저항력이 클 것

07. 직류 발전기와 비교했을 때 교류 발전기의 특징으로 틀린 것은?

① 전압 조정기만 필요하다.
② 크기가 크고 무겁다.
③ 브러시 수명이 길다.
④ 저속 발전 성능이 좋다.

해설 저속에서도 충전 가능한 출력 전압이 발생하며, 소형이고 가볍다.

08. 전조등 형식 중 내부에 불활성 가스가 들어있으며, 광도의 변화가 적은 것은?

① 로우 빔식 ② 하이 빔식
③ 실드 빔식 ④ 세미 실드 빔식

해설 **실드빔형 전조등의 특징**

① 반사경에 필라멘트를 붙이고 여기에 렌즈를 녹여 붙인 후 내부에 불활성 가스를 넣어 그 자체가 1개의 전구가 되도록 한 것이다.
② 대기의 조건에 따라 반사경이 흐려지지 않는다.
③ 사용에 따르는 광도의 변화가 적다.
④ 필라멘트가 끊어지면 렌즈나 반사경에 이상이 없어도 전조등 전체를 교환하여야 한다.

09. 축전지의 구비조건으로 가장 거리가 먼 것은?

① 축전지의 용량이 클 것
② 전기적 절연이 완전할 것
③ 가급적 크고, 다루기 쉬울 것
④ 전해액의 누출 방지가 완전할 것

해설 **축전지의 구비조건**

① 소형·경량이고, 수명이 길어야 한다.
② 심한 진동에 견딜 수 있어야 하며, 다루기 쉬워야 한다.
③ 용량이 크고, 가격이 싸야 한다.
④ 전기적 절연이 완전하여야 한다.
⑤ 전해액의 누출방지가 완전하여야 한다.

10. 건설기계에 주로 사용되는 기동 전동기로 맞는 것은?

① 직류분권 전동기 ② 직류직권 전동기
③ 직류복권 전동기 ④ 교류 전동기

해설 기관 시동으로 사용하는 전동기는 직류직권 전동기이다.

11. 유압장치에서 일일 점검사항이 아닌 것은?

① 필터의 오염여부 점검
② 탱크의 오일량 점검
③ 호스의 손상여부 점검
④ 이음부분의 누유 점검

12. 유압유의 압력을 제어하는 밸브가 아닌 것은?

① 릴리프 밸브 ② 체크 밸브
③ 리듀싱 밸브 ④ 시퀀스 밸브

해설 압력 제어 밸브의 종류에는 릴리프 밸브, 리듀싱(감압) 밸브, 시퀀스(순차) 밸브, 언로드(무부하) 밸브, 카운터 밸런스 밸브 등이 있다.

13. 유압장치의 구성요소가 아닌 것은?

① 제어 밸브 ② 오일 탱크
③ 유압 펌프 ④ 차동 장치

14. 그림의 유압 기호는 무엇을 표시하는가?

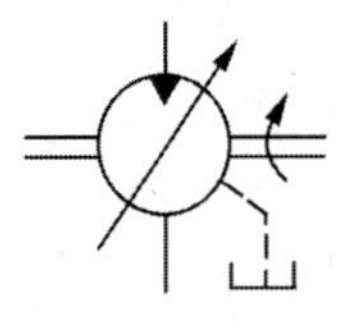

① 가변 유압 모터
② 유압 펌프
③ 가변 토출 밸브
④ 가변 흡입 밸브

15. **유압장치의 단점에 대한 설명 중 틀린 것은?**

① 관로를 연결하는 곳에서 작동유가 누출될 수 있다.
② 고압 사용으로 인한 위험성이 존재한다.
③ 작동유 누유로 인해 환경오염을 유발할 수 있다.
④ 전기 · 전자의 조합으로 자동제어가 곤란하다.

해설 **유압의 단점**
① 고압사용으로 인한 위험성 및 이물질에 민감하다.
② 유온의 영향에 따라 정밀한 속도와 제어가 곤란하다.
③ 폐유에 의한 주변 환경이 오염될 수 있다.
④ 오일은 가연성이 있어 화재에 위험하다.
⑤ 회로 구성이 어렵고 누설되는 경우가 있다.
⑥ 오일의 온도에 따라서 점도가 변하므로 기계의 속도가 변한다.
⑦ 에너지의 손실이 크며, 관로를 연결하는 곳에서 유체가 누출될 우려가 있다.

16. **작동유에 수분이 혼입되었을 때 나타나는 현상이 아닌 것은?**

① 윤활 능력 저하
② 작동유의 열화 촉진
③ 유압기기의 마모 촉진
④ 오일 탱크의 오버플로

해설 오일 탱크에서 오버플로(over flow, 흘러넘침)가 발생하는 경우는 공기가 혼입된 경우이다.

17. **축압기(accumulator)의 사용목적이 아닌 것은?**

① 압력 보상
② 유체의 맥동 감쇠
③ 유압회로 내의 압력제어
④ 보조 동력원으로 사용

해설 어큐뮬레이터(축압기)의 용도는 압력 보상, 체적 변화 보상, 유압 에너지 축적, 유압회로 보호, 맥동 감쇠, 충격 압력 흡수, 일정 압력 유지, 보조 동력원으로 사용 등이다.

18. **계통내의 최대압력을 설정함으로서 계통을 보호하는 밸브는?**

① 릴리프 밸브 ② 릴레이 밸브
③ 리듀싱 밸브 ④ 리터더 밸브

해설 릴리프 밸브는 유압계통 내의 최대압력을 설정함으로서 계통을 보호한다.

19. **유압장치의 오일 탱크에서 펌프 흡입구의 설치에 대한 설명으로 틀린 것은?**

① 펌프 흡입구는 반드시 탱크 가장 밑면에 설치한다.
② 펌프 흡입구에는 스트레이너(오일 여과기)를 설치한다.
③ 펌프 흡입구와 탱크로의 귀환구(복귀구) 사이에는 격리판(baffle plate)을 설치한다.
④ 펌프 흡입구는 탱크로의 귀환구(복귀구)로부터 될 수 있는 한 멀리 떨어진 위치에 설치한다.

해설 펌프 흡입구는 탱크 밑면과 어느 정도 공간을 두고 설치한다.

20. **기어식 펌프의 특징이 아닌 것은?**

① 구조가 간단하다.
② 유압 작동유의 오염에 비교적 강한 편이다.
③ 플런저 펌프에 비해 효율이 떨어진다.
④ 가변용량형 펌프로 적당하다.

해설 기어 펌프는 회전속도에 따라 흐름용량이 변화하는 정용량형이다. 특징은 구조가 간단하고, 작동유의 오염에 비교적 강한 편이며, 플런저 펌프에 비해 효율이 떨어진다.

21. **로드 롤러의 동력 전달 순서가 바른 것은?**

① 기관→클러치→차동장치→변속기→뒤차축→뒤 차륜
② 기관→변속기→종감속장치→클러치→뒤차축→뒤 차륜

③ 기관→클러치→차동장치→변속기→종감속장치→뒤 차축→뒤 차륜
④ 기관→클러치→변속기→감속기어→차동장치→최종감속기어→뒤 차륜

해설 로드 롤러의 동력 전달 순서는 기관→클러치→변속기→감속기어(역전기)→차동장치→최종감속기어→뒤 차륜이다.

22. 롤러의 규격이 8-12톤이라고 표시될 때 이 규격의 의미는?

① 전륜 하중이 2톤이고 후륜 하중이 4톤이다.
② 전륜 하중이 2톤이고 전체 하중이 6톤이다.
③ 자중이 8톤이고 4톤의 부가하중(밸러스트)을 가중시킬 수 있다.
④ 전륜 하중이 12톤이고 후륜 하중이 8톤이다.

해설 롤러의 규격이 8-12톤이란 자체 중량이 8톤이고 4톤의 부가하중(밸러스트)을 더 할 수 있다는 의미이다.

23. 롤러의 구분으로 틀린 것은?

① 쇄석 롤러 ② 머캐덤 롤러
③ 탠덤 롤러 ④ 탬핑 롤러

24. 롤러의 시동 전 점검사항이 아닌 것은?

① 냉각수량 ② 연료량
③ 기관의 출력상태 ④ 작동유 누유 상태

25. 유압식 진동 롤러의 동력전달 순서로 맞는 것은?

① 기관→유압펌프→유압제어장치→유압모터→차동기어장치→최종감속장치→바퀴
② 기관→유압펌프→유압제어장치→유압모터→최종감속장치→차동기어장치→바퀴
③ 기관→유압펌프→유압모터→유압제어장치→차동기어장치→최종감속장치→바퀴
④ 기관→유압펌프→유압모터→유압제어장치→최종감속장치→차동기어장치→바퀴

해설 유압식 진동 롤러의 동력 전달 순서는 기관→유압펌프→유압제어장치→유압모터→차동기어장치→최종감속장치→바퀴

26. 롤러의 종류 중 전압식 다짐 롤러가 아닌 것은?

① 탠덤 롤러 ② 진동 롤러
③ 타이어 롤러 ④ 머캐덤 롤러

해설 진동 롤러는 진동을 이용하는 진동형식이다.

27. 롤러 장비의 누유 및 누수의 점검사항으로 틀린 것은?

① 롤러의 다음 작업을 위하여 운행 후 장비의 상태를 점검한다.
② 장비를 점검하기 위하여 지면에 떨어진 누유여부를 확인하고 조치한다.
③ 기관의 원활한 작동을 위하여 냉각장치에서 발생된 냉각수 누수를 확인하고 조치한다.
④ 작동 중 냉각수 누수가 확인되면 즉시 라디에이터 캡을 열어 확인한다.

28. 액슬축의 종류가 아닌 것은?

① 반부동식 ② 3/4부동식
③ 1/2 부동식 ④ 전부동식

해설 **액슬 축(차축) 지지방식**
① 전부동식 : 차량을 하중을 하우징이 모두 받고, 액슬축은 동력만을 전달하는 형식
② 반부동식 : 액슬 축이 1/2, 하우징이 1/2정도의 하중을 지지하는 형식
③ 3/4부동식 : 액슬 축이 동력을 전달함과 동시에 차량 하중의 1/4을 지지하는 형식

29. 롤러 살수장치에서 노즐분사 방식으로 맞는 것은?

① 기계식 또는 전기식
② 기계식 또는 수압식

③ 수압식 또는 기계식
④ 전자식 또는 전기식

해설 살수장치의 노즐분사 방식에는 기계식과 전기식이 있다.

30. **타이어 롤러의 바퀴지지 방식 중 각 바퀴마다 독립된 유압 실린더 또는 공기 스프링 등을 사용하여 개별 상하운동을 하는 방식은?**

① 상호 요동식 ② 고정식
③ 일체 지지식 ④ 수직 가동식

해설 **타이어 롤러의 바퀴지지 방식**
① 고정식 : 각 차축이 프레임에 고정되어 있다.
② 상호 요동식 : 프레임에 차축의 중심선이 지지되고 각 바퀴가 상하운동을 한다.
③ 수직 가동식(독립 지지식) : 각 바퀴마다 독립된 유압 실린더 또는 공기 스프링 등을 사용하여 개별 상하운동을 한다.

31. **클러치의 구비조건으로 틀린 것은?**

① 동력차단이 신속할 것
② 회전부분 평형이 좋을 것
③ 방열이 잘 될 것
④ 구조가 복잡할 것

해설 **클러치의 구비조건**
① 회전부분의 관성력이 작을 것
② 동력전달이 확실하고 신속할 것
③ 방열이 잘되어 과열되지 않을 것
④ 회전부분의 평형이 좋을 것
⑤ 단속 작용이 확실하며 조작이 쉬울 것

32. **롤러의 성능과 능력을 나타내는 것이 아닌 것은?**

① 선압, 윤하중 ② 다짐 폭, 접지압
③ 기진력, 윤거 ④ 다짐 폭, 기진력

해설 롤러의 성능과 능력은 선압, 윤하중, 다짐폭, 접지압, 기진력으로 나타낸다.

33. **롤러의 다짐 방식에 의한 분류가 아닌 것은?**

① 전압형식 ② 전류형식
③ 진동형식 ④ 충격형식

해설 롤러는 다짐 방법에 따라 자체 중량을 이용하는 전압형식, 진동을 이용하는 진동형식, 충격력을 이용하는 충격형식 등이 있다.

34. **유압 구동식 롤러의 정유압 전도 장치에 해당하는 것은?**

① 엔진–유압 펌프–제어 밸브
② 유압 펌프–제어 밸브–유압 모터
③ 제어 밸브–유압 모터–차동장치
④ 유압 모터–차종장치–종감속장치

35. **자재이음의 종류가 아닌 것은?**

① 플렉시블 이음 ② 트러니언 이음
③ 십자 이음 ④ 커플 이음

36. **롤러에 대한 설명으로 맞는 것은?**

① 롤러는 저속이므로 엔진의 조속기에는 전속도 조속기를 사용할 필요가 없다.
② 진동 롤러는 엔진의 폭발력을 직접 이용하고 있으므로 구조가 간단하다.
③ 타이어 롤러는 그 구조상 다른 롤러에 비해서 부가하중을 많이 실을 수 있다.
④ 3속 롤러라는 것은 3륜 롤러라는 뜻이다.

37. **최근 아스팔트 다짐에 타이어 롤러를 사용하는 경우가 늘고 있다. 그 이유로 타당하지 않는 것은?**

① 다짐 속도가 빠르다.
② 균일한 밀도를 얻을 수 있다.
③ 타이어 공기압을 이용 접지압 조정이 용이하다.
④ 아스팔트가 타이어 롤러에 접착되지 않기 때문이다.

해설 아스팔트 다짐에 타이어 롤러를 사용하는 이유는 다짐 속도가 빠르고, 균일한 밀도를 얻을 수 있으며, 타이어 공기압을 이용 접지압 조정이 용이하기 때문이다.

38. 머캐덤 3륜 롤러에 차동장치를 설치하는 이유는?

① 다짐륜을 일정하게 회전시키기 위하여 설치
② 험한 지역에서 공회전을 막기 위하여 설치
③ 조향시 내측륜과 외측륜 회전비를 다르게 하기 위해 설치
④ 구릉지 작업을 위하여 설치

해설 머캐덤 롤러는 조향할 때 좌우측 바퀴의 회전 비율을 다르게 하는 차동기어 장치가 베벨 기어에 부착되어 차동기어 장치 케이스에 설치되어 있다. 이것은 롤러가 작업을 하면서 조향할 때 골재가 밀리는 것을 방지하고 조향을 원활하게 해주는 일을 한다.

39. 롤러의 다짐 압력을 높이기 위해 사용하는 것은?

① 가열 장치(예열 장치)
② 전·후진기(역전 장치)
③ 전압력(선압)
④ 부하 하중(밸러스트)

해설 부가 하중(밸러스트)은 롤러 자체 중량으로는 다짐 압력이 부족할 때 금속, 물, 모래, 오일 등을 롤(바퀴)에 주입하여 다짐 압력을 높이는 부품이다.

40. 타이어식 롤러에서 타이어가 상·하로 요동하게 하는 가장 중요한 이유는?

① 승차감을 좋게 하기 위하여
② 경사지에서 안정된 주행을 위하여
③ 타이어를 손상시키지 않게 하기 위하여
④ 하중을 받아 다짐작업이 잘되도록 하기 위하여

해설 타이어 롤러의 타이어가 상·하로 요동하도록 하는 이유는 하중을 받아 다짐작업이 잘되도록 하기 위함이다.

41. 다음 중 보호구를 선택할 때의 유의사항으로 틀린 것은?

① 작업 행동에 방해되지 않을 것
② 사용 목적에 구애받지 않을 것
③ 보호구 성능 기준에 적합하고 보호 성능이 보장될 것
④ 착용이 용이하고 크기 등 사용자에게 편리할 것

42. 다음 중 가열, 마찰, 충격 또는 다른 화학 물질과의 접촉 등으로 인하여 산소나 산화재 등의 공급이 없더라도 폭발 등 격렬한 반응을 일으킬 수 있는 물질이 아닌 것은?

① 질산에스테르류 ② 니트로화합물
③ 무기화합물 ④ 니트로소화합물

해설 가열, 마찰, 충격 또는 다른 화학 물질과의 접촉 등으로 인하여 산소나 산화재 등의 공급이 없더라도 폭발 등 격렬한 반응을 일으킬 수 있는 물질에는 질산에스테르류, 유기과산화물, 니트로화합물, 니트로소화합물, 아조화합물, 디아조화합물, 히드라진 유도체, 히드록실아민, 히드록실아민 염류 등이 있다.

43. 안전작업 사항으로 잘못된 것은?

① 전기장치는 접지를 하고 이동식 전기기구는 방호장치를 설치한다.
② 엔진에서 배출되는 일산화탄소에 대비한 통풍장치를 한다.
③ 담뱃불은 발화력이 약하므로 제한장소 없이 흡연해도 무방하다.
④ 주요 장비 등은 조작자를 지정하여 아무나 조작하지 않도록 한다.

44. 유류화재 시 소화용으로 가장 거리가 먼 것은?

① 물 ② 소화기
③ 모래 ④ 흙

45. 아크용접에서 눈을 보호하기 위한 보안경 선택으로 맞는 것은?

① 도수 안경 ② 방진 안경
③ 차광용 안경 ④ 실험실용 안경

46. 크레인으로 물건을 운반할 때 주의사항으로 틀린 것은?

① 규정 무게보다 약간 초과할 수 있다.
② 적재물이 떨어지지 않도록 한다.
③ 로프 등의 안전여부를 항상 점검한다.
④ 선회 작업 시 사람이 다치지 않도록 한다.

47. 산업공장에서 재해의 발생을 줄이기 위한 방법으로 틀린 것은?

① 폐기물은 정해진 위치에 모아둔다.
② 공구는 소정의 장소에 보관한다.
③ 소화기 근처에 물건을 적재한다.
④ 통로나 창문 등에 물건을 세워 놓아서는 안 된다.

48. 다음 중 재해발생 원인이 아닌 것은?

① 잘못된 작업방법
② 관리감독 소홀
③ 방호장치의 기능제거
④ 작업 장치 회전반경 내 출입금지

49. 작업장에서 작업복을 착용하는 이유로 가장 옳은 것은?

① 작업장의 질서를 확립시키기 위해서
② 작업자의 직책과 직급을 알리기 위해서
③ 재해로부터 작업자의 몸을 보호하기 위해서
④ 작업자의 복장통일을 위해서

50. 사고를 일으킬 수 있는 직접적인 재해의 원인은?

① 기술적 원인
② 교육적 원인
③ 작업관리의 원인
④ 불안전한 행동의 원인

51. 건설기계관리법령상 정기검사 유효기간이 다른 건설기계는?

① 덤프트럭 ② 콘크리트믹서 트럭
③ 타워 크레인 ④ 굴삭기(타이어식)

해설 타워 크레인 : 2년

52. 건설기계관리법령상 건설기계를 도로에 계속하여 방치하거나 정당한 사유 없이 타인의 토지에 방치한 자에 대한 벌칙은?

① 2년 이하의 징역 또는 1천만 원 이하의 벌금
② 1년 이하의 징역 또는 1천만 원 이하의 벌금
③ 200만 원 이하의 벌금
④ 100만 원 이하의 벌금

해설 건설기계를 도로에 계속하여 방치하거나 정당한 사유 없이 타인의 토지에 방치한 자 : 1년 이하의 징역 또는 1천만 원 이하의 벌금

53. 건설기계 조종사의 국적 변경이 있는 경우에는 그 사실이 발생한 날로부터 며칠 이내에 신고하여야 하는가?

① 2주 이내 ② 10일 이내
③ 20일 이내 ④ 30일 이내

해설 건설기계 조종사는 성명, 주민등록번호 및 국적의 변경이 있는 경우에는 그 사실이 발생한 날부터 30일 이내(군복무·국외거주·수형·질병 기타 부득이한 사유가 있는 경우에는 그 사유가 종료된 날부터 30일 이내)에 기재사항 변경신고서를 주소지를 관할하는 시·도지사에게 제출하여야 한다.

54. 건설기계 운전중량 산정 시 조종사 1명의 체중으로 맞는 것은?

① 50kg ② 55kg
③ 60kg ④ 65kg

해설 운전중량을 산정 할 때 조종사 1명의 체중은 65kg으로 한다.

55. **건설기계 소유자는 건설기계를 도난당한 날로 부터 얼마 이내에 등록말소를 신청해야 하는가?**

① 30일 이내 ② 2개월 이내
③ 3개월 이내 ④ 6개월 이내

해설 건설기계를 도난당한 경우에는 도난당한 날부터 2개월 이내에 등록말소를 신청하여야 한다.

56. **건설기계 등록신청 시 첨부하지 않아도 되는 서류는?**

① 호적등본
② 건설기계 소유자임을 증명하는 서류
③ 건설기계 제작증
④ 건설기계 제원표

해설 **건설기계를 등록할 때 필요한 서류**

① 건설기계 제작증(국내에서 제작한 건설기계의 경우)
② 수입면장 기타 수입 사실을 증명하는 서류(수입한 건설기계의 경우)
③ 매수증서(관청으로부터 매수한 건설기계의 경우)
④ 건설기계의 소유자임을 증명하는 서류
⑤ 건설기계 제원표
⑥ 자동차손해배상보장법에 따른 보험 또는 공제의 가입을 증명하는 서류

57. **폐기요청을 받은 건설기계를 폐기하지 아니하거나 등록번호표를 폐기하지 아니한 자에 대한 벌칙은?**

① 2년 이하의 징역 또는 2천만 원 이하의 벌금
② 1년 이하의 징역 또는 1천만 원 이하의 벌금
③ 2백만 원 이하의 벌금
④ 1백만 원 이하의 벌금

해설 폐기요청을 받은 건설기계를 폐기하지 아니하거나 등록번호표를 폐기하지 아니한 자의 벌칙은 1년 이하의 징역 또는 1천만 원 이하의 벌금

58. **건설기계 등록사항 변경이 있을 때, 소유자는 건설기계 등록사항 변경신고서를 누구에게 제출하여야 하는가?**

① 관할 검사소장 ② 고용노동부장관
③ 행정안전부장관 ④ 시·도지사

해설 건설기계의 소유자는 건설기계 등록사항에 변경(주소지 또는 사용본거지가 변경된 경우를 제외한다)이 있는 때에는 그 변경이 있은 날부터 30일(상속의 경우에는 상속개시일부터 3개월)이내에 건설기계 등록사항 변경신고서에 변경 내용을 증명하는 서류와 건설기계 등록증 및 건설기계 검사증을 첨부하여 등록을 한 시·도지사에게 제출하여야 한다.

59. **소유자의 신청이나 사도지사의 직권으로 건설기계의 등록을 말소할 수 있는 경우가 아닌 것은?**

① 건설기계를 수출하는 경우
② 건설기계를 도난당한 경우
③ 건설기계 정기검사에 불합격된 경우
④ 건설기계의 차대가 등록 시의 차대와 다른 경우

해설 **건설기계 등록의 말소사유**

① 거짓이나 그 밖의 부정한 방법으로 등록을 한 경우
② 건설기계가 천재지변 또는 이에 준하는 사고 등으로 사용할 수 없게 되거나 멸실된 경우
③ 건설기계의 차대(車臺)가 등록 시의 차대와 다른 경우
④ 건설기계가 건설기계안전기준에 적합하지 아니하게 된 경우
⑤ 최고(催告)를 받고 지정된 기한까지 정기검사를 받지 아니한 경우
⑥ 건설기계를 수출하는 경우
⑦ 건설기계를 도난당한 경우
⑧ 건설기계를 폐기한 경우
⑨ 구조적 제작 결함 등으로 건설기계를 제작자 또는 판매자에게 반품한 때
⑩ 건설기계를 교육·연구 목적으로 사용하는 경우

60. **건설기계관리법령상 건설기계의 구조를 변경할 수 있는 범위에 해당되는 것은?**

① 원동기의 형식변경
② 건설기계의 기종변경
③ 육상 작업용 건설기계의 규격을 증가시키기 위한 구조변경
④ 육상 작업용 건설기계의 적재함 용량을 증가시키기 위한 구조변경

해설 건설기계의 기종변경, 육상작업용 건설기계 규격의 증가 또는 적재함의 용량증가를 위한 구조변경은 이를 할 수 없다.

국가기술자격검정 필기시험 복원문제

2017년 복원 문제(4)

자격종목 및 등급(선택분야)	종목코드	시험시간	문제지형별	수검번호	성 명
롤러 운전기능사	7871	1시간			

01. 가압식 라디에이터의 장점으로 틀린 것은?

① 방열기를 적게 할 수 있다.
② 냉각수의 비등점을 높일 수 있다.
③ 냉각수의 순환속도가 빠르다.
④ 냉각장치의 효율을 높일 수 있다.

해설 **가압방식(압력 순환방식) 라디에이터의 장점**
① 라디에이터(방열기)를 작게 할 수 있다.
② 냉각수의 비등점을 높여 비등에 의한 손실을 줄일 수 있다.
③ 냉각수 손실이 적어 보충횟수를 줄일 수 있다.
④ 기관의 열효율이 향상된다.

02. 일상점검 내용에 속하지 않는 것은?

① 기관 윤활유량
② 브레이크 오일량
③ 라디에이터 냉각수량
④ 연료분사량

03. 예열플러그를 빼서 보았더니 심하게 오염되어 있다. 그 원인으로 가장 적합한 것은?

① 불완전 연소 또는 노킹
② 기관의 과열
③ 플러그의 용량과다
④ 냉각수 부족

해설 예열플러그가 심하게 오염되는 경우는 불완전 연소 또는 노킹이 발생하였기 때문이다.

04. 디젤기관에 사용되는 연료의 구비조건으로 옳은 것은?

① 점도가 높고 약간의 수분이 섞여 있을 것
② 황의 함유량이 클 것
③ 착화점이 높을 것
④ 발열량이 클 것

해설 **디젤기관 연료(경유)의 구비조건**
① 자연 발화점이 낮을 것(착화가 용이할 것)
② 카본의 발생이 적고, 황의 함유량이 적을 것
③ 세탄가가 높고, 발열량이 클 것
④ 적당한 점도를 지니며, 온도 변화에 따른 점도 변화가 적을 것
⑤ 연소속도가 빠를 것

05. 4행정 사이클 기관의 윤활방식 중 피스톤과 피스톤 핀까지 윤활유를 압송하여 윤활하는 방식은?

① 전 압력식　② 전 압송식
③ 전 비산식　④ 압송 비산식

해설 전 압송식은 피스톤과 피스톤 핀까지 윤활유를 압송하여 윤활하는 방식이다.

06. 디젤기관에서 직접분사실식 장점이 아닌 것은?

① 연료 소비량이 적다.
② 냉각 손실이 적다.
③ 연료계통의 연료 누출 염려가 적다.
④ 구조가 간단하여 열효율이 높다.

해설 **직접분사식의 장점**
① 실린더 헤드(연소실)의 구조가 간단하다.
② 열효율이 높고, 연료 소비율이 작다.
③ 연소실 체적에 대한 표면적 비율이 작아 냉각 손실이 작다.
④ 기관 시동이 쉽다.

07. 좌·우측 전조등 회로의 연결방법으로 옳은 것은?

① 직렬연결 ② 단식 배선
③ 병렬연결 ④ 직·병렬연결

해설 전조등 회로는 복선식이고 하이와 로는 병렬로 연결되어 있다.

08. 직류 발전기 구성품이 아닌 것은?

① 로터 코일과 실리콘 다이오드
② 전기자 코일과 정류자
③ 계철과 계자 철심
④ 계자 코일과 브러시

해설 직류 발전기는 전기자 코일과 정류자, 계철과 계자철심, 계자코일과 브러시 등으로 구성된다.

09. 전압(voltage)에 대한 설명으로 적당한 것은?

① 자유전자가 도선을 통하여 흐르는 것을 말한다.
② 전기적인 높이 즉 전기적인 압력을 말한다.
③ 물질에 전류가 흐를 수 있는 정도를 나타낸다.
④ 도체의 저항에 의해 발생되는 열을 나타낸다.

10. 축전지 내부의 충·방전 작용으로 가장 알맞은 것은?

① 화학작용 ② 탄성작용
③ 물리작용 ④ 기계작용

해설 축전지 내부의 충·방전 작용은 화학작용을 이용한다.

11. 유압유 관내에 공기가 혼입되었을 때 일어날 수 있는 현상이 아닌 것은?

① 공동현상 ② 기화현상
③ 열화현상 ④ 숨 돌리기 현상

해설 관로에 공기가 침입하면 실린더 숨 돌리기 현상, 열화 촉진, 공동현상 등이 발생한다.

12. 유체 에너지를 이용하여 외부에 기계적인 일을 하는 유압기기는?

① 유압 모터 ② 근접 스위치
③ 유압 탱크 ④ 기동 전동기

13. 유압유의 점도에 대한 설명으로 틀린 것은?

① 온도가 상승하면 점도는 낮아진다.
② 점성의 정도를 표시하는 값이다.
③ 점도가 낮아지면 유압이 떨어진다.
④ 점성계수를 밀도로 나눈 값이다.

해설 **유압유의 점도**
① 점성의 정도를 나타내는 척도이다.
② 온도가 상승하면 점도는 저하된다.
③ 온도가 내려가면 점도는 높아진다.
④ 점도가 낮아지면 유압이 낮아진다.
⑤ 점도가 높으면 유압은 높아진다.

14. 유압 모터의 속도를 감속하는데 사용하는 밸브는?

① 체크 밸브 ② 디셀러레이션 밸브
③ 변환 밸브 ④ 압력 스위치

해설 디셀러레이션 밸브는 캠(cam)으로 조작되는 유압 밸브이며 액추에이터의 속도를 서서히 감속시킬 때 사용한다.

15. 유압 작동부에서 오일이 새고 있을 때 일반적으로 먼저 점검하여야 하는 것은?

① 밸브(valve) ② 기어(gear)
③ 플런저(plunger) ④ 실(seal)

해설 유압 작동부분에서 오일이 누유 되면 가장 먼저 실(seal)을 점검하여야 한다.

16. 유압장치의 장점이 아닌 것은?

① 속도제어가 용이하다.
② 힘의 연속적 제어가 용이하다.

③ 온도의 영향을 많이 받는다.
④ 윤활성, 내마멸성, 방청성이 좋다.

해설 유압장치의 장점
① 작은 동력원으로 큰 힘을 낼 수 있다.
② 과부하 방지가 용이하다.
③ 운동방향을 쉽게 변경할 수 있다.
④ 속도제어가 용이하다.
⑤ 에너지 축적이 가능하다.
⑥ 힘의 전달 및 증폭이 용이하다.
⑦ 힘의 연속적 제어가 용이하다.
⑧ 윤활성 · 내마멸성 및 방청성이 좋다.

17. 유압회로에서 오일을 한쪽 방향으로만 흐르도록 하는 밸브는?

① 릴리프 밸브(relief valve)
② 파일럿 밸브(pilot valve)
③ 체크 밸브(check valve)
④ 오리피스 밸브(orifice valve)

해설 체크 밸브(check valve)는 역류를 방지하고 회로내의 잔류압력을 유지시키며, 오일의 흐름이 한쪽 방향으로만 가능하게 한다.

18. 유압유의 구비조건으로 옳지 않는 것은?

① 비압축성이어야 한다.
② 점도지수가 커야 한다.
③ 인화점 및 발화점이 높아야 한다.
④ 체적 탄성계수가 작아야 한다.

해설 작동유가 갖추어야 할 조건
① 압축성, 밀도, 열팽창계수가 작을 것
② 체적 탄성계수 및 점도지수가 클 것
③ 인화점 및 발화점이 높고, 내열성이 클 것
④ 화학적 안정성이 클 것 즉 산화 안정성이 좋을 것
⑤ 방청 및 방식성이 좋을 것
⑥ 적절한 유동성과 점성을 갖고 있을 것
⑦ 온도에 의한 점도변화가 적을 것
⑧ 소포성(기포 분리성)이 클 것

19. 유압 작동유의 점도가 너무 높을 때 발생되는 현상은?

① 동력 손실 증가 ② 내부 누설 증가
③ 펌프 효율 증가 ④ 내부 마찰 감소

해설 유압유의 점도가 너무 높으면
① 유압이 높아지므로 유압유 누출은 감소한다.
② 유동저항이 커져 압력 손실이 증가한다.
③ 동력손실이 증가하여 기계효율이 감소한다.
④ 내부마찰이 증가하고, 압력이 상승한다.
⑤ 관내의 마찰손실과 동력손실이 커진다.
⑥ 열 발생의 원인이 될 수 있다.

20. 릴리프 밸브에서 볼이 밸브의 시트를 때려 소음을 발생시키는 현상은?

① 채터링(chattering) 현상
② 베이퍼 록(vapor lock) 현상
③ 페이드(fade) 현상
④ 노킹(knocking) 현상

해설 채터링이란 릴리프 밸브에서 볼이 밸브의 시트를 때려 소음을 내는 진동현상이다.

21. 3륜의 철륜으로 구성되어 아스팔트 포장면의 초기 다짐 장비로 사용되는 롤러는?

① 타이어 롤러 ② 탬핑 롤러
③ 머캐덤 롤러 ④ 진동 롤러

해설 머캐덤 롤러는 앞바퀴 1개, 뒷바퀴가 2개인 롤러이며, 2개의 뒷바퀴로 구동을 하고 앞바퀴 1개로는 조향을 한다. 용도는 초기 다짐에 주로 사용되며, 자갈·모래 및 흙 등을 다지는데 매우 효과적이고 아스팔트 마지막 다짐에는 사용하지 못한다.

22. 롤러의 예방 정비에 대한 설명 중 틀린 것은?

① 예기치 않은 고장이나 사고를 사전에 방지하기 위하여 행하는 정비이다.
② 예방 정비를 실시할 때는 일정한 계획표를 작성 후 실시하는 것이 바람직하다.
③ 예방 정비의 효과는 장비의 수명 연장, 성능 유지, 수리비 절감 등이 있다.
④ 예방 정비는 정비사만 할 수 있다.

23. **아스팔트 다짐에 타이어 롤러를 사용하는 이유로 타당하지 않는 것은?**

① 다짐 속도가 빠르기 때문이다.
② 균일한 밀도를 얻을 수 있기 때문이다.
③ 타이어 공기압을 이용하여 다짐력을 조정할 수 있기 때문이다.
④ 아스팔트가 타이어 롤러에 접착되기 때문이다.

해설 아스팔트 다짐에 타이어 롤러를 사용하는 이유는 다짐 속도가 빠르고, 균일한 밀도를 얻을 수 있으며, 타이어 공기압을 이용 접지압 조정이 용이하기 때문이다.

24. **롤러 작업 후 점검 및 관리사항이 아닌 것은?**

① 깨끗하게 유지 관리할 것
② 부족한 연료량을 보충할 것
③ 작업 후 항상 모든 타이어를 로테이션 할 것
④ 볼트, 너트 등의 풀림 상태를 점검할 것

25. **유성기어 장치의 주요 부품으로 맞는 것은?**

① 클러치 기어, 유성기어, 링 기어, 유성 캐리어
② 선 기어, 유성기어, 링 기어, 유성 캐리어
③ 선 기어, 베벨기어, 링 기어, 유성 캐리어
④ 클러치 기어, 베벨기어, 링 기어, 유성 캐리어

해설 유성기어 장치의 주요 부품은 선 기어, 유성기어, 링 기어, 유성기어 캐리어이다.

26. **2륜식 철륜 롤러의 종감속 기어장치의 설명으로 맞는 것은?**

① 기어오일로 윤활 한다.
② 감속비가 적어야 한다.
③ 추진축으로 구동한다.
④ 구동륜에 직접 설치되어 있다.

해설 2륜 철륜 롤러의 종감속 기어장치는 구동륜에 직접 설치되어 있다.

27. **표면지층이 연약한 토질에 사용 가능한 롤러로 가장 적합한 것은?**

① 탠덤 롤러　② 탬퍼 풋 롤러
③ 콤비 롤러　④ 머캐덤 롤러

해설 탬퍼 풋(tamper foot) 롤러는 강판제의 롤러 바깥둘레에 여러 개의 돌기(tamping foot)가 용접으로 고정되어 있어 표면지층이 연약한 토질의 다짐작업에 효과적이다.

28. **머캐덤 롤러의 동력전달 순서는?**

① 기관→클러치→변속기→역전기→차동장치→종감속장치→뒤차륜
② 기관→클러치→역전기→변속기→차동장치→뒤차축→뒤차륜
③ 기관→클러치→역전기→변속기→차동장치→종감속장치→뒤차륜
④ 기관→클러치→변속기→역전기→차동장치→뒤차축→뒤차륜

해설 머캐덤 롤러의 동력전달 순서는 엔진→클러치→변속기→역전기→차동장치→종감속장치→뒤차륜이다.

29. **아스팔트 다짐(롤링)작업 시 바퀴에 물을 뿌리는 이유는?**

① 바퀴를 냉각시키기 위해
② 아스팔트를 냉각시키기 위해
③ 브레이크 성능을 좋게 하기 위해
④ 바퀴에 아스팔트 부착방지를 위해

해설 아스팔트 다짐(롤링)작업을 할 때 바퀴에 물을 뿌리는 이유는 바퀴에 아스팔트 부착방지를 위함이다.

30. **진동 롤러에 대한 설명 중 옳은 것은?**

① 기진력을 포함한 동력전달 장치가 있다.
② 기진력을 포함하므로 반드시 3축이 필요하다.
③ 다짐 능력을 높이기 위한 장치로는 환향 클러치를 사용하여야 한다.
④ 진동륜은 고정식으로 유동이 없어야 한다.

해설 진동 롤러는 기진 계통과 주행계통의 동력전달 계통을 갖추고 있다.

31. **작업 전 점검사항으로 시동 전에 해야 할 내용과 관계없는 것은?**

① 연료 및 오일의 누유 점검
② 타이어 손상 및 공기압 점검
③ 좌·우 차륜의 허브 너트 체결 점검
④ 이상음 및 이상 진동점검

32. **제동장치 중 주브레이크에 속하지 하는 것은?**

① 유압식 브레이크
② 배력식 브레이크
③ 공기식 브레이크
④ 배기 브레이크

해설 배기 브레이크는 엔진의 배기가스가 배출될 때 배압을 이용하는 제3 브레이크이다.

33. **타이어식 롤러에서 타이어가 상·하로 요동하게 하는 가장 중요한 이유는?**

① 승차감을 좋게 하기 위하여
② 경사지에서 안정된 주행을 위하여
③ 타이어를 손상시키지 않게 하기 위하여
④ 하중을 받아 다짐작업이 잘되도록 하기 위하여

해설 타이어 롤러의 타이어가 상·하로 요동하도록 하는 이유는 하중을 받아 다짐작업이 잘되도록 하기 위함이다.

34. **롤러 중량표시 중 8-12톤의 설명으로 맞는 것은?**

① 자체 중량 12톤, 밸러스트 중량 8톤
② 자체 중량 8톤, 밸러스트 중량 12톤
③ 자체 중량 8톤, 밸러스트 중량 4톤
④ 자체 중량 4톤, 밸러스트 중량 12톤

해설 롤러의 규격이 8-12톤이란 자체 중량이 8톤이고 4톤의 부가하중(밸러스트)을 더 할 수 있다는 의미이다.

35. **롤러의 다짐 작업 방법으로 틀린 것은?**

① 소정의 접지 압력을 받을 수 있도록 부하하중을 증감한다.
② 다짐 작업 시 정지시간은 길게 한다.
③ 다짐 작업 시 급격한 조향은 하지 않는다.
④ 1/2씩 중첩 다짐을 한다.

해설 다짐 작업을 할 때 같은 위치에 정지하지 않도록 하고 정지시간은 짧게 한다.

36. **로드 롤러의 동력전달 순서로 맞는 것은?**

① 엔진→클러치→차동장치→역전기→롤
② 엔진→클러치→역전기→변속기→롤→종감속장치
③ 엔진→클러치→변속기→역전기→종감속장치→롤
④ 엔진→클러치→변속기→차동장치→롤

해설 로드 롤러의 동력전달 순서는 엔진→클러치→변속기→역전기→종감속장치→롤이다.

37. **탠덤 머캐덤 롤러의 살수 탱크는 어떤 역할을 하는가?**

① 엔진에 공급하는 연료를 저장한다.
② 각부장치에 주유하는 오일을 저장한다.
③ 롤러에 물을 적셔주어 작업 시 점착성을 향상시킨다.
④ 롤러에 물을 적셔주어 작업 시 점착성 물질이 롤에 묻는 것을 방지한다.

해설 살수 탱크는 롤러에 물을 적셔주어 작업 시 점착성 물질이 롤에 묻는 것을 방지한다.

38. **로드 롤러 작업 중 종감속 장치 및 차동장치에서 소음이 발생하는 원인이 아닌 것은?**

① 차동기어 장치의 사이드 기어가 마멸
② 차동기어 장치의 구동 피니언이 마멸
③ 차동기어 장치의 링 기어가 마멸
④ 차동기어 장치의 3단 기어가 마멸

39. 롤러에 대한 설명으로 맞는 것은?

① 롤러는 저속이므로 엔진의 조속기에는 전속도 조속기를 사용할 필요가 없다.
② 진동 롤러는 엔진의 폭발력을 직접 이용하고 있으므로 구조가 간단하다.
③ 타이어 롤러는 그 구조상 다른 롤러에 비해서 부가하중을 많이 실을 수 있다.
④ 3속 롤러라는 것은 3륜 롤러라는 뜻이다.

40. 머캐덤 롤러의 클러치가 미끄러지는 원인에 대한 설명으로 틀린 것은?

① 클러치 스프링의 노후
② 라이닝에 기름이 묻었을 때
③ 클러치 릴리스 레버 선단의 마모
④ 클러치판의 마모

해설 클러치 릴리스 레버의 선단이 마모되면 페달의 자유 간극이 커져 동력차단이 불량해 진다.

41. 가스 용기가 발생기와 분리되어 있는 아세틸렌 용접장치의 안전기 설치위치는?

① 발생기
② 가스용기
③ 발생기와 가스용기 사이
④ 용접토치와 가스용기 사이

해설 아세틸렌 용접장치의 안전기는 발생기와 가스용기 사이에 설치된다.

42. 기계설비의 위험성 중 접선 물림점(tangential point)과 가장 관련이 적은 것은?

① V벨트 ② 커플링
③ 체인 벨트 ④ 기어와 랙

43. 다음 중 현장에서 작업자가 작업 안전상 꼭 알아두어야 할 사항은?

① 장비의 가격
② 종업원의 작업환경
③ 종업원의 기술정도
④ 안전규칙 및 수칙

44. 산업체에서 안전을 지킴으로서 얻을 수 있는 이점과 가장 거리가 먼 것은?

① 직장의 신뢰도를 높여준다.
② 직장 상·하 동료 간 인간관계 개선효과도 기대된다.
③ 기업의 투자 경비가 늘어난다.
④ 사내 안전수칙이 준수되어 질서유지가 실현된다.

45. 정비작업 시 안전에 가장 위배되는 것은?

① 깨끗하고 먼지가 없는 작업환경을 조정한다.
② 회전부분에 옷이나 손이 닿지 않도록 한다.
③ 연료를 채운 상태에서 연료통을 용접한다.
④ 가연성 물질을 취급 시 소화기를 준비한다.

해설 연료 탱크는 탱크 내의 연료를 완전히 제거하고 물을 채운 후 용접을 한다.

46. 사고 원인으로서 작업자의 불안전한 행위는?

① 안전조치 불이행 ② 작업장의 환경 불량
③ 물적 위험상태 ④ 기계의 결함상태

47. 산소가스 용기의 도색으로 맞는 것은?

① 녹색 ② 노란색
③ 흰색 ④ 갈색

해설 **충전 용기의 도색**
① 산소 용기 : 녹색
② 수소 용기 : 주황색
③ 아세틸렌용기 : 노란색
④ 암모니아 용기 : 백색
⑤ 탄산가스 용기 : 청색
⑥ 염소 용기 : 갈색
⑦ 프로판 용기 : 회색
⑧ 아르곤 용기 : 회색

48. **안전하게 공구를 취급하는 방법으로 적합하지 않은 것은?**

① 공구를 사용한 후 제자리에 정리하여 둔다.
② 끝 부분이 예리한 공구 등을 주머니에 넣고 작업을 하여서는 안 된다.
③ 공구를 사용 전에 손잡이에 묻은 기름 등은 닦아내어야 한다.
④ 숙달이 되면 옆 작업자에게 공구를 던져서 전달하여 작업능률을 올린다.

49. **중량물 운반작업 시 착용하여야 할 안전화로 가장 적절한 것은?**

① 중 작업용　② 보통 작업용
③ 경 작업용　④ 절연용

해설 중량물 운반 작업을 할 때에는 중 작업용 안전화를 착용하여야 한다.

50. **안전수칙을 지킴으로 발생될 수 있는 효과로 가장 거리가 먼 것은?**

① 기업의 신뢰도를 높여준다.
② 기업의 이직률이 감소된다.
③ 기업의 투자경비가 늘어난다.
④ 상하 동료 간의 인간관계가 개선된다.

51. **건설기계관리법령상 건설기계 형식신고를 하지 아니할 수 있는 사람은?**

① 건설기계를 사용목적으로 제작하려는 자
② 건설기계를 사용목적으로 조립하려는 자
③ 건설기계를 사용목적으로 수입하려는 자
④ 건설기계를 연구개발 목적으로 제작하려는 자

52. **건설기계관리법령상 자동차 1종 대형면허로 조종할 수 없는 건설기계는?**

① 5톤 굴삭기　② 노상 안정기
③ 콘크리트 펌프　④ 아스팔트 살포기

해설 제1종 대형 운전면허로 조종할 수 있는 건설기계는 덤프트럭, 아스팔트 살포기, 노상 안정기, 콘크리트 믹서트럭, 콘크리트 펌프, 트럭적재식 천공기 등이다.

53. **건설기계 정비업 등록을 하지 아니한 자가 할 수 있는 정비범위가 아닌 것은?**

① 오일의 보충　② 창유리 교환
③ 제동장치 수리　④ 트랙의 장력조정

54. **건설기계의 수시검사 대상이 아닌 것은?**

① 소유자가 수시검사를 신청한 건설기계
② 사고가 자주 발생하는 건설기계
③ 성능이 불량한 건설기계
④ 구조를 변경한 건설기계

해설 수시검사 : 성능이 불량하거나 사고가 자주 발생하는 건설기계의 안전성 등을 점검하기 위하여 수시로 실시하는 검사와 건설기계 소유자의 신청을 받아 실시하는 검사

55. **특별표지판을 부착하지 않아도 되는 건설기계는?**

① 최소회전 반경이 13m인 건설기계
② 길이가 17m인 건설기계
③ 너비가 3m인 건설기계
④ 높이가 3m인 건설기계

해설 **특별표지판 부착대상 건설기계**
① 길이가 16.7m 이상인 경우
② 너비가 2.5m 이상인 경우
③ 최소회전 반경이 12m 이상인 경우
④ 높이가 4m 이상인 경우
⑤ 총중량이 40톤 이상인 경우
⑥ 축하중이 10톤 이상인 경우

56. **건설기계의 제동장치에 대한 정기검사를 면제받기 위한 건설기계 제동장치 정비 확인서를 발행 받을 수 있는 곳은?**

① 건설기계 대여회사
② 건설기계 정비업자
③ 건설기계 부품업자
④ 건설기계 매매업자

57. **건설기계에서 구조변경 및 개조를 할 수 없는 항목은?**

① 원동기의 형식변경
② 제동장치의 형식변경
③ 유압장치의 형식변경
④ 적재함의 용량증가를 위한 구조변경

해설 건설기계의 기종변경, 육상작업용 건설기계 규격의 증가 또는 적재함의 용량증가를 위한 구조변경은 이를 할 수 없다.

58. **건설기계의 정기검사 유효기간이 1년이 되는 것은 신규등록일로 부터 몇 년 이상 경과되었을 때인가?**

① 5년 ② 10년
③ 15년 ④ 20일

해설 건설기계의 정기검사 유효기간이 1년이 되는 것은 신규등록일로 부터 20년 이상 경과되었을 때이다.

59. **건설기계 조종사 면허가 취소되었을 경우 그 사유가 발생한 날 부터 며칠 이내에 면허증을 반납하여야 하는가?**

① 7일 이내 ② 10일 이내
③ 14일 이내 ④ 30일 이내

해설 건설기계조종사면허가 취소되었을 경우 그 사유가 발생한 날로부터 10일 이내에 면허증을 반납해야 한다.

60. **건설기계관리법령상 구조변경 검사를 받지 아니한 자에 대한 처벌은?**

① 100만 원 이하의 벌금
② 150만 원 이하의 벌금
③ 200만 원 이하의 벌금
④ 250만 원 이하의 벌금

해설 **100만 원 이하의 벌금**

① 등록번호를 지워 없애거나 그 식별을 곤란하게 한 자
② 구조변경검사 또는 수시검사를 받지 아니한 자
③ 정비명령을 이행하지 아니한 자
④ 형식승인, 형식변경승인 또는 확인검사를 받지 아니하고 건설기계의 제작등을 한 자
⑤ 사후관리에 관한 명령을 이행하지 아니한 자

롤러 복원문제 정답

【1회】
01. ① 02. ④ 03. ① 04. ④ 05. ① 06. ④ 07. ② 08. ④ 09. ③
10. ④ 11. ③ 12. ④ 13. ③ 14. ② 15. ① 16. ① 17. ③ 18. ②
19. ④ 20. ② 21. ② 22. ② 23. ③ 24. ① 25. ④ 26. ① 27. ①
28. ④ 29. ① 30. ③ 31. ① 32. ④ 33. ④ 34. ② 35. ② 36. ③
37. ④ 38. ④ 39. ② 40. ③ 41. ④ 42. ① 43. ④ 44. ① 45. ③
46. ③ 47. ③ 48. ① 49. ③ 50. ② 51. ③ 52. ④ 53. ② 54. ④
55. ④ 56. ④ 57. ① 58. ④ 59. ② 60. ①

【2회】
01. ④ 02. ① 03. ④ 04. ① 05. ③ 06. ③ 07. ④ 08. ③ 09. ④
10. ③ 11. ② 12. ③ 13. ③ 14. ③ 15. ① 16. ③ 17. ④ 18. ④
19. ③ 20. ③ 21. ③ 22. ③ 23. ① 24. ① 25. ① 26. ③ 27. ④
28. ② 29. ④ 30. ① 31. ③ 32. ③ 33. ③ 34. ④ 35. ③ 36. ③
37. ① 38. ④ 39. ③ 40. ② 41. ① 42. ① 43. ④ 44. ③ 45. ④
46. ④ 47. ③ 48. ② 49. ② 50. ③ 51. ③ 52. ① 53. ② 54. ④
55. ④ 56. ② 57. ④ 58. ① 59. ④ 60. ②

【3회】
01. ④ 02. ④ 03. ③ 04. ② 05. ① 06. ① 07. ② 08. ③ 09. ③
10. ② 11. ① 12. ② 13. ④ 14. ① 15. ④ 16. ④ 17. ③ 18. ①
19. ① 20. ④ 21. ④ 22. ③ 23. ① 24. ③ 25. ① 26. ② 27. ④
28. ③ 29. ① 30. ④ 31. ④ 32. ③ 33. ② 34. ② 35. ④ 36. ③
37. ④ 38. ③ 39. ④ 40. ④ 41. ② 42. ③ 43. ③ 44. ① 45. ③
46. ① 47. ③ 48. ④ 49. ③ 50. ④ 51. ③ 52. ② 53. ④ 54. ④
55. ② 56. ① 57. ② 58. ④ 59. ③ 60. ①

【4회】
01. ③ 02. ④ 03. ① 04. ④ 05. ② 06. ③ 07. ③ 08. ① 09. ②
10. ① 11. ② 12. ① 13. ④ 14. ② 15. ④ 16. ③ 17. ③ 18. ④
19. ① 20. ① 21. ③ 22. ④ 23. ④ 24. ③ 25. ② 26. ④ 27. ②
28. ① 29. ④ 30. ① 31. ④ 32. ④ 33. ④ 34. ③ 35. ② 36. ③
37. ④ 38. ④ 39. ③ 40. ③ 41. ③ 42. ② 43. ④ 44. ③ 45. ③
46. ① 47. ① 48. ④ 49. ① 50. ③ 51. ④ 52. ① 53. ③ 54. ④
55. ④ 56. ② 57. ④ 58. ④ 59. ② 60. ①

골든벨 동영상 **롤러운전기능사** 필기

초 판 발 행 | 2016년 8월 1일
제2판3쇄발행 | 2023년 1월 25일

지 은 이 | GB건설기계자격연구팀
발 행 인 | 김 길 현
발 행 처 | (주)골든벨
등 록 | 제 1987-000018 호
I S B N | 979-11-5806-128-9
가 격 | 18,000원

이 책을 만든 사람들

교 정 및 교 열 | 이상호
제 작 진 행 | 최병석
오 프 마 케 팅 | 우병춘, 이대권, 이강연
회 계 관 리 | 김경아
본 문 디 자 인 | 조경미, 엄해정, 남동우
웹 매 니 지 먼 트 | 안재명, 김경희
공 급 관 리 | 오민석, 정복순, 김봉식

04316 서울특별시 용산구 원효로 245(원효로 1가 53-1)
•TEL : 도서 주문 및 발송 02-713-4135 / 회계 경리 02-713-4137
내용 관련 문의 02-713-7452 / 해외 오퍼 및 광고 02-713-7453
• FAX : 02-718-5510 • http : // www.gbbook.co.kr • E-mail : 7134135@naver.com